Un cœur à l'abri

Le Refuge de l'ange, 2008
Si tu m'abandonnes, 2009
La Maison aux souvenirs, 2009
Les Collines de la chance, 2010
Si je te retrouvais, 2011
Un cœur en flammes, 2012
Une femme sous la menace, 2013
Un cœur naufragé, 2014
Le Collectionneur, 2015
Le Menteur, 2016
Obsession, 2017
Le soleil ne se couche jamais, 2017

Nora Roberts

Un cœur à l'abri

Traduit de l'anglais (États-Unis)
par Éric Betsch

Titre original
Shelter in place

Première publication aux États-Unis.

© Nora Roberts, 2018
Tous droits réservés.

© Éditions Michel Lafon, 2018, pour la traduction française
118, avenue Achille-Peretti
CS70024-92521 Neuilly-sur-Seine Cedex
www.michel-lafon.com

En mémoire de ma grand-mère,
aux cheveux d'un roux si éclatant.

PREMIÈRE PARTIE

L'INNOCENCE PERDUE

« Nul profit acquis au prix d'une culpabilité quelconque
ne saurait compenser la perte d'un inébranlable confort de l'esprit,
compagnon sûr de l'innocence et de la vertu. Pas plus qu'il ne
saurait contrebalancer le mal, l'horreur et l'angoisse que cette
culpabilité fera naître à leur place dans notre cœur. »

HENRY FIELDING

Chapitre Premier

Le vendredi 22 juillet 2005, Simone Knox commanda un grand Fanta à l'orange pour accompagner ses pop-corn et ses bonbons Swedish Fish. Ce choix – son grand classique lorsqu'elle s'offrait une soirée au cinéma – changea sa vie, et la lui sauva très probablement. Jamais plus elle ne but de Fanta.

À cet instant, elle n'avait qu'un désir, s'installer dans la salle avec ses deux « meilleures amies pour la vie », et se fondre dans l'obscurité.

Car sa vie – à cet instant, pour le reste de l'été et peut-être pour toujours – était d'une nullité totale.

Le garçon qu'elle aimait, celui avec lequel elle sortait exclusivement depuis sept mois, deux semaines et quatre jours, ce garçon avec qui elle avait imaginé vivre son année de terminale main dans la main, cœur à cœur, l'avait larguée.

Par texto.

« Marre de perdre mon temps, veux kk1 prêt à tout faire avec moi. Et c'est pas toi. C'est fini entre nous. A+ »

Certaine qu'il ne pensait pas ce qu'il avait écrit, elle avait tenté de l'appeler, mais il ne répondait pas. Elle lui avait envoyé trois messages, n'hésitant pas à s'humilier.

Puis elle avait consulté sa page MySpace. En vérité, « humiliation » était un terme trop faible pour rendre compte de sa souffrance.

« Troqué ancien modèle (défectueux) contre un nouveau.

Exit Simone !

Welcome Tiffany ! »

11

J'ai viré la ratée, je vais passer l'été et la terminale avec la nana la plus canon du lycée en 2006. »

Le message de son ex, agrémenté de photos, avait déjà suscité des commentaires. Bien qu'assez futée pour deviner qu'il avait demandé à ses potes d'écrire des méchancetés sur son compte, Simone n'en avait pas moins été blessée et honteuse.

Elle avait pleuré des jours durant, s'apitoyant sur son sort tandis que ses deux meilleures amies la consolaient sans cacher leur colère légitime, et pestant contre les railleries de sa jeune sœur. Elle se traîna à contrecœur à son job d'été, et au cours de tennis hebdomadaire au club imposé par sa mère.

Un texto de sa grand-mère la fit renifler. Qu'elle soit en plein séjour de méditation au côté du Dalaï Lama, au Tibet, occupée à faire la fête avec les Rolling Stones à Londres ou peignant dans son atelier de Tranquility Island, Sissi devinait toujours tout.

« Je t'embrasse, mon trésor, car je sais que tu souffres, en ce moment, et que cette souffrance est réelle. Laisse passer quelques semaines, et tu te rendras compte que ce type n'est qu'un connard parmi tant d'autres. Assure, ma chérie. Namasté. »

Simone n'estimait pas que Trent était un connard – même si Tish et Mi étaient de l'avis de Sissi. Peut-être l'avait-il larguée, et d'une façon vraiment affreuse, juste parce qu'elle ne voulait pas « le faire ». Elle ne se sentait pas prête, tout simplement. Et puis Tish l'avait fait avec son ex après la soirée dansante de fin de première, et encore deux fois par la suite, mais celui-ci l'avait quand même larguée.

Le pire était que Simone aimait encore Trent. Dans son cœur désespéré d'ado de seize ans, elle était convaincue que jamais plus elle n'aimerait quelqu'un. Bien qu'ayant arraché et brûlé les pages de son journal intime sur lesquelles elle avait testé son futur nom de femme mariée – Mme Trent Woolworth, Simone Knox-Woolworth, S.K. Woolworth – avec toutes ses photos dans le brasero de la terrasse, au cours d'une cérémonie féministe avec ses deux meilleures amies, elle l'aimait encore.

Mais comme Mi l'avait souligné, il fallait bien continuer à vivre, même si une part d'elle-même souhaitait mourir. Elle avait donc laissé Mi et Tish la traîner au cinéma.

Elle en avait assez de déprimer dans sa chambre, de toute façon, et arpenter le centre commercial avec sa mère et sa petite sœur ne lui faisait guère envie. L'option ciné l'avait ainsi emporté. Comme c'était au tour de Mi de choisir, Simone se retrouvait coincée devant *The Island*, un film de science-fiction que son amie brûlait de découvrir.

Tish, elle, n'avait rien contre ce choix. En tant que future actrice, elle considérait films et pièces de théâtre comme un devoir, et une formation en vue de sa carrière. Sans compter que Ewan McGregor figurait dans le top 5 des acteurs dont elle était amoureuse.

– Allons nous asseoir, je veux être bien placée, dit Mi.

Petite et dotée d'un corps ferme, Mi avait les yeux d'un incroyable marron foncé et une épaisse crinière noire. Elle s'empara de ses pop-corn nappés de vrai beurre, de sa boisson et de ses M&M's préférés.

Elle avait eu dix-sept ans en mai et sortait de temps en temps avec un garçon ou un autre. Mais elle leur préférait les sciences. Elle surnageait juste au-dessus de la limite des coincés parce qu'elle était une gymnaste accomplie et membre indéboulonnable du groupe de pom-pom girls du lycée.

Des pom-pom girls qui avaient hélas pour meneuse Tiffany Bryce, voleuse de petit ami et authentique salope.

– Il faut que j'aille aux toilettes, dit Tish. Je vous retrouve dans la salle.

Elle tendit à ses amies ses pop-corn light, son Coca et ses bonbons Junior Mints.

– Ne te prends pas trop la tête pour ton visage et tes cheveux ! lui lança Mi. Personne ne les verra quand le film aura commencé.

D'autant qu'elle est déjà parfaite, se dit Simone qui, portant tant bien que mal les pop-corn de Tish, se dirigeait vers l'une des trois salles du Multiplex au centre commercial DownEast.

Tish avait de longs cheveux châtains lisses et soyeux, avec des mèches dorées faites chez le coiffeur, car sa mère, contrairement à celle de Simone, n'était pas restée coincée dans les années 1950. Quant à son visage – Simone adorait détailler les visages –, de forme ovale classique, il était doté de charmantes fossettes qui apparaissaient fréquemment, comme si Tish trouvait souvent l'occasion de sourire. Simone se disait qu'elle aussi aurait souri beaucoup, si elle avait été grande et bien faite, avec des yeux d'un bleu éclatant et des fossettes.

Par-dessus le marché, les parents de Tish la soutenaient à fond dans son ambition de devenir comédienne. Aux yeux de Simone,

Tish avait touché le gros lot : le look, la personnalité, un cerveau et des parents dans le coup.

Mais tout cela n'empêchait pas Simone d'aimer Tish.

Les trois amies avaient déjà prévu de passer l'été suivant la terminale à New York ; pour l'instant, le projet restait secret, car les parents de Simone, eux, n'étaient absolument pas dans le coup. Peut-être même s'installeraient-elles là-bas ; la vie y était forcément plus excitante qu'à Rockpoint, dans le Maine.

Pour Simone, même une dune en plein Sahara devait être plus intéressante que Rockpoint.

Mais New York ? Toutes ces lumières, tous ces gens…

La liberté !

Mi poursuivrait ses études à l'université Columbia, pour devenir médecin, Tish suivrait des cours de comédie et se rendrait à des auditions.

Et elle… Eh bien, elle s'inscrirait dans une fac quelconque. Mais pas en droit, comme l'exigeaient ses parents si nazes. Ce lamentable cliché n'avait rien de surprenant, car son père était un avocat de haut vol.

Ward Knox serait déçu, mais il en serait ainsi.

Peut-être s'orienterait-elle vers les arts et deviendrait une artiste peintre célèbre, à l'instar de Sissi. Voilà qui ferait péter les plombs à ses parents ! Et comme Sissi, elle prendrait et jetterait des amants selon ses envies – quand elle se sentirait prête à passer à l'acte.

Cela ferait les pieds à Trent Woolworth.

– Reviens avec moi, lui ordonna Mi, en lui donnant un coup de coude.

– Quoi ? Mais je suis là.

– Non, tu es dans la « Zone de ruminage simonesque », la ZRS. Sors de là, reviens dans le monde réel.

Simone se plaisait bien dans la ZRS, mais bon…

– Oui mais là, j'ai les mains pleines… Il faut que j'ouvre la porte avec la puissance de mon esprit. OK, c'est bon, je suis de retour.

– L'esprit de Simone Knox est fascinant à contempler.

– Je devrais m'en servir pour des choses utiles, pas pour traîner Tiffany dans la boue.

– Inutile, Son cerveau est déjà plein de boue.

Les amies trouvaient toujours les bonnes formules, apprécia Simone. Autant regagner le monde réel, retrouver Mi – et Tish, quand elle aurait enfin fini d'arranger son visage et ses cheveux déjà parfaits – et oublier la ZRS.

En cette première séance du vendredi soir, la salle était déjà à moitié remplie lorsqu'elles entrèrent. Mi se précipita sur trois sièges de la rangée centrale. Elle s'installa sur le troisième, de façon que Simone, encore fragilisée par sa rupture, se retrouve entre elle et Tish, dont les longues jambes méritaient de pouvoir s'étendre dans l'allée.

Mi pivota sur son siège, ayant déjà calculé que les lumières s'éteindraient dans six minutes.

– Il faut que tu viennes à la soirée d'Allie, demain.

– Je ne suis pas prête à faire la fête, répondit Simone, de nouveau attirée par la ZRS. Et tu sais bien que Trent y sera avec cette Tiffany au cerveau plein de boue.

– Justement, Sim ! Si tu n'y vas pas, tout le monde va croire que tu te caches, que tu penses toujours à lui.

– Je me cache et je pense toujours à lui.

– Ne lui offre pas cette satisfaction, insista Mi. Viens avec nous… Tish y va avec Scott, mais il est cool. Tu mets une tenue stupéfiante et tu laisses Tish te maquiller, elle est douée pour ça. Et là-bas, tu fais genre « Qui ça ? Lui ? » Tu vois, histoire de dire que tu l'as complètement zappé. Tu lances une phrase dans ce style.

– J'en serais incapable, répondit Simone, comme aspirée par la ZRS. C'est Tish, l'actrice, pas moi.

– Tu as tenu le rôle de Rizzo dans *Grease*, au printemps. Tish était géniale en Sandy, mais tu l'étais tout autant en Rizzo.

– Parce que j'ai pris des cours de danse et que je sais un peu chanter.

– Tu chantes super bien et tu as été formidable. Sois Rizzo à la soirée d'Allie, sûre de toi, sexy, et avec l'air de vouloir envoyer bouler tout le monde. Tu vois ce que je veux dire ?

– Je ne sais pas, Mi…

Elle imaginait tout de même la scène. Trent, la découvrant ainsi, voudrait de nouveau d'elle.

À cet instant, Tish les rejoignit en courant. Elle se pencha et prit la main de Simone :

– Ne panique pas, s'il te plaît !

– Pourquoi je… Oh ! non, ne me dis pas que…

– La salope se tartine les lèvres de gloss, et ce pauvre type l'attend devant les toilettes comme un brave toutou.

– Et merde ! lâcha Mi, dont les doigts se refermèrent sur le bras de Simone. Ils vont peut-être voir un autre film ?

– Non, ils vont venir ici, laissa tomber Simone. C'est comme ça que ça se passe, dans ma vie.

– N'essaie même pas de t'en aller, lui dit Mi, resserrant son emprise. Il te verrait partir, tu aurais l'air d'une ratée et tu en aurais l'impression, alors que tu n'en es pas une. Vois ça comme la répétition générale pour la soirée d'Allie.

– Elle vient ? se réjouit Tish, dont les fossettes se dessinèrent, comme vivantes. Tu l'as convaincue ?

– J'y travaille. Assieds-toi, répondit Mi.

Le bras de Simone tremblant sous sa main, elle se retourna légèrement.

– Tu as raison, ils viennent d'entrer, reprit-elle. Ne bouge pas. Ne les regarde même pas. On est là.

– On est là, maintenant et pour toujours, renchérit Tish, en serrant la main de Simone. Nous sommes un… un mur de mépris. Pigé ?

Les deux autres passèrent à leur hauteur, la blonde avec sa cascade de cheveux bouclés et son pantacourt impeccablement ajusté, et le mec canon, l'immense *quarterback* des Wildcats.

Trent lança à Simone le léger sourire qui avait autrefois fait fondre son cœur, puis glissa délibérément la main vers le bas du dos de Tiffany et la laissa sur ses fesses.

Trent chuchota quelque chose à l'oreille de sa compagne, qui jeta un regard par-dessus son épaule et esquissa un rictus narquois de ses lèvres surchargées de gloss.

Le cœur brisé et sa vie réduite à un gouffre sans le moindre Trent à l'horizon, Simone ressemblait trop à sa grand-mère pour encaisser une telle insulte sans réagir.

Elle rendit son sourire à Tiffany et dressa le majeur.

– Bien joué, Rizzo ! gloussa Mi.

Malgré son cœur en miettes et battant la chamade, Simone se força à ne pas quitter des yeux Trent et Tiffany, lorsqu'ils s'installèrent trois rangées plus bas et, sans perdre une seconde, se roulèrent une pelle.

– Tous les mecs veulent baiser, déclara Tish avec sagesse. C'est vrai, pourquoi ne le voudraient-ils pas ? Mais ceux qui ne veulent que ça ne méritent pas qu'on s'y intéresse.

Mi tendit à Tish ses Junior Mints et son Coca :

– Nous valons mieux qu'elle, car elle n'a rien d'autre que ça.

16

– Tu as raison, dit Simone.

Si ses yeux la piquaient un peu, elle sentait également comme une brûlure dans son cœur, une brûlure réparatrice. Elle rendit ses pop-corn à Tish.

– Je viens à la soirée d'Allie.

Tish lâcha un grand rire, volontairement railleur et sonore, ce qui fit sursauter Tiffany. Puis elle sourit à Simone :

– On va faire la loi, demain soir.

Simone cala son sachet de pop-corn entre ses cuisses pour prendre les mains de ses amies :

– Je vous aime, les filles.

À la fin des bandes-annonces, Simone ne se préoccupait plus des deux silhouettes trois rangées plus bas. Enfin, presque plus. Alors qu'elle croyait ruminer durant tout le film – c'était même son intention –, elle se trouva malgré elle captivée par l'action. Ewan McGregor était vraiment superbe, et Scarlett Johansson, forte et courageuse, lui plaisait.

Un quart d'heure après le début du film, elle se rendit compte qu'elle aurait dû accompagner Tish aux toilettes – quitte à ce que cela débouche sur une catastrophe, avec Tiffany et son gloss – ou moins se lâcher sur son Fanta.

Vingt minutes plus tard, elle s'avoua vaincue :

– Il faut que j'aille aux toilettes, chuchota-t-elle.

– Tu plaisantes ! siffla Mi.

– J'en ai pour une seconde.

– Tu veux que je vienne avec toi ? proposa Tish.

Simone secoua la tête et lui tendit le reste de son pop-corn et de son Fanta. Elle se leva, remonta rapidement l'allée, tourna à droite et se précipita vers les toilettes pour dames.

Elle ouvrit la porte et constata que personne n'attendait. Soulagée, elle s'installa dans une cabine et, tout en vidant sa vessie, prit le temps de réfléchir.

Elle allait maîtriser la situation. Sissi avait peut-être raison, après tout. Peut-être était-elle sur le point de comprendre que Trent était un connard.

Mais il était tellement mignon, et ce sourire…

– Peu importe, marmonna-t-elle. Les connards peuvent être mignons.

Elle y pensait toujours quand elle se lava les mains en s'examinant dans le miroir fixé au-dessus du lavabo.

Elle n'avait pas les longues boucles blondes de Tiffany, ni son regard bleu vif, pas plus que son corps de rêve. Elle était juste une fille normale, dans la moyenne, pour autant qu'elle pouvait l'estimer.

Des cheveux bruns ordinaires, que sa mère lui interdisait d'éclaircir avec des mèches. Vivement ses dix-huit ans, elle ferait alors ce qu'elle voudrait de ses cheveux. Elle regrettait de les avoir coiffés en queue-de-cheval ce soir, car cela lui donnait un air de gamine. Peut-être les couperait-elle hérissés, genre punk. Peut-être.

Elle avait la bouche trop grande, même si Tish assurait que c'était sexy, comme le prouvait Julia Roberts.

Des yeux marron, mais d'une nuance nettement moins intense que ceux de Mi. Simplement marron, à peu près de la couleur de ses stupides cheveux. Évidemment Tish, fidèle à elle-même, disait qu'ils étaient ambre.

Mais c'était juste un terme sophistiqué pour dire marron.

De toute façon, aucune importance. Elle était peut-être banale, mais au moins pas artificielle comme Tiffany dont les cheveux, sans leur coloration, auraient eux aussi été bruns.

– Je ne suis pas artificielle, dit-elle au miroir. Trent Woolworth est un connard. Et Tiffany Bryce une salope. Qu'ils aillent tous les deux se faire voir !

Elle approuva ses propos d'un air déterminé et sortit des toilettes la tête haute.

Elle crut que les claquements sonores – des pétards ? – et les hurlements venaient du film. Se maudissant d'avoir traîné et de rater une scène importante, elle se hâta.

Alors qu'elle approchait de la porte de la salle, celle-ci s'ouvrit à la volée. Un homme, le regard empli de terreur, chancela et s'effondra en avant.

Il y avait du sang… Était-ce vraiment du sang ? Les mains de l'homme agrippèrent la moquette verte, à présent maculée de rouge, puis il ne bougea plus.

Les jambes de l'inconnu maintenant la porte entrouverte, Simone aperçut des flashes et perçut des détonations et des cris. Et des gens, des ombres et des silhouettes qui couraient, qui tombaient, qui couraient, qui tombaient.

Et un individu, masse sombre dans la quasi-obscurité, qui remontait méthodiquement les rangées.

Clouée sur place, elle le vit se tourner et tirer dans le dos d'une femme qui s'enfuyait.

Simone ne pouvait plus respirer. Si elle avait pu prendre une inspiration, elle l'aurait relâchée en un hurlement.

Son cerveau repoussait ce dont elle était témoin. Cela ne pouvait être réel. C'était forcément comme dans le film. De la fiction. Son instinct prit les commandes : faisant demi-tour, elle courut se réfugier dans les toilettes, où elle s'accroupit contre la porte.

Les mains engourdies, elle fouilla tant bien que mal dans son sac et en sortit son mobile.

Son père avait insisté pour que le numéro de Police-Secours figure en tête de sa liste de contacts.

– Police-Secours, quel est l'objet de votre appel ?

– Il est en train de les tuer ! Il tue tout le monde ! Au secours ! Mes amies ! Mon Dieu, oh ! mon Dieu. Il tue tout le monde !

Reed Quartermaine avait horreur de travailler le week-end. Cela ne l'enchantait pas non plus de travailler au centre commercial, d'ailleurs, mais il voulait reprendre ses études en fac à la rentrée. Or, suivre des cours à l'université impliquait des frais de scolarité : un léger détail. Ajoutez à cela les manuels, le logement et la nourriture. Il fallait donc travailler au centre commercial le week-end.

Même s'ils prenaient en charge la majeure partie des coûts, ses parents ne pouvaient tout assumer. Pas avec sa sœur qui quitterait la maison l'année suivante seulement et son frère, qui était déjà en troisième année à l'université américaine de Washington.

Comme il n'avait pas la moindre envie de rester serveur jusqu'à la fin de ses jours, il lui fallait reprendre ses études. Avec un peu de chance, il découvrirait ce qu'il souhaitait faire de sa vie avant d'enfiler à nouveau une tenue de remise des diplômes.

Mais en été, il était barman. Il s'efforçait de considérer le bon côté des choses. Situé dans le centre commercial, le restaurant tournait bien et les pourboires n'étaient pas négligeables. Travailler au Manga cinq soirs par semaine –, avec en plus un double service le samedi –, réduisait sa vie sociale à néant, mais il mangeait bien.

Les assiettes de pâtes, les pizzas bien garnies et les énormes parts du célèbre tiramisu du Manga n'avaient guère épaissi sa longue silhouette décharnée, même si ce n'était pas faute d'avoir essayé.

Son père avait un temps espéré voir son fils cadet chausser les crampons et suivre ses traces de star de football américain, comme l'avait fait son aîné, et le lui avait clairement fait comprendre. Hélas, ces espoirs avaient été anéantis par le manque total de talent de Reed sur le terrain, peu aidé, il est vrai, par son corps maigrichon. Néanmoins, à seize ans, il passait son temps sur la piste de course à pied, déterminé à courir toute la journée, à tel point qu'il avait acquis une certaine reconnaissance dans le milieu universitaire, et cela compensait quelque peu les attentes déçues.

Il avait ensuite senti la pression s'atténuer, quand sa sœur s'était révélée très douée sur les terrains de football [1].

Servant les entrées à une table de quatre – salade composée pour la mère, gnocchis pour le père, bâtons de mozzarella pour le fils et raviolis frits pour la fille –, il flirtait innocemment avec cette dernière, qui lui décochait de longs sourires timides. « Innocemment », car elle devait avoir quatorze ans et n'entrait donc pas dans les visées d'un étudiant sur le point de commencer sa deuxième année de fac.

Reed avait le chic pour flirter ainsi avec les jeunes filles, les femmes plus âgées que lui et à peu près toutes celles qui se trouvaient entre ces deux extrêmes. Les pourboires comptaient beaucoup, et en quatre étés passés à servir des clients, il avait affûté son charme.

Il balaya d'un regard sa section : des familles, quelques couples âgés, pas mal de jeunes dans la trentaine en sortie du vendredi soir. Ils avaient sans doute presque tous prévu d'aller au cinéma après le dîner. Ce qui lui donna l'idée de demander à Chaz, le directeur adjoint de la boutique de jeux vidéo GameStop, s'il était tenté par la dernière séance de *The Island* après le boulot.

Il manipulait des cartes de crédit – un peu de drague à la table trois lui valut un généreux vingt pour cent –, dressait des tables, entrait et ressortait de la cuisine où tous s'activaient comme des fous. Enfin, l'heure de la pause arriva.

– Dory, je prends mes dix minutes ! lança-t-il.

La serveuse en chef jeta un coup d'œil sur la zone de Reed et hocha la tête pour lui donner le feu vert.

Il franchit la double porte vitrée et se fondit dans la cohue du vendredi soir. Il avait envisagé d'envoyer un texto à Chaz et de prendre sa pause en cuisine, mais il voulait prendre l'air. Et puis il savait que Angie travaillait au kiosque d'articles de plage Fun In The Sun, le vendredi soir ; il pouvait bien consacrer quatre ou cinq de ses dix minutes de pause à un flirt pas-si-innocent-que-ça avec elle.

Elle ne cessait de rompre et de se remettre avec son petit ami ; mais aux dernières nouvelles, elle n'était plus avec lui. Reed pourrait toujours tenter sa chance ; peut-être décrocherait-il un rencart avec cette fille dont les horaires de travail pourris correspondaient aux siens.

Il marchait vite, à grandes enjambées, se faufilant entre les clients, les bandes d'adolescentes, les garçons qui les dévoraient du regard, les mères guidant une poussette ou traînant un bambin, le tout sous l'incessante musique abrutissante qu'il n'entendait même plus.

Il devait sa tignasse noire à la moitié italienne de sa mère. Dory ne lui prenait pas la tête pour qu'il aille chez le coiffeur, et son père avait fini par y renoncer. Son regard vert pâle – ses yeux enfoncés dans leurs orbites formaient un contraste frappant avec sa peau olivâtre – s'illumina quand il aperçut Angie à son poste. Il ralentit le pas, glissa les mains dans les poches de son pantalon, l'air décontracté, et s'approcha d'elle d'une allure nonchalante.

– Salut, ça va ?

Elle le gratifia d'un sourire et leva ses jolis yeux marron au ciel :

– Je suis débordée. Tout le monde va à la plage, sauf moi.

– Et moi, ajouta Reed.

Il s'appuya sur le comptoir, sur lequel étaient exposées des paires de lunettes de soleil, espérant avoir fière allure dans sa tenue de travail – chemise blanche, gilet et pantalon noirs.

– J'ai bien envie d'aller voir *The Island*. Il passe à 22 h 45. Ce serait presque comme aller à la plage, pas vrai ? Ça te dit ?

– Oh… Je ne sais pas.

Elle se passa la main dans les cheveux. Ils étaient d'un blond décoloré parfait sur son bronzage, qu'il soupçonnait tout devoir à l'autobronzant disposé sur un autre comptoir.

– En fait, j'ai assez envie de le voir, ajouta-t-elle.

Plein d'espoir, Reed dégagea Chaz de ses pensées.

– Il faut bien se distraire un peu, non ? dit-il.

– Oui, mais… j'ai plus ou moins promis à Misty qu'on se retrouverait après la fermeture.

Chaz fut mentalement réintégré à la soirée.

– Cool. Justement, j'allais demander à Chaz s'il voulait voir ce film. On pourrait y aller tous ensemble.

– Pourquoi pas… répondit-elle, souriant de nouveau. J'en parle à Misty.

– Super. Moi, je file voir Chaz. Envoie-moi un texto, de toute façon.

Il s'écarta pour ne pas gêner la cliente qui patientait pendant que sa fille, encore une ado dans les quatorze ans, essayait un million de lunettes de soleil.

– Si j'avais deux paires, j'en aurais une de rechange, dit l'adolescente, qui s'admirait dans un miroir, affublée de lunettes aux verres bleu métallisé.

– Une seule, Natalie. Ce seront justement tes lunettes de rechange.

– Je te tiens au courant par texto, chuchota Angie à Reed, avant de repasser en mode vendeuse. Ces lunettes vous vont à ravir, mademoiselle.

– C'est vrai ?

– Absolument.

Reed perçut de loin ce dernier échange en filant. Il accéléra, désireux de rattraper le temps perdu.

La boutique GameStop était emplie de l'habituelle faune de geeks et, pour les plus jeunes d'entre eux, de leurs parents aux yeux vitreux s'efforçant de les faire sortir de là.

Des écrans diffusaient des extraits de jeux vidéo fixés aux murs, pour les jeux de rôle. Les jeux les plus violents ne se consultaient que sur des ordinateurs réservés aux majeurs ou aux mineurs accompagnés d'un adulte.

Reed repéra Chaz, le roi des geeks, occupé à décrire un article à une femme apparemment tout à fait larguée.

– S'il est fan de jeux de guerre, avec de la stratégie et des domaines à bâtir, il va adorer, assura Chaz, remontant sur son nez ses lunettes à verres en culs-de-bouteille. Il est sorti il y a seulement deux semaines.

– Il me paraît si… si violent. Je me demande si ça lui conviendra.

– Vous m'avez dit qu'il allait fêter ses seize ans, rappela Chaz, avec un bref regard en direction de Reed. Et qu'il aime la série Splinter Cell. Si ces jeux lui plaisent, il sera comblé avec celui-ci.

– Les garçons veulent toujours jouer à la guerre, j'imagine, soupira la cliente. Je le prends, merci.

– On va vous appeler à la caisse. Merci d'avoir choisi GameStop. (Sa cliente s'éloignant, Chaz se tourna vers Reed.) Pas le temps, mec. Je suis débordé.

– Trente secondes. *The Island*, dernière séance, ça te branche ?

– Ça marche. À nous les clones, mon pote.

– Impec. Je suis à deux doigts de convaincre Angie, mais elle veut venir avec Misty.

– Ah, euh… Je…

– Ne me lâche pas, mec. Je n'ai jamais été aussi près de décrocher un rencard avec elle.

– Ouais, mais Misty me fait un peu flipper. Et… il faudra aussi que je lui offre sa place ?

– Ce n'est pas un rencard, je cherche seulement à ce que ça le devienne. Mais pour moi, pas pour toi. Tu es mon pote de sortie, et Misty la copine qui accompagne Angie. On est dans une histoire de clones, n'oublie pas.

– D'accord. Tu dois avoir raison. La vache, je ne pensais pas…

Reed interrompit Chaz, pour ne pas lui laisser le temps de changer d'avis :

– Génial. Bon, je dois retourner bosser. On se retrouve là-bas.

Il fila en coup de vent. Il touchait enfin au but ! Les nombreux refus de rencard cédaient la place à une soirée avec elle, ce qui lui permettait d'espérer quelques caresses.

Et quelques caresses ne seraient pas de trop, pour Reed. Mais il ne lui restait que trois minutes pour regagner le Manga, sinon Dory lui botterait les fesses.

Il courait déjà lorsqu'il entendit ce qu'il crut être des pétards, ou peut-être les ratés d'un moteur, ce qui lui fit penser aux jeux de guerre en vente chez GameStop. Il se retourna, plus perplexe qu'inquiet.

Alors les hurlements se déchaînèrent. Et un bruit de tonnerre.

Non pas derrière lui, comprit-il, mais devant. Le bruit de tonnerre provenait de dizaines de personnes courant à toutes jambes. Il s'écarta du passage en voyant une femme se ruer vers lui, poussant à toute allure une poussette dans laquelle un enfant pleurait.

Était-ce du sang, sur son visage ?

– Mais qu'est-ce que…

L'inconnue passa sans ralentir, la bouche béante en un cri silencieux.

Une véritable avalanche déferla derrière elle, les gens fuyant de tous côtés, piétinant des sacs de courses abandonnés, trébuchant dessus et tombant les uns sur les autres.

Un homme glissa et chuta. Ses lunettes rebondirent sur le sol et furent écrasées sous un pied. Reed le soutint par le bras.

– Que se passe-t-il ?

– Il a un fusil. Il a tiré… Il a tiré…

L'homme se releva et reprit sa course en clopinant. Deux adolescentes en larmes et poussant des hurlements se réfugièrent en courant dans une boutique, sur sa gauche.

Soudain, Reed prit conscience que les crépitements – les coups de feu – éclataient non seulement devant lui mais aussi dans son dos. Il pensa à Chaz, derrière lui, à trente secondes en sprintant, et à ses collègues du restaurant, sa deuxième famille, qui travaillaient de l'autre côté, à une minute devant lui.

Planque-toi, mec ! lança-t-il en pensée à Chaz. *Trouve un endroit où te cacher.*

Puis il s'élança vers le restaurant.

Les claquements se succédaient sans interruption et semblaient désormais venir de partout. Des vitres éclataient. Blottie sous un banc, une femme à la jambe couverte de sang gémissait. Il entendit de nouveaux cris – le pire étant la façon dont ils s'éteignaient, qui évoquait du ruban adhésif arraché.

Reed vit un petit garçon vêtu d'un short rouge et d'un tee-shirt Elmo tituber comme un ivrogne devant la boutique Abercrombie & Fitch.

La vitrine vola en éclats. Les gens s'éparpillèrent, plongeant pour se mettre à l'abri. Le petit garçon s'effondra et appela sa mère en pleurant.

Reed aperçut alors de l'autre côté de la galerie marchande un homme armé – ou était-ce un jeune garçon ? – qui riait en multipliant les tirs.

Sur le sol, un corps masculin tressauta sous l'impact des balles.

Sans ralentir, Reed attrapa le petit garçon au tee-shirt Elmo et le cala sous son bras, comme le ballon de football américain qu'il n'avait jamais été fichu de manier correctement.

Les tirs – jamais il n'oublierait ce son – se rapprochaient. Face à lui et dans son dos. Partout.

Jamais il n'atteindrait le Manga, pas avec ce gamin sous le bras. Il modifia sa trajectoire et, se laissant guider par son instinct, plongea en glissade à l'intérieur du kiosque d'articles de plage.

Angie, la fille qu'il avait gentiment draguée cinq minutes plus tôt, une éternité auparavant, gisait dans une mare de sang. Ses jolis yeux marron étaient rivés sur lui, tandis que le petit garçon braillait sous son bras.

– Oh ! non, mon Dieu ! C'est pas vrai…

Les tirs continuaient, semblaient ne jamais devoir cesser. Reed se tourna vers le bambin :

– Du calme, ça va, tu n'as rien. Comment tu t'appelles ? Moi, c'est Reed, et toi ?

– Brady ! Je veux voir ma maman !

– D'accord, Brady, on va la retrouver dans une minute, mais pour l'instant il ne faut pas faire de bruit. Tu as quel âge, Brady ?

– J'ai ça, répondit le petit, qui dressa quatre doigts, les joues ruisselantes de grosses larmes.

– Tu es un grand garçon, alors, pas vrai ? Il ne faut pas faire de bruit. Il y a des méchants tout près. Tu sais ce que c'est, les méchants ?

Le visage couvert de larmes et de morve et les yeux écarquillés, sous le choc, Brady acquiesça.

– On va rester ici sans faire de bruit, pour que les méchants ne nous trouvent pas. Et après, j'appellerai les gentils. Je préviendrai la police.

Il faisait de son mieux pour lui masquer Angie, mais aussi pour s'empêcher de penser à elle et au fait qu'elle était morte.

Il ouvrit la porte coulissante d'un meuble de rangement et en sortit les articles qu'il contenait.

– Grimpe là-dedans, d'accord ? Comme si on jouait à cache-cache. Je ne bouge pas et toi, tu restes dans ta cachette pendant que j'appelle les gentils.

Il poussa le petit garçon dans le meuble. En sortant son mobile, il se rendit compte combien ses mains tremblaient.

– Police-Secours, quel est l'objet de votre appel ?

– Je suis au centre commercial DownEast, commença-t-il.

– La police est prévenue et va intervenir. Êtes-vous à l'intérieur de la galerie marchande ?

– Oui. J'ai un petit garçon avec moi. Je l'ai caché dans un meuble de rangement du kiosque Fun In The Sun. Angie, la vendeuse… elle est morte. Elle est morte… Bon sang ! Il y a au moins deux personnes qui tirent sur la foule.

– Donnez-moi votre nom, s'il vous plaît.

– Reed Quartermaine.

– Très bien, Reed. Vous estimez-vous en sécurité, là où vous vous trouvez ?

– Vous vous foutez de moi, ou quoi ?

– Désolé. Si vous êtes réfugié dans un kiosque, vous êtes à couvert.

Je vous conseille de ne pas bouger, de rester à l'abri en attendant les secours. Vous avez un enfant avec vous, c'est ça ?

— Il dit qu'il s'appelle Brady et qu'il a quatre ans. Il a été séparé de sa mère. Je ne sais pas si elle est…

Il tourna la tête et vit Brady roulé en boule, les yeux vitreux et suçant son pouce.

— Il est certainement en état de choc, ou quelque chose comme ça.

— Tâchez de garder votre calme, Reed. Et ne faites pas un bruit. La police est sur place.

— Ils tirent toujours. Ils n'arrêtent pas de tirer. Et de rire. Je l'ai entendu rire.

— Qui donc, Reed ?

— Il tirait, la vitre a explosé, il y avait un type à terre, et l'autre continuait à tirer en riant. Seigneur…

Reed entendit alors des cris. Pas des hurlements, plutôt des cris de guerre, quelque chose de tribal, de triomphant. Quelques coups de feu retentirent encore, puis…

— C'est terminé. Les tirs ont cessé.

— Restez où vous êtes, Reed. On va venir vous aider. Ne bougez pas.

Il baissa de nouveau les yeux sur son petit compagnon, dont le regard perdu dans le vide croisa le sien.

— Maman…

— On va la retrouver dans une minute. Les gentils arrivent, ils sont tout près d'ici.

Plus tard, il se ferait la réflexion que ce moment avait été le plus difficile. Cette attente, avec cette odeur de poudre dans l'air, les appels à l'aide, les gémissements et les pleurs… Tout cela en voyant sur ses chaussures le sang de la fille que jamais il n'emmènerait au cinéma.

Chapitre 2

À 19 h 25, en ce 22 juillet, l'agent de police Essie McVee achevait de remplir le rapport d'un léger accrochage survenu sur le parking du centre commercial DownEast.

Il n'y avait pas de blessé et les dégâts matériels étaient minimes. Néanmoins, le conducteur de la Lexus s'était montré assez agressif à l'encontre des trois étudiantes occupant la Mustang décapotable.

Si la Mustang était clairement en tort – la conductrice, une jeune femme de vingt ans en larmes, avait reconnu avoir reculé de sa place sans regarder derrière elle –, le frimeur et sa copine mortifiée, à bord de la Lexus, avaient tout aussi visiblement bu un certain nombre de verres.

Essie laissa son équipier gérer la Lexus, sachant que Barry débiterait son baratin habituel pour rouleur de mécaniques sortant sa poupée, sachant en outre qu'il collerait à ce type une amende pour conduite en état d'ivresse.

Elle calma les étudiantes, prit note de leurs déclarations et des informations qu'elles livraient, puis rédigea le procès-verbal. Le conducteur de la Lexus accueillit assez mal sa contravention, et pas mieux le taxi appelé par Barry ; mais ce dernier géra la situation avec l'air chargé de regrets qu'il adoptait dans de telles circonstances.

Essie tendit l'oreille quand une voix glapissante sortit de la radio. Malgré ses quatre années sur le terrain, elle sentit son cœur s'emballer.

Elle se tourna vers Barry et devina à son air qu'il avait lui aussi entendu l'appel. Elle baissa la tête vers son micro.

27

– Unité 4-5 sur place. Nous sommes juste à l'extérieur du cinéma.

Barry ouvrit le coffre de leur véhicule et lança un gilet pare-balles à son équipière.

La bouche aussi sèche que si elle avait avalé de la poussière, Essie le sangla et vérifia son arme de poing – qu'elle n'avait jamais utilisée en dehors du stand de tir.

– Les renforts sont en route, ils seront là dans trois minutes. Les unités d'intervention sont prévenues. Bon sang, Barry…

– Vivement qu'ils arrivent !

Elle connaissait par cœur la procédure, ayant suivi la formation ; mais jamais elle n'avait imaginé devoir un jour l'appliquer. Une « fusillade en cours », cela signifiait que chaque seconde comptait.

Essie et Barry se précipitèrent vers les immenses portes vitrées.

Familière de l'agencement du centre commercial, elle pensa un instant à ce coup du sort qui les avait portés, son équipier et elle, à seulement quelques secondes de l'entrée du cinéma.

Elle ne se demanda pas si elle rentrerait chez elle un jour, pour nourrir son chat vieillissant ou pour terminer le roman qu'elle avait commencé. Impossible de penser à ces choses.

Localiser, retenir sur place, détourner l'attention, neutraliser.

Elle visualisa la scène avant même d'atteindre les portes.

Le hall du cinéma donnait sur la galerie marchande principale. Ils devraient tourner à droite vers les caisses, passer devant le stand de friandises et prendre sur leur gauche, en direction du couloir menant aux trois salles. Police-Secours avait précisé que le tireur se trouvait dans la salle 1, la plus grande du complexe.

Elle jeta un coup d'œil à travers la vitre, entra dans le bâtiment et fila sur sa gauche tandis que Barry s'engageait à droite. Elle entendit la musique d'ambiance flûtée du centre commercial, et le brouhaha des clients.

Les deux employés, au stand des friandises, restèrent bouche bée en voyant surgir les deux flics, leurs armes brandies. Ils levèrent instantanément les mains ; celui de gauche laissa échapper son soda Jumbo, qui heurta le comptoir et explosa sur le sol, aspergeant la moquette.

– Il y a quelqu'un d'autre ici ? cria Barry.

– Seu… seulement Julie, au vestiaire.

– Allez la chercher et sortez, tout de suite ! Allez, bougez-vous !

Tandis qu'un des deux employés se ruait vers une porte située derrière le comptoir, l'autre, toujours les mains en l'air, continua de bégayer :

– Quoi ? Quoi ? Quoi ?

– Foutez-le camp d'ici !

L'homme obtempéra.

Essie prit sur sa gauche, s'engagea au-delà du coin et aperçut le corps étendu face contre terre devant la porte de la salle 1 ainsi que la traînée de sang derrière lui.

– On a une victime, annonça-t-elle au central, tout en progressant lentement et prudemment.

Délaissant les rires qui s'échappaient de la salle située sur sa droite, elle se dirigea vers les bruits qui retentissaient de l'autre côté de la porte de la salle 1.

Des coups de feu. Des hurlements.

Elle échangea un regard avec Barry et enjamba le cadavre. *C'est parti*, se dit-elle, quand il lui adressa un signe de la tête.

Ils ouvrirent la double porte de la salle et furent aussitôt assaillis par les échos de la violence et de la peur libérées en ces lieux, tandis que le faible éclairage du couloir perçait l'obscurité de la salle.

Essie aperçut le tireur : un individu masculin, gilet pare-balles, casque, lunettes de vision nocturne, un fusil d'assaut dans une main et un pistolet dans l'autre.

Durant la seconde nécessaire à Essie pour assimiler la scène, le tueur abattit un homme qui fuyait vers une issue de secours, au fond de la salle.

Il braqua ensuite son fusil vers la porte de la salle et ouvrit le feu.

Essie plongea à couvert, derrière le dernier rang, mais vit Barry touché au torse. Bien qu'amorti par le gilet pare-balles, le choc le projeta en arrière et le fit chuter sur le dos.

Ne pas viser le tronc, se dit-elle, sentant l'afflux d'adrénaline en elle. Car comme Barry, le tireur portait un gilet pare-balles. Elle prit trois courtes inspirations, roula sur elle-même et, terrifiée, constata que l'individu remontait l'allée en courant, droit vers elle.

Elle visa le bas du corps – les hanches, l'entrejambe, les jambes, les chevilles – et continua de faire feu après qu'il se fut effondré au sol.

Résistant à l'instinct qui lui criait d'aller s'occuper de son équipier, elle se força à s'approcher de sa victime.

– Tireur à terre, annonça-t-elle dans son micro.

Gardant son arme braquée sur le tueur, elle lui retira son pistolet de la main et posa un pied sur le fusil d'assaut, qu'il avait lâché.

– Agent de police blessé, poursuivit-elle. Mon équipier est touché. Il nous faut une ambulance. Mon Dieu ! Il y a de nombreuses victimes par balles. Il nous faut de l'aide. Prévenez les secours !

– On nous signale la possible présence d'un autre tireur, peut-être deux autres, voire davantage, dans la galerie marchande. Vous confirmez que ce tireur est neutralisé ?

– Affirmatif, répondit Essie, les yeux rivés sur le bas du corps ensanglanté à terre. Il ne se relèvera pas.

Tout en prononçant ces mots, elle percevait la respiration saccadée du tueur. Il avait un bouton sur le menton. Elle l'observa un moment et, quand elle put enfin relever la tête, prit conscience du massacre qu'il avait commis.

Des cadavres étaient affalés dans l'allée, avachis sur les sièges, inertes dans l'étroit espace entre les rangées, où ils étaient tombés ou avaient tenté de se cacher.

Jamais Essie n'oublierait cette vision de cauchemar.

Quand une équipe d'intervention fit irruption dans la salle, elle attira l'attention sur elle en levant la main :

– Agent McVee ! Tireur neutralisé. Mon équipier est touché.

Entendant Barry tousser et gémir, elle se redressa et chancela, saisie de vertige.

– Vous êtes blessée, McVee ?

– Non. Non, juste… Non.

Elle reprit ses esprits et se précipita vers Barry.

– La prochaine fois que je râle à propos de ces gilets trop chauds et trop lourds, je t'autorise à me frapper, souffla-t-il. J'ai super mal, putain !

Essie ravala une montée de bile et prit la main de Barry :

– Tu jonglerais encore plus si tu ne l'avais pas enfilé.

– Tu l'as eu, Essie. Tu as descendu, ce salaud.

– Ouais, confirma la jeune femme, qui déglutit de nouveau avec difficulté, ce qui ne l'empêcha pas de hocher la tête. Je crois que c'est un môme, Barry. Et il n'est pas seul.

D'autres policiers investirent les lieux, suivis de près par les premiers secours médicaux. Pendant que d'autres unités se précipitaient dans la galerie marchande pour y traquer le, ou les autres tireurs, Essie et Barry se chargèrent de vérifier les toilettes, la réserve et le vestiaire.

– Il faut qu'un médecin t'examine, dit Essie à son équipier alors qu'ils approchaient des toilettes pour dames.

– Je verrai ça plus tard… Occupons-nous de la fille qui a prévenu les secours, dit-il, indiquant du menton la porte des toilettes.

Essie ouvrit le battant à la volée et balaya d'un geste la pièce avec son arme. Elle aperçut brièvement son reflet dans les miroirs fixés au-dessus du lavabo ; sa pâleur maladive était moins inquiétante que la nuance grisâtre prise par la peau mate de Barry.

– C'est la police ! cria-t-elle. Simone Knox ? C'est la police !

Le silence.

– Elle est peut-être sortie.

Les portes des cabines étaient ouvertes, sauf une, presque fermée.

– Simone ! insista Essie, en avançant. Je suis l'agent McVee, de la police de Rockpoint. Vous n'avez plus rien à craindre.

Elle ouvrit la porte de la cabine et découvrit l'adolescente recroquevillée sur la cuvette, les mains plaquées sur ses oreilles.

– Simone… dit Essie, s'accroupissant et posant la main sur les genoux de la jeune fille. Tu es en sécurité, maintenant.

– Ils hurlent ! Il est en train de les tuer ! Tish, Mi, ma mère, ma sœur…

– Les secours sont arrivés. Nous allons retrouver tes amies et ta famille. Sortons d'ici, d'accord ? Tu as très bien agi. Tu as sauvé des vies, ce soir, Simone, en appelant Police-Secours.

Simone leva enfin la tête, ses grands yeux noyés de larmes et reflétant son état de choc.

– Mon téléphone s'est éteint. J'avais oublié de le recharger, ça a coupé. Alors je me suis cachée ici.

– Ce n'est pas grave, tu as été parfaite. Viens avec moi maintenant. Je suis l'agent McVee, et voici l'agent Simpson.

– Et cet homme… Cet homme est sorti en courant de la salle et il est tombé. Le sang… J'ai vu… J'ai vu… Tish et Mi sont dans la salle. Ma mère et ma sœur font des courses dans la galerie.

– Nous allons les retrouver, promit Essie qui, un bras autour des épaules de Simone, l'aida à se relever et à sortir de la cabine. Va avec l'agent Simpson, pendant que je vais chercher ta mère, ta sœur et tes amies.

– Essie… protesta Barry.

– Tu es blessé, Barry. Occupe-toi d'elle, qu'un médecin l'examine.

Elle guida l'adolescente dans le couloir et vers le hall du cinéma, en passant devant les portes des salles. D'après les rapports captés sur sa radio, deux autres tireurs avaient été abattus. Elle espérait qu'il n'y en avait pas d'autres mais devait s'en assurer.

Pendant que Barry, qui l'avait prise en charge, la conduisait vers les portes vitrées et les gyrophares des véhicules de police et des ambulances, Simone se figea et regarda Essie droit dans les yeux :

– Tulip et Natalie Knox. Mi-Hi Jung et Tish Olsen. Retrouvez-les, s'il vous plaît. Je vous en prie.

– C'est noté, je m'en occupe.

Essie s'éloigna dans la direction opposée. Elle n'entendait plus de coups de feu et, Dieu merci, quelqu'un avait éteint la musique d'ambiance. Sa radio crachotait de multiples annonces décrétant telle ou telle zone sécurisée et relayant de nombreuses demandes d'aide médicale.

Elle s'immobilisa et considéra la galerie dans laquelle elle faisait du shopping, flânait et prenait des repas depuis toujours.

L'esprit engourdi, elle se fit la réflexion qu'il faudrait du temps pour évacuer les cadavres, soigner les blessés et les transporter à l'hôpital, recueillir les témoignages de ceux qui n'avaient pas été touchés – pas physiquement, du moins. Elle doutait fort que quiconque ayant vécu cet enfer en ressorte sans séquelles.

Les secouristes affluaient, à présent. Hélas ! ils ne pouvaient plus rien faire pour de nombreux malheureux.

Une femme qui saignait du bras berçait un homme – il était perdu – sur ses genoux. Un autre, vêtu d'un maillot des Red Sox, gisait sur le sol, face contre terre. Essie discerna de la matière grise sur sa blessure au crâne. Une jeune femme d'une vingtaine d'années pleurait, effondrée devant le Starbucks, son tablier maculé de sang.

Les yeux d'Essie se posèrent ensuite sur une minuscule basket rose, vision qui lui brisa le cœur, même si elle pria pour que la fillette qui l'avait perdue se soit réfugiée quelque part.

Un jeune homme à peine sorti de l'adolescence émergea en chancelant de la boutique GameStop, ses lunettes à verres épais plantées de travers sur son nez, avec un air hébété de rêveur.

– C'est terminé ? demanda-t-il à Essie. C'est fini ?

– Vous êtes blessé ?

– Non. Je me suis cogné le coude. Je… Son regard abasourdi se porta au-delà de la policière, sur les blessés en sang, sur les morts. Oh ! mon Dieu, c'est pas vrai… Dans la… dans la réserve. J'ai des gens dans la réserve. C'est ce qu'on doit faire en cas de… Ils sont dans la réserve.

– Un instant, s'il vous plaît, l'interrompit Essie.

S'étant retournée, elle demanda par radio s'il lui était possible de guider un groupe de rescapés vers un point de contrôle, et dans ce cas lequel. Puis elle revint au jeune homme :

– Quel est votre nom ?

– Chaz Bergman. Je suis le gérant de service ce soir, disons.

– Très bien, Chaz. Vous avez parfaitement réagi. Laissez sortir vos clients, maintenant. Des agents vont prendre vos dépositions à l'extérieur, mais laissez tout le monde sortir.

– Dites, j'ai un ami, Reed. Reed Quartermaine. Il travaille au Manga, le restaurant. Vous pouvez le retrouver ?

– Je m'en occupe, promit Essie, qui ajouta ce nom à sa liste.

– C'est terminé ? demanda de nouveau Chaz.

– Oui, assura Essie, consciente de son mensonge.

Car pour toutes les personnes touchées par la violence survenue ce soir-là, ce ne serait jamais terminé.

Reed portait Brady sur sa hanche quand il aperçut quelques employés du Manga. Certains étaient assis sur le trottoir et s'étreignaient. Rosie, qui n'avait pas quitté son tablier de cuisinière, avait le visage plongé dans les mains.

« Avale donc ces pâtes, n'avait-elle cessé de lui répéter. Il faut que tu prennes du poids, maigrichon. »

– Dieu merci, tu n'as rien, dit-il.

Les yeux fermés, il se pencha vers sa collègue ; elle se leva d'un bond et le serra contre elle.

– Tu n'es pas blessé ! s'écria-t-elle, les deux mains sur le visage du jeune homme.

Il secoua la tête et lui demanda :

– Les autres s'en sont tous sortis ?

Rosie lâcha un son qui ressemblait à une déchirure.

– Il est entré et… Elle remarqua alors le garçon que portait Reed. Nous en parlerons plus tard. Qui est ce charmant jeune homme ?

– Je te présente Brady, répondit Reed, ayant compris que des collègues avaient été touchés. On se promène ensemble. Je vais l'aider à retrouver sa maman.

Il faudrait aussi que j'appelle la mienne, se dit-il. Il lui avait envoyé un texto depuis le kiosque, pour lui dire qu'il n'était pas blessé, pour qu'elle ne s'inquiète pas, mais il fallait qu'il l'appelle.

– Les gentils sont arrivés, déclara le bambin. C'est Reed qui l'a dit.

– Oui, ils sont là, confirma Rosie avec un sourire plein de larmes.

– Je veux voir ma maman.

– Je vais demander de l'aide à un policier, se décida Reed.

Il se redressa et s'approcha d'un agent ; il avait opté pour une femme, estimant que Brady accepterait plus facilement de la suivre qu'un homme.

– Pardon, pouvez-vous m'aider ? Brady, que voici, ne trouve plus sa maman.

– Bonjour, Brady, dit la policière. Comment s'appelle ta maman ?

– Maman.

– Et comment ton papa l'appelle ?

– Chérie.

Essie esquissa un sourire :

– Je parie qu'elle a un autre nom.

– Lisa chérie.

– Très bien. Et tu connais ton nom complet ?

– Je m'appelle Brady Michael Foster et j'ai quatre ans. Mon papa est pompier et j'ai un chien qui s'appelle Mac.

– Il est pompier ? Et tu connais son prénom ?

– Michael chéri.

– Parfait. Je reviens dans une minute.

Les pompiers faisant partie des premiers secours intervenus, Essie en interpella un :

– Je cherche un certain Michael Foster. Je suis avec son fils.

– Foster est un de mes gars. Vous avez retrouvé Brady ? Il est blessé ?

– Non.

– Sa mère est en route pour l'hôpital. Deux balles dans le dos, putain ! Foster cherche son gamin. Il a appris qu'ils étaient ici seulement quand les secouristes ont trouvé Lisa. Il se frotta le visage et reprit : Je ne sais pas si elle s'en sortira. Tenez, le voici.

Essie vit un homme solidement charpenté aux cheveux bruns et courts fendre la foule en état de choc, pour retrouver son fils.

– Papa ! s'écria Brady, toujours dans les bras de Reed.

Michael récupéra son fils et l'étreignit, déposant des baisers sur sa tête et son visage.

– Brady ! Merci, mon Dieu, merci. Tu n'as rien ? Personne ne t'a fait de mal ?

– Maman est tombée, et je l'ai perdue. Reed m'a trouvé et m'a dit de ne pas faire de bruit et d'attendre les gentils. J'ai pas fait de bruit, comme il a dit, même quand il m'a mis dans le placard.

Les yeux de Michael s'embuèrent de larmes lorsque son regard croisa celui du jeune homme.

– C'est vous, Reed ?

– Oui, monsieur.

Michael lui serra la main.

– Jamais je ne vous remercierai assez. J'aurais beaucoup de choses à vous dire, mais là… Il se tut, ayant suffisamment retrouvé ses esprits pour remarquer le sang sur le pantalon et les chaussures de Reed. Vous êtes blessé.

– Non, je ne pense pas. Ce n'est pas mon sang. Ce n'est…

Ses mots moururent dans sa gorge.

– D'accord, Reed. Bon, écoutez, je dois sortir Brady d'ici. Avez-vous besoin de quelque chose ?

– Je dois retrouver mon ami Chaz. Je ne sais pas s'il s'en est sorti. Il faut que je le retrouve.

– Une seconde.

Michael cala son fils sur sa hanche et sortit sa radio.

– Je veux voir maman ! glapit Brady.

– D'accord, mon bonhomme, mais on va aider Reed d'abord.

Pendant que le pompier discutait par radio, Reed regarda autour de lui. Tant de lumières, éclatantes et floutées. Tant de bruit. Tout le monde parlait, criait, pleurait. Un homme en sang gémissait sur une civière que l'on chargeait dans une ambulance. Une femme ne portant qu'une chaussure, le visage rayé d'un léger ruissellement de sang, décrivait des cercles en boitillant et en appelant une certaine Judy ; un homme en uniforme la prit en charge.

Assise sur le trottoir, une jeune fille coiffée d'une longue queue-de-cheval parlait à un policier. Elle ne cessait de secouer la tête, et ses yeux – des yeux de tigre – brillaient sous la lueur des gyrophares.

Il aperçut aussi des fourgons de télévision et davantage de lumières vives, au-delà du ruban jaune mis en place par la police. De nombreuses personnes s'étaient massées de l'autre côté de cette limite, criant parfois des noms.

Reed reçut comme un coup de poing quand il prit conscience que certains de ces appels resteraient sans réponse.

Il tremblait à présent de tout son être, dans ses tripes, dans son cœur. Des bourdonnements envahirent ses oreilles, et sa vision se brouilla.

– Hé, Reed, asseyez-vous donc une minute, lui proposa Michael. Je vais tâcher de retrouver votre ami.

– Non, il faut que je…

Il vit alors Chaz sortir de la galerie avec un groupe de personnes, guidés par quelques policiers.

– Chaz ! Chaz ! s'écria-t-il, comme les personnes postées de l'autre côté du ruban jaune, avant de courir rejoindre son ami.

Sur le trottoir, Simone attendait de retrouver des sensations dans ses jambes. Et partout ailleurs. Son corps lui semblait engourdi, comme si on lui avait administré une injection de Novocaïne.

– Ta mère et ta sœur vont bien.

Elle s'efforça d'éprouver quelque chose, en entendant l'agent McVee prononcer ces mots.

– Où sont-elles ? Où sont-elles ?

– On va bientôt les faire venir ici. Ta mère est légèrement blessée, je dis bien légèrement, Simone. Elle va bien. Elles se sont réfugiées dans une boutique. Ta mère a été touchée au crâne par des éclats de verre, mais tout va bien, d'accord ?

Simone ne parvint qu'à secouer la tête :

– Maman est blessée à la tête…

– Mais elle va s'en sortir sans problème. Elles se sont abritées et elles vont bientôt te rejoindre.

– Et Mi et Tish ?

Simone devina ce qu'il en était, à la façon dont l'agent McVee lui passa un bras autour des épaules. Elle ne ressentit pas l'effet de la vérité, pas vraiment, mais elle en perçut le poids.

Le poids.

– Mi est en route pour l'hôpital. Ils vont bien s'occuper d'elle, ils vont faire tout leur possible.

– Il a tiré sur Mi ? dit Simone, d'une voix perçante qui lui vrilla les tympans. Il lui a tiré dessus ?

– Les médecins l'attendent à l'hôpital, ils vont s'occuper d'elle.

– J'étais aux toilettes. Je n'étais plus dans la salle. J'avais envie de faire pipi. Tish était là aussi. Où est Tish ?

– Il faut attendre que tout le monde soit sorti, qu'on ait établi la liste de toutes les personnes présentes.

36

Simone secouait toujours la tête :

– Non, non, non… Elles étaient l'une à côté de l'autre. Et moi j'étais aux toilettes. Il a tiré sur Mi. Tish… Elle était à côté.

Simone leva les yeux sur Essie et comprit. Et connaître l'atroce vérité lui rendit ses sensations. Toutes ses sensations.

Reed serra fort Chaz contre lui ; il y avait au moins quelque chose de juste dans ce monde. Ils s'étreignirent ainsi un moment, tout près de la fille à la longue queue-de-cheval et aux yeux de tigre.

En entendant cette adolescente lâcher un gémissement de souffrance, Reed posa la tête sur l'épaule de Chaz.

À travers cette plainte, il devinait que quelqu'un ne répondrait plus jamais à l'appel de son nom.

Personne n'avait réussi à la convaincre de rentrer chez elle. Tout était brouillé dans son esprit, mais Simone savait au moins qu'elle se trouvait à l'hôpital, dans une salle d'attente, sur une chaise en plastique peu confortable. Avec un Coca à la main.

Sa sœur et leur père étaient assis à côté d'elle. Natalie était blottie contre son père, mais Simone refusait d'être étreinte ou même seulement touchée.

Elle n'aurait su préciser depuis combien de temps ils patientaient. Une éternité ? Cinq minutes ?

D'autres personnes attendaient également.

Elle avait entendu des chiffres. Des chiffres qui variaient.

Trois tireurs. Quatre-vingt-six blessés, nombre qui grimpait parfois, quand à d'autres moments il chutait.

Trente-six morts. Cinquante-huit.

Les chiffres ne cessaient de changer.

Et Tish était morte. Et ça, ça ne changerait plus.

Ils devaient attendre sur ces chaises rigides, pendant que des médecins retiraient des débris de verre du crâne de sa mère et soignaient ses coupures au visage.

Elle imaginait ce visage lardé de minuscules entailles, la peau infiniment pâle sous le maquillage, et les cheveux blonds, d'ordinaire toujours impeccables, maculés de sang et emmêlés.

On l'avait évacuée sur un brancard à roulettes, avec Natalie qui, en larmes, ne voulait pas lâcher la main de sa mère.

Natalie n'avait pas été blessée, car sa mère l'avait poussée dans la boutique avant de s'écrouler. L'adolescente l'avait ensuite traînée à l'intérieur, puis à l'abri derrière un comptoir de débardeurs et de tee-shirts.

Natalie avait réagi avec courage. Simone le lui dirait quand elle aurait retrouvé l'usage de la parole.

Pour l'heure, il fallait retirer les éclats de verre du crâne de sa mère, mais aussi l'examiner car elle s'était cogné la tête et avait perdu connaissance quelques minutes.

Une commotion.

Natalie voulait rentrer à la maison, parce que leur père ne cessait de lui répéter que leur mère s'en sortirait très bien et très bientôt, et qu'ils rentreraient aussitôt chez eux.

Mais Simone ne voulait pas s'en aller, et personne ne pouvait l'y contraindre.

Tish était morte, et Mi au bloc opératoire. Personne ne lui ferait quitter l'hôpital.

Elle tenait son Coca à deux mains pour éviter que son père tente de nouveau de saisir ses doigts. Elle ne voulait plus qu'on lui prenne la main ni qu'on la cajole. Pas pour l'instant. Peut-être plus jamais.

Elle ne voulait rien d'autre qu'attendre sur sa chaise en plastique qui faisait mal aux fesses.

Le chirurgien sortit le premier, le père de Simone se leva d'un bond.

Papa est si grand, pensa vaguement Simone. *Si grand et si beau.* Il portait encore son costume et sa cravate car, tout juste rentré à la maison après un dîner d'affaires, il avait commencé par écouter les informations. Et foncé aussitôt au centre commercial.

Le médecin lui donna quelques informations : légère commotion, quelques points de suture.

Simone se leva, les jambes en coton, lorsque sa mère apparut à son tour. À cet instant seulement, elle prit conscience qu'elle avait redouté que sa mère ne soit en réalité sévèrement blessée.

Qu'elle soit aussi touchée que Mi ou, pire encore, que Tish.

Mais non, sa mère rejoignit toute la famille dans la salle d'attente. Si elle avait quelques pansements bizarres sur le visage, elle n'était plus « infiniment pâle » – comme les morts devaient l'être, imaginait-elle.

Natalie sauta au cou de la rescapée.

– Voici ma courageuse petite fille, murmura Tulip, avant de tendre le bras vers Simone. Mes courageuses petites filles.

Et enfin, Simone accepta d'être touchée, voulut être étreinte. Sa mère la prit dans ses bras, Natalie entre elles deux.

– Je n'ai rien, juste une bosse sur le crâne, les rassura Tulip. Ramenons nos filles à la maison, Ward.

Simone, à qui les larmes dans la voix de sa mère n'avaient pas échappé, la serra un instant un peu plus fort. Puis elle ferma les yeux, quand son père se joignit à elles.

– Je vais chercher la voiture, dit-il.

Simone se dégagea :

– Je ne rentre pas. Pas tout de suite.

– Ma chérie…

Simone secoua vivement la tête et s'écarta un peu plus de sa mère, qui semblait épuisée.

– Non, je ne viens pas avec vous. Mi… Ils opèrent Mi en ce moment. Je reste ici.

– Ma chérie, tu ne seras d'aucune utilité, ici… insista Tulip.

– Je peux au moins être ici !

– Nat, tu te rappelles où j'ai garé la voiture ? demanda Ward à sa cadette.

– Oui, papa, mais…

– Aide ta mère à sortir d'ici, dit-il, en lui tendant la clé. Allez à la voiture et laissez-moi parler un peu avec Simone.

– Les filles doivent rentrer à la maison, Ward, il faut les éloigner d'ici.

– On se retrouve à la voiture.

Simone s'était entre-temps rassise, les bras croisés, l'image même d'une rebelle en souffrance. Ward déposa un baiser sur la joue de son épouse et lui chuchota quelques mots avant de s'asseoir à côté de son aînée.

– Je sais que tu as peur, dit-il. Nous avons tous peur.

– Tu n'étais pas sur place.

– Je le sais bien, assura-t-il. Elle perçut la tristesse dans sa voix mais l'ignora. Simone, je suis tellement navré et accablé, pour Tish, tout comme je le suis pour Mi. Je te promets qu'on prendra des nouvelles de Mi aussitôt arrivés à la maison et que nous reviendrons ici dès demain pour lui rendre visite. Mais ta mère a besoin de rentrer chez nous, et Natalie aussi.

– Emmène-les à la maison.

– Je ne peux pas te laisser là.

– Je dois rester. Je les ai laissées. Je les ai abandonnées.

Ward attira sa fille contre lui. Elle résista, chercha à se dégager, mais il était plus fort qu'elle. Il la maintint ainsi jusqu'à ce qu'elle se laisse aller.

— Je suis désolé et triste, pour Tish et Mi, et je ne remercierai jamais assez le Ciel que tu n'aies pas été dans cette salle à ce moment-là… mais pour l'instant, je dois m'occuper de ta mère et de Natalie. Et de toi.

— Je ne peux pas abandonner Mi, c'est hors de question. N'essaie pas de me forcer à le faire, s'il te plaît.

Peut-être Ward en serait-il venu à cette extrémité, et Simone le redoutait. Alors qu'elle s'écartait de son père, elle vit Sissi entrer en trombe dans la salle d'attente.

Sissi, c'étaient de longs cheveux roux lâchés, une demi-douzaine de rangs de perles et de cristaux autour du cou, une jupe bleue flottante et des sandales Doc Martens. Elle releva Simone et l'étreignit de ses bras musclés par le yoga, la noyant dans un nuage de parfum à la pêche mêlé d'une très légère odeur de marijuana.

— Dieu merci ! s'écria-t-elle. Oh, mon bébé ! Merci à tous les dieux et déesses ! Elle se tourna vers Ward. Où est Tulip ? Et Natalie ?

— Elles viennent de sortir, elles vont à la voiture. Tulip a quelques bosses et égratignures, c'est tout. Et Nat n'a rien.

— Sissi va rester avec moi, intervint Simone, suppliant sa grand-mère. S'il te plaît, s'il te plaît…

— Bien sûr. Tu es blessée ? Tu…

— Il a tué Tish. Et Mi est au bloc opératoire.

— Oh ! non… se lamenta Sissi, qui, berçant sa petite-fille, joignit ses larmes aux siennes. Pauvres petites, si gentilles, si jeunes…

— Papa va reconduire maman et Natalie à la maison… mais moi, je dois rester attendre ici. Je dois rester, pour Mi. Je t'en prie.

— Bien sûr, c'est normal. Je m'occupe d'elle, Ward. Je ne la quitte pas. Je la ramène chez vous dès que Mi sort du bloc.

Sentant le ton inflexible adopté par Sissi, Simone devina que son père avait tenté de protester.

— D'accord, Simone, céda ce dernier, avant de prendre le menton de sa fille dans le creux de la main pour l'embrasser sur le front. Appelle-moi si tu as besoin de moi. Nous prierons pour Mi.

L'adolescente regarda son père s'éloigner, puis elle glissa sa main dans celle de Sissi.

— Je ne sais pas où elle est, dit-elle. Tu pourrais te renseigner ?

Sissi Lennon avait le chic pour inciter les gens à lui révéler ce qu'elle voulait savoir, et pour leur faire faire ce qu'elle estimait le mieux pour eux. Et en effet, peu après, elle emmena Simone dans une autre salle d'attente.

On y trouvait des chaises pourvues de coussins, des canapés et des bancs, et même des distributeurs automatiques.

Elle reconnut les parents de Mi, sa sœur aînée, son jeune frère et ses grands-parents. Le père fut le premier à remarquer sa présence. Il donnait l'impression d'avoir vieilli de mille ans, depuis le moment où elles étaient venues, Tish et elle, chercher Mi pour aller au cinéma. Elle le revoyait faire son jardin, leur adressant un au revoir de la main.

Il se leva et, en larmes, s'approcha de Simone, qu'il étreignit.

– Je suis immensément heureux que tu n'aies rien, dit-il dans un anglais parfait. Il sentait encore l'herbe fraîchement coupée.

– Je les ai laissées. Je devais aller aux toilettes, je les ai laissées, et ensuite…

– Ah… Eh bien heureusement pour toi ! C'est gentil à vous d'être venue, madame Lennon.

– Sissi, reprit la grand-mère de Simone. Nous faisons partie de la même famille, désormais. Nous aimerions attendre avec vous, et envoyer toutes nos pensées et lumières porteuses de guérison à Mi.

Le père de Mi, qui luttait pour ne pas craquer, ne put empêcher son menton de trembler.

– Simone, ma chérie, va donc t'asseoir à côté de la maman de Mi, poursuivit-elle, avant de passer un bras autour des épaules de M. Jung. Allons marcher un peu.

Simone s'installa près de Mme Jung, qui lui prit la main. Alors, elle la serra avec force.

Elle savait que Sissi croyait aux ondes, aux lumières, aux bienfaits de la sauge brûlée, à la méditation et à toutes sortes d'autres choses qui n'inspiraient que des moues dubitatives à sa fille.

Elle savait aussi que s'il existait une personne capable de guérir Mi par la seule force de sa volonté, c'était Sissi.

Elle se raccrocha à cette pensée avec autant d'énergie qu'à la main de la mère de son amie.

Chapitre 3

Quand Sissi fut de retour, Simone se leva pour que M. Jung puisse s'asseoir auprès de son épouse. Alors qu'elle s'apprêtait à s'installer sur une autre chaise, Nari, la sœur de Mi, la retint par le bras :

– Aide-moi à rapporter du thé, lui demanda-t-elle.

Simone la suivit à l'autre bout de la vaste pièce, jusqu'à un comptoir sur lequel étaient disposés des bouilloires fumantes, du café, des sachets de thé et des gobelets jetables.

Nari rassembla avec adresse des boissons sur un plateau en carton. C'était une jeune femme svelte et studieuse en deuxième année de MIT [2]. Elle lança à Simone un long regard de ses yeux noirs perçants derrière ses lunettes à monture foncée, et lui dit à mi-voix :

– Ils ne te diront rien, mais la situation est grave. Mi a reçu trois balles.

Simone ouvrit la bouche sans émettre le moindre son. Il n'y avait pas de mot pour réagir à une telle nouvelle.

– J'ai surpris une discussion entre un policier et une infirmière après son entrée au bloc, poursuivit Nari. Elle a perdu énormément de sang. Déjà qu'elle est toute fine… Tu serais d'accord pour venir avec moi donner ton sang ? Il ne conviendrait peut-être pas pour Mi, mais…

– Oui. Comment on fait ? Ça se passe où ?

Étant mineure, Simone eut besoin de l'aval de Sissi. Elles ne purent y aller au même moment, car de nombreuses personnes avaient eu le même réflexe qu'elles.

Simone, que ces choses écœuraient un peu, détourna le regard avant que l'aiguille perce sa peau. Elle avala ensuite le gobelet de jus d'orange, comme on le lui avait recommandé.

Tandis qu'elles regagnaient la salle d'attente, elle dit à Sissi qu'elle voulait se rendre aux toilettes.

– Je viens avec toi.

– Non, c'est inutile, dit Simone. J'arrive tout de suite.

Elle tenait à être seule, avant tout pour vomir le jus d'orange. Quand elle entra aux toilettes, elle découvrit une femme en larmes devant un lavabo.

C'était la mère de Tiffany. Mme Bryce avait été son professeur de linguistique en cinquième. Cette année-là, M. Bryce avait divorcé pour épouser sa maîtresse, une femme beaucoup plus jeune que lui, car celle-ci était tombée enceinte. Et tout le monde était au courant…

Simone se rendit compte que depuis la fusillade, elle n'avait pas un instant pensé à Tiffany ni à Trent, le garçon qu'elle croyait aimer.

– Madame Bryce…

La femme se retourna, toujours en pleurs.

– Excusez-moi, je suis Simone Knox. J'ai été votre élève au collège. Je connais Tiffany, je l'ai vue ce soir, avant… avant…

– Tu y étais ?

– Oui, avec Mi-Hi Jung et Tish Olsen. On était dans la salle. Mi est en ce moment sur la table d'opération. Le type lui a tiré dessus. Et il a tué Tish.

– Oh mon Dieu… lâcha Mme Bryce, toutes deux ne retenant plus leurs larmes. Tish ? Tish Olsen ? Mon Dieu, c'est affreux… Elle prit dans ses bras Simone, qui lui rendit son étreinte. Tiffany est au bloc. Elle… Ils ne peuvent pas se prononcer pour l'instant.

– Et Trent ? Elle était avec Trent.

Mme Bryce recula d'un pas, se tamponna les yeux de la paume des mains et secoua la tête.

– Je prierai pour Mi, dit-elle, avant d'ouvrir le robinet du lavabo et de s'asperger généreusement le visage. Et toi, prie pour Tiffany.

– Je n'y manquerai pas, promit Simone, en toute sincérité.

Elle n'avait plus envie de vomir. Elle se sentait déjà vidée.

De retour dans la salle d'attente, elle s'endormit la tête sur les genoux de Sissi. Après s'être réveillée, elle resta blottie dans cette position, l'esprit si embrumé qu'elle croyait deviner comme une fine pellicule de fumée dans la pièce.

À travers cet écran, elle discerna un homme aux cheveux gris vêtu d'une blouse bleue, qui parlait à Mme Bryce. Était également présent M. Bryce, accompagné de la femme qu'il avait mise enceinte et épousée.

Mme Bryce pleurait toujours, mais pas de la même façon qu'aux toilettes. Les mains jointes et crispées devant elle et les lèvres pincées, elle ne cessait de hocher la tête. En dépit de la brume qui la gênait, Simone devina chez cette femme de la reconnaissance.

Tiffany avait survécu, contrairement à Tish.

Et contrairement à Trent.

Mi ne mourrait pas, elle non plus. C'était impossible.

Ils attendirent. Simone s'assoupit de nouveau, sans vraiment s'endormir cette fois, si bien qu'elle sentit bientôt Sissi remuer.

Un autre chirurgien venait d'apparaître : une femme aux cheveux d'un noir d'encre rejetés en arrière. Simone remarqua son accent, indien peut-être, mais l'oublia dès que les mots prononcés percèrent la brume. Elle se redressa aussitôt.

Mi était sortie du bloc, toujours vivante.

Une balle s'était fichée dans son bras droit, sans provoquer de dégâts musculaires.

Une autre avait percé le rein droit, que l'on avait traité ; selon toute vraisemblance, Mi n'en garderait aucune séquelle.

Enfin, la jeune fille souffrait d'une blessure en pleine poitrine. Les poumons pleins de sang, elle avait subi un drainage, de la chirurgie et des transfusions. Les vingt-quatre heures à venir seraient décisives. Mi… jeune et forte.

– Vous pourrez la voir quand elle sera sortie de la salle de réveil et transférée en soins intensifs, expliqua la praticienne. Mais pas plus de deux personnes à la fois, elle est sous sédatif. Elle devrait encore dormir plusieurs heures. Vous devriez vous reposez un peu.

Mme Jung fondit en larmes de la même façon que Mme Bryce, peu de temps auparavant :

– Merci, merci ! Nous allons patienter, puis nous irons la voir.

M. Jung passa un bras autour des épaules de son épouse.

– Je vais vous permettre d'accéder à l'unité de soins intensifs, mais uniquement la famille, précisa le médecin, après un regard en direction de Simone et Sissi.

– Cette jeune fille fait partie de notre famille, expliqua M. Jung.

Le chirurgien se radoucit et revint à Simone.

– Il me faudrait votre nom, pour que je l'ajoute sur la liste des visites autorisées.

– Simone Knox.

– Simone Knox ? Vous êtes la première à avoir prévenu les secours, c'est bien ça ?

– Je ne sais pas si j'ai été la première, mais je les ai appelés, oui.

– Simone, il faut que vous le sachiez... En réagissant aussi rapidement, vous avez offert à Mi une chance de s'en sortir. J'inscris votre nom sur la liste.

Tandis que Simone, rentrée chez elle et couchée, se débattait dans des cauchemars fragmentés, Michael Foster, toujours à l'hôpital, était assis à côté du lit de son épouse endormie.

Elle reprendrait conscience, appellerait de nouveau Brady. Sa mémoire à court terme avait été touchée ; mais elle lui reviendrait, lui avait-on assuré. Pour le moment, il devait surveiller l'instant où elle ouvrirait les yeux et aussitôt la rassurer à propos de leur fils, lui apprendre qu'il était indemne.

Et cela, grâce à Reed Quartermaine.

Elle va se réveiller, se répétait-il. *Elle va s'en sortir.*

Mais elle ne marcherait plus jamais, à cause de la balle reçue dans le dos. Un projectile l'avait touchée à l'épaule, juste en dessous de l'omoplate, mais l'autre s'était fiché dans le bas de sa moelle épinière.

Michael s'efforçait de se dire qu'ils avaient eu de la chance, car il devait lui-même y croire pour la convaincre. Si la balle l'avait touchée plus haut, elle aurait peut-être perdu toute sensation dans le tronc, dans les bras. Peut-être même aurait-elle eu besoin d'un tube pour respirer, peut-être n'aurait-elle plus été capable de seulement tourner la tête.

Non, ils étaient réellement chanceux. Elle ne subirait pas le traumatisme de perdre le contrôle de sa vessie et de ses intestins. Avec du temps et une thérapie adéquate, elle retrouverait une relative indépendance grâce à un fauteuil roulant électrique. Elle pourrait même conduire de nouveau.

Malheureusement, la splendide épouse de Michael, qui aimait tant danser, ne marcherait plus.

Plus jamais elle ne courrait sur la plage avec Brady, plus jamais elle ne s'offrirait de randonnée, plus jamais elle ne monterait en sautillant ou dévalerait l'escalier de la maison pour laquelle ils avaient tant économisé.

Tout cela parce que trois salauds dérangés et égoïstes s'étaient lancés dans une absurde folie meurtrière.

Il ignorait lequel des trois tueurs avait tiré sur sa femme, la mère de son enfant, l'amour de sa foutue vie.

Peu importait, estimait-il. Ils étaient tous les trois coupables.

John Jefferson Hobart, alias JJ, dix-sept ans.

Kent Francis Whitehall, seize ans.

Devon Lawrence Paulson, seize ans.

Des ados. Sociopathes ou psychopathes, il se moquait de l'étiquette que les psys leur collaient.

Il connaissait le bilan, en tout cas tel qu'il était établi à 4 heures du matin, la dernière fois qu'il s'en était informé. Quatre-vingt-neuf morts. Et sa Lisa faisait partie des deux cent quarante-deux blessés.

Tout cela parce que trois garçons à l'esprit tordu, armés jusqu'aux dents, s'étaient rendus au centre commercial un vendredi soir, avec pour objectif de tuer et de mutiler.

Mission accomplie.

Il ne les comptait pas parmi les morts, ils ne le méritaient pas ; mais il était reconnaissant qu'un flic ait descendu Hobart et que les deux autres se soient suicidés – ou peut-être tués l'un l'autre, les détails restaient obscurs à 4 heures du matin.

Par ailleurs, il était soulagé à l'idée de ne pas devoir subir de procès, de ne pas passer des nuits d'insomnie à s'imaginer tuer ces assassins, lui qui avait voué sa vie à secourir ses semblables.

Lisa remua dans son lit. Il s'approcha d'elle. Quand elle ouvrit les yeux, il lui prit la main et la porta à ses lèvres.

– Brady ?

– Il va bien, mon bébé. Il est chez tes parents. Il va bien.

– Je le tenais par la main. Je l'ai pris dans mes bras et j'ai couru, mais…

– Il n'a rien, Lisa chérie, il n'est pas blessé.

– Je suis épuisée…

Elle perdit de nouveau conscience. Et Michael reprit sa garde, surveillant le sommeil de son épouse.

Reed s'éveilla à l'aube avec un affreux mal de crâne, les yeux piquants et la gorge aussi sèche qu'un désert, aux prises avec la pire gueule de bois de la création, alors qu'il n'avait pas bu une goutte d'alcool.

Il prit une douche, la troisième depuis qu'il était rentré chez lui, où il avait retrouvé ses parents, infiniment reconnaissants de le revoir sain et sauf, et sa sœur, qui l'avait serré contre elle en pleurant. Il n'arrivait pas à oublier le sang d'Angie, qui avait traversé son pantalon pour se coller sur sa peau.

Il s'envoya un cachet d'anti-inflammatoire et but de l'eau au robinet du lavabo, puis il alluma son ordinateur. Il n'eut aucun mal à dénicher des articles sur la fusillade.

Il s'intéressa aux trois noms cités ainsi qu'aux photos. Il eut l'impression de reconnaître Whitehall, sans pouvoir préciser davantage ; en revanche, il n'eut aucun doute concernant Paulson, qu'il avait vu rire en criblant un homme de balles.

Un de ces deux types avait tué Angie car, d'après les articles, Hobart, le troisième, n'était pas sorti de la salle de cinéma.

L'un d'eux avait tué Justin, aide-serveur au Manga, dont c'était le premier job d'été. Et Lucy, une serveuse qui avait prévu de prendre sa retraite à la fin de l'année pour faire le tour du pays en camping-car avec son mari.

Il y avait aussi des victimes parmi les clients, sans qu'il sache combien au juste.

Dory était à l'hôpital, tout comme Bobby, Jack et Mary.

Rosie lui avait raconté que l'ado armé était entré par la porte vitrée, avait arrosé de balles la grande salle et était ressorti. Le tout avait pris dix ou vingt secondes, pas davantage.

Reed parcourut ensuite les récits de témoins oculaires et lut deux fois celui qui concernait la boutique GameStop.

« Nous avons entendu des tirs, mais sans vraiment comprendre de quoi il s'agissait. Il y avait beaucoup de bruit dans la boutique. Soudain, quelqu'un est entré en courant et en criant qu'un type tirait sur la foule. Il saignait mais ne paraissait pas s'être rendu compte qu'il était touché. Le gérant – je ne sais pas comment il s'appelle – a intimé à tout le monde de se réfugier dans la réserve. Certaines personnes ont préféré sortir du magasin, mais les tirs se rapprochaient, on le devinait à l'oreille. Le gérant ne cessait de répéter aux gens de se cacher dans la réserve. On était très serrés, là-dedans, car la boutique était remplie. Jamais de ma vie je n'ai eu aussi peur que dans cette pièce bourrée à craquer. Des personnes pleuraient, d'autres priaient, mais le gérant a dit qu'il ne fallait pas faire de bruit. À ce moment, nous avons entendu de nouveaux tirs, assourdissants, juste devant la boutique. Une vitre a volé en éclats.

J'ai cru que nous allions tous mourir, mais les coups de feu ont cessé. Ou alors le tireur s'est éloigné. Le gérant voulait qu'on reste dans la réserve jusqu'à l'arrivée de la police, mais quelqu'un a paniqué, j'imagine, et ouvert la porte. Plusieurs personnes sont sorties. Puis la police est intervenue et nous a fait sortir. Le gérant, ce jeune homme aux lunettes à verres épais, nous a sauvé la vie, j'en suis convaincu. »

– Bien joué, Chaz… murmura Reed.

Dans la cuisine de son petit appartement, Essie se prépara une cafetière pleine. Provisoirement écartée des effectifs, elle avait tout son temps pour la vider.

Son supérieur lui avait assuré qu'elle serait bientôt de retour, probablement avec une médaille ; mais il fallait respecter la procédure. Non seulement elle avait fait usage de son arme, mais en plus elle avait tué.

Elle croyait aux propos de son supérieur et était certaine d'avoir fait son boulot. Néanmoins, elle devinait qu'elle resterait à cran tant qu'elle ne serait pas autorisée à reprendre son service. À cause de ce doute infime, de sa crainte d'être mise à pied, elle avait compris combien être flic était vital pour elle.

Tandis que son vieux chat dormait sur un coussin, Essie fit chauffer un bagel et prit la dernière banane. La superficie et l'agencement de son appartement lui permettant de voir l'écran depuis sa table de cuisine-dîner-travail, elle s'y installa et alluma la télévision.

Elle savait que la presse avait obtenu son nom et, en jetant un peu plus tôt un coup d'œil par la fenêtre, elle avait constaté que les journalistes la traquaient déjà. Elle ne sortirait pas de l'appartement pour affronter les innombrables questions et caméras. Quelqu'un leur avait donné son numéro de téléphone fixe, qu'elle avait débranché, tant les incessantes sonneries l'agaçaient.

Son mobile était pour l'instant épargné. Si son équipier ou son supérieur souhaitaient la joindre, elle pourrait répondre. Et puis elle disposait aussi de sa messagerie électronique.

Elle ouvrit son ordinateur portable. Tout en avalant son petit déjeuner, elle suivit les premiers bulletins d'information de la journée, au cas où de nouveaux éléments seraient apparus.

Pianotant sur son clavier, elle dressa une liste des noms qu'elle avait retenus.

Simone Knox, sa mère, sa sœur. Reed Quartermaine. Chaz Bergman. Michael, Lisa et Brady Foster. Mi-Hi Jung. Tish Olsen. Elle n'en perdrait aucun de vue, même si elle devait y consacrer tout son temps libre.

Elle nota le nom des tireurs, déterminée à trouver tous les détails possibles les concernant : leur famille, leurs professeurs, leurs amis, leurs employeurs éventuels. Elle voulait les connaître.

Elle inscrivit également le nombre, hélas provisoire, de victimes et de blessés, et les noms dont elle avait connaissance. Elle se procurerait tous les autres.

Elle ne faisait que son travail, se disait-elle en regardant la télévision, en mangeant et en s'activant ; cela ne signifiait pas pour autant qu'il n'y avait rien de personnel dans sa réaction.

Sissi Lennon menait sa vie en suivant ses propres règles. Deux des plus importantes, « Tâche de ne blesser personne » et « Aie le cran de dire ce que tu penses », entraient fréquemment en conflit ; cependant, elles se rejoignaient quelque peu grâce à la règle « Sois vache quand c'est nécessaire »... Alors cela ne lui posait pas de problème.

Élevée par des parents méthodistes très sérieux et républicains traditionnels, elle avait grandi à Rockpoint, une banlieue chic et tranquille de Portland, dans le Maine. Son père, cadre financier, et sa mère, femme au foyer (ce qu'elle assumait fièrement), étaient membres du country-club, assistaient à la messe tous les dimanches et donnaient de grandes réceptions. Son père s'offrait une nouvelle Cadillac tous les trois ans, jouait au golf le samedi matin, au tennis (en double, avec son épouse) le dimanche après-midi, et collectionnait les timbres.

Sa mère allait chez le coiffeur le lundi, jouait au bridge le mercredi et était membre du club de jardinage. Deborah (que jamais on n'appelait Deb ou Debbie) Lennon gardait son « argent de poche » dans un gant blanc rangé dans le tiroir du haut de sa commode, n'avait jamais de sa vie rédigé le moindre chèque ni même payé une facture, et rafraîchissait chaque soir son maquillage pour accueillir son mari au retour de sa journée de travail. Elle lui avait alors déjà préparé son apéritif – un gin martini avec une olive, sauf en été, où il préférait un gin tonic avec une rondelle de citron vert –, afin qu'il se détende en attendant le dîner.

Les Lennon avaient une femme de ménage, présente tous les

jours, un jardinier qui venait une fois par semaine, et à la belle saison un jeune homme pour s'occuper de la piscine. Propriétaires d'une résidence secondaire à Kennebunkport, ils étaient considérés – tant par eux-mêmes que par leur entourage – comme des piliers de la communauté.

Naturellement, Sissi s'était rebellée contre tout ce qu'ils étaient et représentaient.

Quelle enfant des années 1960 n'aurait pas consterné ses parents conservateurs en embrassant avec passion la contre-culture de l'époque ? Elle condamna donc la structure patriarcale de l'église et leur style de vie, pesta contre le gouvernement, protesta contre la guerre au Vietnam, et brûla son soutien-gorge pour soutenir la cause féministe.

À dix-sept ans, Sissi fit son sac et se rendit en auto-stop à Washington, où elle participa à une manifestation. De là, elle poursuivit ses voyages, parsemés de « sexe, drogue & rock n'roll ». Elle passa le printemps à La Nouvelle-Orléans, partageant une maison délabrée avec un groupe d'artistes et de musiciens. Elle peignit pour les touristes, car elle avait toujours eu ce talent. Elle se rendit ensuite à Woodstock dans un minibus qu'elle aida à décorer de motifs psychédéliques. Et au cours de ce merveilleux week-end d'août trempé par la pluie, elle conçut un enfant.

Dès qu'elle eut compris qu'elle était enceinte, elle cessa toute consommation de drogue et d'alcool, modifia son régime végétarien (ce qui se reproduirait à d'innombrables reprises et pour d'innombrables raisons au fil des décennies) et intégra une communauté en Californie.

Elle peignit, apprit à tisser, planta et cultiva des légumes, tenta sans succès de nouer une relation lesbienne – mais au moins elle avait essayé.

Elle donna naissance à une fille sur un lit de camp, dans une ferme en ruine, par un splendide après-midi de printemps, tandis que Janis Joplin se déchaînait sur le tourne-disque. Par la fenêtre ouverte, Sissi voyait des tulipes osciller au gré de la brise.

Tulip Joplin Lennon était âgée de six mois quand sa mère, à qui la verdure de la côte Est manquait, reprit la route. Prise en stop par un groupe de musiciens, elle eut en chemin une brève liaison avec un chanteur-compositeur. Un jour, alors qu'il était défoncé, il lui proposa trois mille dollars pour qu'elle peigne un tableau de lui. Elle accepta et le représenta ne portant rien d'autre que sa guitare Fender Stratocaster et une paire de bottes ravagées.

Sissi passée à autre chose, son modèle décrocha par la suite un contrat auprès d'une maison de disques et se servit du tableau pour la couverture de son album. Par chance, son tube *Farewell, Sissi* [3] atteignit le sommet du Top 40 et l'album fut disque d'or.

Deux ans plus tard, alors que Sissi et Tulip vivaient au sein d'une communauté de Nantucket, le chanteur mourut d'une overdose. Le tableau, proposé aux enchères, fut adjugé pour trois millions de dollars.

La carrière artistique de Sissi était lancée.

Sept ans après son départ en auto-stop à destination de Washington, son père fut atteint d'un cancer du pancréas. Malgré les cartes postales, les envois de photos de leur petite-fille et les deux ou trois appels téléphoniques par an, les communications entre Sissi et ses parents étaient restées rares et tendues.

En entendant sa mère fondre en larmes au téléphone, Sissi décida de suivre une autre de ses règles : « Apporte ton aide chaque fois que c'est possible. »

Elle entassa sa fille, son matériel de peinture et sa bicyclette dans un break sans âge et rentra à la maison.

De retour auprès des siens, elle découvrit plusieurs choses. Elle se rendit compte que ses parents s'aimaient profondément, mais aussi que cet amour intense n'impliquait pas que sa mère soit capable de gérer la situation. Elle comprit en outre que la maison dans laquelle elle avait grandi ne serait plus jamais la sienne, mais ça ne l'empêcha pas de décider d'y rester tant qu'elle y serait utile.

Elle apprit que son père souhaitait mourir chez lui. Comme elle l'aimait – surprenante découverte –, elle était déterminée à tout faire pour exaucer son vœu. Repoussant fermement les fortes suggestions de sa mère à propos d'une école privée, Sissi inscrivit Tulip à l'école publique du quartier. Quand elle conduisait son père à ses séances de chimio et à ses rendez-vous chez le médecin ou nettoyait son vomi, sa mère s'occupait joyeusement de Tulip.

Sissi embaucha un infirmier dont la compassion, la gentillesse et la passion du rock en fit un ami pour la vie.

Vingt et un mois durant, elle l'aida à s'occuper de son père mourant, tout en gérant les comptes de la maison. Se raccrochant à son déni, sa mère gâtait Tulip.

Son père mourut chez lui, dans son lit, dans les bras de sa femme qui l'aimait tant, avec sa fille qui lui tenait la main.

Au cours des mois qui suivirent, Sissi accepta le fait que sa mère ne serait jamais indépendante, n'apprendrait jamais à tenir ses comptes ou à réparer une fuite de robinet.

Cependant, elle prit aussi conscience qu'elle-même deviendrait complètement folle si elle restait dans cette maison pas-si-petite de banlieue, en compagnie d'une femme incapable de changer une ampoule.

Son père ayant laissé son épouse dans une situation plus que confortable, Sissi embaucha quelqu'un pour gérer ses finances, s'assura les services d'un homme à tout faire disponible au premier appel et remplaça l'ancien jardinier, parti à la retraite, par un jeune homme dynamique également chargé de tenir compagnie à sa mère.

Quand elle apprit, au cours de ces vingt et un mois, que son père, ayant modifié son testament, lui laissait un million de dollars – après déduction des impôts –, sa première réaction fut une crise de colère. Elle n'avait pas besoin et ne voulait pas de son argent issu de l'establishment conservateur de droite. Elle était tout à fait capable, et l'avait prouvé, de subvenir à ses besoins et à ceux de sa fille grâce à ses tableaux.

Cette rage s'estompa le jour où, ayant pris le ferry avec Tulip pour se promener sur Tranquility Island, elle découvrit « la » maison. Elle tomba amoureuse de ses nombreux coins et recoins, de l'immense terrasse du rez-de-chaussée et du vaste balcon à l'étage. Et, bien sûr, de la vue sur la mer, de l'étroite bande de sable bordant l'eau, de la côte rocheuse incurvée.

Elle s'imaginait déjà peindre ici pour toujours, sans jamais se lasser.

Le panneau « À vendre » fut comme un signe, pour elle.

Cet endroit se trouvait à seulement quarante minutes de ferry de Portland, assez loin (Dieu merci !) de sa mère, mais tout de même assez près pour dissiper le moindre sentiment de culpabilité. De plus, dans le village proche, facile d'accès à bicyclette, vivait une chaleureuse communauté d'artistes.

Elle acheta la maison comptant, non sans avoir sévèrement négocié le prix, et entama le chapitre suivant de sa vie.

Elle était aujourd'hui de retour – pour peu de temps, espérait-elle – dans la banlieue chic, chez sa fille ; celle-ci avait toujours davantage ressemblé à sa grand-mère qu'à sa mère, qui avait pourtant tenté de lui transmettre son goût de l'aventure, de l'indépendance et de la liberté. Car la règle « Apporte ton aide chaque fois que c'est possible » était toujours d'actualité. Mais aussi parce qu'elle adorait par-dessus tout ses petites-filles.

Elle prépara le petit déjeuner pour sa fille et Ward, dans leur cuisine moderne impeccable. Des journalistes faisant le pied de grue dehors, elle avait débranché les téléphones et tiré les rideaux.

En regardant les informations sur la télévision de la chambre d'amis, elle avait entendu l'appel de Simone à Police-Secours. Cela l'avait fait frémir, car cet enregistrement, que quelqu'un avait laissé fuiter, contenait le nom de Simone.

Installée dans le coin petit déjeuner de la cuisine en compagnie de Ward et Tulip, elle cherchait à les convaincre :

— Laissez-moi prendre Simone avec moi sur l'île, au moins jusqu'à la rentrée.

— Elle a besoin d'être ici, à la maison, dit Tulip.

— Les journalistes vont la harceler, insista Sissi. Elle est la première à avoir prévenu la police, et c'est une superbe jeune fille de seize ans. Une de ses amies est morte, et une autre à l'hôpital. À propos, Mi a survécu à cette nuit. Elle est toujours dans un état critique, mais elle est vivante.

Ward laissa échapper un soupir tremblant :

— Ils n'ont rien voulu me dire sur elle, quand j'ai appelé.

Sissi l'observa brièvement. C'était un homme bien, bon mari et bon père, mais à cet instant il avait l'air épuisé.

— Hwan a demandé que mon nom et celui de Simone figurent sur la liste des proches de Mi, expliqua Sissi. Et, précisément parce que son gendre était quelqu'un de bien, elle tendit le bras et lui effleura la main. Tu devrais l'appeler.

— Oui, je vais le faire.

Sissi posa ensuite une main sur celle de sa fille.

— Je sais que tu as besoin d'être avec tes filles, Tulip, et elles ont besoin de toi pour le moment. Je resterai avec vous aussi longtemps que je pourrai me rendre utile. Simone ne partira de toute façon pas d'ici avant d'être certaine que tu es remise et que Mi est tirée d'affaire. Et j'imagine que la police voudra s'entretenir avec elle.

— Et il faudra faire une déclaration à la presse, ajouta Ward. Vous avez raison, ils ne la lâcheront pas.

— C'est vrai. Mais une fois tout ça terminé, laissez-moi l'emmener avec moi pour qu'elle profite de quelques semaines de paix et de calme. Je peux lui apporter ça, même si en été l'île est envahie de touristes. Mi sera elle aussi la bienvenue, si elle est rétablie.

Personne ne les ennuiera là-bas, je m'en assurerai. Et puis, il faudra que Simone parle de tout ce qui lui est arrivé à quelqu'un d'autre que nous. Je pense à un ami, qui passe une partie de l'été sur l'île. Il est psy à Portland. Tu peux vérifier ses références, Ward. Et même le rencontrer, discuter avec lui.

– Oui, ces précautions sont indispensables.

– Je sais bien, mais tu te rendras compte que c'est un homme admirable. Simone va avoir besoin de parler à quelqu'un. Sissi se tourna vers sa fille : Natalie et toi aussi, d'ailleurs, ma chérie.

– Pour l'instant, je ne veux ni parler ni voir personne. Je veux seulement rester chez moi avec ma famille.

S'apprêtant à réagir, Sissi vit Ward secouer la tête pour l'en empêcher.

– Très bien, dit-elle. Voici ce que nous pouvons faire… Quand vous aurez passé un peu de temps tous ensemble, quelques semaines sur l'île aideraient certainement Simone à oublier ce malheur. Natalie peut évidemment l'accompagner, mais je crois qu'elle pense surtout à son stage d'équitation, qui commence dans deux semaines. Elle aime passer un peu de temps sur l'île, c'est vrai, mais Simone, elle, adore être là-bas.

– Nous en discuterons, promit Ward. Merci infiniment, Sissi, pour…

– Pas de ça, je t'en prie. C'est normal d'être là quand la famille a besoin de quelque chose. Et là, je crois que la famille a besoin d'un autre café.

Au moment où Sissi se levait de table, Simone entra dans la cuisine. Les cernes marqués, sous ses yeux bouffis et hagards, contrastaient violemment avec la pâleur de son visage.

– Mi est réveillée, annonça-t-elle. L'infirmière dit que le médecin est avec elle. Et son père… Son père dit qu'elle m'a réclamée. Je dois aller la voir.

– Bien sûr, mais il faut que tu prennes un petit déjeuner. Tu ne veux quand même pas que Mi te voie si pâle ? Ça ne l'aidera pas, n'est-ce pas, Tulip ?

– Viens t'asseoir, ma chérie, lui dit sa mère.

– Je n'ai pas faim.

– Avale au moins un petit quelque chose. Sissi va te préparer ça.

Simone s'assit et considéra le visage de sa mère, avec ses hématomes et ses pansements.

– Et toi, ça va mieux ? lui demanda-t-elle.

– Oui, répondit Tulip, dont les yeux s'embuèrent.

– Ne pleure pas, maman, je t'en prie.

– Je ne savais pas où tu étais. Je me suis cogné la tête, et la pauvre Natalie… Ça n'a duré qu'une minute, mais je me suis sentie perdue, terrifiée. J'entendais les tirs, les hurlements, et je me demandais si tu étais indemne, en sécurité quelque part. Je sais que Mi a besoin de te voir, mais moi, j'ai besoin de t'avoir près de moi, juste un petit moment.

– Et moi, je ne savais pas si Nat et toi… Je ne savais rien du tout, dit Simone, qui s'assit près de sa mère et posa la tête sur son épaule. Quand je me suis réveillée, j'ai cru que ce n'était qu'un cauchemar. Mais non.

– Tout va bien, maintenant.

– Pas pour Tish.

– Je vais téléphoner à sa tante, décida Tulip, caressant et berçant sa fille. J'aurais bien appelé sa mère… mais je pense que je vais passer par sa tante. Je lui demanderai si nous pouvons faire quoi que ce soit.

– Trent est mort, lui aussi.

– Oh, Simone…

– J'ai regardé les informations, avant de descendre… J'ai vu les noms et les photos de ceux qui ont fait ça. Ils étaient dans mon lycée, je les connaissais. J'en ai même eu un dans ma classe, et ils ont tué Tish et Trent.

– N'y pense pas pour le moment, suggéra Tulip.

Le déni, pensa Sissi. Comme sa grand-mère. Fermer les yeux devant le mal, jusqu'à ce que cela devienne impossible.

Simone se leva et s'installa sur l'autre banc, en face de ses parents.

– Ils ont donné mon nom, à la télévision. J'ai regardé dehors, il y a des gens, des journalistes.

– Ne t'en fais pas pour ça, la rassura Ward. Je m'en occupe.

– C'est mon nom, papa. Et ma voix ! Ils ont passé l'enregistrement de mon appel à Police-Secours. Ils se sont procuré l'album photo de ma classe. Je ne veux pas leur parler, pas maintenant. Je dois aller voir Mi.

– Ton père va leur parler, intervint vivement Sissi, en apportant un unique œuf brouillé, deux tranches de bacon et un toast beurré. Et ta mère va t'aider à te maquiller pour te donner meilleure mine. Ma petite Tulip a toujours été une pro du maquillage. Tu vas cacher

55

tes cheveux sous une casquette et mettre tes lunettes de soleil, et nous filerons par-derrière pendant que ton père occupera tous ces gens à l'avant. En traversant le jardin, nous rejoindrons l'allée des Jefferson, où j'ai garé ma voiture. Je les ai appelés hier soir pour m'arranger avec eux. Nous n'aurons plus qu'à prévenir l'hôpital pour pouvoir entrer par une porte discrète.

– C'est un plan parfait, approuva Ward.

– On apprend les ficelles, quand on doit souvent filer en vitesse d'un hôtel, d'un motel ou de n'importe où, expliqua Sissi, qui caressa la tignasse emmêlée de Simone. On va te conduire auprès de Mi, mais avale d'abord quelque chose.

Chapitre 4

Tout se déroula exactement comme Sissi l'avait prévu, même si Simone avait l'impression d'évoluer dans un rêve étrange, comme ceux qu'elle faisait quand elle n'était ni bien réveillée ni tout à fait endormie. Tout lui paraissait net et flou à la fois, et les sons lui semblaient surgir d'un tunnel, tels des échos.

Quand Sissi la guida vers le service des soins intensifs, Simone sentit son cœur battre si fort, si vite qu'il lui sembla que quelqu'un cherchait à l'écraser. Elle crut se retrouver dans les toilettes du cinéma, recroquevillée sur la cuvette, avec son mobile déchargé et sa terreur.

— Sissi…

— Respire, dit Sissi à mi-voix, un bras passé autour de la taille de sa petite-fille. Inspire par le nez, comme si tu voulais gonfler ton ventre, puis expire, toujours par le nez, comme pour le dégonfler. Voilà, c'est ça. Parfait. Mi va s'en sortir, respire pour elle. Regarde, Nari est là.

Nari, dont la pâleur et les cernes trahissaient l'épuisement, se leva et s'approcha d'elles.

— Nos parents sont avec Mi. D'après le médecin, ils vont bientôt la transférer dans une chambre, peut-être dès aujourd'hui car son état s'est amélioré.

— C'est vrai ? s'écria Simone, qui sentit sa gorge se dénouer. Elle va vraiment mieux ?

— Oui, je t'assure. Elle est… Nari ferma la bouche un instant, pour empêcher ses lèvres de trembler… Elle paraît encore très fragile, mais elle va mieux. Nous avons dû lui dire, pour Tish.

Elle a besoin de te voir, Simone, vraiment.

— Nari, ma chérie, tu as passé la nuit ici ? s'inquiéta Sissi.

— Mes grands-parents ont reconduit mon frère à la maison, mais moi je suis restée auprès de mes parents. Nous n'avons pas eu la force de nous éloigner d'elle.

— Je vais te chercher un café. Tu préfères peut-être du thé ? Ou un soda ?

— Un café, ce serait merveilleux.

— Tiens compagnie à Nari, Simone. Et Nari, quand tes parents sortiront de la chambre, vous devriez tous les trois rentrer chez vous dormir un peu. Simone et moi nous ne bougerons pas d'ici. Nous pourrions nous relayer, de façon qu'il y ait toujours quelqu'un auprès de Mi. Allez, asseyez-vous, mes petites.

— Je ne pense pas qu'ils partiront d'ici, estima Nari, quand Sissi se fut éloignée pour dénicher du café.

— Sissi les convaincra, elle est douée pour ça, dit Simone. Se disant qu'elle devait dès à présent faire preuve de courage pour aider Mi, elle guida Nari vers les chaises. Nous serons là à tour de rôle, elle ne sera jamais seule.

— Elle se souvient de ce qui s'est passé, des bribes en tout cas. La police s'est entretenue avec elle ce matin. Le médecin n'a laissé les agents lui parler que quelques minutes. Et toi, ils t'ont interrogée ?

— Pas aujourd'hui. Pas encore, en tout cas.

Sissi reparut, chargée d'un Coca pour Simone et d'un café pour Nari :

— Avec beaucoup de crème et un peu de sucre, c'est bien ça ?

— Oui, confirma Nari, qui trouva la force de sourire. Vous n'avez pas oublié.

— C'est gravé là-dedans, expliqua Sissi, en se tapotant la tempe, avant de s'asseoir. J'ai été machiniste itinérant par intermittence, pendant quelques années. Dans ce boulot, on apprend à retenir comment les gens préfèrent leur café, leur alcool, avec quelles personnes ils aiment coucher…

— Sissi…

— C'est la vie, mes petites filles. Tu as un chéri, Nari ?

Simone, sans vraiment saisir comment sa grand-mère s'y était prise, comprit pourquoi elle agissait ainsi : pour sortir Nari de cette situation terrifiante et la ramener à la normalité. Trois minutes plus tard, elle en savait probablement davantage que

Mi ou leurs parents à propos du garçon avec lequel Nari sortait depuis quelque temps : un Irlandais catholique de Boston qui, en cet instant, était sur la route pour la rejoindre.

Lorsque les parents de Mi sortirent de la chambre, Sissi se leva pour aussitôt les étreindre. Les trois adultes parlèrent à voix basse un instant, durant lequel Simone vit Mme Jung tourner la tête vers la porte de la chambre, les larmes aux yeux, mais Sissi continua de leur parler sur un ton apaisant.

Comme dans un rêve, pensa Simone quand, à peine quelques minutes plus tard, les Jung acceptèrent de rentrer chez eux quelques heures.

Après leur départ, Sissi se rassit et tapota le genou de Simone :

– Ils pensent qu'ils n'arriveront pas à trouver le sommeil, mais en fait ils vont tomber comme des masses. Le corps et l'esprit ont besoin d'être rechargés, et l'esprit guide le corps.

– Je ne savais pas que Nari avait un petit ami sérieux.

– Elle non plus, si tu veux mon avis, jusqu'au moment où il lui a dit qu'il lâchait tout pour la rejoindre. Bon, maintenant, je veux que tu aies des pensées fortes et positives.

Pianotant d'un doigt dans les airs, Sissi lança un regard entendu à Simone, pour qui sa grand-mère avait les yeux dorés – en réalité, ils étaient de la même couleur que les siens.

– Et ne crois pas que je ne vois pas le sourire moqueur que tu me lances dans ta tête. Force-toi à avoir ces pensées positives. Vous allez pleurer, toutes les deux, mais c'est un processus de guérison, quoi que tu en penses. Écoute-la, quoi qu'elle ait besoin de te dire, et dis-lui la vérité, quoi qu'elle te demande… car si vous perdez confiance l'une en l'autre maintenant, ce sera peut-être définitif.

– Je ne tiens pas à aggraver la situation en disant la vérité.

– On est déjà dans le pire, et vous allez l'affronter ensemble. La vérité est essentielle entre vous deux. Voici son infirmière. Allez, vas-y, mon bébé. Sois forte et courageuse.

Simone ne se sentait ni forte ni courageuse, pas avec les bourdonnements qui lui labouraient le crâne, pas avec cette sensation d'avoir la poitrine comprimée. Elle acquiesça aux instructions de l'infirmière, sans vraiment comprendre ce qu'elle lui disait.

Ce fut encore pire quand elle aperçut Mi, de l'autre côté d'une vitre.

Mi semblait si petite, si malade. « Fragile », avait dit Nari. Aux yeux de Simone, Mi paraissait brisée. Une petite chose fragile lâchée par terre et brisée en morceaux.

Le regard épuisé de Mi croisa celui de Simone. Des larmes débordèrent.

Elle ne se rappelait pas être entrée dans la chambre, ni si l'infirmière lui avait demandé de ne pas toucher son amie, mais elle ne put s'en empêcher, il le fallait.

Elle plaqua la joue contre celle de Mi et lui prit les mains, aussi fines que des ailes d'oiseau.

– Je pensais… J'avais peur qu'ils m'aient menti, dit Mi, dont la voix, aussi légère que ses mains, se noya dans des sanglots. J'avais peur que tu sois morte, toi aussi, et qu'ils ne me l'aient pas avoué. J'avais peur…

– Non, je suis là. Je n'ai pas été blessée. Je n'étais pas dans la salle. J'étais sortie…

Tandis qu'elle parlait, Simone crut entendre Sissi s'adresser à elle : « Écoute-la. »

– Tish est vraiment morte ? demanda Mi.

La joue toujours contre celle de son amie, Simone acquiesça.

Elles pleurèrent ensemble, le corps frêle de Mi tremblant contre celui de Simone. Puis celle-ci se redressa sur le côté du lit et prit la main de Mi.

– Il est entré. Je ne l'ai pas vu tout de suite. Ensuite, on a entendu les tirs et les hurlements, mais tout s'est passé si vite. On ne savait même pas ce qui faisait ce bruit. Tish a dit : « Mais qu'est-ce qui se passe ? », et alors…

Mi ferma les yeux.

– Je peux avoir un peu d'eau ?

Simone prit le gobelet, dans lequel était plantée une paille flexible, et le plaça devant la bouche de Mi.

– Il lui a tiré dessus. Il l'a tuée, Simone, et moi, j'ai senti… J'ai senti une douleur atroce, puis Tish s'est écroulée sur moi, elle a basculé d'un coup sur moi. J'ai senti une autre douleur, et elle, on aurait dit qu'elle sursautait. Il a continué à tirer sur elle, Simone, et comme elle était plus ou moins sur moi, elle est morte. Mais pas moi. Elle m'a sauvé la vie. Je l'ai raconté à la police. Je ne pouvais plus bouger, je ne pouvais pas l'aider. J'étais consciente, mais tout ça me semblait irréel. Ce mec n'arrêtait pas de tirer et, d'un coup, tout s'est arrêté. Plus de coups de feu. Mais les gens hurlaient et pleuraient. Moi, je ne pouvais même pas crier, même pas bouger. Je me croyais morte. Alors, je… J'ai perdu connaissance, je suppose. Je ne me rappelle plus rien à partir de ce moment, jusqu'à mon réveil ici.

Mi serra la main de Simone, de ses petits doigts qui ne pesaient rien.

– Est-ce que je vais mourir ?

Dis-lui la vérité.

– Tu as été sérieusement blessée, et nous avons tous eu très peur. Le chirurgien t'a opérée pendant des heures mais, en sortant du bloc, elle nous a dit que tu t'en tirais très bien. Aujourd'hui, ils vont te faire quitter les soins intensifs, car tu n'es plus dans un état critique. Sissi est là. Elle a convaincu tes parents de rentrer chez eux un moment, pour dormir un peu. Jamais ils ne seraient partis, si tu avais été sur le point de mourir.

Mi ferma de nouveau les yeux.

– Tish est morte, elle. Pourquoi ?

– Je ne sais pas. Je ne… Je n'arrive toujours pas à y croire.

– Tu étais aux toilettes. Qu'est-ce qui s'est passé, là-bas ?

– J'en revenais quand j'ai entendu les bruits, j'ai cru qu'ils venaient du film, mais j'ai vu un homme sortir de la salle en courant. Il s'est effondré. Il était couvert de sang. J'ai regardé à l'intérieur de la salle, juste une seconde, et j'ai vu… J'ai vu quelqu'un qui tirait des coups de feu et j'ai entendu les cris. Je suis retournée en courant aux toilettes, où j'ai appelé Police-Secours. Ils m'ont dit de rester cachée et d'attendre, mais mon téléphone s'est éteint pendant que je leur parlais.

– Tu avais encore oublié de le recharger, dit Mi avec un petit sourire.

– Je ne commettrai plus jamais cette erreur, je te le garantis. Ensuite, une policière est arrivée. Je lui ai donné ton nom, et celui de ma mère et de Natalie.

– Elles étaient dans la galerie, c'est vrai. J'avais oublié.

– Ils étaient trois, Mi. C'est ce qu'ils ont dit, aux informations. Deux dans la galerie et un au cinéma.

– Ta mère et Natalie… Simone, ne me dis pas que…

– Non, ça va. Maman a une commotion et quelques égratignures dues à des éclats de verre. Natalie l'a traînée derrière un comptoir. Elles vont bien toutes les deux. Simone hésita un instant puis poursuivit : Ils étaient trois, à tuer tous ces gens. Ils ont tué Tish.

Et on les connaissait.

– On les connaissait ? répéta lentement Mi.

– Ils sont morts. Et tant mieux. Il y avait JJ Hobart.

– Oh, mon Dieu…

– Kent Whitehall et Devon Paulson étaient dans la galerie, et JJ dans la salle de cinéma.

– Il a tué Tish. Je les voyais presque tous les jours au lycée. Ils ont tué Tish…

– Et Trent. Il est mort. Et Tiffany est grièvement blessée. J'ai croisé sa mère hier soir. JJ a tiré sur Tiffany. Elle gardera peut-être des séquelles au cerveau et au visage… Je n'ai pas appris grand-chose, je ne sais pas à quel point ses blessures sont sérieuses.

– Je savais que JJ, surtout lui, était un sale type, parfois complètement crétin, mais de là à… dit Mi, dont les yeux marqués laissèrent de nouveau échapper des larmes. C'est moi qui ai choisi le film. Je voulais absolument le voir, et maintenant Tish est morte.

– Ce n'est pas ta faute. Ce n'est pas non plus ma faute si je suis allée aux toilettes et si je n'étais pas avec vous, pourtant c'est ce que je ressens. Vraiment. En vérité, ce sont eux les responsables, Mi. Je les déteste. Je les détesterai toute ma vie.

– Je suis épuisée, murmura Mi, dont les yeux se fermaient. Reste avec moi.

L'infirmière apparut à la porte et signifia à Simone qu'il était temps de laisser son amie se reposer.

– Je reste dans la salle d'attente, juste là, promit Simone. Je ne vais nulle part.

Par le passé, Reed avait une ou deux fois fait des rêves très sympathiques dans lesquels il déshabillait Angie. Aujourd'hui, après avoir subi des cauchemars récurrents dans lesquels il se cachait derrière son cadavre, il était assis au dernier rang de l'église méthodiste, pour assister à l'enterrement de la jeune fille.

Il avait bien failli se convaincre de ne pas venir. Ils n'étaient pas amis, il ne l'avait pas vraiment connue. Il ignorait que ses parents étaient divorcés, par exemple, ou qu'elle jouait de la flûte, ou encore qu'elle avait un frère dans les Marines.

Peut-être lui aurait-elle parlé de tout ça s'ils étaient allés au cinéma ensemble, s'ils avaient partagé une pizza ou s'étaient promenés sur la plage. Mais ils n'avaient rien fait de tout cela.

Assis là, parmi ces personnes qui l'avaient connue et aimée, tout en larmes, il se sentait perdu, coupable, stupide.

Mais il avait fallu qu'il vienne. Il était sans doute le dernier, si l'on exceptait ses clients, à avoir parlé avec elle. Il avait passé ces terrifiantes minutes à cacher un petit garçon dans le kiosque, avec le cadavre d'Angie juste à côté de lui.

Ses chaussures et son pantalon avaient été aspergés du sang d'Angie.

Alors il était venu et écoutait les prières et les éloges funèbres déchirants mêlés aux pleurs, les épaules comprimées dans son costume. Sa mère lui avait pourtant recommandé de s'acheter un nouveau costume, quand il était rentré à la maison pour l'été, mais il n'y avait vu qu'un gaspillage d'argent.

Sa mère avait raison, comme d'habitude.

Il se reprocha de penser à son costume, estimant cela irrespectueux, puis se remémora les trois visages qu'il avait vus et revus aux informations.

Tous trois étaient plus jeunes que lui, et l'un d'eux avait tué Angie.

Pas Hobart, qui était resté dans la salle de cinéma. La policière, l'agent McVee, l'avait abattu. D'après les journalistes, Hobart travaillait au cinéma. C'était le chef de la bande, apparemment.

Angie avait donc été tuée par Whitehall ou Paulson.

Ces deux ados semblaient ordinaires sur les photos diffusées à la télévision et dans les articles parus sur Internet, mais il n'en était rien.

Celui qu'il avait vu, et qu'il revoyait encore dans ses cauchemars, vêtu d'un gilet pare-balles, tirant en riant une balle dans la tête d'un passant, n'avait rien d'un individu normal.

Il en savait à présent davantage sur les trois assassins qui, au cours de leur massacre de huit minutes, avaient tué la fille qu'il appréciait. Hobart habitait avec son père depuis que ses parents avaient vécu un divorce houleux, tandis que sa jeune sœur était restée avec sa mère. Collectionneur d'armes à feu passionné, le père avait appris à ses enfants à chasser et à tirer.

Whitehall, quant à lui, vivait avec sa mère, son beau-père, son demi-frère et sa belle-sœur. Sans emploi, son père avait été arrêté deux ou trois fois pour ivresse, trouble à l'ordre public et conduite en état d'ébriété. D'après ses voisins, Whitehall était un solitaire et avait des problèmes de drogue.

Paulson, en revanche, avait tout du lycéen modèle. De bonnes notes, pas le moindre problème, une vie familiale sans histoires, fils unique. Il avait été scout, décrochant un badge de mérite en tir, puis membre de l'équipe junior de tir américaine ; il espérait même se qualifier pour les jeux Olympiques. Son père avait d'ailleurs représenté les États-Unis à Sydney en 2000, puis à Athènes en 2004.

Avec le recul, ceux qui l'avaient connu déclaraient se rappeler avoir vu Paulson de plus en plus renfermé depuis environ six mois – ce qui correspondait au moment où la fille qu'il aimait lui avait préféré quelqu'un d'autre. Il avait alors commencé à traîner avec Hobart. Et à cette époque, les trois garçons, futurs meurtriers de masse, avaient chacun alimenté la rage qu'éprouvaient les deux autres.

Selon les journalistes, ils avaient tout décrit sur des fichiers d'ordinateurs que les autorités étudiaient encore. Reed, de son côté, lisait les articles, suivait les spéculations développées sur Internet, écoutait les bulletins d'information, et discutait sans cesse avec Chaz et d'autres.

Il voulait comprendre, simplement comprendre… Toutefois, il estimait qu'il faudrait un temps infini pour que tous les détails soient connus. Si cela devait se produire un jour.

D'après ce que Reed déduisait des articles, des bruits qui couraient et de ses conversations, Hobart détestait tout le monde. Sa mère, ses professeurs, ses collègues. Les Noirs, les juifs, les gays. Il n'était que haine. Et il aimait détruire.

Whitehall, qui avait sa vie en horreur, voulait devenir quelqu'un ; il était convaincu que tout le monde et tous les hasards se liguaient contre lui. Il avait décroché un job d'été au centre commercial, mais avait été renvoyé moins de deux semaines plus tard : il se présentait défoncé au boulot – quand il se donnait la peine de venir travailler, à en croire un ancien collègue.

Paulson détestait son manque de chance. Estimant avoir toujours agi convenablement au cours de sa vie, il avait tout de même perdu la fille qu'il aimait et était moins bon que son père dans tous les domaines. L'heure était venue d'être mauvais, avait-il décrété.

Ils avaient jeté leur dévolu sur le centre commercial. Hobart s'était réservé le cinéma, car il tenait à détruire le lieu où on voulait le faire travailler.

Certaines rumeurs prétendaient qu'ils avaient procédé à trois répétitions, en se chronométrant afin de peaufiner leur action. Ils avaient prévu de se retrouver à la boutique Abercrombie & Fitch, de s'y barricader et de prendre des gens en otage, afin de négocier avec la police, puis de descendre un maximum de flics.

Whitehall et Paulson avaient presque atteint le point de ralliement. Or ils s'étaient juré que si l'un d'eux tombait, les deux autres tomberaient aussi.

Ne voyant pas Hobart les rejoindre, alors que les policiers se rapprochaient, Whitehall et Paulson – selon des témoins – s'accordèrent un check poing contre poing avant de crier : « On le fait, putain ! » Puis ils avaient dirigé leurs armes l'un sur l'autre.

Peut-être quelques détails étaient-ils authentiques dans ce récit, ou même beaucoup, mais Reed s'attendait à voir de plus en plus d'informations sortir. On en tirerait un livre, et sûrement un téléfilm flippant.

Tout mais pas ça, se dit-il.

Il reprit ses esprits au moment où tous se levaient, dans l'église ; il eut honte de s'être perdu dans ses pensées, au lieu de rester attentif.

Il se leva et attendit que les porteurs du cercueil aient fait sortir Angie. Il ne parvenait pas à l'imaginer dans cette boîte – ne le voulait pas. Les proches de la jeune femme sortirent à leur tour, blottis les uns contre les autres, comme pour se soutenir.

Il reconnut quelques personnes parmi lesquelles Misty, l'amie d'Angie, et d'autres qui travaillaient au centre commercial. Il n'aurait pas dû être surpris de voir Rosie, à côté de laquelle il s'était assis la veille aux obsèques de Justin, l'aide-serveur.

En effet, il savait que, depuis quelques jours, elle partageait son temps entre les enterrements et les chambres d'hôpital.

Reed resta en retrait et la laissa s'en aller, probablement pour assister à une autre cérémonie ou pour rendre visite à un blessé, peut-être pour apporter de la nourriture à quelqu'un ayant perdu un être cher ou se remettant de ses blessures chez lui.

C'était tout Rosie, ça.

L'exact opposé des trois tueurs.

Un splendide après-midi d'été l'accueillit à la sortie de l'église. Le soleil brillait dans un ciel bleu vif parsemé de légers nuages blancs, et l'herbe était plus verte que jamais. Un écureuil grimpa à toute allure dans un arbre.

Tout cela semblait irréel.

Il aperçut des journalistes de l'autre côté de la rue, qui filmaient et prenaient des photos. Après une première réaction de mépris, il se rappela qu'il lisait tous leurs articles et détaillait tous les clichés qu'ils publiaient.

Il s'en éloigna, se dirigeant vers sa voiture qu'il avait garée deux rues plus loin. Il rentra la tête dans les épaules, plutôt que de se retourner, lorsqu'il s'entendit appeler par son nom. Une main se posa délicatement sur son bras.

– Reed. Je suis l'agent McVee… Rappelez-vous.

Il la considéra un instant, le regard vide. Ses cheveux blonds attachés en une queue-de-cheval qui bondissait dans son dos, elle portait un tee-shirt blanc et un pantalon kaki. Elle lui parut plus jeune que le jour du massacre.

– Je ne vous avais pas reconnue sans votre uniforme, excusez-moi. Vous étiez à la cérémonie ?

– Non, j'ai attendu dehors. J'ai appelé chez vous, votre mère m'a dit où vous étiez.

– J'ai déjà fait ma déposition. Deux fois.

– Je ne suis pas de service. À vrai dire, je mène ma propre enquête auprès de tous ceux que j'ai croisés ce soir-là, à titre personnel. Vous allez au cimetière ?

– Non, ce ne serait pas correct, il me semble, vis-à-vis de sa famille. Je ne connaissais pas Angie si bien que ça. Je voulais… Je voulais simplement lui proposer de sortir avec moi quelque part. On allait peut-être voir ce film, justement, à la dernière séance, et… mon Dieu…

Les mains tremblantes, Reed enfila tant bien que mal une paire de lunettes de soleil.

– Que diriez-vous de faire un tour au parc ? proposa Essie. Nous pourrions nous asseoir quelque part et admirer la mer un moment. Moi, ça m'aide toujours à me calmer.

– Je ne sais pas… Pourquoi pas, après tout.

– Je vous emmène là-bas et je vous reconduis à votre voiture ensuite, d'accord ?

– Oui, ça me va.

En y repensant plus tard, Reed se demanda pourquoi il avait accepté la proposition d'Essie. Il ne la connaissait pas, après tout. Sur le moment, elle n'était pour lui rien d'autre qu'une policière en uniforme et au visage flou, mêlée à tant d'autres choses, dans la folie et le choc du soir funeste.

Mais elle avait vécu ce drame de l'intérieur, comme lui.

En embarquant dans la voiture de la policière, il eut le temps de se faire la réflexion qu'elle était plus ancienne et plus pourrie que la sienne, bien que beaucoup plus propre, avant de soudain se rappeler un détail :

– C'est vous qui avez abattu Hobart.

– Oui.

– La vache… Ils ne vous ont pas virée ou sanctionnée, quand même ?

– Non, tout est OK de ce côté-là. Je reprends le boulot demain. Et vos parents, ils ne sont pas trop choqués ?

– Si, pas mal, mais ils tiennent le coup.

– Et vos collègues du restaurant ?

– C'est plus difficile pour eux, je pense. On était sur place, on a tout vu… On ne peut pas s'empêcher de revoir ces images, mais ça va, on se remet. Rosie, la cuisinière, par exemple, fait beaucoup de choses. Elle assiste à des obsèques, rend visite à des blessés à l'hôpital, apporte de la nourriture aux personnes immobilisées chez elles. Ça l'aide, j'imagine… Enfin je ne sais pas.

– Et vous, Reed, qu'est-ce qui vous aide à aller de l'avant ?

– Je n'en sais rien.

La brise venue de l'Océan lui fouettait le visage par la vitre baissée. Ça, c'était du réel. Les voitures filaient, une femme promenait un enfant dans une poussette, sur le trottoir. Tout cela, c'était du réel.

La vie continuait tout simplement, et il en profitait. Il avait cette chance.

– Je discute beaucoup avec Chaz, mon ami qui travaille à GameStop.

– Oui, je me souviens de lui. Il a sauvé des vies, tout comme vous.

– Vous pensez à Brady, le gamin ? Son père m'a appelé. Il voudrait venir me voir avec Brady, la semaine prochaine. Il m'a dit que sa femme allait mieux.

Essie resta silencieuse un moment mais, comme Sissi, elle prônait la vérité et la confiance.

– Elle va s'en sortir, mais elle est paralysée. Elle ne remarchera jamais. Il n'a sans doute pas voulu en rajouter, mais vous l'auriez appris un jour ou l'autre.

– Et merde…

Il resta la nuque calée contre l'appuie-tête, jusqu'à de nouveau respirer normalement, puis reprit :

– J'essaie d'écouter de la musique, de jouer au basket dans le jardin, mais je ne peux pas m'empêcher de lire des articles sur la fusillade et d'écouter les informations. C'est plus fort que moi.

– Vous êtes un des premiers concernés.

– Mes parents aimeraient que je parle à quelqu'un. Vous savez, un psy, quelque chose comme ça.

– C'est une bonne idée. Il faut que j'en voie un, moi aussi. C'est la règle, dans la police, et ce n'est pas pour rien.

Reed rouvrit les yeux, les sourcils froncés :

– Vous devez consulter un psy ?

– C'est déjà fait. Et la séance a été productive : je suis autorisée à reprendre le travail, pour des tâches administratives. Je vois encore le psy de la police. Je serai de retour sur le terrain dans quelque temps. Ça ne me dérange pas qu'on analyse tout ça. J'ai tué quelqu'un, tout de même.

Essie se gara et coupa le contact, puis elle poursuivit :

– Je l'ai fait pour sauver des vies, dont la mienne et celle de mon équipier, mais je n'en ai pas moins abattu un garçon de dix-sept ans. Je ne mériterais pas de faire partie de la police, si j'étais capable de l'assumer sans éprouver le moindre remords.

Elle sortit de la voiture et attendit que Reed en fasse autant.

Ils marchèrent un moment, passèrent devant une aire de jeux, suivirent une promenade et s'assirent sur un banc, non loin de mouettes hurlantes qui plongeaient en piqué. Face à eux, la baie était aussi bleue que le ciel.

Des bateaux glissaient sur l'eau, et Reed entendait des rires d'enfants. Une femme au corps de rêve en short en Lycra et débardeur passa devant eux à petites foulées. Un couple qui lui fit l'effet d'être âgé d'au moins mille ans se promenait main dans la main.

– C'est vrai, ce que disent les journaux et la télé, à propos de Hobart ? s'enquit Reed. C'était le cerveau du groupe ?

– Je dirais que c'était vraisemblablement le plus motivé, celui qui a dû le plus insister pour passer à l'action. Mais à mon avis, ils formaient un tout, comme trois pièces d'un puzzle meurtrier s'emboîtant parfaitement, au pire moment qui soit. Paulson n'aurait sans doute pas suivi les deux autres quelques mois plus tôt ou plus tard.

Reed avait lu et entendu les descriptions de Paulson, dans les journaux et à la télévision, notamment les témoignages de ses voisins et de ses professeurs. Tous étaient sous le choc, assurant qu'il ne s'était jamais montré violent, qu'il avait toujours été brillant et aimable.

Putain de scout…

On enterrait Angie, aujourd'hui. Et hier, on avait enterré un gosse dont c'était le premier job d'été. Combien d'autres ?

– Je ne pense pas qu'on puisse tuer si facilement, comme ils l'ont fait, si on n'a pas ça dans le sang. Je veux dire… N'importe qui est peut-être, et même probablement capable de tuer, mais comme vous l'avez fait. Pour sauver des vies, pour protéger des gens. En état de légitime défense ou en agissant comme un soldat, ce qui n'a rien à voir avec ce carnage. Pour agir comme ils l'ont fait, il faut avoir quelque chose de pas normal dans le crâne.

– Vous n'avez pas tort. Vu sa famille et le milieu dans lequel vivait Paulson, je pense qu'il aurait fini par être aidé. Malheureusement, il a fréquenté les deux autres au mauvais moment, et les trois pièces se sont emboîtées.

En écoutant le doux clapotis de l'eau, les cris des oiseaux, une radio allumée, Reed se rendit compte que le monde lui semblait plus réel à cet instant, pendant qu'il discutait avec Essie.

Passer ce moment en sa compagnie lui donnait l'impression de mieux s'intégrer au monde.

– Qu'avez-vous ressenti, quand vous avez tiré ? lui demanda-t-il.

– Avant vendredi soir, je n'avais jamais ouvert le feu en dehors du stand de tir. J'ai eu une sacrée trouille, mais surtout avant et après. Sur le moment, l'entraînement et l'instinct ont pris le dessus, j'imagine. Le tueur avait tiré sur mon équipier, et j'avais sous les yeux des cadavres et d'autres personnes qui agonisaient. Et puis il m'a visée. J'ai simplement réagi comme on m'avait appris à le faire. Éliminer la menace. Et ensuite, les procédures à suivre dans de tels cas. Mon équipier était à terre, mais pas sérieusement blessé. Puis la jeune fille, dans les toilettes, celle qui la première a prévenu Police-Secours.

– Ah oui… Simone Knox.

– C'est ça. Vous la connaissez ?

– Non, c'est juste que… Je n'arrête pas de lire et d'écouter les infos. J'ai retenu son nom.

– Elle aussi, comme vous, a sauvé des vies. Elle a gardé la tête froide, s'est cachée et a contacté la police. Barry, mon équipier, et moi, nous étions juste dehors, sur le parking.

– Oui, j'ai lu ça. Vous étiez déjà sur place.

– Il se trouve que cette Simone a appelé les secours une minute, peut-être deux après que Hobart a surgi dans la salle par la sortie qu'il avait laissée déverrouillée. Elle a perdu une amie, ce soir-là, et une autre est encore à l'hôpital, où elle se remet de ses blessures. Elle tient le coup, mais c'est difficile.

– Vous lui avez parlé, à elle aussi ?

– Oui, et aussi à son amie Mi, à Brady et à son père, répondit Essie, qui lâcha un soupir et leva la tête, offrant son visage au soleil. Ça m'aide, et j'aime à me dire que ça les aide peut-être aussi.

– Pourquoi avez-vous choisi la police ?

– Ça m'a paru une bonne idée à l'époque, expliqua la jeune femme, souriante, avant de pousser un autre soupir, les yeux posés sur l'Océan. J'aime l'ordre et je crois en la loi, mais c'est l'association de ces deux concepts qui me motive. Je suis faite pour ça. Les règles, les procédures, et aider les gens. Je ne m'étais jamais imaginée dans une situation comme celle de vendredi, mais maintenant c'est le cas. Je suis capable de faire ce boulot.

– Et comment fait-on, pour entrer dans la police ?

Essie tourna la tête, un sourcil haussé :

– Intéressé ?

– Peut-être. Non… Enfin, si. Je n'ai jamais vraiment réfléchi à mon avenir. Je sais bien que je finirai par travailler, mais je me plais à la fac. J'ai des notes correctes et je me sens bien là-bas, alors je n'ai jamais trop pensé à ce que je ferai après. J'ai dit à Brady qu'on attendait les gentils, parce que c'était la vérité. Alors oui, j'aimerais bien savoir comment faire pour entrer dans la police.

Quand Essie l'eut reconduit à sa voiture, Reed avait pour la première fois un véritable projet d'avenir, peut-être forgé dans la mort, mais il voyait déjà sa vie en émerger.

Seleena McMullen avait de l'ambition et était accro à la cigarette. Sa volonté de devenir célèbre grâce à son blog sur Internet l'avait poussée à se poster à l'extérieur de l'église durant les obsèques. Son statut de journaliste au *Hot Scoops*, un site Internet à la réputation quelque peu douteuse, ne lui valait guère de respect de la part des envoyés spéciaux de la presse et de la télévision rassemblés là.

Mais elle s'en moquait. Un jour, elle s'élèverait plus haut que tous ces minables.

Elle avait développé cette attitude, ainsi que son ambition, durant ses années de lycée et d'université. Pas un instant elle n'avait douté d'être plus intelligente que ses camarades, et elle n'hésitait jamais à le souligner.

Peu importait si ça la privait de vrais amis. Elle considérait ses relations comme des clients. Elle devait beaucoup à Jimmy Rodgers qui, en quatrième, l'avait aidée à tracer sa voie. En faisant mine de l'apprécier, en lui disant qu'elle était belle – pour que cette pauvre naïve fasse ses devoirs à sa place pendant qu'il se moquait d'elle derrière son dos –, il lui avait donné l'impulsion nécessaire pour lancer sa propre affaire.

Dès lors, elle accepta volontiers de se charger des devoirs d'autres élèves, mais pas gratuitement.

Quand elle obtint son diplôme de fin d'études secondaires, elle avait déjà mis un joli paquet de côté, qui ne fit que grossir au cours de ses années de fac.

Tout juste diplômée en journalisme, elle avait décroché un job au *Portland Express*. Elle n'y était pas restée longtemps ; son rédacteur en chef et ses collègues n'étaient pour elle que des crétins, et elle n'était pas du genre à s'embarrasser de tact.

L'avenir étant à ses yeux sur Internet, à vingt-quatre ans elle s'était intégrée au staff du site d'information *Hot Scoops*. Elle travaillait essentiellement chez elle et, certaine que ce poste était un simple tremplin devant la propulser vers son propre site, son blog à succès, elle tolérait les corrections du rédacteur en chef et les reportages pourris.

Le massacre au centre commercial DownEast lui était littéralement tombé dans les mains.

Elle avait traversé la galerie marchande en quête de nouvelles chaussures de footing, quelques secondes avant les premiers coups de feu. Elle avait vu un des tireurs, plus tard identifié comme étant Devon Lawrence Paulson, commettre son carnage. Tapie derrière un plan de la galerie, elle avait sorti sa mini-caméra et son Dictaphone.

Ses vidéos avaient par la suite été reprises dans tous les journaux, sur tous les réseaux sociaux, sur tous les sites Internet, par tous les journalistes.

Elle avait ensuite filé certaines victimes, des membres de leurs familles, ainsi que des employés de l'hôpital. Quelques billets glissés à un aide-soignant lui avaient permis d'entrer suffisamment longtemps dans le bâtiment pour prendre quelques photos de patients. Elle s'était même introduite dans la chambre d'une blessée, après sa sortie des soins intensifs.

Grâce au Dictaphone calé dans sa poche, elle avait enregistré des bribes d'une conversation entre Mi-Hi Jung et – bonus ! – Simone Knox, et cela lui avait donné de la matière pour un nouvel article.

D'après ses estimations, elle n'avait plus qu'à en rédiger quelques autres pour décoller de son tremplin du moment. Elle avait déjà reçu des propositions.

Et voilà que son addiction à la cigarette lui offrait un nouveau cadeau sur un plateau.

S'étant éloignée des autres journalistes, elle s'était adossée à un arbre, un demi-pâté de maisons plus loin, pour fumer et réfléchir. Elle aurait pu se rendre au cimetière à l'issue de la cérémonie religieuse, mais de nouvelles photos de personnes endeuillées lui apporteraient-elles beaucoup de vues ?

Peut-être quelqu'un perdrait-il connaissance, comme la mère du gamin mort, la veille… mais bon, ce serait du déjà-vu.

Mieux valait tenter de dégoter davantage de ragots sur les tueurs, décida-t-elle. Elle était sur le point de se diriger vers sa voiture lorsqu'elle aperçut la policière.

L'agent McVee, se dit-elle, en se plaquant contre l'arbre. Elle avait tenté à plusieurs reprises de l'attraper : poster des photos de la jeune femme qui avait abattu John Jefferson Hobart revenait à s'assurer des millions de vues. McVee n'était pas du genre à coopérer, mais à cet instant elle évoluait à l'écart, esquivant le troupeau des journalistes et des caméras.

Elle attendait quelque chose.

Intéressant, se dit Seleena, qui décida d'en faire autant.

Lorsque le cercueil fut sorti de l'église, elle prit quelques photos avec son téléobjectif, juste au cas où rien de mieux ne se présenterait. Soudain, elle vit McVee se mettre en marche… et découvrit un nouveau gros lot tombé du ciel. Reed Quartermaine, le garçon qui avait protégé le fils du pompier, ce gosse dont la mère avait pris une balle dans la colonne vertébrale.

Seleena les prit en photos, marchant et parlant ensemble puis montant dans la voiture de la policière. Et pendant que tout le monde prenait la direction du cimetière, elle courut à son véhicule.

Elle faillit les perdre de vue à deux reprises, ce dont elle se réjouit après coup. En effet, la fliquette risquait de la repérer, si elle les filait de façon trop évidente.

Rédigeant déjà son article en pensée, elle s'immobilisa à bonne distance et, sans sortir de son véhicule, vit ses proies s'installer sur un banc.

Enchantée d'avoir investi dans son téléobjectif, elle s'approcha aussi près d'eux qu'elle l'osa, faisant mine de n'être qu'une promeneuse parmi d'autres prenant tranquillement quelques photos de la baie et des bateaux.

S'il lui était impossible de s'approcher au point de capter leur conversation – la policière refusait de lui parler –, elle se consola en cadrant ses sujets, certaine de prendre de l'avance sur la concurrence.

« En ce nouveau jour de souffrance à Rockpoint, la mort unit les héros du massacre du centre commercial DownEast », dirait la légende.

Oh oui, elle allait très bientôt décoller de son tremplin…

Chapitre 5

Trois ans plus tard

Simone roula sur le côté et se redressa, puis donna un coup de coude au type qui partageait son lit.

– Il faut que tu y ailles.

Il répondit par un grognement.

Elle connaissait son nom, elle savait même pourquoi elle avait décidé de faire l'amour avec lui. Il était propre, bien foutu et désirait ce qu'elle avait à offrir.

Il était en outre doté d'un visage intéressant, assez anguleux, comme taillé à la serpe. Elle s'était imaginé avoir affaire à un Billy le Kid des temps modernes, une sorte de version bandante du célèbre hors-la-loi du Far-West.

Il lui avait fallu un moment pour se faire à l'idée que les coups d'une nuit avaient l'avantage de lui éviter les scènes et prises de têtes propres aux relations suivies – ou les prétextes qui les déclenchaient. Elle avait aussi rapidement compris qu'ils n'allaient pas sans un profond ennui.

Le mec, Ansel, enfila ses vêtements sous la pâle lueur filtrant par la fenêtre. Elle n'avait pas tiré les rideaux, à quoi bon se donner cette peine ? Elle aimait contempler New York et se fichait que ses habitants la regardent.

– J'ai passé un bon moment, dit Ansel.

– Moi aussi, répondit-elle, avec assez de conviction dans la voix pour ne pas rendre son mensonge évident.

– Je t'appelle.

– Super.

Peut-être le ferait-il, peut-être pas. Peu importait, de toute façon.

Voyant qu'elle ne daignait pas se lever, il sortit de lui-même de l'appartement. Dès qu'elle eut entendu la porte claquer, elle attrapa une chemise de nuit et se hâta de pousser le verrou.

Comme elle avait envie de prendre une douche, elle fila dans la salle de bains du minuscule appartement qu'elle partageait avec Mi. Le fait qu'il comprenne deux chambres et soit situé à une distance raisonnable du campus compensait les quatre étages à grimper, l'eau pas toujours très chaude et la piqûre du loyer mensuel.

Mais elles étaient ensemble, à New York. Et parfois, elles oubliaient même le fantôme de celle qui n'était plus avec elles.

La tête sous le maigre jet d'eau tiède, Simone se nettoya de sa nuit de sexe. Elle s'était coupé les cheveux en un carré court et les avaient récemment teints en violet aubergine mûre.

Grâce à cela, elle se sentait différente. Il lui semblait avoir passé une éternité à chercher ce qui la ferait se démarquer de la fille de Rockpoint, et lui permettrait de se dire un jour, en surprenant son reflet dans un miroir : « Ah ça y est, tu es vraiment toi-même ! »

Elle aimait New York, la foule, l'agitation, le bruit, les couleurs. Et surtout le fait d'être loin des critiques, questions et attentes de ses parents.

Cela dit, elle avait conscience d'être venue ici pour réaliser le rêve de Tish.

Elle se plaisait à l'université Columbia – elle avait dû travailler dur pour y être admise ; mais elle savait qu'elle l'avait fait pour participer au rêve de Mi.

Elle était incapable de trouver le sien, n'était même pas certaine d'en avoir un.

Néanmoins, vivre à New York pour des rêves qui ne lui appartenaient pas valait mieux que d'être restée à la maison, où tout se rapportait à elle. Sa mère aurait considéré sa nouvelle couleur de cheveux avec autant de désapprobation que de perplexité, et son père, avec son éternel regard inquiet, lui aurait tranquillement demandé comment elle allait.

Elle allait bien. Combien de fois devrait-elle l'affirmer ? Mi, elle, était encore victime de crises nocturnes et de cauchemars, certes moins fréquents désormais.

Les deux amies avaient tout fait pour oublier le soir tragique. Depuis que Mi était sortie de l'hôpital, Simone n'avait pas lu le moindre article ni regardé le moindre reportage évoquant le massacre. Chaque année, quand revenait la date de la tuerie, elle fuyait les informations, pour ne pas risquer de tomber par hasard sur quelque rappel des faits.

Elle ne rentrait chez elle que pour les vacances d'hiver et une semaine en été, qu'elle passait chez Sissi, sur l'île. Quand elle n'était pas en cours, elle travaillait. Et quand elle ne travaillait pas, elle se distrayait – sans se soucier des limites.

Sortie de la douche, Simone s'enveloppa dans un drap de bain – en coton égyptien, un cadeau de sa mère – et essuya le miroir fixé au-dessus du lavabo à peine plus grand qu'une tasse de thé.

Non, pensa-t-elle. *Pas encore*. Elle ne voyait qu'une fille au regard épuisé et aux cheveux trempés, rien de plus.

Elle accrocha la serviette et se glissa de nouveau dans sa chemise de nuit. En sortant de la salle de bains, elle trouva Mi dans la minuscule pièce leur servant de cuisine, posant la bouilloire sur une des deux plaques de cuisson.

– Tu n'arrives pas à dormir ?

– Je n'arrêtais pas de me retourner dans mon lit. Et j'ai entendu la porte.

Mi s'était laissé pousser les cheveux, ils formaient à présent une cascade noire et lisse dans son dos. Lorsqu'elle se retourna, Simone découvrit une autre paire d'yeux fatigués.

– Désolée.

– Ce n'est pas grave. Je le connais ?

– Je ne crois pas, mais ça non plus, ce n'est pas grave, répondit Simone, qui, entrée dans la cuisine, attrapa deux tasses. La musique était bonne, et il n'est pas mauvais danseur. Dommage que tu ne sois pas venue…

– Il fallait que je révise.

– Tu cartonnes dans toutes les matières… comme d'habitude.

– Parce que je bosse, justement.

Simone patienta, le temps que Mi s'occupe du thé, avant de reprendre :

– Tu as quelque chose à me dire, je le sens.

– J'ai été acceptée pour un programme de recherche, cet été.

– Génial ! Comme l'été dernier ? Je vois déjà le tableau : « Professeur Jung, ingénieur biomédical ».

– C'est encore un rêve, ça. Non, pas tout à fait comme l'été dernier. Cette fois, ça se passe à Londres.

– La vache, Mi ! s'écria Simone, qui agrippa son amie et lui imposa quelques pas de danse. Londres ! Tu vas aller à Londres !

– Pas avant fin juin, nuança Mi. Ma famille m'a demandé de passer un peu de temps à la maison avant de partir, entre la fin du semestre et mon départ pour Londres. Je leur dois bien ça.

– OK, dit Simone, hochant la tête, la gorge un peu nouée.

– Viens avec moi. Rentre avec moi, Simone.

– J'ai un boulot…

– Que tu détestes. Si tu tiens à rester serveuse dans un café pourri, tu peux le faire n'importe où. Tu n'es pas heureuse, ici. Tu t'en sors, à Columbia, mais ça ne te rend pas heureuse. Tu couches avec des mecs qui ne te rendent pas heureuse.

– Ce n'est pas en retournant à Rockpoint que ça va s'arranger.

Mi, toujours aussi svelte et qui n'avait rien perdu de sa grâce de gymnaste, se retourna pour finir de préparer le thé.

– Il faut que tu trouves ce qui peut te rendre heureuse. Tu es venue ici à cause de Tish et de moi, et je serai absente tout l'été. Tu devrais te creuser la tête pour trouver ce qui doit te rendre la joie de vivre. Ton don pour la peinture… Simone leva les yeux au ciel. Arrête ! Tu es vraiment douée !

– Sissi a du talent. Moi, je m'amuse, c'est tout.

– Alors, arrête de t'amuser ! Arrête de glander ! Arrête de coucher à droite à gauche !

– Waouh ! lâcha Simone.

Elle prit la tasse de thé dont elle n'avait plus envie et s'adossa au réfrigérateur qui avait vu le jour au siècle précédent.

– J'aime m'amuser, reprit-elle. J'aime glander et j'aime coucher à droite à gauche. Je n'ai pas l'intention de passer ma vie à étudier et à faire des recherches, terrée dans un labo, parce que je n'ai pas envie d'avoir une vie. Sérieux, Mi, c'est quand, la dernière fois que tu as couché avec un mec ?

– Tu en fais assez pour nous deux.

– Tu ne serais pas aussi chiante si tu baisais de temps en temps. Tu ne sors jamais en soirée ou en boîte, et tu n'as pas eu de rencart depuis des mois ! Tu passes ta vie à la fac, dans les labos ou dans cet appart de merde ! Heureuse, mon cul, oui !

– Je compte bien devenir quelqu'un, moi, répliqua Mi, ses yeux lançant des éclairs et le poing serré. Je ne suis pas morte, et j'ai bien l'intention de faire quelque chose de ma vie. Je suis heureuse, figure-toi. Pas tout le temps, mais ça m'arrive régulièrement.

Et au moins, je sais que je fais des efforts pour atteindre un but. Et pendant ce temps je vois ma meilleure amie rejeter tout ce qui s'offre à elle.

— Je vais en cours, j'ai un boulot, je sors en boîte. Tu appelles ça rejeter tout ce qui s'offre à moi ?

— Tu vas en cours, mais aucun ne t'intéresse, tu ne fais que le minimum, réagit Mi, ses paroles jaillissant comme l'eau d'une brèche d'un barrage. Tu persistes dans ce job que tu méprises, au lieu d'en chercher un qui te plairait. Tu sors en boîte parce que tu ne supportes pas d'être seule, au calme, pendant plus d'une heure. Tu couches avec des mecs que tu ne revois jamais, justement parce que dès le départ tu as décidé que ça n'arriverait pas. Tu t'empêches de t'impliquer dans quoi que ce soit, d'approcher qui que ce soit... Oui, c'est ce que j'appelle rejeter tout ce qui s'offre à toi !

— J'ai approché de très près le mec qui vient de partir, fit remarquer Simone, un sourire mauvais aux lèvres.

— Il s'appelle comment ?

Austin, Angel, Adam... ? Merde, merde, merde ! réfléchit Simone.

— Ansel, répondit-elle enfin.

— Tu as dû fouiller dans ta mémoire. Tu ramènes un mec ici, tu couches avec, et moins d'une heure plus tard tu dois faire un effort pour retrouver son prénom.

— Et alors ? Et alors, putain ? Si je suis une telle salope, qu'est-ce que ça peut te foutre, ce que je fais ou ce que je ressens ?

— Ça me concerne parce que tu es ma salope à moi.

Simone ouvrit la bouche, prête à s'emporter, mais n'émit qu'un rire étouffé, qu'elle lâcha en voyant Mi la dévisager, le visage rouge de colère et les yeux brillant de larmes de rage.

Cette dernière poussa un soupir peu discret, vexée, tandis que Simone portait un toast avec sa tasse.

— Je n'ai plus qu'à me faire imprimer « La salope de Mi-Hi » sur un tee-shirt, dit Simone en se tapotant la poitrine de sa main libre.

Tamponnant ses larmes, Mi prit conscience de l'absurdité de la situation et rit à son tour.

— Tu serais fière de le porter, je parie.

— Évidemment.

Mi posa sa tasse et se frotta la visage.

— Oh, bon sang ! Sim, je t'aime, tu sais.

– Je sais, je sais.

– Tu gâches ta vie, tu vas à des cours pendant lesquels tu pourrais dormir sans que ça change quelque chose.

– Je ne serai jamais un foutu ingénieur biomédical, Mi. On ne sait même pas ce qu'on veut faire plus tard, pour la plupart d'entre nous.

– Les seuls cours qui t'ont vraiment plu sont liés aux arts. Alors, concentre-toi là-dessus et tu trouveras ta voie. Tu gâches ta vie dans un boulot que tu détestes et dont tu n'as pas besoin. Et le plus débile, c'est que tu pourrais y être la patronne, vu tes compétences.

– Je n'ai pas envie d'être la patronne. Et beaucoup de gens n'apprécient pas leur travail. J'ai besoin du mien parce qu'il me permet enfin de régler moi-même certaines de mes dépenses.

– Dans ce cas, trouve un job qui te plaît. Et tu perds ton temps à coucher avec des mecs dont tu te fous complètement.

Ce fut au tour de Simone d'essuyer quelques larmes.

– Je n'ai pas envie de m'intéresser à quelqu'un, pour le moment. Je ne sais pas si ça viendra un jour. Il n'y a que toi et ma famille qui comptiez, pour moi. Je ne peux pas faire mieux.

– C'est quand même triste que je t'estime davantage que tu ne t'estimes toi-même. Heureusement que je suis là pour t'emmerder et te titiller.

– Tu es très douée pour ça.

– Je suis présidente du Club des Emmerdeuses titilleuses. Toi, tu as tout juste le niveau pour être membre honoraire. Allez, Sim, fais une pause cet été. On traînera à la plage avant mon départ pour Londres. Tu passeras du temps avec Sissi... Tu pourrais même la laisser t'emmener faire un tour en Europe, comme elle voulait le faire après ton diplôme. On pourrait aussi sous-louer l'appart. Ne reste pas toute seule ici.

– Je vais y réfléchir.

– Tu dis ça quand tu veux que je me taise.

– Possible. Bon, écoute, je suis crevée, et je dois être à 8 heures au café, pour ce boulot que je n'aime pas. Je voudrais dormir un peu.

Mi hocha la tête et versa le thé dans l'évier. Ni l'une ni l'autre n'avaient vidé leur tasse.

Simone reconnut le silence qui s'imposa, chargé d'angoisse.

– On dort ensemble ? proposa-t-elle.

– Ce serait bien, oui, dit Mi avec un soupir de soulagement.

– Allons dans ton lit de vierge, pour des raisons évidentes, dit Simone.

Tandis que toutes deux se dirigeaient vers la chambre de Mi, elle passa un bras autour des épaules de son amie.

– J'ai le numéro d'Aaron. Il a peut-être un copain pour toi ?

– Tu as dit qu'il s'appelait Ansel.

– Ah oui, merde !

Elles se glissèrent sous la couette de Mi et se blottirent confortablement l'une contre l'autre.

– Elle me manque, murmura Mi.

– Je sais. À moi aussi.

– Je crois que New York ne me ferait pas le même effet, si elle était là. Si Tish était avec nous, nous serions différentes.

Tout serait différent, pensa Simone.

Elle en rêva. Assise dans le public à coté de Mi, elle admirait Tish sur scène, pleine de vie. Sous les projecteurs. C'était sa place.

Elle rêva également de Mi au travail dans son laboratoire, impeccable dans sa blouse blanche.

Et quand son rêve se tourna vers elle, elle se vit assise sur un radeau perdu au milieu d'un océan inerte et silencieux. Dérivant vers le néant.

À son réveil, elle retrouva la vraie vie, servant des cafés hors de prix aux étudiants, qui payaient pour la plupart au moyen d'une carte de crédit fournie par leurs parents – sans même prendre la peine de lui laisser un pourboire décent.

Quand elle se retrouva pour la deuxième fois de la semaine à nettoyer les toilettes mixtes, elle prit le temps de se regarder à nouveau dans le miroir.

Elle n'ignorait pas que le gérant, ce connard, la chargeait de cette corvée deux fois plus souvent que les autres parce qu'elle refusait de coucher avec lui. (Marié, au moins quarante ans, queue-de-cheval, écœurant.)

Oh, et puis merde ! se dit-elle.

Elle sortit de ce réduit, qui empestait l'eau de Javel et le parfum citronné, et retrouva les incessants bourdonnements des machines à espresso et les conversations d'étudiants pontifiants parlant politique ou chouinant à propos de relations amoureuses.

Elle ôta le tablier rouge débile qu'elle devait nettoyer à ses frais et prit son sac à main dans son minuscule casier – dont la location se justifiait lamentablement en échange d'un salaire.

– Ce n'est pas l'heure de ta pause, ricana le gérant Connard.

– Tu te trompes, il est largement temps que je fasse une pause. Je démissionne.

Sortie du café, elle émergea dans un monde plein de bruits et de couleurs et prit conscience d'éprouver une émotion qui lui manquait depuis trop longtemps.

Elle était heureuse.

Sorti de l'école de police depuis six mois, Reed patrouillait en compagnie de Bull Stockwell. L'agent Tidas Stockwell devait son surnom de « Bull [4] » non seulement à son physique, mais aussi à sa personnalité. Avec ses quinze années de service, Bull était un dur à cuire mal embouché qui se prétendait doté d'un flair capable de détecter du grabuge à trois kilomètres de distance.

Parmi les muletas qui le faisaient charger, on trouvait notamment tout ce qu'il considérait comme anti-américain (à divers degrés de gravité), les connards (une plage très vaste) et les enculés. Les candidats les plus sérieux au titre d'enculé étaient ceux qui faisaient du mal aux enfants, frappaient les femmes ou maltraitaient les animaux.

Il n'avait pas voté Obama : jamais de sa vie il n'avait voté démocrate, et il ne voyait aucune raison de changer cela ; mais cet homme était le président des États-Unis et, en tant que tel, avait droit à son respect et à sa loyauté.

Il n'était pas intolérant, conscient qu'il y avait des connards et des enculés de toutes les couleurs et de toutes les religions. Il avait peut-être un peu de mal à saisir le phénomène gay, mais en fait il s'en foutait pas mal. À ses yeux, si vous vouliez vous taper quelqu'un fichu comme vous, c'était votre problème.

Il avait divorcé deux fois et gardait de son premier mariage une fille de dix ans qu'il adorait sans la moindre retenue. Il avait par ailleurs recueilli un chat borgne et estropié – la pauvre bête n'avait plus qu'une patte – lors d'une saisie de drogue.

La plupart du temps, il pestait contre Reed, lui reprochant sa stupidité et sa lenteur et le traitant d'étudiant ou de crétin de bleu. Au cours de ses six premiers mois sur le terrain, Reed en avait appris davantage sur les bases pratiques du métier de flic que durant ses années de fac ou les mois passés à l'école de police.

Il accumulait une sacrée expérience quand, sur une intervention à la suite d'une plainte pour violentes conjugales, il devait se poster entre Bull et l'individu faisant l'objet de la plainte (le mari) avant que cette muleta agitée ne pousse son équipier à racler le sol en grognant.

Reed s'attendait à devoir réagir à nouveau de cette manière, ce jour-là, tandis qu'ils roulaient en direction d'une maison de ville dans laquelle ils étaient déjà intervenus quatre fois pour cette même raison.

– Elle est protégée par une injonction, maintenant... Je vais me le farcir, ce mec !

Reed se remémora que la femme en question, une certaine LaDonna Gray, avait repris son mari, un dénommé Vic Gray, après avoir eu un œil poché et une lèvre éclatée, puis une autre fois après un bras cassé et un viol évident.

Le troisième incident, intervenu deux mois après qu'elle avait mis au monde leur fils – elle avait été assommée et avait perdu deux dents –, avait débouché sur l'injonction d'éloignement du domicile conjugal.

– Il a intérêt à ne pas avoir touché au bébé, gronda Bull, en remontant son pantalon pendant qu'ils se dirigeaient vers la porte située au fond d'une allée couverte de neige.

– Il va la tuer ! hurla une femme soudain surgie de l'entrée de la maison. Cette fois, il va la tuer, je vous jure !

Reed entendait à présent les cris, les hurlements, les vagissements du bébé.

Oh merde...

Il constata que la porte d'entrée avait déjà été défoncée. Il s'engagea sur le seuil avec son équipier et remarqua les traces de violence au rez-de-chaussée : une table était retournée et une lampe avait été brisée.

À l'étage, le bébé hurlait comme si quelqu'un lui enfonçait un pic à glace dans l'oreille. Cependant les cris, les insultes, les sanglots et les bruits de coups provenaient de l'arrière de la demeure.

Devançant Bull grâce à ses jambes plus jeunes, Reed eut le temps de voir Vic Gray s'enfuir par la porte du fond. Couverte de sang, sa victime gémissait sur le sol de la cuisine, en larmes.

– Je le chope ! s'écria Reed, qui s'élança en ouvrant son micro. Agent Quartermaine à la poursuite d'un suspect d'agression. Le suspect est Victor Gray, blanc, vingt-huit ans. Il est à pied et se dirige vers le sud, sur Prospect Avenue. Il mesure un mètre soixante-dix-huit et pèse quatre-vingts kilos. Il porte une parka noire, une casquette rouge et un jean. Il file maintenant vers l'est, sur Mercer Street.

Gray traversa un jardin, fendant les vingt centimètres de neige tombés la nuit précédente, puis escalada une clôture. Reed se fit la réflexion qu'il aurait couru beaucoup plus vite avec ses Nike aux pieds, plutôt que ses chaussures réglementaires.

Crachant des nuages de vapeur, il passa à son tour l'obstacle et se réceptionna dans la neige. Il entendit des cris et accéléra l'allure : il n'avait pas remporté des médailles en athlétisme pour rien, au lycée.

Il aperçut une femme affalée dans son jardin, près d'un bonhomme de neige en cours de réalisation. Le nez en sang, elle plaquait contre elle un bambin qui braillait.

– Il a essayé de me prendre mon bébé !

Reed ne ralentit pas. Il vit Gray obliquer vers l'est, le signala par radio. Gagnant du terrain, il sauta par-dessus une autre clôture ; Gray fonçait vers la porte ouverte d'une maison, par laquelle s'échappait de la musique et un rire féminin.

– Je n'ai pas besoin de voir que tu as déblayé la terrasse ! s'exclama cette femme. Ferme la porte, il fait froid !

Ce type ne va pas entrer dans cette maison et encore blesser quelqu'un. Reed n'avait plus que cette pensée en tête. S'il n'avait pas été la star de football américain dont avait rêvé son père, il savait tout de même plaquer un adversaire.

Il se jeta et attrapa Gray à hauteur des genoux sur l'étroite terrasse, devant la porte ouverte. Celui-ci hurla lorsque son visage racla la pierre.

– C'est quoi, ce bordel ! s'écria un homme, sur le pas de la porte, un verre de vin dans une main et un iPhone dans l'autre. Putain, ce type saigne de partout ! Je filme ! Encore un flic qui brutalise quelqu'un !

– C'est ça, allez-y… dit Reed, à bout de souffle et endolori par sa chute, en sortant ses menottes. Filmez donc ce connard qui a cogné sur sa femme jusqu'au sang à quelques rues d'ici, agressé une autre femme et tenté de prendre son enfant en otage. Ce type fonçait droit chez vous, je vous signale. Il baissa la tête vers son micro. Je l'ai. Suspect maîtrisé. Peut-être besoin de soins médicaux, ajouta-t-il en levant les yeux. C'est quelle adresse, ici ?

– Je suis pas obligé de te répondre, pauvre con.

– La ferme, Jerry ! intervint la femme qui avait ri peu auparavant, en écartant l'homme à l'iPhone. 5237, Gilroy Place, monsieur l'agent.

– Je me trouve dans le jardin du 5237, Gilroy Place, derrière la maison, répéta Reed, qui passait les menottes aux poignets de Gray. Merci, madame. Victor Gray, vous êtes en état d'arrestation pour double agression, voies de fait, tentative d'enlèvement de mineur, résistance lors de votre arrestation et violation d'une injonction d'éloignement du domicile conjugal.

– Cet homme a des droits, protesta l'homme à l'iPhone.

Reed leva les yeux :

– Êtes-vous avocat, monsieur ?

– Non, mais je sais que…

– Dans ce cas, je vous suggère de cesser de gêner la police quand elle fait son travail.

– Vous êtes sur une propriété privée !

– C'est chez moi, ici, alors boucle-la, Jerry ! intervint la femme. Vous saignez un peu, vous aussi, monsieur l'agent.

Reed sentait en effet un goût de sang dans sa bouche et avait les paumes des mains éraflées.

– Ce n'est rien, madame. Victor Gray, vous avez le droit de garder le silence.

Tandis que Reed lisait ses droits au suspect, Jerry ricana :

– Il vous en a fallu, du temps.

– Vous n'êtes pas avocat, vous disiez ? lui lança Reed, en relevant Gray. Juste un con de façon générale, c'est ça ?

– Je vais porter plainte !

– Ça suffit ! s'emporta la femme. Dégage ! Fous le camp de chez moi, Jerry !

Reed entendit une sirène de voiture de police, tandis que la propriétaire des lieux déversait un torrent d'insultes sur l'abruti. Estimant qu'elle avait le contrôle de la situation, il entraîna Gray à l'avant de la maison.

– Je vais te poursuivre en justice, trou du cul, grommela Gray.

– Ouais, c'est ça, fais-toi plaisir, Vic.

LaDonna Gray avait trois côtes fracturées, un poignet et le nez brisés, un coquard à chaque œil, une pommette en morceaux et plusieurs blessures internes. Son fils s'en sortait indemne.

Sheridan Bobbett, qui jouait avec son bébé de deux ans dans son jardin, ne souffrait que de légères contusions, et son enfant de quelques hématomes sur les bras et les épaules. D'après sa déclaration, Gray avait surgi dans son jardin puis l'avait frappée. Elle s'était débattue quand il avait tenté de lui arracher son bébé.

Un policier avait alors franchi la clôture, lancé à la poursuite de son agresseur.

Éloïse Matherson, demeurant également dans la maison située au 5237 Gilroy Place, témoin oculaire de l'immobilisation et de l'arrestation, déclara qu'elle avait vu par sa porte ouverte l'individu nommé Victor Gray se précipiter vers sa maison, puis le policier le plaquer à quelques dizaines de centimètres de la porte et le maîtriser quand il avait tenté de résister. Elle exprima sa reconnaissance envers l'agent, qui avait empêché un homme violent d'entrer chez elle.

Elle donna discrètement son numéro de téléphone à Reed.

Bull laissa ce dernier se charger des formalités : c'était le boulot des nouveaux. Reed entendit peu après son équipier appeler l'hôpital pour prendre des nouvelles de LaDonna Gray.

Quand le jeune homme en eut enfin terminé avec les paperasses, la vidéo prise par Jerry le Con tournait déjà en boucle sur les médias locaux.

Reed essuya quelques moqueries, le quotidien pour un flic, mais grimaça quelque peu en remarquant la rage évidente sur son visage, sur la vidéo. Il devinait d'avance que son supérieur lui reprocherait d'avoir traité Jerry de con.

— Tu es déjà sur Internet, Quartermaine.

Un autre collègue tapota son écran :

— Et sur le blog de McMullen.

— Et merde !

— Oh ! Elle dit que tu es jeune et canon, et…

— Quoi ?

— Elle parle du centre commercial DownEast. Pas de panique, petit… Personne ne lit ses conneries.

Tout le monde lit ce blog, pensa Reed. Y compris les flics. De même que *Le Massacre de DownEast* : l'ouvrage publié l'année précédente par cette McMullen avait connu un immense succès. Vu la popularité de ce blog, il y avait de fortes chances pour que la vidéo se répande comme une traînée de poudre, sans doute dans tout le pays.

C'est probablement déjà trop tard, se dit-il, quand Essie, désormais inspecteur à la police de Portland, lui fit signe. Elle l'emmena dans la salle d'appel vide.

— Tu tiens le coup ?

— Oui, bien sûr.

— Tu t'es cogné contre quelque chose, remarqua Essie, effleurant la mâchoire contusionnée de Reed.

— Oui, sur l'arrière du crâne du type, en le plaquant. Mais ça va.

— Mets un peu de glace dessus. Les médias vont jouer un peu avec cette arrestation, des trucs du genre « Le jeune héros du centre commercial DownEast devient une star de la police… et insulte le suspect. »

Il se passa la main dans les cheveux : il arborait une coupe réglementaire bien courte, car son sergent avait insisté pour qu'il ne laisse pas se pousser ses boucles.

— Ça fait chier, Essie.

— Tu vas gérer ça. Ton sergent va un peu te taper sur les doigts pour avoir traité l'autre de con, mais tous les flics de Portland et de sa banlieue, lui compris, voudront te féliciter. Ne t'en fais pas pour ça, vraiment, et ne stresse pas à cause de McMullen et des autres médias. Fais profil bas et concentre-toi sur ton boulot.

— C'est ce que j'ai fait, justement, souligna-t-il.

— Exact. La vidéo du con ne montre rien d'autre qu'un flic qui fait son boulot sans perdre son sang-froid… si on fait abstraction d'une insulte marmonnée. D'ailleurs, les images prouvent que ce type a largement mérité d'être traité de con. Tu as parfaitement réagi, Reed. Je tenais à te le dire, car je ne suis pas étrangère au fait que tu te sois retrouvé dans cet uniforme, il me semble.

— Tu peux le dire ! Sur le moment, j'ai senti… Quand j'ai vu cette femme à terre, en sang, je me suis dit que je devais à tout prix le rattraper. Je n'ai pas eu de flash-back du massacre, ni quoi que ce soit de ce genre, mais ça m'a fait le même effet que quand j'ai senti que je devais protéger le gosse.

— C'est l'instinct, Reed, et toi, tu as le bon instinct, expliqua Essie, qui fit mine de donner un coup de poing sur sa joue bleue. Continue de l'écouter, et suis l'exemple de Bull. Malgré ses conneries, c'est un super flic.

— Il me critique tout le temps, mais je ne m'en plains pas. Aujourd'hui, il s'est montré aussi doux qu'un prêtre avec LaDonna Gray. C'est ce genre de choses que j'apprends, avec lui : comment gérer une victime de façon qu'elle sente que nous sommes là pour l'aider.

— C'est parfait, ça. Que dirais-tu de venir dîner à la maison, la semaine prochaine ?

— Ce serait sympa, oui. Tu sors toujours avec le prof ?

– Tu n'es pas très observateur, pour un flic, ironisa Essie en agitant sa main gauche, dont l'annulaire s'ornait d'une bague de fiançailles.

– Bon sang, Essie ! s'exclama Reed. Sur le point de la prendre dans ses bras, il se retint. Je ne peux pas embrasser un inspecteur au commissariat, ça attendra. Ce type est un veinard !

– Je ne te le fais pas dire. Si tu as besoin de discuter un peu, tu as mon numéro. Je te préviendrai par texto, pour le dîner.

Son service ayant pris fin avant même qu'il commence à remplir les formulaires, Reed gagna le vestiaire pour se changer. Il y retrouva Bull, qui suspendait sa veste d'uniforme.

– C'est bon, tu as fini de rouler des pelles aux inspecteurs ?

– Impossible, elle vient de se fiancer.

– Pff… On devrait éviter de se marier, quand on est flic, lâcha Bull, en enfilant un tee-shirt blanc. Sérieux, tu as vraiment traité ce témoin civil de con, pourtant tu voyais bien qu'il te filmait ?

– Je ne vais pas nier, vu qu'on m'entend sur la vidéo.

Bull s'observa un instant dans le miroir puis passa la main dans ses cheveux en brosse.

– Bon, on dirait bien que je vais te payer une bière, dit-il en refermant son casier. Tu deviendras peut-être un flic pas trop nul, finalement.

Chapitre 6

Patricia Jane Hobart dévorait le dernier article paru sur le blog de McMullen, tout en avalant des bâtonnets de légumes trempés dans de l'houmous.

Enfant grassouillette, elle avait été gâtée par sa mère, qui ne lui refusait jamais des cookies ou des pâtisseries, sans oublier les M&M's, sa friandise préférée. Ses centres d'intérêt – traîner devant l'ordinateur, lire, regarder la télévision, et de temps en temps un jeu vidéo – correspondaient parfaitement à son appétit. Il lui arrivait souvent de vider un paquet d'Oréo (ses préférés étaient les Doubles Fourrés glacés au réfrigérateur) et un litre de Coca tandis qu'elle se passionnait pour un roman d'espionnage, un polar ou parfois une histoire à l'eau de rose, ou encore quand elle testait ses talents de hackeuse.

À l'époque où son père (un péquenaud doublé d'un raté) et sa mère (une pauvre idiote) passaient leur temps à saborder leur mariage, Patricia s'était beaucoup amusée à les monter l'un contre l'autre, accentuant le chaos familial – et se voyant offrir davantage de cookies.

À douze ans, elle pesait soixante-dix kilos pour un mètre cinquante-sept.

Aussi sournoise avec ses professeurs et ses voisins qu'avec ses parents, elle affichait un masque stoïque d'enfant martyrisée par ses camarades. Si elle était bel et bien persécutée, elle faisait tout pour encourager cet état de fait, s'en réjouissait et en profitait.

Tandis que les adultes la caressaient et la chouchoutaient,

elle manigançait et mettait en œuvre des vengeances avec une discrétion et un sérieux qui auraient fait l'admiration d'un agent de la CIA.

Le garçon qui l'avait surnommée Patty la Porcelette fit un vol plané depuis sa bicyclette, après que Patricia en eut saboté la chaîne.

En apprenant qu'il avait la mâchoire fracturée et des dents cassées, et qu'il était hospitalisé, sans compter les milliers de dollars que ses parents allaient devoir débourser en frais dentaires, Patricia s'estima presque vengée.

La meneuse de la bande de filles qui lui avaient volé sa culotte pendant qu'elle prenait sa douche après un cours de gym, pour ensuite la coller de façon très imaginative sur un dessin d'éléphant, et le tout sur le panneau d'affichage de l'école, frôla la mort quand les cacahuètes que Patricia avait réduites en poudre et glissées dans sa Thermos de chocolat chaud provoquèrent chez son ennemie une sévère réaction allergique.

À l'approche de l'adolescence, Patricia était devenue une virtuose de la vengeance.

Il lui arrivait d'enrôler son frère, la seule personne au monde qu'elle aimait presque autant qu'elle-même. Il prit part à suffisamment de ses méfaits – elle en imagina d'ailleurs plusieurs pour lui – pour qu'ils restent très liés, même après le divorce de leurs parents.

Que JJ vive avec leur bon à rien de père et qu'il en soit ravi la faisait enrager. Cependant, elle comprenait sa position. Libre d'agir à sa guise sans craindre quoi que ce soit, il buvait de la bière et fumait de l'herbe, alors qu'elle restait coincée avec leur mère pleurnicharde.

Mais JJ dépendait de sa sœur. Peu brillant, il avait besoin de son aide pour ses devoirs. Sujet à des réactions violentes, il avait souvent besoin qu'elle lui rappelle qu'une vengeance était plus efficace quand on prenait le temps de soigneusement la mettre au point.

Or elle n'aimait rien tant que soigneusement en mettre au point.

À dix-sept ans, son frère affichait trop souvent son caractère bestial, coléreux, violent et aigri. Patricia, en revanche, sous sa façade d'enfant en surpoids effacée et studieuse, dissimulait une âme cruelle et fourbe de psychopathe.

Pleinement consciente que les ados – comme tous les hommes, estimait-elle – étaient prêts à fourrer leur bite n'importe où, elle couchait avec Whitehall et avec Paulson. Elle y voyait une façon de les contrôler, ces « outils » très pratiques, tout en les persuadant qu'ils la contrôlaient, eux.

JJ savait à quoi s'en tenir sur ce point, mais les liens du sang passaient avant tout, à ses yeux.

C'est elle qui imagina le plan. Une tuerie de masse ébranlerait non seulement la communauté, qu'elle méprisait, mais aussi toute la ville, tout le pays. Elle y travailla des mois durant, sélectionnant puis éliminant des cibles, peaufinant le minutage et l'armement à de multiples reprises.

Elle n'en parla à personne, pas même à JJ, avant de se décider pour le centre commercial, où les filles gloussantes qui la traitaient comme de la merde se rendaient par troupeaux entiers. Où les parents parfaits, avec leurs enfants parfaits, s'offraient des pizzas et allaient au cinéma. Où les vieux qui auraient déjà dû casser leur pipe traînaient dans leurs survêtements immondes ou roulaient en fauteuil électrique.

Pour Patricia, le centre commercial était l'endroit idéal pour se venger de tout ce qu'elle méprisait.

Après avoir mis JJ dans la confidence, elle lui fit jurer de garder le secret. Il ne devrait parler de ce projet à personne, ni écrire la moindre ligne concernant leurs discussions. Le moment venu, quand elle aurait tout mis en place, quand tous les éléments seraient précisés, alors seulement ils mettraient les deux autres dans la confidence.

Elle parcourut la galerie marchande en long et en large, côtoyant les vieux écœurants en pleine séance d'exercice avant l'ouverture des boutiques, et les laissant lui lancer des marques d'affection.

Elle prit des photos, dressa des plans, étudia la sécurité des lieux et perdit même un peu de poids pour plus de discrétion. Enfin, elle convainquit JJ de décrocher un job à temps partiel au centre commercial.

Quand il eut opté pour le cinéma, elle travailla à fond sur cette zone.

D'après ses calculs, l'opération « Nés pour tuer » serait la plus efficace à la mi-décembre, ce qui lui laissait le temps de résoudre quelques problèmes. La foule des vacances lui permettrait de frapper encore plus fort.

Ils descendraient des centaines de personnes.

JJ préféra ne pas attendre. Sans même la prévenir.

Après tout le travail qu'elle avait accompli, il céda à une impulsion. Elle apprit la tuerie lors d'un flash spécial interrompant une rediffusion de *Friends*.

Sans perdre une seconde, elle détruisit ses notes, ses plans, ses photos, jusqu'au moindre détail lié à ses six mois de travail. Elle cacha son ordinateur portable dans l'abri de jardin délabré du voisin. Elle se l'était offert grâce à de l'argent reçu lors de ses visites à ses grands-parents, dans leur énorme maison de Rockpoint, et l'avait réservé au projet du centre commercial.

Les flics viendraient, c'était certain. Ils l'interrogeraient, ainsi que sa mère, et fouilleraient de fond en comble leur maison, une location miteuse de banlieue défavorisée. Ils parleraient également aux voisins, aux professeurs, aux autres élèves.

Car JJ se ferait prendre. Même s'il avait suivi le plan qu'elle s'était acharnée à mettre au point, il serait capturé. Jamais il ne la balancerait, mais les deux autres, ces crétins, n'hésiteraient pas.

Heureusement, les flics n'auraient que la parole de deux connards contre celle d'une jeune fille de quatorze ans collectionnant les récompenses au lycée et sans le moindre antécédent judiciaire.

Faisant les cent pas en attendant le bulletin d'information suivant, elle réfléchit à ce qu'elle dirait, à la réaction qu'elle adopterait, à chaque mot, chaque expression, jusqu'à son langage corporel.

Elle s'effondra sur le sol, choquée et sincèrement dévastée, lorsque le journaliste au regard morne annonça que les tireurs – dont on estimait qu'ils étaient trois – avaient été abattus.

Pas JJ. Pas la seule personne au monde qui la connaissait vraiment et qui se souciait un peu d'elle. Pas son frère.

Sa tristesse se manifesta sous la forme d'un long gémissement, qu'elle contint rapidement, préférant le garder pour la police et pour son idiote de mère, quand les flics iraient la chercher à son boulot du soir – elle faisait le ménage dans les locaux d'une bande d'avocats menteurs.

Et pour les caméras.

Quand les flics débarqueraient, quand ils lui apprendraient la nouvelle et l'interrogeraient, auprès de sa mère tremblante, quand ils fouilleraient la maison de fond en comble, ils ne verraient qu'une ado de quatorze ans en état de choc, en larmes, accrochée à sa mère. Une jeune fille aussi innocente que son frère était coupable.

Comme prévu, sa mère s'effondra. Quant à son père, il poussa une gueulante et attrapa une bouteille pour s'y noyer. Tenant le coup, Patricia demanda à un des avocats dont sa mère nettoyait les bureaux de l'aider à rédiger une déclaration exprimant leur choc, leur horreur et leur chagrin. Les larmes aux yeux, elle insista pour que ces quelques phrases comprennent un mot de pardon pour toutes les victimes.

Ses parents étant incapables de s'en charger, elle lut elle-même la déclaration en étouffant des sanglots.

Elles durent déménager, pas bien loin car sa mère avait besoin de ses deux boulots, et ses employeurs ne l'avaient pas licenciée. Patricia cacha l'ordinateur portable dans un carton contenant des animaux empaillés. Elle ne retourna pas au lycée et acheva sa scolarité grâce à un professeur particulier payé par ses grands-parents paternels richissimes.

Se faisant discrète, elle rumina longtemps sa vengeance, déterminée à la servir glacée.

À dix-huit ans, elle affichait une silhouette affinée, cinquante kilos pour un mètre soixante-deux. Si ses proches avaient attribué sa perte de poids au stress et à la tristesse, Patricia avait en vérité fourni de sérieux efforts pour se muer en arme létale.

Elle avait des personnes à tuer, et constitué un dossier sur chacune d'elles.

Le temps jouait en sa faveur, estimait-elle, et elle devait avant tout achever ses études universitaires. Grâce à ses notes stratosphériques, elle eut l'embarras du choix. Elle opta pour l'université Columbia, car deux de ses cibles – dont la principale – s'y étaient inscrites.

En effet, comment mieux garder un œil sur la personne qu'elle tenait responsable – davantage même que la fliquette qui l'avait criblé de balles – de la mort de son frère ?

Sans l'appel téléphonique de Simone Knox, les flics ne seraient pas intervenus si rapidement, ne seraient pas entrés dans la salle de cinéma, n'auraient pas tué son frère. Sans Simone Knox, il serait reparti par où il était entré.

Elle avait déjà eu mille occasions de tuer Knox et de terminer le boulot de JJ sur sa copine, la petite Asiatique, mais la vengeance devait encore refroidir.

Et elles ne seraient pas les premières à payer, loin de là.

Elle avait placé ses parents en dernière position sur sa liste des proies qu'elle comptait dévorer, et décidé de commencer par le bas.

Mais ce jour-là, en lisant l'article sur le blog de McMullen, dans le studio dont ses grands-parents réglaient le loyer – elle était incapable de vivre avec d'autres personnes ! –, elle changea d'avis.

Pas la fliquette, pas non plus le jeune gars, un des héros du jour du massacre, par la suite entré dans la police. Non, ces deux-là avaient trop de valeur pour être placés si bas. Mais peut-être pouvait-elle commencer par une cible moins importante, en guise de galop d'essai.

Sans cesse de mâchouiller ses bâtonnets de légumes trempés dans de l'houmous, dans son studio situé juste en face de l'appartement de sa cible principale, de l'autre côté de la rue, elle se lança dans un processus de sélection.

Le 22 juillet 2005, Roberta Flisk avait trente-six ans. Elle s'était rendue au centre commercial en compagnie de sa sœur et de Caitlyn, sa nièce de dix ans, qui devait se faire percer les oreilles ce jour-là.

Toutes trois avaient décidé de conclure ce rite de passage en s'offrant des sundaes. Tout bascula quand elles sortirent de la boutique, Caitlyn avec de minuscules bijoux dorés aux oreilles et Shelby portant le sachet de produit désinfectant hors de prix.

Roberta s'était arrêtée à un kiosque pour acheter des jouets de plage à son petit garçon, qui devait passer un long week-end loin de sa maman avec ses grands-parents, pendant que son mari et elle profiteraient de quelques jours à deux sur l'île des Monts-Déserts, dans l'espoir de ranimer la flamme de leur mariage chaotique.

Comme elle le raconterait plus tard à la police, à ses proches et aux journalistes, elle vit le garçon par la suite identifié comme étant Kent Francis Whitehall entrer par la porte qu'elles s'apprêtaient à franchir pour sortir de la galerie marchande.

Sur le moment, Roberta crut que l'ado était déguisé pour quelque événement. Puis elle le vit brandir son arme. Sa sœur fut la première victime de la tuerie.

Voyant sa mère s'effondrer, Caitlyn hurla et se jeta à terre contre elle. Roberta en fit autant, protégeant sa nièce et sa sœur de son corps. Whitehall la visa à deux reprises, une balle dans l'épaule gauche et une autre dans la jambe gauche, avant de s'intéresser à d'autres cibles.

Sa sœur décédée, sa nièce traumatisée et ses propres blessures lui ayant valu deux opérations et des mois de thérapie, tant physique que mentale, Roberta avait ensuite multiplié les interventions dans la presse.

Devenue une fervente partisane de la régulation des armes à feu et sachant se faire entendre, elle avait contribué à créer Pour Shelby, une association militante défendant des « solutions sûres et saines ».

Le site Internet et la page Facebook de l'association mettaient quotidiennement à jour le nombre de morts par arme à feu dans le pays, qu'il s'agisse de meurtres, de suicides ou d'accidents.

Son mariage, autre victime de l'attaque, n'y avait pas survécu.

Roberta donnait des conférences, organisait des meetings et des manifestations, apparaissait à la télévision, portant systématiquement un médaillon en forme de cœur orné de la photo de sa sœur.

Cette tragédie avait fait d'elle une guerrière, un nom, un visage. Sa voix portait désormais dans tout le pays.

Pour ces raisons, Roberta constituait le choix idéal pour Patricia.

Cette dernière s'accorda un mois complet pour étudier et traquer sa proie. Elle prit des notes et des photos puis élabora un plan. De retour à Rockpoint pour la majeure partie de l'été, et faisant savoir que c'était pour profiter de ses grands-parents, elle établit méticuleusement tout un dossier sur les habitudes de Roberta.

Au bout du compte, ce fut d'une facilité enfantine.

Un matin de bonne heure, avant le lever du soleil, elle se glissa hors de la maison de ses grands-parents et trottina sur huit cents mètres, jusqu'à la demeure d'une amie de sa grand-mère. Après avoir enfilé une perruque blonde et courte et des gants en latex, elle s'empara de la clé de secours de la voiture, cachée dans une boîte aimantée sur un amortisseur. Elle se mit en route, prenant soin de ne pas commettre d'excès de vitesse, et gagna le quartier paisible où vivait Roberta. La voiture garée, elle sortit de son sac à dos le pistolet et son silencieux, dérobés à son père un jour où, comme souvent, il avait perdu connaissance, ivre mort.

Au lever du soleil, Roberta, réglée comme une horloge, sortit de chez elle par la porte de derrière. En un jour comme les autres, elle aurait traversé son jardin, franchi le portillon donnant sur celui des voisins et retrouvé la première de ses deux compagnes de footing matinal.

Mais ce matin-là, Patricia l'attendait.

La jeune femme surgit de derrière un gros érable rouge.

Roberta, qui ajustait ses oreillettes, considéra avec étonnement cette inconnue, qui l'abattit de deux tirs rapprochés dans la poitrine. Grâce au silencieux, l'arme n'émit que deux claquements innocents. Le troisième tir – fatal, en pleine tête – retentit un peu plus fort, mais il était nécessaire.

La tueuse sortit de son sac à dos l'affiche qu'elle avait confectionnée et la jeta sur le corps de Roberta.

« VOICI TON DEUXIÈME AMENDEMENT [5], SALOPE ! »

Elle ramassa ses douilles et les glissa avec son arme et le silencieux dans son sac à dos. Sous les traînées rouges et roses qui embrasaient le ciel, à l'est, elle retourna chez l'amie de sa grand-mère, gara la voiture et remit la clé à sa place.

Sa perruque et ses gants également remisés dans le sac, elle enfila ses oreillettes et commença son footing.

Elle prit conscience de ne rien éprouver de particulier, alors qu'elle avait imaginé être envahie de quelque exultation ou émerveillement. De quelque chose, en tout cas. Mais non, elle n'était pas plus émue qu'après avoir correctement accompli une tâche nécessaire.

Une petite satisfaction, tout au plus.

Poursuivant son footing, comme elle en avait pris l'habitude depuis qu'elle observait les habitudes matinales de Roberta, elle se dirigea vers une boulangerie située un kilomètre et demi plus loin.

Plus tard, elle suivrait les premiers flashes d'informations, dans lesquels les journalistes estimeraient que son combat, mené au grand jour et avec énergie, avait fait de Roberta une cible pour quelque fêlé du droit de porter des armes.

Une période d'attente s'imposait de nouveau, estima Patricia. Il lui fallait patienter et réfléchir à d'autres actions. Bilan de cet essai ? Une réussite, haut la main. Tuer était facile, si l'on élaborait un plan et si l'on s'y tenait.

Elle entra dans la boulangerie et fut accueillie par un grand sourire de l'employée, Carole, chargée chaque matin de l'ouverture.

– Salut, Patricia. Pile à l'heure !

– La journée s'annonce splendide ! répondit Patricia, rayonnante, trottinant légèrement sur place. Je prendrais bien trois muffins à la pomme, aujourd'hui, Carole.

– C'est parti. C'est vraiment adorable de ta part, de gâter tes grands-parents tous les matins.

– Ce sont les meilleurs grands-parents au monde. Je me demande bien ce que je ferais sans eux.

Patricia sortit quelques pièces de la poche latérale de son sac à dos et, l'écartant de la vue de la vendeuse, ouvrit la grande poche et y glissa le sachet de pâtisseries sur la perruque et le pistolet.

De retour chez ses grands-parents, elle rangea la perruque, les gants, le pistolet et le silencieux, puis, après avoir pris une douche rapide, elle se rendit dans la cuisine où elle déposa les muffins dans une petite coupe, sur le plan de travail.

Elle avait à peine mis le café en route quand sa grand-mère la rejoignit.

– Tu es déjà allée courir ! s'exclama celle-ci, comme tous les matins.

– Je me lève avec le soleil, grand-mère. Surtout par un si beau temps. Il y a des muffins à la pomme, aujourd'hui.

– Tu nous gâtes, ma puce. Tu nous gâtes trop !

Patricia répondit par un sourire. Elle les gâtait, en effet, et quand enfin ils mourraient, elle récupérerait toutes leurs possessions.

Et elle saurait quoi faire de tout ce fric.

En cette soirée d'été, Essie et son fiancé donnaient un barbecue dans le jardin de la maison que la jeune femme s'était convaincue d'acheter quand elle avait été promue inspecteur.

Son budget avait un temps été serré mais, bon sang, quelle joie de vivre dans sa propre demeure, avec trois chambres et un petit jardin où l'on se sentait si bien.

Les finances allaient mieux depuis que Hank s'était installé avec elle, et elle était parfaitement heureuse.

Sa maison et son jardin étaient en cet instant remplis de flics et de professeurs, parmi lesquels se trouvaient quelques membres de sa famille et deux ou trois voisins. La soirée se déroulait de façon idéale.

Adorable avec son bouc bien taillé, ses lunettes d'intello et son grand tablier affichant « Je suis prêt à cuisiner pour faire l'amour », Hank s'occupait des grillades. Il avait aussi préparé la salade de pommes de terre, les œufs mimosa et quelques autres plats. Essie avait épluché, coupé et même remué… Cependant, le tablier de son compagnon ne mentait pas, il s'était révélé excellent cuisinier.

Elle se prépara une margarita – ça, elle savait faire – et observa un instant l'homme qu'elle aimait charrier avec son ancien équipier.

Barry et elle ne s'étaient pas perdus de vue, après qu'elle eut troqué son uniforme contre un badge doré. Constater combien le policier qu'elle appréciait et respectait s'entendait bien avec son homme lui procurait comme un sentiment de bien-être.

Cette entente la surprenait quelque peu, tout comme elle s'étonnait d'apprécier le contact du professeur Coleson, érudit shakespearien portant d'élégantes lunettes à monture d'écaille.

Elle n'avait pourtant pas cherché l'amour. Elle avait seulement accepté un rendez-vous à l'aveugle (le premier et le dernier), cédant aux instances d'une amie.

Elle s'était éprise de Hank dès l'apéritif, puis livrée en toute franchise pendant le repas. Au dessert, elle avait déjà envie de lui.

Elle s'était ensuite retrouvée dans son lit, après l'excuse bancale d'un dernier verre, prétexte dont elle n'avait jamais usé de sa vie.

Enfin, quand elle lui avait préparé son petit déjeuner, le lendemain matin, elle était déjà amoureuse.

Elle s'approcha du barbecue, radieuse lorsqu'il se pencha vers elle pour l'embrasser naturellement.

– Tu as besoin d'aide ? lui demanda-t-elle.

– Les steaks seront prêts dans une seconde, tu peux les porter sur la table avec les hot-dogs ?

– Ça marche. Tu as eu ton hot-dog carbonisé, Barry ?

– J'en ai pris deux, répondit Barry. C'est génial, chez toi, Essie. Le problème, c'est que Ginny commence à râler parce que nos massifs de fleurs ne sont pas aussi beaux que les tiens.

– Il lui faudrait une Terri, expliqua Essie, désignant une blonde pleine d'énergie surveillant deux jumeaux en bas âge. Notre voisine est une pro du jardinage. Elle nous en apprend beaucoup.

– Elle nous a évité de tuer plusieurs plants, cet été, ajouta Hank. Essie commence à avoir la main verte, pour moi c'est encore discutable. Tiens, c'est prêt, beauté.

Il déposa les steaks sur le plateau et y ajouta les hot-dogs.

– Je m'en occupe, ça devrait calmer la horde d'affamés un moment. Tu devrais prendre une pause et avaler quelque chose, Hank.

– Bonne idée. Mais avant ça, que dirais-tu d'une boisson fraîche pour adultes, Barry ?

– Je suis partant.

Essie se fraya un chemin vers la table, perdant quelques steaks et hot-dogs en route, des invités se servant au passage, et y déposa le plateau. Elle ramassa le saladier de pommes de terre presque vide, et l'assiette qui avait contenu des tomates en tranches (venues du jardin de Terri) puis se dirigea vers la cuisine pour faire le plein.

Elle trouva Reed appuyé contre le plan de travail, sirotant une bière et lancé dans une discussion apparemment très sérieuse avec le fils de dix ans de son dernier équipier en date.

– Non, mon pote. Carrément pas, disait-il. Pourquoi pas les faire se croiser, d'accord, mais jamais Batman ne pourrait descendre Ironman. Ironman a une armure hyper-sophistiquée.

– Batman a une armure, lui aussi, insista Quentin – un visage rond comme la lune et des taches de rousseur.

– Il ne peut pas voler, mec.

Essie suivit le débat, tout en remplissant le saladier et l'assiette.

– Je vais écrire une histoire dans laquelle ils se battent, tu vas voir, déclara Quentin. Le Chevalier noir va assurer !

– OK, écris donc ça, et je te dirai ce que j'en pense.

Aux anges, Quentin sortit en courant dans le jardin.

– Tu as un super contact avec lui, fit remarquer Essie.

– C'est facile, il est génial, ce môme. Même s'il a tout faux à propos de Tony Stark.

– C'est qui, Tony Stark ?

– Tu ne mérites plus que je m'adresse à toi, se désola Reed, qui secoua la tête avant de s'octroyer une gorgée de bière.

Cela ne l'empêcha pas de délester son amie du saladier. Soudain, le mobile d'Essie sonna dans sa poche.

Elle le sortit, les sourcils froncés, puis soupira :

– Et merde…

– Tu n'es pas de service.

– Non, ce n'est pas ça. En fait, je suis abonnée à une alerte qui me prévient chaque fois que les infos parlent d'une personne concernée par la tuerie du centre commercial. Et là, c'est le cas.

– Qui ça ? Qu'est-ce qui s'est passé ?

– Roberta Flisk. Elle a été retrouvée morte dans son jardin tôt ce matin. Trois balles. Elle était…

– Oui, je me souviens d'elle, dit Reed, qui avait lui aussi ses dossiers, et aujourd'hui encore se penchait sur tous les articles et lisait tous les livres traitant de l'attaque. Sa sœur a été la première victime à l'extérieur du cinéma. Elle-même a pris deux balles. Elle était devenue très active dans le combat pour la régulation des armes à feu.

– Apparemment, on a laissé sur son cadavre une affiche sur

laquelle était écrit : « Voici ton deuxième amendement, salope ! »
Putain, c'est pas vrai…

– Qui l'a trouvée ?

– Deux amies. L'article dit qu'elles couraient ensemble toutes
les trois, le matin.

– Tous les matins ?

Les deux complices échangèrent un regard de flic.

– Oui, acquiesça Essie. Quelqu'un avait repéré ses habitudes.
Soit il la connaissait, soit il l'avait observée. Ça paraît plus probable
que le pétage de plombs d'un excité du deuxième amendement.

– Elle était divorcée, je crois ? Elle s'était remariée ? Elle avait
un copain ? Ou un ex ?

– Tu veux passer inspecteur ?

– Ça semble logique de commencer par regarder de ce côté.

– Exact.

Essie se fit la réflexion que Reed n'était plus un bleu, il avait
désormais tout pour faire un solide enquêteur.

– Je ne serai pas chargée de cette affaire, de toute façon, ajouta-
t-elle.

– Ça ne t'empêchera pas de farfouiller de ton côté. Elle était
là-bas, le jour de la fusillade, comme nous. Tu ne peux pas ne pas
enquêter là-dessus.

– Tu as raison, encore une fois, mais pas maintenant, pas
aujourd'hui, dit Essie, qui tendit le saladier à Reed et prit l'assiette.
Demain, je contacterai le collègue à qui on aura filé ce meurtre.

– Tu me tiens au courant ?

La jeune femme hocha la tête, les yeux perdus dans le vague,
vers la porte de derrière, avec sa moustiquaire.

– Ce ne sera jamais vraiment terminé, dit-elle. C'est le genre
de chose qu'on ne pourra jamais définitivement classer dans un
dossier, mais on ne peut pas non plus y penser tous les jours.

– Les médias vont encore en parler en boucle, c'est la vie.

– Reste discret, Reed, et fais ton boulot.

– Mais tu me tiens au courant, OK ? insista-t-il.

– Oui, oui, mais aujourd'hui on oublie ça. Va te chercher une
autre bière.

Les jours suivants, Reed passa tout son temps libre à rassembler
les moindres détails concernant le meurtre de Roberta Flisk.
Fidèle à sa promesse, Essie lui transmit tout ce qu'elle apprit.

Elle arriva même à convaincre les responsables de l'enquête d'autoriser son ami à examiner la scène de crime.

En observant le jardin de Roberta Flisk, Reed parvint à la conclusion que les nombreux arbres et autres plantations offraient de multiples planques pour se tapir et attendre.

Plusieurs témoignages avaient confirmé que la victime avait pour habitude de sortir par la porte de derrière.

Il franchit lui-même ce seuil, s'éloigna de la porte, traversa la terrasse et s'immobilisa devant la pelouse tachée de sang.

Le tueur avait attendu que sa proie atteigne le fond du jardin, constata-t-il. Cela lui avait donné moins de chances de courir se réfugier dans la maison ; de plus, cet endroit était moins visible depuis les maisons voisines, et complètement invisible depuis la rue.

C'était futé.

Trois balles : deux dans la poitrine et une dans la tête, pour achever la malheureuse.

S'intéressant ensuite à l'angle des tirs établi par le médecin légiste et les enquêteurs, Reed remarqua les nombreuses cachettes possibles sur la droite, d'où il avait dû être facile de voir la cible se diriger vers le portillon.

Le tueur avait-il dit quelque chose ? Si quelqu'un avait décidé d'assassiner cette femme en raison de ses prises de position sur la régulation des armes à feu, il avait probablement tenu à le lui faire savoir avant de l'abattre.

Mais non, il n'imaginait la scène que dans un silence total.

Cette pauvre femme avait-elle vécu un flash back, avant de mourir ? Avait-elle revu la scène, dans la galerie marchande, quand Whitehall avait brandi son fusil AR-15 ?

Reed se demandait parfois si le destin attendait le bon moment pour lui envoyer la balle qui l'avait raté ce jour-là. Comme si celle-ci, suspendue en plein vol, en mode « Pause », attendait qu'une main invisible appuie sur la touche « Lecture » pour lui déchirer les entrailles.

Roberta Flisk avait-elle revécu ces instants de terreur ?

Ayant depuis longtemps conclu qu'il ne pouvait rien faire pour empêcher le destin d'appuyer sur « Lecture » si l'envie lui en prenait, Reed avait pris le parti de vivre, d'agir, en tout cas d'essayer. Roberta Flisk avait réagi de la même façon.

Il visualisa la photo du cadavre. Une caquette noire, avec le logo représentant une arme à feu barrée d'un trait, des cheveux blonds et courts, des oreillettes en place, un haut de sport et un short bleu foncé, une silhouette athlétique… et des cicatrices sur la jambe, rappel permanent du cauchemar. Enfin, la clé de chez elle glissée dans la poche intérieure de sa ceinture, des chaussettes blanches et des chaussures Nike roses et blanches.

Il l'imagina marchant, décidée, et se figeant soudain.

Est-elle choquée ? A-t-elle compris ? Est-elle résignée ? Il ne le saurait jamais.

Deux légers claquements, les experts en balistique ayant établi l'emploi d'un calibre.32 muni d'un silencieux. Les deux balles transpercent la poitrine de la cible, qui s'effondre.

Il revint à la hauteur des taches de sang, sur la pelouse, déjà cuites par le soleil estival.

Un troisième claquement, plus sonore, le silencieux faiblissant. Le tueur a visé l'arrière du crâne, de haut en bas. Et enfin l'affiche, le message, la fioriture qui conclut le meurtre.

Ce détail clochait, aux yeux de Reed. Cet assassinat avait tout de l'œuvre d'un individu froid, voire professionnel, mais le message trahissait un caractère embrasé, de la colère et de l'imprudence.

Le tueur a pris le temps et le soin de récupérer ses douilles, de ne laisser aucune trace, si ce n'est les balles dans le corps ; ensuite, il dépose un message rédigé à la main se décrivant comme un défenseur excédé du deuxième amendement ?

Ça ne collait pas. Le meurtrier n'avait pas éprouvé la moindre rage, n'avait mis aucun sentiment personnel dans son acte.

L'ex-mari de Roberta Flisk avait été lavé de tout soupçon, se rappela Reed, faisant de nouveau quelques pas sur la scène de crime. Tous deux avaient conservé des relations cordiales. Lui ne possédait pas d'arme et effectuait tous les ans un don à l'association de son ex-femme, au nom de leur fils.

À l'heure du crime, il préparait le petit déjeuner, devant quantité de témoins, pour une vingtaine de scouts, dont son fils, dans un camping de l'île des Monts-Déserts.

Roberta n'avait pas de conjoint, ne sortait avec des hommes que rarement et fortuitement, n'avait pas le moindre problème avec ses voisins, ses bénévoles ou les membres de son association.

Elle avait reçu quelques menaces de mort, certes, semblables au message laissé sur son cadavre, mais ça ne collait pas.

101

Ou alors ça collait trop.

Reed regagna sa voiture. Deux personnes étaient descendues dans leur jardin pour lui demander ce qu'il venait faire, quand il s'était garé ; il avait dû leur montrer son badge de policier.

Les voisins ayant déclaré qu'ils se trouvaient soit encore au lit, soit à peine levés à l'heure du meurtre, le tueur n'avait dû rencontrer aucune difficulté pour se fondre dans le décor tranquille de ce quartier assez chic afin d'y traquer sa proie.

Dans sa voiture, Reed prit soin de noter quelques observations et hypothèses puis dressa les contours de sa théorie principale, même si elle risquait de n'être qu'une erreur de débutant.

Patient et maître de lui-même, le tueur avait réussi à se dissimuler dans le jardin de sa victime, qu'il avait abattue avec efficacité et précision. Mais alors, le message ?

C'était un leurre.

Bien entendu, ses notes, ses théories et ses spéculations n'apporteraient rien à Roberta Flisk, ni à son fils désormais orphelin. Cela n'empêcherait pas Reed de les ordonner par écrit et de conserver ce dossier.

Et de ne rien oublier.

Dès qu'elle apprit la mort violente de Roberta Flisk, survivante de la fusillade du centre commercial DownEast, Simone éteignit la télévision.

Elle tenait à tout oublier.

Elle avait cédé aux insistances de Mi : elles avaient sous-loué leur appartement et elle était rentrée chez elle. Après une courte semaine subie à partager la maison avec ses parents et sa sœur, elle s'était réfugiée sur l'île.

Elle aimait ses parents, sincèrement, et si la perfection de sa cadette – telle mère, telle fille, dans son cas – l'irritait au plus haut point, elle aimait également Natalie.

Elle était incapable de vivre avec eux, c'est tout.

Sissi la laissait respirer, tant physiquement qu'émotionnellement, dans l'adorable chambre d'amis située au-dessus de son atelier de peinture aux parois de verre.

Quand Simone dormait la moitié de la journée, Sissi ne lui demandait pas si elle se sentait mal. Quand elle se promenait sur la plage jusqu'à 2 heures du matin, Sissi ne l'attendait pas l'air inquiet.

Sissi n'avait pas froncé les sourcils quand sa petite-fille lui avait annoncé avoir démissionné, pas plus qu'elle n'avait soupiré en découvrant sa nouvelle couleur de cheveux.

Simone se chargeait d'un maximum de commissions pour Sissi et préparait parfois le repas, même si ses talents de cuisinière laissaient à désirer. Elle acceptait également de poser pour sa grand-mère chaque fois que celle-ci le lui demandait.

Deux semaines après son arrivée sur l'île, Simone ne pouvait que remercier Mi en pensée ; elle ne s'était pas sentie aussi détendue depuis des mois. À tel point qu'elle avait même commencé à peindre un peu.

Elle posa son pinceau quand Sissi la rejoignit sur la terrasse, portant un plateau sur lequel s'entassaient un pichet de sangria, des verres, un bol de sauce et des chips.

– Si tu refuses de t'accorder une pause, je rapporte tout ça dans mon atelier et j'avale tout le pichet.

– C'est hors de question, répondit Simone, qui recula d'un pas pour observer le paysage maritime sur lequel elle travaillait depuis trois heures.

– C'est bien, la félicita Sissi.

– Non.

– Si, je t'assure.

Sissi, coiffée d'un chapeau à rebord souple par-dessus sa tresse striée de noir et de blanc (son dernier look), versait déjà la sangria dans les verres. Simone se laissa tomber sur une chaise.

Le dernier tatouage de Sissi, des motifs celtiques, lui faisait comme un bracelet sur le poignet gauche.

– C'est ma grand-mère qui parle, pas l'artiste peintre.

– Les deux, répliqua Sissi, qui trinqua avec Simone, s'installa à son tour, tendit les jambes et les croisa, une sandale sur l'autre. C'est vraiment bon, tu sais rendre les mouvements et l'ambiance.

– La lumière n'est pas bonne. Et plus je la bidouille, plus je m'éloigne de la réalité. J'adore tes paysages. Tes portraits sont toujours incroyables, mais tu peins rarement des paysages. Pourtant, quand tu te lances, ils sont chargés d'âme, magiques.

– Premièrement, tu n'es pas moi, tu ferais mieux de te féliciter de ce que tu fais. Deuxièmement, je peins régulièrement des vues de la mer ou des paysages, voire des natures mortes, quand j'ai besoin de calme ou si l'envie m'en prend. La plupart du temps, je préfère tout simplement contempler l'Océan. Concernant les portraits, les humains sont toujours fascinants, donc les peindre l'est également. En définitive, la peinture sous toutes ses formes est ma passion. Mais pas la tienne.

– C'est évident.

– Tu n'as que dix-neuf ans. Tu as tout le temps de découvrir ta passion.

– J'ai essayé le sexe.

Sissi lâcha un rire de gorge puis porta un toast et s'offrit une gorgée de sangria.

– Moi aussi, dit-elle. C'est un hobby super sympa.

– Je fais une pause de ce côté-là, dit Simone, égayée, en se servant de la sauce.

– Moi aussi. Tu es une artiste… et ne contredis pas ta grand-mère. Tu es une artiste douée de talent et d'imagination. Peindre est un bon exercice pour toi, mais ce n'est pas ta passion. Ce ne sera jamais ton support principal. Tu devrais tenter d'autres choses.

– Mais quoi donc ? Papa essaie encore de me pousser à me lancer dans des études de droit, et maman pense que je devrais me trouver un copain gentil et fiable.

– Ils sont traditionalistes, mon bébé. Ils ne peuvent pas s'empêcher de réagir comme ça. Je ne le suis pas, moi, et comme eux je ne peux pas m'empêcher de réagir à ma façon. Alors je pense que tu ferais une bêtise en les écoutant l'un ou l'autre. Il faut que tu tentes d'autres voies. Dans tous les domaines. Concernant les arts, je vais te donner ce dont personne ne veut : un conseil. Tu te souviens du mois d'août que tu as passé ici, après l'horreur ?

Simone laissa son regard dériver sur la bande de sable, au bord de l'eau, sur les rochers qui l'entouraient, puis sur la mer infinie.

– Je pense que ça m'a empêché de devenir folle. Alors, tu penses, je n'ai évidemment pas oublié.

– Mi et toi, vous avez passé beaucoup de temps à la plage, quand elle est venue te rejoindre une semaine. Vous construisiez des châteaux de sable. Ceux de Mi étaient très nets, superbes, classiques, à son image, finalement ; tandis que les tiens étaient fascinants, pleins d'imagination, très sophistiqués.

Simone but une gorgée de sangria avant de réagir :

– Je devrais donc me reconvertir dans la construction de châteaux de sable ?

– Dans la création, en tout cas. Essaie la sculpture en argile, pour commencer. Tu verras bien où ça te mène. Tu as suivi une formation de base l'année dernière.

– Comment tu le sais ?

– Je sais beaucoup de choses, sourit Sissi, tout en sirotant son apéritif. Et justement, parce que je savais que nous aurions cette conversation, j'ai commandé un peu de matériel. Il est dans l'atelier. Nous pourrons nous y essayer à tour de rôle. Si ce n'est pas la sculpture, ce sera autre chose. Donne-toi l'été, pour commencer, pour découvrir quelle est ta passion.

Chapitre 7

Après avoir rayé Roberta Flisk de sa liste, Patricia décida qu'elle en avait assez de la fac. En plus de l'assommer prodigieusement, les cours et les devoirs lui prenaient du temps et entravaient sa concentration sur son objectif, à présent qu'elle avait expérimenté son premier assassinat.

Après quelques manœuvres rusées, elle se réinstalla à Rockpoint, chez ses grands-parents : ils furent enchantés d'accueillir sous leur toit leur chère petite-fille, si prévenante et si serviable.

Elle fit tout pour en arriver là, car il était pour elle hors de question de retourner dans la location sordide où vivait sa mère, débris inutile et gémissant.

Désireuse de rassurer ses grands-parents quant à ses études et son avenir, Patricia s'inscrivit à des cours universitaires en ligne. Ceux-ci lui offrirent un prétexte idéal pour passer du temps sur Internet dans le but de se procurer de fausses pièces d'identité et cartes de crédit.

Car elle avait des projets.

Elle avait pris possession de toute une aile de l'antique et digne demeure, conduisait un roadster BMW et se débrouillait déjà suffisamment en piratage pour se servir sur le compte en banque de ses grands-parents.

Grâce à ces fonds supplémentaires, elle se créa une réserve d'armes et d'argent liquide.

Elle riait aux plaisanteries de ses grands-parents, se chargeait de leurs commissions, conduisait sa grand-mère chez le coiffeur, se rendait indispensable. Les rares discussions évoquant sa recherche d'emploi, son lancement dans une carrière professionnelle, s'évanouirent comme une brume sous le soleil.

Jamais le vieux couple ne vit clair dans le jeu de leur petite-fille.

Dans le même temps, elle faisait des courses alimentaires pour sa mère et les lui livrait. Elle lui rendait régulièrement visite et faisait en sorte que la neige soit dégagée du trottoir et de l'allée du taudis.

Elle faisait profil bas.

Elle resta discrète durant deux ans avant de tuer sa mère, meurtre qu'elle vit comme une récompense de sa patience et de ses efforts soutenus pour jouer son rôle de fille et de petite-fille dévouée.

Nul n'ignorait que Marcia Hobart était une femme faible et perturbée qui n'était jamais parvenue à chasser la culpabilité due aux actes de son fils, pas plus que la tristesse consécutive à sa mort.

Même lorsqu'elle s'était tournée vers Dieu, elle avait choisi Sa forme la plus vengeresse et punitive. Sa pénitence, en tant que fille d'Ève, consistait à mener jusqu'à la fin de ses jours une vie de souffrances et de regrets.

Sa fille était son unique lumière dans ses ténèbres personnelles – et Patricia faisait tout pour le rester. En effet, avoir mis au monde une enfant douée d'une telle gentillesse, d'une telle compassion, devenue une jeune femme intelligente et posée, voilà qui compensait en partie le fait d'avoir donné naissance à un monstre.

Monstre qu'elle aimait encore.

Durant les cinq années écoulées depuis la fusillade du centre commercial DownEast, Patricia n'avait cessé de se servir de cet amour comme d'une arme furtive.

Elle s'assurait que les articles évoquant la tuerie, les courriers insultants reprochant à Marcia d'être responsable de cette horreur et les menaces de mort parviennent à sa mère. Il lui arrivait d'en écrire elle-même, qu'elle postait, scotchait sur la porte d'entrée ou glissait en dessous. La nuit précédant son départ pour l'université Columbia, elle avait lancé une pierre enveloppée d'un message particulièrement immonde sur une fenêtre du salon, brisant le carreau, et s'était aussitôt précipitée à l'intérieur pour hurler, blottie derrière le canapé.

Un tuyau anonyme avait orienté Seleena McMullen sur les traces de Marcia, que la blogueuse traquait chez elle comme au travail. Marcia perdit d'ailleurs son emploi complémentaire. Les avocats l'auraient volontiers gardée. Hélas, elle fut contrainte de déménager un peu plus loin – dans une autre location, tout aussi misérable –, s'isolant un peu plus.

Elle prenait des comprimés pour dormir, et encore d'autres pour apaiser son angoisse permanente de plus en plus forte. Patricia sema quelques graines du côté de ses grands-parents, à qui elle confia son inquiétude, leur expliquant que sa mère mélangeait parfois ses médicaments ou s'en octroyait une double dose, ayant oublié qu'elle avait déjà avalé ses cachets.

Bien qu'ayant coupé les ponts avec Marcia, à qui ils reprochaient d'avoir divorcé de leur connard de fils, ils inondèrent alors Patricia d'une immense compassion.

La jeune femme installa des caméras de surveillance de nourrisson chez sa mère, de manière à la surveiller. Elle savait ainsi à quel moment appeler du téléphone à carte qu'elle s'était procuré, quand la réveiller, tandis qu'elle jouissait d'un sommeil offert par du Xanax, et lui susurrer le prénom de son frère au bout du fil.

Quand elle lui rendait visite, elle lui faisait avaler un ou deux comprimés supplémentaires, broyés dans la soupe qu'elle avait préparée, en tant que fille exemplaire, puis elle lui passait des vidéos de JJ bébé. Des larmes dans la voix, elle racontait ensuite à ses grands-parents avoir trouvé sa mère hébétée sur le canapé, devant ces films. À l'époque où elle fréquentait encore la fac, elle avait demandé conseil à ses professeurs – elle avait suivi des études de psychologie. Elle provoqua même une overdose accidentelle, appela Police-Secours d'une voix affolée et tint la main inerte de sa mère lorsque celle-ci fut transportée dans l'ambulance.

Elle donnait ainsi l'image d'une fille aimante et inquiète, dont la mère se noyait dans les médicaments et la culpabilité. Assister à des réunions de soutien rassemblant des enfants de drogués lui donnait de nouvelles idées pour harceler sa mère.

La nuit précédant l'anniversaire de son frère, Patricia se glissa sans un bruit dans la maison et prépara le gâteau au chocolat préféré de JJ. Elle laissa volontairement les ingrédients sur le plan de travail, et le saladier et la casserole dans l'évier, préparant le décor. Puis elle souffla la flamme du four… sans fermer le gaz.

Après avoir réveillé sa mère, dont l'esprit était embrouillé par les médicaments, elle la mena à la cuisine remplie d'odeurs de chocolat et de pâte à gâteau.

– Il fait nuit, dit Marcia, qui titubait en traînant les pieds. Quelle heure est-il ?

– Il est l'heure du gâteau ! s'exclama Patricia. Tu en as préparé un qui sent merveilleusement bon !

– Ah oui ? Je ne m'en souviens pas.

– C'est le gâteau au chocolat préféré de JJ. Il voudrait que tu allumes les bougies, maman.

– Il est là ? s'étonna Marcia, fouillant la pièce du regard.

– Il va venir. Allume la télévision. Tiens, voici la télécommande.

Sans discuter, Marcia s'empara de la télécommande et, sa fille guidant ses doigts, pressa la touche lecture. Sur l'écran, un JJ tout sourire, auquel il manquait quelques dents de lait, gloussait en regardant sa mère allumer ses bougies d'anniversaire.

– Allume les bougies, maman. Pour JJ.

– C'était mon petit garçon chéri, dit Marcia qui, en larmes et le cœur gros chargé de culpabilité, prit le briquet à gaz et alluma les bougies. Il ne voulait pas être méchant. Il est désolé. Regarde, regarde, il est si content. Pourquoi a-t-il cessé d'être heureux ?

– Il faut que tu prennes tes médicaments. JJ veut que tu prennes tes médicaments. Ils sont juste là. Prends tes médicaments.

– Je les ai déjà pris. Ou pas ? Je suis si fatiguée. Où est JJ ? Il fait nuit, dehors. Les petits garçons ne devraient pas sortir, quand il fait nuit.

– Il va venir, mais il faut que tu prennes tes médicaments, pour son anniversaire. Tu devrais prendre un comprimé pour chacune de ces bougies.

– Six bougies, ça fait six cachets. Mon bébé a six ans.

Les yeux humides et rivés sur l'écran, Marcia avala six comprimés, un par un, les faisant descendre avec le vin préparé par Patricia.

– C'est bien. C'est très bien. JJ a besoin de plus de lumière, pour retrouver son chemin jusqu'à la maison. Je crois qu'il s'est perdu !

– Non ! Non ! Où est mon petit garçon ? JJ !

– Allume les rideaux. Si tu les arroses du liquide que contient le briquet, ils brilleront dans la nuit. Il les verra et pourra rentrer à la maison.

Marcia attrapa la bouteille de gaz liquide. L'espace d'un instant, Patricia crut discerner une étincelle de conscience dans le regard de sa mère. Peut-être une forme de soulagement. Marcia arrosa les rideaux de gaz liquide et les enflamma.

– Tu vois comme ils brillent ! Il faut allumer le four, maintenant, maman.

– J'ai préparé le gâteau ?

– Oui, comme tous les ans, répondit Patricia, qui prit sa mère par le bras et la guida. Allume le four.

Elle éleva la main de sa mère à hauteur du thermostat.

– J'ai sommeil… Il faut que j'aille dormir.

– Allume le four, maman, et ensuite tu feras la sieste.

– Et JJ va venir ?

– Tu vas bientôt le retrouver. Allume le four, voilà, c'est parfait. Tu devrais maintenant t'allonger sur le canapé.

Tandis que sa mère s'effondrait, Patricia se servit d'un autre briquet – qu'elle emporterait avec elle – pour allumer les rideaux du salon, qu'elle avait au préalable imbibés de gaz liquide.

En se dirigeant vers la porte d'entrée, elle considéra le visage détendu de sa mère.

– Chante *Joyeux anniversaire* pour JJ, maman

Les yeux fermés et mangeant ses mots, Marcia essaya de chanter.

Quand les émanations de gaz firent leur œuvre en s'embrasant au contact des flammes, Patricia était déjà dans son lit, chez ses grands-parents.

Elle dormit comme un bébé.

Le mobile sonna sur la table de chevet. Reed roula sur le côté et le prit pour le consulter.

– Et merde…

Éloïse Matherson remua à côté de lui :

– Un truc de flic ?

– Oui.

Pas directement, rectifia-t-il en pensée ; mais, ayant adopté l'habitude d'Essie, il ne voulait pas passer à côté de la moindre alerte liée à la fusillade du centre commercial DownEast.

– Désolé.

– C'est la vie, dit Éloïse. Tu veux que je file ?

– Non, rendors-toi. Je t'envoie un texto un peu plus tard.

Il lui offrit une légère caresse sur les fesses avant de se lever.

Leur relation amicale avec, occasionnellement, quelques petits plaisirs leur convenaient à l'un comme à l'autre, sans rien de sérieux entre eux tant que leur amitié resterait la priorité.

Reed attrapa quelques vêtements dans l'obscurité et prit une douche rapide en pensant à Marcia Hobart.

Il avait constitué un dossier sur elle, qui lui permettrait de se rafraîchir la mémoire. Pour l'heure, il se rappelait qu'elle était divorcée quand son fils avait ouvert le feu dans la salle de cinéma. Hobart vivait alors chez son père, tandis que sa jeune sœur était restée avec leur mère.

Marcia Hobart était femme de ménage, se remémora-t-il en enfilant son jean. Elle avait déménagé deux fois, à sa connaissance, depuis le massacre.

L'alerte indiquait que des pompiers luttaient encore pour maîtriser un incendie à son domicile du moment. Signalé par cinq personnes, il menaçait les propriétés voisines. On avait retrouvé un cadavre dans la maison.

Reed glissa son arme dans son étui, attrapa ses clés et une bouteille de Mountain Dew dans le réfrigérateur. Tout en avalant de longues gorgées de soda, il descendit au pas de course les deux étages et gagna la zone de graviers envahie de mauvaises herbes où était garée sa voiture.

À l'image de son immeuble, sa vieille Dodge Neon, offerte par ses parents quand il avait décroché son diplôme de fin d'études secondaires, était devenue une épave.

Il avait décidé de faire avec et de suivre l'exemple d'Essie, en économisant un maximum pour un jour s'offrir une maison.

Or son appartement pourri se trouvait à seulement cinq minutes de chez Marcia Hobart. Il perçut des sirènes moins de deux minutes après avoir démarré. Il se gara dès qu'il aperçut les voitures de police et s'approcha d'un collègue occupé à délimiter la zone.

– Salut, Bushner.

– Tiens, Quartermaine. Tu traînes dans le coin ?

– Oui, j'habite à côté. Tu sais quelque chose ?

– Ouais, je sais que je préférerais mettre mon cul au pieu.

– Content de le savoir. Et à part ça ?

– Apparemment, on a signalé une explosion et un départ de feu à Police-Secours. La baraque, là-bas, est ravagée, avec un cadavre cuit à point à l'intérieur. Les pompiers s'activent toujours. La maison voisine a été touchée, mais tout le monde en est sorti.

– Je peux aller jeter un coup d'œil ?

– Pas de souci.

Des silhouettes de pompiers en tenue d'intervention se dessinaient sur les flammes, et des jets d'eau décrivaient des arcs de cercle dans la fumée et sous la pluie de cendres. Des civils se tenaient à l'écart, serrant des enfants contre eux ou blottis les uns contre les autres. Certains pleuraient.

Des ordres étaient aboyés, les radios crépitaient.

Bushner avait vu juste. La maison de la pauvre Marcia Hobart était complètement grillée. Reed vit ses murs s'effondrer vers l'intérieur, projetant des flammes et des étincelles dans l'obscurité chargée de fumée. Des lances à incendie s'attaquaient aux flammes rongeant le mur de la maison située du côté est du sinistre, tandis que d'autres inondaient la demeure côté ouest, afin d'empêcher l'incendie de se propager.

La pelouse devant les trois maisons, et les étroites bandes de gazon entre elles n'étaient plus qu'un bourbier de cendres trempées.

Reed s'attarda un instant sur les badauds, en particulier sur un jeune couple, un labrador au poil doré à ses pieds. La femme portait un nourrisson dans les bras et, le visage ruisselant de larmes, ne quittait pas des yeux la maison voisine de celle de Marcia, côté est.

– Vous habitez ici ? leur demanda-t-il.

L'homme, qui devait approcher de la trentaine, avait une tignasse blonde encore ébouriffée, sans doute tout juste sorti du lit. Il hocha la tête et passa un bras autour de la taille de sa compagne.

– Elle brûle, dit-il. Notre maison brûle.

– Les pompiers éteignent le feu. Et vous êtes sortis. Vous êtes tous sortis de là.

– On avait emménagé il y a seulement deux semaines. On n'avait même pas fini de déballer les cartons.

– Il y aura des dégâts, mais rien d'irréparable, affirma Reed, en regardant les jets d'eau noyer les flammes.

La femme étouffa un sanglot et plongea le visage dans le creux de l'épaule de son époux.

– C'était notre maison, Rob, dit-elle. Notre maison, qu'on avait prévu de retaper.

– Ça ira, Chloe. On s'en sortira.

– Pourriez-vous me raconter ce qui s'est passé, s'il vous plaît ? leur demanda Reed. Ce que vous savez, en tout cas. Désolé pour cette question, je ne suis pas un simple curieux.

Il leur montra son badge de policier.

– Mon Dieu… lâcha Chloe, essuyant ses larmes. Custer, notre chien, a aboyé peu après 3 heures du matin, ce qui a réveillé le bébé. J'étais furieuse parce qu'on venait tout juste de l'endormir. Elle ne fait pas encore ses nuits, je lui avais donné le sein vers 2 heures.

– Je me suis levé, car c'était mon tour, poursuivit Rob. Et j'ai grondé le chien, dit-il en se penchant pour caresser l'animal, qui se frottait contre lui. Dire que je lui ai crié dessus... Comme il ne voulait pas se taire, j'ai jeté un coup d'œil par la fenêtre. Je n'ai pas immédiatement compris quelle était cette lumière. J'ai ensuite vu la porte de la voisine éclairée, puis les flammes, à travers les vitres de sa maison.

– Rob m'a crié de me lever et de prendre le bébé. J'ai pris Audra dans mes bras, et Rob a appelé Police-Secours pendant qu'on sortait en courant de la chambre.

– Quelque chose a alors explosé. Les flammes se reflétaient dans les yeux de Rob, qui les frotta du bout des doigts. Une énorme déflagration. Les vitres de notre chambre ont volé en éclats.

– Tout ce verre... Si Custer ne nous avait pas réveillés... Audra dormait dans son couffin, juste devant la fenêtre, à côté de notre lit. Si Custer n'avait pas aboyé, les morceaux de verre...

– C'est un bon chien.

– On est sortis en courant, sans même s'arrêter pour prendre quoi que ce soit. On est sortis pendant que Rob appelait Police-Secours.

Reed félicita le père :

– Vous avez bien réagi. Faire sortir votre famille était la priorité. Le feu est éteint, à présent.

– Rob, regarde ! La maison n'a pas complètement brûlé, Dieu merci !

– Vous réparerez les dégâts, et je parie que vous en ferez un endroit merveilleux. Écoutez, si vous avez besoin de quelque chose, n'importe quoi, du matériel, des vêtements ou un coup de main pour retaper quelque chose, n'hésitez pas, dit Reed en sortant une carte de visite de sa poche. Ma mère organise fréquemment des ventes, des réunions, elle connaît beaucoup de monde. Je pourrais vous présenter des gens susceptibles de vous aider.

– Merci, dit Chloe, essuyant de nouvelles larmes de son index replié, tandis que Rob glissait la carte de visite de Reed dans sa poche. Savez-vous quand on sera autorisés à retourner dans la maison ? Pour nous rendre compte des dégâts ?

– Ce sera aux pompiers d'en décider. Ils voudront avant tout s'assurer que ce n'est pas dangereux. Attendez, je vais voir si je peux en apprendre un peu plus et trouver quelqu'un qui puisse venir vous parler.

Reed s'approcha d'un camion de pompiers et aperçut Michael Foster, couvert de sueur et de suie.

– Michael !

– Reed ! Qu'est-ce que tu fais par ici ?

– La maison qui a brûlé était celle de la mère de JJ Hobart.

Michael plissa les yeux :

– Tu en es certain ?

– C'est l'info qu'on m'a donnée, en tout cas.

– Salopard… siffla Michael, haletant. Putain de salopard. Encore lui.

– Je sais, mec. Je peux te parler une minute ?

– Pas maintenant, peut-être un peu plus tard.

– J'attendrai. Au fait, tu vois ce couple, là-bas, avec le chien et le bébé ? C'est leur maison que vous venez de sauver des flammes. Ce serait bien d'aller leur parler un peu.

– Je vais leur envoyer quelqu'un. Mais la mère de Hobart, elle vivait seule ?

– Oui, pour autant que je sache.

– Dans ce cas, il n'en reste plus grand-chose.

Reed estima ensuite que cela ne lui coûtait rien d'échanger quelques mots avec les témoins encore présents dans la rue, dans leur jardin ou sur leur perron.

Principal enseignement qu'il tira de ces quelques discussions, Marcia Hobart, plus que discrète, vivait totalement isolée. Par ailleurs, ses voisins ignoraient sa parenté avec le cerveau du massacre du centre commercial DownEast.

– Eh toi, là-bas ! cria quelqu'un.

Reed se retourna. C'était une vieille femme assise dans un fauteuil à bascule grinçant, sur une terrasse qui l'était tout autant.

– Oui, madame ?

– Tu es journaliste, ou quelque chose comme ça ?

– Non, madame. Je suis agent de police.

– Tu n'as pas la tête à ça, pourtant. Viens donc un peu par ici.

Elle avait le visage aussi fripé qu'un raisin sec, la peau d'un brun doré, toute ridée, et les cheveux blancs comme neige. Les lunettes perchées sur le bout du nez, elle détailla Reed de la tête aux pieds.

– Tu as une bonne bouille, je t'accorde au moins ça. Tu es quel genre de policier ?

– Je suis l'agent Reed Quartermaine, madame.

– Ce n'est pas ce que je te demande.

– Je m'efforce de bien faire mon travail.

– Il y a de bons policiers, mais il y en a aussi de mauvais. Tu en deviendras peut-être un bon. Assieds-toi, je vais attraper un torticolis, à force de lever la tête.

Reed s'assit sur une chaise aussi grinçante que tout le reste, à côté de la vieille dame.

– Si tu es de la police, tu dois savoir qui était la femme qui est morte dans cette maison cette nuit. Elle remonta ses lunettes sur son nez pour considérer les décombres fumants, de l'autre côté de la rue. Tu n'es peut-être pas un policier si stupide, si tu sais te taire pour voir si je sais ce que je sais. Le fils de cette malheureuse la brutalisait. Il a tué des gens. Au centre commercial DownEast.

– Je peux vous demander comment vous avez découvert cette information ?

– J'ouvre les yeux, tout simplement. J'ai encore des articles de journaux datant de l'époque de la fusillade, avec pour certains d'entre eux la photo de cette femme. Elle a beaucoup vieilli depuis, mais je l'ai reconnue.

– Lui en avez-vous parlé ? En avez-vous parlé à quelqu'un d'autre ?

– Et pourquoi donc ? répondit la vieille dame, qui secoua tristement la tête avant de revenir à Reed. Elle voulait seulement vivre sa vie, s'en sortir comme elle pouvait. J'ai moi aussi eu un fils qui se comportait mal avec moi. Il n'a tué personne, à ma connaissance, mais c'est devenu un voyou, comme l'autre. J'ai un autre fils et une fille dont je suis fière chaque jour. J'ai fait de mon mieux pour les élever correctement, mais un des trois a mal tourné. Cette femme était triste et perturbée.

– Vous étiez amie avec elle ?

– Elle n'avait pas d'amis. Elle restait terrée dans sa maison, elle allait travailler et s'enfermait dès qu'elle rentrait.

– Pas de visites ?

– Je n'ai jamais vu quelqu'un d'autre que sa fille entrer chez elle. Elle passait de temps à autre et restait un moment. Elle lui apportait des provisions toutes les deux semaines. Je l'ai vue lui offrir des fleurs pour la fête des Mères, cette année. Cette fille se comportait bien avec sa mère.

Reed n'avait pas oublié son nom. Patricia Hobart. La sœur cadette de JJ.

– Avez-vous eu l'occasion de parler avec cette fille ? s'enquit-il.

– Une ou deux fois, oui. Une jeune femme polie mais pas bavarde. Elle m'a demandé s'il y avait dans le quartier un gamin qui pouvait tondre la pelouse, déblayer l'allée quand il neige, ce genre de choses. Je lui ai parlé de Jenny Molar, qui habite deux maisons plus loin. Cette brave fille m'aide quand j'en ai besoin, et elle est plus fiable que la plupart des garçons. Elle m'a raconté que la fille la payait sans sourciller et lui demandait de ne pas parler à sa mère, sous prétexte qu'elle n'était pas en forme et n'aimait pas le montrer. La fille remplissait ses devoirs vis-à-vis de sa mère, pas plus pas moins.

Le ton employé n'échappa pas à Reed :

– Elle donnait l'impression d'accomplir un devoir, pas davantage ?

– C'est mon impression, mais il faut dire que je suis exigeante sur la question, sourit la vieille femme, avant de poser les yeux sur les ruines calcinées. Quelle honte, cette maison ! Ce n'était pas une villa, mais elle aurait pu être mieux arrangée. Son propriétaire, un moins que rien, était ravi de la louer à quelqu'un qui ne l'ennuyait pas avec des réparations à faire. Je parie qu'il va empocher l'assurance et vendre le terrain.

Reed médita un temps sur ces propos, la vieille femme en profita pour l'observer de nouveau.

– Mon petit-fils est lui aussi dans la police, reprit-elle. C'est l'agent Curtis A. Sloop.

– C'est vrai ? Je connais bien Sloopy !

– Ah oui ? dit-elle, rabaissant ses lunettes.

– Parfaitement, madame. Nous avons débuté en même temps, nous sommes de la même promotion de l'école de police. C'est un bon flic.

– Il essaie, en tout cas. Si tu le croises avant moi, dis-lui que tu as discuté avec sa grand-mère. Elle lui tendit la main, aussi douce et délicate que celle d'une poupée. Je m'appelle Leticia Johnson.

– Je n'y manquerai pas. Ravi d'avoir fait votre connaissance, madame Johnson.

– Va donc faire ton boulot de bon policier, jeune et charmant Reed Quartermaine. Et n'hésite pas à repasser par ici me dire un petit bonjour.

– Avec plaisir, madame.

Reed s'éloigna de la terrasse de la vieille dame et chercha Michael, qu'il trouva en discussion avec Essie.

– Tu es chargée de l'enquête ? demanda-t-il à son amie.

– Maintenant, oui, répondit-elle, les mains sur les hanches, sans cesser d'observer les restes calcinés. Le spécialiste en incendies criminels est déjà dans la maison, on va vite avoir des infos. L'identification officielle du cadavre prendra un peu de temps.

– Apparemment, le propriétaire n'est pas un acharné des réparations et de l'entretien.

Essie lança un regard de biais à Reed :

– Comment ça, « apparemment » ?

– C'est Leticia Johnson qui me l'a appris, son petit-fils est un collègue. Je le connais, c'est un gars sûr. Elle est assise sur sa terrasse, de l'autre côté de la rue. Tu devrais aller discuter un peu avec elle. Chloe et Rob, qui habitent dans la maison voisine de celle qui a brûlé, ont été réveillés par leur chien, qui a aboyé vers 3 heures du matin. Rob s'est levé, car ça avait fait pleurer leur bébé dans son couffin, à côté de leur lit. Quand il a vu que la maison d'à côté était en flammes, il a réveillé sa femme et prévenu Police-Secours pendant qu'ils évacuaient la maison. L'explosion s'est produite peu après et a brisé les fenêtres de leur chambre.

– Vous n'avez pas chômé, monsieur l'agent, dit Essie, haussant les sourcils.

– Bah, j'étais sur place. La victime vivait seule, ne fréquentait pas ses voisins et ne recevait personne, à l'exception de sa fille, qui passait la voir de temps à autre. Elle lui apportait des provisions toutes les deux semaines et donnait des sous à une gamine du quartier pour qu'elle tonde la pelouse et dégage la neige de l'allée en hiver.

– Vous comptez passer inspecteur, agent Quartermaine ? ironisa Essie.

– L'année prochaine, répondit Reed, souriant, avant de se tourner vers Michael. C'est un incendie criminel, d'après toi ?

– Aucune idée. Je peux seulement te dire qu'il y a eu deux départs de feu, dans la cuisine et dans le salon. Je dirais que les rideaux se sont enflammés. Il n'y a pas eu de fuite de gaz, c'est plutôt le gaz du four qui a provoqué l'explosion. Elle n'a d'ailleurs pas été très violente, ce qui aidera les enquêteurs à déterminer la cause de l'incendie.

– Mon équipier interroge les voisins, dit Essie. Je crois que je vais aller bavarder avec Mme Johnson. Agent Quartermaine ?

– Oui, inspecteur McVee ?

– Je vais demander que vous soyez affecté à mon équipe d'enquêteurs.

– La vache !

– Commence par poser du ruban de scène de crime autour du pâté de maisons, et ensuite note par écrit tout ce que tu auras appris.

Essie traversa la rue, laissant derrière elle un Reed aux anges.

Simone céda sous la légère mais incessante pression familiale. Son père ayant compris que son vieux rêve de voir son aînée suivre ses traces et devenir avocate ne deviendrait jamais réalité, il avait changé de stratégie, et ça s'était révélé payant.

Elle se concentrerait sur des études de gestion des entreprises. Ses parents lui avaient fait comprendre qu'après s'être assez longtemps quelque peu éparpillée, il lui fallait se remettre aux choses sérieuses. Viser un diplôme en gestion lui occuperait l'esprit, lui ouvrirait des portes, lui forgerait un avenir.

Simone fit de son mieux. Elle s'investit tant dans ses études, au cours du premier semestre, que Mi elle-même, pourtant si sérieuse, dut la supplier de ralentir, de s'offrir des pauses.

Elle termina l'année avec des notes qui firent rayonner ses parents, puis passa l'été à travailler en tant qu'assistante du directeur-adjoint de la division comptabilité du cabinet d'avocats de son père.

Dès la fin du mois de juin, Simone voyait de nouveau un psy.

En août, harcelée par des migraines, ayant perdu cinq kilos et vêtue chaque jour d'élégants vêtements qu'elle détestait, elle repensa à la fille qu'elle avait été, celle qui avait appelé au secours avant de se cacher dans les toilettes.

Celle qui avait ce jour-là eu peur de mourir avant d'avoir vécu.

Alors elle comprit qu'il existait d'autres façons de mourir.

Elle décida de vivre.

La veille de son départ pour New York, elle se retrouva avec ses parents et Natalie.

– Je n'arrive pas à croire que nous aurons maintenant nos deux filles à l'université, dit Tulip. Qu'allons-nous faire, Ward, dans ce nid vidé de ses oisillons ? Natalie entre à Harvard, et Simone retourne à Columbia.

– Je ne retourne pas à Columbia.

– Nous sommes si… Comment ?

Simone gardait les mains serrées sur ses genoux, pour les empêcher de trembler.

– Je retourne à New York, mais pas à la fac.

– Bien sûr que si. Ton année a été excellente.

– J'en ai détesté chaque minute, comme j'ai détesté travailler au cabinet cet été. Je ne peux pas continuer à faire ce que je déteste, ce que je ne suis pas.

– Première nouvelle ! s'exclama Ward, qui se leva pour se préparer un apéritif. Tu as fait excellente impression, comme Natalie au cours de son stage. On n'abandonne pas dans notre famille, Simone. On ne considère pas que tout ce que nous avons nous est acquis. Tu me déçois beaucoup.

La douleur fut cinglante, évidemment, car telle était l'intention de Ward, mais Simone s'y était préparée.

– Je sais que je vous déçois, répondit-elle. Et je sais que je vous décevrai peut-être toujours, mais je vous ai offert un an de ma vie. J'ai fait tout ce que vous m'avez demandé, mais là, je n'en peux plus.

– Pourquoi faut-il que tu gâches toujours tout ?

Simone se tourna vivement vers sa sœur, afin de lui renvoyer un peu de la cuisante piqûre qu'elle éprouvait.

– Je te gâche quelque chose, peut-être ? Tu fais ce dont tu as envie, ce pour quoi tu es douée. Continue d'assurer. Sois la fille parfaite, pendant que moi je suis la rebelle de la famille.

Leur mère intervint :

– Ta sœur est suffisamment mûre pour comprendre qu'elle a besoin de bases et d'objectifs, et qu'elle a la chance d'avoir des parents qui lui offrent les bases et la soutiennent en vue de ses objectifs.

– Qui correspondent aux vôtres, souligna Simone. Ce qui n'est pas le cas des miens.

– Depuis quand tu as des objectifs ? marmonna Natalie.

– J'y travaille. Je vais prendre des cours aux beaux-arts, à New York…

– C'est pas vrai ! s'écria Tulip, en levant les mains. Je savais que Sissi était dans le coup !

– Je ne lui en ai même pas parlé. Je l'ai déçue en essayant de vous satisfaire. Mais contrairement à vous, elle ne me l'a jamais craché au visage, pas une fois. C'est toute la différence. Jamais elle n'a tenté de me coller de force dans une case qui ne me convenait pas, juste parce qu'elle le souhaitait. Ces cours me diront si je suis douée pour ça, si je peux espérer plus encore.

– Et de quoi comptes-tu vivre ? lui demanda Ward. Tu ne peux pas abandonner tes études et espérer nous voir payer tes cours.

– Je prendrai un job.

– Dans un café pourri ? dit Natalie.

– Oui, s'il le faut.

– Il est évident que tu n'as pas assez réfléchi à tout ça.

– Maman, je ne pense à rien d'autre depuis des semaines. Regarde-moi, je t'en prie, regarde-moi vraiment. Je ne dors plus, je n'avale plus rien. Mon armoire est remplie de vêtements que tu as choisis et achetés. Ma vie sociale, cet été, s'est résumée au fils convenable d'un de tes amis, que tu m'as imposé. Je me sens mal à l'aise dans ces vêtements, et le fils de ton ami m'ennuie à mourir. Et pourtant, j'ai porté ces vêtements et fréquenté ce garçon. Et la nuit, j'ai mal au crâne et je n'arrive pas à dormir. Je vois le Dr Mattis trois fois par semaine depuis le mois de juin ; je le paie avec mes économies, pour que vous ne le sachiez pas.

– Tu vas faire une pause, le temps d'un semestre, décida Tulip, les yeux brillants de larmes. Tu te reposeras et nous partirons en voyage. Nous…

– Tulip… intervint Ward, cette fois avec douceur, revenant s'asseoir sans son verre. Simone, pourquoi ne nous as-tu pas dit que tu revoyais le Dr Mattis ?

– Parce que j'avais conscience que c'était en partie à cause de vous. Ce n'est pas votre faute, c'est comme ça, c'est tout. Je ne suis pas celle que vous voudriez que je sois. J'ai l'impression d'être de nouveau enfermée dans la cabine, aux toilettes du cinéma, et d'avoir peur d'ouvrir la porte. Mais il faut que je l'ouvre. Elle se leva. Je suis désolée, mais vous devez me laisser faire. Je suis adulte maintenant, et j'ai fait mon choix. Je pars ce soir.

– Nous allons en discuter, insista Tulip.

– Il n'y a plus rien à dire, je pars ce soir. Mes sacs sont déjà dans la voiture.

Simone n'avoua pas à ses parents qu'elle prévoyait de faire un crochet par l'île. Elle avait besoin de cette passerelle pour sauter dans l'inconnu.

– Natalie s'en va demain, poursuivit-elle. Vous devriez passer la soirée avec elle. Je vous aime, mais je ne peux plus rester ici.

Sur ces mots, Simone s'empressa de quitter la pièce. Natalie se leva d'un bond et la rejoignit en courant.

– Comment oses-tu leur faire ça ! lui lança-t-elle, furieuse, en l'agrippant par le bras. Tu n'es qu'une ingrate, une mauvaise fille ! Pourquoi es-tu incapable de te comporter normalement ?

– Tu as pris toute la normalité qu'il y avait dans cette maison, profites-en.

Simone se dégagea et monta en voiture sous les insultes de sa cadette :

– Égoïste ! Idiote ! Pauvre folle !

En roulant, Simone repensa au jour où elle avait démissionné du café. Contrairement à ce jour-là, cette fois elle n'était pas heureuse, mais au moins elle était libre.

Simone était serveuse depuis un an, afin de payer sa part de loyer. Sa fierté et sa volonté d'indépendance n'allaient pas jusqu'à refuser les chèques envoyés par Sissi, qui l'aidaient à régler d'autres frais, comme les cours et les fournitures. Elle gagnait par ailleurs encore un peu d'argent en posant pour des étudiants.

Ce soir-là, comme deux fois par semaine, voire trois quand la chance lui souriait, Simone monta sur l'estrade, devant toute une classe, se débarrassa de sa robe et prit la pose demandée. Pour cette séance, elle dut garder le bras droit plié, main ouverte et paume vers le haut, et la main gauche plaquée légèrement au-dessus des seins.

Poser nue ne la gênait pas plus que faire un croquis ou une sculpture d'un modèle nu. L'argent ainsi empoché l'aidait à payer ses cours, les carnets de dessin, l'argile, la cuisson et les outils.

Elle avait découvert qu'elle était douée pour ça, et elle était convaincue de pouvoir espérer plus encore.

Ce soir-là, tandis que Patricia préparait un gâteau pour son frère décédé afin de célébrer l'anniversaire de la mort de leur mère, Simone, de retour dans son appartement après une longue journée, se versa un verre de vin. Elle était heureuse.

Chapitre 8

En avril 2013, Essie mit au monde un garçon en parfaite santé que son père, aux anges, prénomma Dylan. Son équipier ayant pris sa retraite ce même mois, elle demanda que l'inspecteur Reed Quartermaine le remplace à son côté au retour de son congé de maternité.

Bien qu'heureuse de profiter de cette pause, elle ne se déconnecta pas complètement du métier, régulièrement tenue au courant des nouvelles, des ragots et des rapports officiels par son futur équipier.

Sa vie avait pris de nombreux virages inattendus, se dit-elle en s'éclipsant discrètement de la chambre où son mari et leur bébé dormaient encore.

Jamais elle n'aurait pensé être promue inspecteur de deuxième classe [6], et encore moins intégrer la brigade criminelle. Jamais elle n'avait osé rêver vivre avec un homme aussi gentil, drôle, intelligent et sexy que Hank. Enfin, jamais elle n'avait seulement imaginé un jour être noyée sous une déferlante d'amour comme celle qu'elle éprouvait en regardant leur fils ou même simplement en pensant à lui.

Sa vie avait pris un tournant un soir de juillet. Depuis cette tragédie, sa vie se déroulait de façon merveilleuse.

Elle se prépara un verre d'infusion sur quelques glaçons, prit un magazine sur la pile et s'installa sur la terrasse de l'entrée pour observer son petit monde.

Elle allait certainement s'endormir. Elle aurait d'ailleurs dû remonter dans la chambre – « Quand ton bébé dort, profites-en pour en faire autant », lui avait conseillé sa mère – mais elle voulait se prélasser un moment dans l'air printanier.

Peut-être feraient-ils une promenade un peu plus tard, avec le bébé. Et peut-être l'air frais aiderait-il Dylan, à présent âgé de trois semaines, à battre son record de sommeil, pour l'heure établi à deux heures et trente-sept minutes.

Oui, tout cela était possible.

Puis un bon film, blottie contre Hank, et – si elle donnait le sein avant – un peu de vin.

Oui, peut-être…

Essie s'assoupit sur sa chaise longue.

Réveillée en sursaut, elle chercha d'instinct à dégainer son arme, qu'elle ne portait évidemment pas.

– Pardon ! Pardon ! se désola Reed, les mains levées et portant un bouquet de tulipes rayées blanc et rouge. Je ne voulais pas te réveiller, mais juste déposer ces fleurs.

– Quelle heure est-il ?

– Aux alentours de 17 h 30.

– Bon, ça va… Je n'ai somnolé que cinq minutes. Tu m'as apporté des tulipes !

– Une source sûre, ma sœur, m'a appris que les mères en manque de sommeil ont tendance à être oubliées par leur entourage quinze jours après la naissance du bébé. Tu ne dors pas dans la maison ?

– Je ne comptais pas m'endormir, seulement m'asseoir un peu. Mes hommes ronflent à l'étage. Je ne serais pas contre un peu de compagnie, pour m'empêcher de baver sur la terrasse. Attends, va d'abord te chercher à boire à l'intérieur. Il y a encore de cette infusion, mais aussi de la bière.

– Allons-y pour une bière.

Comme chez lui dans cette maison, Reed piocha une bouteille fraîche et la décapsula, puis il s'installa à côté d'Essie :

– Alors, comment ça va ?

– Pour être franche, je ne savais même pas qu'on pouvait être aussi heureuse. Et les bonnes nouvelles n'arrêtent pas de tomber. Aujourd'hui, Hank m'a annoncé qu'il prenait une année sabbatique pour s'occuper de Dylan. Je n'aurai pas le souci de laisser mon bébé à une nounou ou à la crèche. Sentant des larmes lui venir, elle se donna une claque sur chaque joue. Mon Dieu, fichues hormones ! J'espère qu'elles se calmeront un jour ! Raconte-moi des histoires de flics, ça m'aidera.

– L'enquête sur l'affaire Bower est terminée.

– Vous l'avez pincée ?

– Eh oui, on a coffré la veuve cupide et sournoise. Son amant l'a dénoncée, ce qui le sauve, et elle tombe pour homicide volontaire.

Reed évoqua ensuite deux autres affaires en cours, puis la fit rire avec des ragots de bureau.

– J'ai encore visité deux maisons, ce week-end.

– Ça doit faire pas loin de un an que tu enchaînes les visites, Reed.

– Oui, mais aucune ne me donne l'impression de me crier de la choisir.

– Tu es peut-être trop exigeant. Tu risques de passer ta vie dans la poubelle qui te sert d'appart.

– Un appartement, ça ne sert qu'à dormir, alors qu'une maison, ça doit être la bonne.

Bien que d'accord sur ce point, Essie insista :

– Celle que j'ai vue avec toi, il y a deux mois, était géniale.

– C'était presque la bonne, c'est vrai, mais pas tout à fait. Je saurai que je l'ai trouvée dès que je la verrai.

– C'est peut-être Portland, ton paradis.

– Je ne suis pas si mal à Portland. Je suis près de ma famille et je vais travailler avec toi. Ça compense ma poubelle, comme tu dis, le temps que j'aie le coup de foudre pour une maison.

– J'ai envie de dire que c'est exactement cette attitude qui t'empêche d'avoir une relation sérieuse. Mais bon, je me comportais de la même façon avant de rencontrer Hank.

– Eh oui, de ce côté-là non plus, je n'ai pas encore eu le coup de foudre. Je suis invité au mariage d'Éloïse, à propos. C'est en juin.

– C'est confirmé, alors ?

– On dirait bien, oui. Elle se jette à l'eau, et je pense que ça va bien se passer.

– Je sens que tu as autre chose à me dire, dit Essie, qui tapota le bras de son ami.

Reed baissa les yeux sur sa bière puis rejeta en arrière sa tignasse, qu'il n'était plus obligé de couper à ras.

– Tu n'as pas reçu l'alerte ?

– Merde ! Je ne sais pas plus où j'ai fourré mon téléphone. C'est qui, cette fois ?

– Marshall Finestein. Le type qui a réussi à se sauver en rampant après avoir pris une balle dans la hanche.

– Oui, je me souviens de lui : un témoin oculaire qui a donné beaucoup de détails sur Paulson. Il est apparu dans un documentaire et il est interviewé à la télévision tous les ans à la date de la fusillade.

– Il ne sera plus là la prochaine fois. Il a été renversé par une voiture qui a pris la fuite. Il courait tous les matins depuis qu'il s'était remis de sa blessure. La voiture n'a même pas ralenti, elle l'a percuté puis a filé.

– Des témoins ?

– Ça s'est passé sur une portion de route déserte, tôt le matin. On a retrouvé moins d'un kilomètre plus loin une Toyota Land Cruiser abandonnée. Le pare-chocs avant était enfoncé, avec des traces de sang, de fibres et de peau. Les propriétaires du véhicule, un expert-comptable et une pédiatre, parents de deux enfant, ont signalé son vol à peu près au moment où il a fauché Finestein. On va enquêter un peu sur eux, bien sûr, mais *a priori* ils sont OK.

– Quelqu'un qui connaissait les habitudes et l'itinéraire de Finestein a piqué cette voiture pour le tuer.

– Et ça nous fait au total six décès en lien avec la fusillade du centre commercial DownEast. Trois meurtres, en comptant celui-là, deux suicides et la mort accidentelle de Marcia Hobart. Ils sont liés, Essie.

– On a un suicide dans le Delaware, l'autre à Boston, et un des meurtre a été commis à Baltimore, prétendument un règlement de comptes entre gangs, rappela la jeune femme, qui leva la main pour empêcher son ami de protester. Je ne dis pas que tu as tort, Reed, mais ça reste encore à prouver. Il y a des points communs, d'accord, mais statistiquement tu as forcément des morts, dont des suicides et des accidents, dès lors que tu considères un certain nombre de personnes. Par ailleurs, les méthodes employées sont très variées : un pistolet avec silencieux, un coup de couteau, un choc avec une voiture…

– On retrouve tout de même une forme d'acharnement, insista Reed. Trois balles pour Roberta Flisk, treize coups de couteau pour Martin Bowlinger, et un énorme 4 x 4 lancé à pleine vitesse pour Finestein. Bowlinger, qui n'était agent de sécurité au centre commercial que depuis un mois le jour du massacre, panique et prend la fuite dès le début de la tuerie. Incapable d'assumer cette réaction, il file ailleurs et plonge dans la drogue. Déjà défoncé au moment où il est agressé, il meurt dès le deuxième coup de couteau. Pourtant le tueur continue à frapper. C'est de l'acharnement, je te dis. Quant aux suicides…

Qui nous dit que ce sont vraiment des suicides ? Ajoute à ça la mort accidentelle de la mère de Hobart, qui ne m'a toujours pas convaincu… Ça fait beaucoup, non ?

– Le lien ne tient pas avec la mère de Hobart, justement, objecta Essie. Elle n'était ni victime ni rescapée de la fusillade.

– Bien sûr que si, c'était une victime, affirma Reed, dont le regard vert se fit soudain plus dur. Elle n'a sans doute pas été une mère exemplaire, c'était peut-être même une personne plutôt faible, mais elle a pâti de ce qui s'est passé. Son fils a fait d'elle une victime.

– Mais le mobile, alors ?

– La folie suffit parfois à tout expliquer. Je sais que c'est un peu tiré par les cheveux, mais je n'arrête pas de penser à ce scénario.

Essie s'octroya quelques gorgées d'infusion, malgré les glaçons fondus l'ayant sérieusement diluée.

– C'est peut-être pour ça que tu vis toujours dans ta poubelle. Tu ne peux pas passer ta vie à ressasser les mêmes histoires, Reed. Continuer de t'y intéresser est une chose, je serais moi-même absolument incapable de laisser tomber cette affaire, mais il faut aussi que tu ailles de l'avant.

– Je ne serais pas devenu flic sans ce qui nous est arrivé ce soir-là, ni sans toi, d'ailleurs. Et le flic en moi me dit que toutes ces morts sont liées. Je vais m'intéresser de plus près aux suicides et à l'incendie. Sur mon temps libre, je te rassure tout de suite, mais je tiens à ce que tu le saches, je vais fouiner un peu de ce côté.

– Comme tu voudras. Je serai la première à t'aider si tu déniches quelque chose.

– Parfait.

De petits cris grincheux, à l'étage, leur parvinrent par la fenêtre ouverte.

– Ça, c'est pour moi, dit Essie. Tu dînes avec nous ?

– Pas ce soir, merci. La prochaine fois, j'apporte le dîner.

– Je te prends au mot, dit Essie, qui ramassa les tulipes. Merci pour les fleurs, collègue.

– Pas de quoi. Amuse-toi bien, « maman ».

– Je dors debout, dit Essie, qui s'arrêta un instant sur le pas de la porte. Mes seins sont devenus une usine à lait et je n'ai pas fait l'amour depuis un mois. Et tu sais quoi ? C'est chouette ! La prochaine fois, viens avec des pizzas.

– Ça marche.

En regagnant sa voiture, Reed décida de rentrer dans sa poubelle, de mettre une pizza surgelée au four et de fouiller un peu dans les dossiers des deux suicides.

Simone traînait des valises et des cartons dans l'escalier, de l'appartement du quatrième étage à la Toyota Prius de Mi. *C'est un tournant dans ma vie*, se disait-elle, se forçant à être enjouée. S'installer à Boston et intégrer l'hôpital général du Massachusetts à un excellent poste était également une magnifique opportunité pour Mi.

Elle le méritait, ayant travaillé dur pour en arriver là, et elle y serait impeccable.

— Comment tu comptes tout caser là-dedans ? lui demanda-t-elle. Tu aurais dû expédier ces bouquins par transporteur.

— Tout va rentrer, tu vas voir, répondit Mi, se tapotant la tempe de l'index. J'ai tout prévu, c'est comme une partie de Tetris.

— Je n'ai jamais compris ce jeu, mais bon, on est geek ou on ne l'est pas…

Consciente que ses compétences ne lui permettaient pas de l'aider, Simone s'écarta et regarda Mi – sa longue queue-de-cheval, si lisse, glissée dans le trou d'une casquette des Boston Red Sox (un cadeau) – calculer, organiser et modifier la disposition de ses affaires.

Elle portait un jean court, des baskets roses et un tee-shirt Columbia. *Ses mains sont minuscules*, se dit Simone, enregistrant les moindres détails, comme ses ongles courts, jamais vernis, ou encore le symbole vietnamien discrètement tatoué sous son pouce droit et qui signifiait « espoir ».

De charmants yeux marron foncé en amande, un menton tout en douceur, un nez fin.

Une énorme montre au poignet gauche, lui aussi très fin, et de petits bijoux en or dans ses minuscules lobes d'oreilles, collés à la peau du cou.

Sans oublier son cerveau. En effet, quelques minutes suffirent à Mi pour tout charger.

— Et voilà ! J'avais raison, tu vois ?

— Je me demande encore comment j'ai pu en douter. Sauf qu'il y a encore un paquet à caser. Simone tendit à Mi la boîte qu'elle avait gardée cachée dans le dos, en disant : Tu vas bien lui trouver une place. Tu l'ouvriras une fois arrivée à Boston.

127

– Je trouverai une place, ça c'est sûr, mais je vais l'ouvrir maintenant.

Mi dénoua la ficelle en raphia, ôta le couvercle de la boîte et écarta le rembourrage en coton.

– Oh ! Oh, Sim…

Pas plus grande que la main de Mi, la sculpture miniature représentait trois visages : celui de Simone, celui de Mi et, au milieu, celui de Tish.

– Au début, je pensais nous sculpter, toutes les deux, mais… j'ai voulu qu'elle soit avec nous. Je pense qu'elle aurait cette tête, aujourd'hui, si…

– C'est splendide, bredouilla Mi, la gorge nouée et les yeux embués. Nous sommes si belles… et elle est avec nous.

– Elle aurait été si fière de toi, Presque Professeur Jung.

– J'ai encore du chemin à faire avant d'en arriver là. Elle aurait été fière de toi aussi… Tu as un talent fou, dit Mi, caressant en douceur les traits de ses amies. Elle ajouta un murmure : Et elle serait devenue une star…

– C'est certain.

– C'est la première chose que j'installerai dans mon nouvel appartement, dit Mi, rabattant soigneusement le coton et le couvercle. Oh mon Dieu, Sim, tu vas me manquer !

– On s'enverra des textos, on se téléphonera, on se verra par FaceTime. Et on se rendra visite.

– À qui je me confierai, maintenant, quand je n'arriverai pas à dormir ?

– Toujours à moi : tu m'appelleras, répondit Simone, qui étreignit Mi avec force et la berça un moment. Je t'autorise à te faire de nouveaux amis, pas de problème, mais tu as interdiction absolue de prendre une autre meilleure-meilleure amie !

– Même chose pour toi !

– Aucune chance que ça se produise. Allez, file, maintenant, dit Simone, sans pour autant lâcher Mi. Envoie-moi un texto dès que tu seras arrivée.

– Je t'aime.

– Je t'aime, répéta Simone, qui dut se forcer pour libérer son amie. Allez, vas-y. Déchire tout, Mi-Hi. Trouve un remède miracle au rhume et sois heureuse.

– Toi aussi, déchire tout, Simone. Crée de fantastiques sculptures et sois heureuse.

Mi s'installa au volant, dissimula ses yeux pleins de larmes derrière des lunettes de soleil et, après un dernier au revoir, s'engagea elle aussi sur son tournant de la vie.

Simone remonta à l'appartement, pour y vivre seule pour la première fois de sa vie.

Elle pouvait se le permettre financièrement parlant, et ne souhaitait pas de colocataire. Elle avait un job, ses séances de pose lui rapportaient quelque peu, et elle vendait même de temps en temps une œuvre dans une galerie du quartier. Par ailleurs, son compte épargne désormais disponible, elle avait la possibilité – en cas de mauvaise passe – d'y puiser un peu d'argent.

La chambre de Mi deviendrait son atelier.

Malgré ses fréquentes larmes, elle ôta ses affaires de sculpture de sa chambre et de sa partie du salon, tirant des étagères, son banc et son tabouret.

En installant son matériel à sa nouvelle place, elle se fit la réflexion qu'elle n'aurait dorénavant plus à l'enjamber pour sortir de son lit.

L'éclairage serait parfait, dans la chambre de Mi – non, dans son atelier. Elle pourrait même y faire venir des modèles, plutôt que de devoir payer ou troquer quelque chose en échange de quelques heures dans l'atelier de quelqu'un d'autre.

Tout en organisant son nouvel espace de travail, Simone envisagea l'avenir. Sans la compagnie de Mi, elle serait moins tentée de flemmarder, n'aurait plus de longues conversations et se calmerait côté sorties décidées à la dernière minute. Elle en profiterait pour travailler davantage.

Elle avait tout de mêmes d'autres amis, se rassura-t-elle. Pas d'autre meilleure-meilleure amie, évidemment, et peut-être avait-elle du mal à se faire de nouveaux camarades. Néanmoins, elle avait dans son entourage du monde avec qui sortir ou traîner un peu.

Rester seule ne serait pas une contrainte, mais un choix.

Après deux heures passées seule dans l'appartement, elle attrapa son sac à main et sortit.

Elle fut de retour trois heures plus tard, les cheveux coupés en un carré plongeant, avec une longue frange lui balayant le front, le tout dans une teinte « Indigo glacé », selon le salon de coiffure.

Elle se prit en selfie et envoya la photo par MMS à Mi, entre-temps arrivée à Boston.

Puis elle regarda autour d'elle et soupira. Elle prit une esquisse de nu – une longue chevelure renversée tombant en spirale, les doigts d'une main plaqués contre le sol et l'autre main légèrement tendue, paume vers le ciel – punaisée à son tableau d'affichage, et s'assit pour la peaufiner.

Que fait cette femme ? se demanda Simone. *Que regarde-t-elle ? Où est-elle ?*

Sans cesse de travailler, elle envisagea diverses options, réfléchit, repoussa nombre d'hypothèses. Et enfin elle comprit.

– Elle s'est jetée à l'eau, murmura-t-elle. Elle a fait preuve d'un grand courage. Elle s'est lancée, armée de ce seul courage. Je le devine, belle inconnue.

N'ayant pas cours et ne travaillant pas ce soir-là, Simone sortit le fil de fer dont elle faisait ses armatures et le déroula sur son patron.

C'est trop calme, ici, se dit-elle avant d'allumer la chaîne stéréo.
Pas de musique rock. Pas de classique non plus.
De la musique tribale ! Sa femme serait à la recherche d'une tribu.

Puis, quand elle l'aurait trouvée, elle en deviendrait le chef.

L'image de son œuvre limpide dans son esprit et l'armature prête, Simone choisit son argile et ses outils, puis entreprit de libérer la femme qui mènerait sa tribu.

Les pieds, longs et fins, les chevilles fortes mais pas trop épaisses, les muscles des mollets bien dessinés. Elle façonna, sculpta, brossa, aspergea l'argile d'eau, lissa les genoux.

La silhouette apparaissant peu à peu, Simone s'attaqua au haut du corps. Soudain, elle prit conscience que la lumière s'était modifiée.

Le crépuscule était déjà là.

Elle couvrit sa sculpture et se contraignit à se lever de son tabouret, puis à marcher et s'étirer. Un peu de vin, décida-t-elle, avant de commander un plat chinois, car si elle se remettait au travail, elle oublierait de dîner. Mais aussi de boire et de bouger. Elle s'oubliait souvent dans ces circonstances.

Elle passa sa première nuit seule à boire du vin, avec de temps en temps un verre d'eau, à avaler du porc frit aux nouilles et à donner vie à sa vision.

Elle suivit ce rythme trois semaines durant : le travail, celui qui s'accompagnait d'un salaire, les cours et le travail… celui qui nourrissait son âme.

Ce soir-là, après sa journée de quinze heures, dont la plupart passées debout, elle retrouva le silence sournois de son appartement.

Mi lui manquait autant qu'une partie d'elle-même dont elle aurait été amputée, impossible de le nier, mais là n'était pas le cœur du problème. Elle s'assit et considéra la sculpture commencée en cette première nuit solitaire.

C'était bon, vraiment bon, une de ses meilleures œuvres. Pourtant, elle se sentait incapable de la porter à la galerie.

– Parce que j'en ai besoin auprès de moi, dit-elle à haute voix. Elle me dit quelque chose depuis le début. Comme si je me parlais à moi-même. Elle soupira, la tête renversée en arrière. Alors ? Alors ? Moi aussi, j'ai mon mot à dire. Il est temps que je me jette à l'eau. J'ai fait ce que j'étais venue faire à New York. Le moment est venu de passer à autre chose.

Elle ferma les yeux et poursuivit :

– Fini de jouer les serveuses, fini de poser pour un peu d'argent, pour du matériel ou pour avoir le droit d'assister à un cours. Je suis une artiste, bon sang !

Elle avait déjà réglé les deux mois de loyer à venir. Soit elle allait jusqu'au bout en serrant les dents, soit elle disait adieu à cet argent.

Au diable l'argent, décida-t-elle.

Elle prit son téléphone et, après avoir consulté l'heure, estima que Sissi avait des chances d'être encore debout.

Elle patienta un peu puis sourit lorsque sa grand-mère décrocha, la voix claire et éveillée :

– Tu fais la fête ?

– Non, et je sais qu'il est tard.

– Il n'est jamais trop tard.

– Exactement. J'ai réfléchi. Je pense qu'il serait temps pour moi de découvrir l'Europe. Connaîtrais-tu par hasard quelqu'un qui pourrait me louer un appartement à Florence, par exemple ?

– Je connais tout le monde partout, ma poupée. Que dirais-tu d'un petit voyage sur place, pour que je te présente à des amis ?

Le sourire de Simone se mua en éclat de rire :

– Et si je faisais d'abord mes bagages ?

Au cours des dix-huit mois que Simone passa à Florence, elle apprit l'italien, fit pousser des tomates et des géraniums sur le minuscule balcon de son appartement donnant sur la Piazza San Marco, et eut un amant italien prénommé Dante.

D'une beauté irréelle, Dante jouait du violoncelle et aimait lui préparer des pâtes. Comme il voyageait beaucoup avec son orchestre symphonique, leur relation n'étouffa pas Simone, lui laissant tout le temps dont elle avait besoin pour se consacrer à son travail.

Elle se moquait qu'il ait des aventures avec d'autres femmes au cours de ses tournées. Dante n'était à ses yeux qu'un élément parmi d'autres d'un agréable interlude de soleil, de sexe et de sculpture. Elle profita à fond de cette période et de cette ville, jusqu'à être gavée de tout ce qu'elle offrait.

Elle étudia et passa du temps avec des artistes, des maîtres, des artisans et des techniciens. Elle n'hésita pas à transpirer dans une fonderie pour en apprendre davantage sur les techniques du coulage de bronze.

Emmagasinant des connaissances, expérimentant et découvrant de nouvelles idées, Simone acquit suffisamment d'assurance pour convaincre la directrice d'une galerie d'art branchée d'exposer quelques-unes de ses œuvres. Elle passa ensuite quatre mois à en créer de nouvelles, complétant ainsi une série en vue d'une exposition qu'elle baptisa *Dieux et Déesses*.

Simone se sentit obligée d'inviter sa famille au vernissage. Celle-ci déclina l'offre, mais envoya deux douzaines de roses rouges à la galerie, avec une carte lui souhaitant bonne chance.

Elle participa à l'installation de ses sculptures pour l'exposition, discutant avec la directrice de leurs emplacements, ce qui l'occupa suffisamment pour l'empêcher de stresser. Elle s'était en effet déjà répété un nombre incalculable de fois que l'échec de cette exposition signifierait qu'elle n'était pas assez bonne.

Pas encore, du moins.

Elle ne rentrerait pas pour autant chez elle avec le sentiment d'être une ratée. Ses parents verraient peut-être les choses ainsi – certainement, même, se dit-elle –, tandis qu'elle hésitait entre une robe noire stricte et sérieuse, et une rouge plus sexy et plus audacieuse, mais elle ne répondrait de toute façon jamais à leurs attentes. Pour cela, ils avaient Natalie. Pour eux, Simone resterait à jamais leur fille qui avait laissé tombé l'université et rejeté tous les avantages qu'ils lui avaient offerts.

Sa mère aurait opté pour la robe noire. « Sois sobre, sois sophistiquée », lui aurait-elle conseillé.

Simone se décida donc pour la robe rouge, avec des sandales dorées à talons vertigineux qui, si elles feraient hurler ses pieds, dévoileraient ses ongles d'orteils vernis du même grenat que ses cheveux.

Elle avait ajouté sur cette teinture des mèches turquoise, prune et jaune feu, afin que sa coiffure varie selon l'angle d'observation.

Enfin, voulant se donner une allure de bohémienne, elle se para de boucles d'oreilles constituées de disques dorés tombant en cascade et d'une myriade de bracelets sur un bras.

Ne forçait-elle pas un peu la note ? Peut-être valait-il mieux se contenter de la robe noire ?

Alors qu'elle s'apprêtait à la sortir de sa penderie, la sonnette retentit. *Encore un envoi de Dante*, pensa-t-elle en traversant le salon déjà embaumé par les roses blanches qu'il avait expédiées la veille, des lis rouges du matin, des orchidées du début d'après-midi et des tulipes roses arrivées peu après.

Simone ouvrit la porte… et se jeta dans les bras de sa grand-mère en poussant un grand cri.

– Sissi ! Sissi ! Tu es venue !

– Où pourrais-je être aujourd'hui, si ce n'est ici, avec toi ?

– Tu es venue ! De si loin !

– On ne se refait pas, *cara*.

– Entre, assieds-toi. Tu viens juste d'arriver ? Attends, je vais porter ta valise.

– Je suis venue directement ici depuis l'aéroport, mais ne t'en fais pas, je dors chez Francesca et Isabel.

– Non, non, ce n'est pas juste ! Pourquoi elles ? Reste ici avec moi, je t'en prie !

Sissi rejeta sa crinière, à présent d'un rouge cuivré, dans le dos.

– J'adorerais m'offrir une partie à trois avec ton délicieux Italien, mais ce serait gênant si la troisième personne était ma petite-fille adorée.

– Dante est à Vienne, nos plannings se sont télescopés, mais il est partout, regarde !

Simone indiqua d'un grand geste la pièce remplie de fleurs.

– Ce garçon est un romantique. Bon, si nous sommes entre nous, je serai ravie de rester avec toi. Je vais prévenir Isabel et Francesca. Elles viennent au vernissage, ce soir. Ensuite, je vous emmène faire la fête. Mon Dieu… Rayonnante, Sissi prit le temps d'admirer son trésor le plus cher. Non mais regarde-toi ! Ta chevelure est une œuvre d'art ! Et cette robe !

– Justement, j'hésitais à en changer. J'en ai une noire qui…

– Non, trop cliché, trop prévisible. Ne sois pas comme ça.

– Vraiment ? Tu en es sûre ?

– Tu dégages une impression d'audace et d'assurance, tu es prête pour la soirée, mais rends-toi service et retire tes chaussures. Tu les remettras seulement lorsque nous partirons. Combien de temps avons-nous devant nous ?

– Plus d'une heure.

– Parfait. Ça te laisse le temps de me servir un verre de vin avant que je me fasse belle.

– Tu es la plus belle femme au monde ! Je ne trouverai jamais les bons mots pour te dire à quel point je suis touchée que tu sois venue.

– Pas de larmes ! dit Sissi, qui tapota le nez de sa petite-fille. Tes yeux sont magnifiques. Je crois même que je vais te demander de me maquiller. Mais après le vin.

Après s'être débarrassée de ses chaussures, Simone alla dans la cuisine où elle sélectionna un vin local et prépara en quelques instants une assiette de fromage, pain et olives.

– J'ai conscience que ce n'est pas une exposition très médiatisée… commença-t-elle.

– Arrête tout de suite avec ça : les vibrations négatives sont interdites. Les expos sont toutes importantes, et celle-ci l'est particulièrement. C'est la tienne, déjà, et ensuite c'est ta première en Europe.

Sissi ouvrit la porte donnant sur le balcon, s'installa sur une chaise métallique et s'empara du verre de vin que Simone venait de poser sur la table, à côté d'elle.

– À toi, mon trésor.

Simone et Sissi trinquèrent.

– Je suis vraiment reconnaissante d'avoir la chance d'exposer ici, mais je ne veux surtout pas me bercer de trop grands espoirs.

– Je vois que je vais être indispensable pour t'empêcher de faire pâlir ta propre étoile. Elle va briller de mille feux, ce soir, crois-moi. Je suis un peu voyante, comme tu le sais. Alors tu vas la laisser briller, sinon je te botte les fesses.

– Je suis si heureuse que tu sois venue. Combien de temps tu restes ici ?

– Je m'accorde deux semaines pour passer un peu de temps avec toi et quelques amis, et peindre. Cette ville est superbe.

Sissi se tut un instant, contemplant la place, les toits de tuiles rouges et les murs de stuc délavés par le soleil, puis reprit :

– Tu te sens chez toi, ici, Simone ?

– J'adore cet endroit. J'aime sa lumière, ses habitants, l'art omniprésent. On le sent dans l'air, ici. J'aime ses couleurs, son histoire, la nourriture locale. Il me semble que mon séjour à Florence n'a pas seulement libéré quelque chose en moi, il m'a aussi nourrie. Et qui nourrit mieux que les Italiens le corps et l'âme ?

– Mais… ?

– Mais même si j'aurai besoin de la revoir, ce n'est pas ma ville. Si tu peux rester trois semaines, je rentre avec toi aux États-Unis. Je suis prête.

– Dans ce cas, je reste trois semaines.

Simone tint son rôle lors du vernissage, discutant en italien comme en anglais, répondant aux questions concernant telle ou telle œuvre. Les personnes présentes déambulaient, flânaient… Beaucoup étaient venues pour les petits verres de vin, elle en avait conscience ; mais au moins, il y avait du monde.

Elle salua Francesca et Isabel à leur arrivée puis échangea de longues étreintes et embrassades avec le couple d'amis qui l'avait prise sous son aile quand elle avait débarqué à Florence.

La directrice de la galerie, une quinquagénaire sur qui le look noir et sévère avait une allure folle, s'approcha de Simone et lui chuchota à l'oreille :

– Ton *Éveillée* est vendue.

Simone en resta bouche bée, sans voix. Cette œuvre, l'une des rares qu'elle avait choisi de faire fondre en bronze, lui avait demandé des semaines de réflexion, au cours desquelles elle avait mille fois changé d'avis à propos de la pose, de la matière et, pour finir, du prix fixé par la galerie.

Et maintenant, cette femme à demi redressée sur un lit de fleurs, un bras tendu vers le ciel, comme pour attraper le soleil, avec un sourire très léger que Simone avait eu un mal fou à rendre correctement, appartenait à quelqu'un d'autre.

– Qui a… Mon Dieu, ne me dis pas que c'est ma grand-mère !

– Non. Suis-moi, je vais te présenter aux acheteurs.

Les oreilles bourdonnantes, Simone suivit le cheminement tortueux de la galerie et fit la connaissance de l'homme d'affaires et de son élégante épouse à qui elle devait sa première vente d'importance.

Tandis qu'elle leur serrait la main puis bavardait avec eux, les bourdonnements furent peu à peu chassés par des cris de joie intérieurs.

Elle devait apprendre la nouvelle à Sissi !

Se faufilant dans la foule, elle dénicha enfin sa grand-mère près d'une sculpture qu'elle avait baptisée *Émergence*. Si le bronze tout juste vendu était à ses yeux l'œuvre la plus compliquée de l'exposition, celle qui lui avait demandé le plus de travail, celle-ci était sa préférée.

Car elle y avait mis son cœur.

Les épaules hors de l'eau, une femme sortait d'une piscine, la tête renversée en arrière, les cheveux tombant en une cascade lisse et trempée, les yeux fermés, son visage exprimant l'euphorie.

Elle l'avait réalisée dans des tons bleu pâle.

– Sissi, je… commença Simone, qui soudain devina des larmes dans les yeux de sa grand-mère. Qu'y a-t-il ? Tu ne te sens pas bien ? Tu veux prendre l'air ? Un peu d'eau, peut-être ?

– Non, non, répondit Sissi, en lui prenant la main. Sortons une minute, avant que je me couvre de honte.

– D'accord, par ici, dit Simone, qui glissa un bras autour de la taille de Sissi et la guida vers l'extérieur. Il fait chaud, dans cette galerie bondée. Je vais te chercher une chaise.

– Arrête, tout va bien. Ne me traite pas comme si j'étais vieille, enfin ! J'ai seulement besoin d'une seconde pour me remettre.

Dehors, l'air était parfumé de senteurs de fleurs et d'odeurs de nourriture. Des clients attablés sur la terrasse du restaurant situé de l'autre côté de la rue profitaient de leur dîner et de leurs conversations. Une femme passa, jambes interminables et minijupe, avec un chien en laisse.

– Je savais que tu avais du talent, et je savais que tu t'exprimerais le mieux avec l'argile. Comme tu le sais, je suis un peu voyante. Sissi prit à Simone son verre de vin, que celle-ci avait complètement oublié, et en but une gorgée. J'ai remarqué que ton travail évoluait, quand je t'ai rendu visite l'automne dernier. Et tu m'as envoyé des photos et des vidéos, mais tout ça ne montre pas tout, mon bébé. Rien ne remplace le fait d'admirer une œuvre de ses yeux. La texture, les détails, la *sensation*… Cette sculpture déborde de tant de génie que je ne sais pas par où commencer. Et dire que tu te lances à peine…

Sissi essuya ses larmes et poursuivit :

– Je vais te parler d'artiste à artiste, alors ne me sors pas de bêtise quand je te dis qu'il me faut cette *Émergence*. Je ne l'achète pas parce que tu es ma petite-fille, mais parce qu'elle m'a fait pleurer, parce qu'elle a touché mon âme.

– Ce… C'est Tish…

– Oui, je l'ai reconnue. Elle a touché mon âme. Et toi aussi.

– Dans ce cas, je te l'offre.

– Non, hors de question. Offre-moi autre chose si tu veux, mais pas ça. Maintenant, fonce à l'intérieur dire à la directrice que cette sculpture est vendue, avant que quelqu'un ne la chipe sous mon nez. Moi, je vide ce verre pour me remettre de mes émotions. Allez, file !

– Je reviens tout de suite.

De retour peu après, Simone trouva Sissi appuyée contre le mur, un grand sourire aux lèvres.

– Je n'ai pas perdu la main, dit-elle. Un homme charmant, pas beaucoup plus âgé que toi, a voulu m'offrir un verre de vin digne de ce nom. Rentrons avant que je ne provoque une émeute sexuelle.

– Non, c'est moi qui ai besoin d'un peu d'air, maintenant, dit Simone, qui prit la main de sa grand-mère. Sissi… j'en suis à quatre ventes. Non, cinq, en comptant la tienne. Anna-Tereza est aux anges. Quand je pense, et je ne plaisante pas, que j'ai failli suivre ton exemple et brûler des cierges et lancer un sort pour au moins vendre une pièce exposée et éviter l'humiliation…

– On ne fait pas de sorcellerie pour servir ses propres intérêts, c'est de mauvais goût, dit Sissi, buvant d'une main et serrant celle de Simone de l'autre.

– Tu as raison. Dante va être ravi, il a posé pour deux des sculptures qui sont parties.

– Et la soirée n'est pas terminée. Après le vernissage, nous allons faire une fiesta d'enfer ! Et regarde qui va lever son verre avec nous.

– Qui ça… ?

Simone tourna la tête dans la direction indiquée par Sissi et aperçut une jeune femme qui courait vers elle. Petite, une coupe au carré ballottée à droite et à gauche, des baskets aux pieds et un sac à dos.

– Mi ! Mon Dieu, c'est Mi !

Ses talons n'empêchèrent pas Simone de courir au-devant de sa meilleure amie.

– Mon vol depuis Londres a été retardé, je n'ai pas eu le temps de me changer. Je suis affreuse mais je suis là, pas trop en retard.

Elles échangèrent des volées de mots entrecoupés d'embrassades.

– Et ta conférence ? Tu dois prendre la parole et…

– Je ne peux rester que ce soir. Je reprends l'avion demain à l'aube. Bon sang, tu es splendide ! J'ai l'air d'un torchon, à côté de toi !

– Professeur Jung, mon professeur Jung… laissa échapper Simone, avant d'entraîner Mi près de Sissi et de les serrer toutes les deux contre elle. C'est la plus belle soirée de ma vie.

Chapitre 9

Au cours des dix-huit mois et trois semaines que Simone passa à Florence, Patricia Hobart tua trois personnes.

Pour assassiner Hilda Barclay, qui avait tenu dans ses bras son mari agonisant à quarante-sept ans, le jour de la fusillade, elle dut se rendre à Tampa, où Hilda s'était installée pour se rapprocher de sa fille. Patricia estima justifiés le temps et le coût du voyage.

En effet, elle avait en horreur les nombreux articles de journaux consacrés à Hilda, notamment après que celle-ci eut créé une bourse réservée aux jeunes défavorisés, à laquelle elle avait donné le nom de feu son époux.

Défavorisés, mon cul ! se disait Patricia. *Des profiteurs et des connards dorlotés par des âmes bien pensantes progressistes et pleurnichardes, oui !*

Cette cible lui offrait en outre l'avantage de l'éloigner une dizaine de jours de l'hiver glacial sévissant dans le Maine – et de ses fichus grands-parents (allaient-ils enfin mourir un jour ?).

Elle prit d'abord le temps de faire des recherches, bien entendu, puis, après avoir embrassé ses grands-parents qui se cramponnaient à la vie, les quitta pour profiter de ce qu'ils pensaient être des vacances bien méritées.

Peut-être mourraient-ils dans leur sommeil avant son retour. Avec un peu de chance, leur chat, qu'elle détestait autant et que sa grand-mère gâtait comme un bébé, leur dévorerait les yeux.

Toutes les filles ont besoin de se bercer de rêves…

Elle eut la surprise de tomber sous le charme de la Floride, avec son soleil et ses palmiers ainsi que le ciel et la mer, d'un bleu éclatant. Admirant la vue de sa suite d'hôtel – pourquoi ne pas faire des folies ? – et prenant des photos pour les envoyer à ses grands-parents, elle s'imaginait déjà installée ici.

Elle y aurait peut-être sérieusement songé si cette région n'avait pas été infestée de vieux.

Et de juifs.

Elle allait tout de même y réfléchir.

Quoi qu'il en soit, filer Hilda et repérer la maisonnette à deux chambres dans laquelle elle vivait – sur le même pâté de maisons que sa fille et la famille de celle-ci – fut un jeu d'enfant.

Il ne lui fallut ensuite que trois jours pour estimer connaître à la perfection les habitudes quotidiennes de sa cible. Cette vieille solitaire menait une vie très simple. Elle aimait jardiner, réapprovisionnait régulièrement ses mangeoires à oiseaux et se déplaçait dans le quartier sur un tricycle, tel un bambin tout ridé.

Le quatrième jour, avec en tête des idées de tragique accident de jardinage ou de tricycle, Patricia se présenta en voiture dans la rue alors que Hilda remplissait une mangeoire à oiseaux, véritable maquette de restaurant, avec des jardinières aux fenêtres et une enseigne indiquant « Banquet pour bêtes à plumes ».

Elle se gara, ajusta sa courte perruque noire et ses lunettes à verres teintés et sortit de son véhicule.

– Pardon, madame ! appela-t-elle.

Hilda, une petite dame toute sèche coiffée d'un chapeau à rebord mou, se retourna vivement :

– Oui, vous désirez ?

– Désolée si ça vous semble bizarre, mais pourriez-vous me dire où vous avez acheté cette charmante mangeoire à oiseaux ? Ma mère serait ravie d'en avoir une dans ce genre.

– Oh ! s'écria Hilda, qui laissa échapper un petit rire et fit signe à Patricia d'approcher. C'est une amoureuse des oiseaux ?

– Elle en est folle. Mon Dieu, elle est encore plus belle de près. C'est un modèle unique ?

– C'est l'œuvre d'un artisan du quartier, mais la boutique qui les vend en propose d'autres semblables. C'est la Maison des oiseaux.

Elle donna quelques précisions à Patricia, qui s'empressa de les noter sur son mobile :

– Formidable !

– Je crois que je vous ai déjà vue passer en voiture, hier.

Le sourire de Patricia se figea, l'espace d'un instant.

– Oui, c'est possible. Mes parents viennent de s'installer à quelques rues d'ici. Je me charge de quelques commissions pour leur rendre service. Ils ne supportaient plus l'hiver à Saint-Paul.

– Je les comprends, j'ai moi-même fui celui du Maine.

– En effet, vous avez une bonne idée du problème ! s'esclaffa Patricia. Si je pouvais trouver une petite maison pour oiseaux comme la vôtre, ce serait un merveilleux cadeau d'installation pour maman.

– Celle que je préfère est installée derrière la maison, ça me permet de la voir depuis la fenêtre de la cuisine. C'est un cottage anglais.

– C'est vrai ? s'écria Patricia, portant les mains à son visage. Ma mère a grandi dans un cottage, justement, dans le Lake District, en Angleterre. Elle n'a déménagé aux États-Unis qu'à l'adolescence. Une mangeoire à oiseaux en forme de cottage anglais… Elle serait folle de joie.

– Les oiseaux peuvent même y faire leur nid. Venez, je vais vous la montrer.

– C'est très gentil de votre part, mais uniquement si ça ne vous dérange pas trop !

– Pensez-vous ! C'est avec plaisir !

Tandis qu'elles se dirigeaient vers l'arrière de la maison, Hilda fit signe à son voisin, qui sortait de chez lui :

– Bonjour, Pete !

– Bonjour, Hilda. Je fais un saut à l'épicerie, tu as besoin de quelque chose ?

– Non, ça va, merci, répondit-elle, avant de revenir à Patricia alors qu'elles abordaient le coin de la maison. Vos parents vont beaucoup se plaire ici.

– Je l'espère. Ils me manqueront énormément, mais j'espère qu'ils seront heureux.

Je ne peux pas la tuer maintenant, pesta intérieurement Patricia. *Ma voiture est garée juste devant la maison et ce crétin de voisin m'a vue.*

– Votre véranda avec piscine est superbe, s'extasia-t-elle. Je parie que vous vous baignez toute l'année.

– Eh oui, confirma Hilda. Tous les matins avant le petit déjeuner.

Patricia esquissa un sourire :

– Voilà pourquoi vous êtes en si bonne forme.

Elle lâcha ensuite toute une série de « Oh ! » et de « Ah ! » devant la grotesque mangeoire à oiseaux, multiplia les compliments sur le jardin et les plantes ornant la véranda, et enfin remercia vivement cette femme qui allait bientôt mourir.

Plutôt que de se rendre à la Maison des oiseaux, dont Hilda lui avait donné l'adresse, Patricia fila au supermarché Walmart du quartier, où elle acheta un grille-pain et une rallonge électrique.

Le lendemain, à 7 h 15, Hilda sortit de sa maison d'un pas énergique, ôta le peignoir en tissu-éponge bleu qu'elle portait par-dessus son maillot de bain marron et entra dans l'eau.

Pendant qu'elle effectuait tranquillement ses longueurs, Patricia se glissa dans la véranda par la porte à moustiquaire non verrouillée, brancha la rallonge électrique dans une prise murale, à l'arrière de la maison, et lança le grille-pain dans la piscine.

Hilda fut agitée de spasmes, dans l'eau illuminée d'étincelles. Elle ne bougeait plus, flottant le visage immergé, lorsque Patricia débrancha la rallonge et récupéra le grille-pain grâce au filet de la piscine.

Les enquêteurs découvriraient – probablement – la vérité, mais ce n'était pas une raison pour leur faciliter la tâche. Elle fourra les armes de son crime dans son sac à dos et, joggeuse ordinaire en corsaire, débardeur et casquette, couvrit en petite foulée les trois pâtés de maison qui la séparaient de l'endroit où elle avait garé sa voiture de location.

Elle jeta le grille-pain dans la benne à ordures d'un restaurant, puis se débarrassa de la rallonge sur le parking d'un centre commercial situé trois kilomètres plus loin.

Elle remisa ensuite sa perruque auburn dans son sac à dos et regagna son hôtel, où elle se fit servir dans sa chambre un petit déjeuner copieux composé d'une omelette aux épinards agrémentée de bacon de dinde, accompagnée de fruits et de jus d'orange frais.

Qui découvrirait le cadavre de Hilda flottant dans sa piscine ? Sa fille ? Un de ses petits-enfants ? Pete, le brave voisin ?

Peut-être jetterait-elle un coup d'œil aux journaux locaux.

En attendant, elle décida, et ce sans ironie aucune, de passer la journée au bord de la piscine de l'hôtel.

Ses grands-parents ne lui ayant pas rendu le service de mourir dans leur sommeil, Patricia dut se contenter de rêver aux diverses façons de les assassiner, car il lui fallait patienter pour vraiment les tuer. Cependant, son père eut un jour la bonne idée de se soûler avant de prendre le volant de son pick-up Ford.

Il emporta avec lui dans la mort une mère de deux enfants et son fils adolescent, lorsque, s'étant déporté de l'autre côté de la chaussée, il percuta de plein fouet leur petite voiture. Patricia y vit un coup de chance.

Il était temps de rayer un autre nom de sa liste.

Elle s'était déjà occupée de Frederick Mosebly par une délicieuse soirée d'été, avant Hilda, en fixant des explosifs sous le siège conducteur de sa voiture non verrouillée.

Mosebly ayant connu un certain succès dans la région en publiant à compte d'auteur un ouvrage à propos de la fusillade du centre commercial DownEast, ce crime l'avait particulièrement réjouie. C'était en outre la première fois qu'elle fabriquait une bombe.

Et elle s'estimait douée pour cela.

Elle raya son troisième nom de l'année – elle devrait les espacer davantage – en bousculant sa cible dans le bar bondé d'un restaurant, profitant de ce contact pour lui injecter au moyen d'une seringue une bonne dose de toxine botulique. Ce détail avait quelque chose de poétique à ses yeux, car le Dr David Wu – qui prenait un cocktail avec son épouse et un couple d'amis dans ce restaurant haut de gamme, et qui avait sauvé plusieurs vies le soir de la fusillade – était chirurgien esthétique.

Patricia estimait que puisqu'il gagnait très confortablement sa vie en injectant du Botox à ses patients, il méritait de mourir d'une surdose de cette même substance.

Après avoir jeté la seringue sur le chemin du retour, elle se glissa sans un bruit dans la maison.

L'espace d'un instant, d'un merveilleux instant, elle crut que ses prières avaient été exaucées ; sa grand-mère, étendue à même le sol dans l'entrée, gémissait. Elle respirait encore, certes, mais ça pouvait s'arranger.

Poussant un nouveau râle, la vieille dame tourna la tête :

– Patti, Patti… – bon sang, qu'elle avait horreur de ce surnom ! Tu es là, Dieu merci. Je… Je suis tombée. Je me suis cogné la tête. Je crois… Oh, je crois que je me suis cassé la hanche.

Elle pouvait l'achever, se dit Patricia. Il lui suffisait de plaquer la main sur la bouche de cette vieille peau en lui pinçant le nez, et alors…

– Agnès ! Je ne trouve plus la télécommande ! Où tu…

Son grand-père sortit de la grande chambre du rez-de-chaussée, agacé, les sourcils froncés au-dessus de ses lunettes à double foyer, et poussa un cri lorsqu'il aperçut son épouse.

Patricia réagit aussitôt :

– Oh ! mon Dieu, grand-mère ! s'écria-t-elle, se jetant à genoux pour lui prendre la main.

– Je suis tombée. Je suis tombée.

– Ce n'est rien, tout va s'arranger, promit Patricia, qui sortit son téléphone de son sac à main et appela Police-Secours. J'ai besoin d'une ambulance ! Elle débita l'adresse de la maison, sans oublier de prendre une voix chevrotante. Ma grand-mère est tombée. Dépêchez-vous, je vous en prie ! Grand-père, va lui chercher une couverture ! Elle frissonne ! Prends celle du canapé. Je crois qu'elle est en état de choc. Tiens bon, grand-mère, je suis là !

Cette soirée ne se conclurait donc pas par un coup de chance, avec deux décès pour le prix d'un, regretta Patricia, tout en caressant la joue de sa grand-mère avec une douceur infinie. Cela dit, une hanche brisée (pourvu qu'elle soit vraiment brisée !) chez une vieille dame de quatre-vingt-trois ans, c'était très prometteur.

Patricia ne laissa rien paraître de sa déception en voyant Agnès se remettre de sa chute. Son dévouement suscita même l'admiration des infirmières, des aides et des voisins.

Elle profita de cette période de convalescence pour convaincre ses grands-parents non seulement de lui donner procuration – leurs avocats acceptèrent – mais aussi de porter officiellement son nom sur l'ensemble de leurs possessions : le compte en banque, les placements financiers, la maison et la résidence secondaire de Cape May, qui était également un investissement immobilier.

Comme elle hériterait un jour ou l'autre des bijoux de sa grand-mère, elle en chipait de temps à autre et les vendait lors de virées à Augusta ou Bangor ; elle profita même d'un week-end à la mer, à Bar Harbor, recommandé par les médecins qui suivaient sa grand-mère, pour en refourguer quelques-uns là-bas.

Grâce à cet argent, elle se procura d'excellents faux papiers, qui lui permirent d'ouvrir un compte en banque et de louer un coffre dans un établissement de Rochester, dans le New Hampshire.

Entre les bijoux écoulés, quelques autres arnaques et la vente de la résidence secondaire – ses grands-parents, complètement gâteux, n'avaient pas compris pour quoi ils avaient signé –, Patricia disposait à présent de plus de trois millions de dollars dans son coffre, dans lequel elle conservait également quatre jeux de fausses pièces d'identité comprenant des passeports et des cartes de crédit.

En cas de fuite s'imposant de toute urgence, elle avait caché une petite centaine de milliers de dollars et quelques autres effets essentiels dans un sac rangé en haut de son armoire, et même commencé à remplir un autre sac.

Ses grands-parents désormais incapables de monter l'escalier, elle avait tout l'étage pour elle. Elle installa de solides verrous dans sa grande chambre et convertit la chambre d'amis en atelier.

Si la femme de ménage, qui passait une fois par semaine, trouva étrange de ne plus être autorisée à y monter, elle ne fit aucun commentaire ; elle était bien payée et ces nouvelles dispositions allégeaient sa charge de travail.

Lorsque revint l'anniversaire de la fusillade, Patricia fit des projets. Beaucoup de projets.

Et raya deux autres noms sur sa liste.

Sur son blog et dans son émission, Seleena McMullen ne manqua pas de rappeler l'approche du 22 juillet ; c'était pour elle l'occasion de promouvoir l'édition mise à jour de son livre.

Aucunement troublée de devoir sa carrière à la tragédie, elle apparaissait sur le câble chaque fois qu'un cinglé tirait des coups de feu dans un lieu public.

Elle partait en tournée tous les deux ans, empochant de confortables honoraires pour ses conférences. Elle avait par ailleurs décroché un poste de productrice exécutive d'un documentaire sur le massacre qui avait reçu un bon accueil avec, cerise sur le gâteau, à une époque où tout lui souriait, un petit rôle dans un épisode de la série *New York, Unité spéciale*.

Consciente que ses succès étaient irréguliers, elle profitait de chaque anniversaire du drame pour refaire parler d'elle.

Elle avait une équipe, un agent et un amant sexy – après un bref mariage suivi d'un divorce houleux. Le divorce et l'amant sexy avaient fait grimper en flèche les appréciations et les visites sur son site.

Avec le programme qu'elle avait établi pour cet anniversaire, durant toute une semaine, elle était certaine d'atteindre des sommets.

Elle avait réussi à avoir la fliquette qui avait descendu Hobart. Elle avait dû faire pression sur le maire, pour qu'il fasse pression sur le supérieur de la fliquette, pour que celui-ci fasse pression sur elle, certes, mais elle l'avait. En revanche, elle n'était pas parvenue à obtenir le jeune héros devenu l'équipier de la fliquette, ce qui lui restait en travers de la gorge.

La police de Portland lui avait laissé le choix : l'un ou l'autre, mais pas les deux. Elle avait opté pour la fliquette, première à être intervenue sur les lieux, et renoncé à son équipier.

Elle avait également convaincu une femme présente dans la salle de cinéma et qui, après avoir frôlé la mort, s'en était sortie avec des cicatrices sur le visage et un traumatisme crânien, ainsi que le geek qui avait sauvé les clients de sa boutique en les enfermant dans la réserve, quelques autres victimes, un secouriste et un urgentiste intervenus ce soir-là.

Mais ce n'était pas tout. La star de son émission serait la sœur d'un des trois tireurs, la petite sœur du chef de la bande.

Elle avait mis la main sur Patricia Jane Hobart.

Malgré cet exploit, car la sœur de Hobart n'avait à ce jour jamais accordé la moindre interview officielle, Seleena pestait en faisant les cent pas dans son bureau.

Elle voulait la totale. Le trio magique. La fliquette, la sœur de Hobart *et* Simone Knox – l'ado qui la première avait prévenu Police-Secours, permettant ainsi à McVee de descendre Hobart.

Cette salope ne répondait pas à ses appels. Elle avait même envoyé, par l'intermédiaire d'un connard d'avocat, un courrier lui intimant de cesser de la traquer après qu'elle eut tenté de l'accoster dans une galerie d'art new-yorkaise.

Il fallait profiter d'un événement en public, envisageait à présent Seleena. Elle avait parfaitement le droit, grâce à ce putain de premier amendement [7], de lui coller un micro sous le nez. Elle n'avait pas apprécié d'être chassée de la galerie, alors qu'elle faisait son boulot.

Elle avait rédigé un édito cinglant décrivant le traitement subi et s'attardant sur la salope, et l'aurait certainement publié si son mari – n'ayant pas, encore découvert à l'époque, qu'elle avait un amant, donc pas encore devenu son ex – ne l'avait pas convaincue que cet article la ferait elle-même passer pour une salope.

Il avait raison, évidemment, et cela la fit enrager.

Enfin, elle pourrait toujours diffuser l'enregistrement de l'appel à Police-Secours, ce dont elle ne se priverait pas. Elle lâcherait le nom de Simone Knox et laisserait peut-être même entendre que

Mlle Knox, entre-temps devenue une artiste vaguement connue, ne souhaitait plus être associée à la tragédie survenue au centre commercial DownEast.

– Je vais travailler là-dessus, marmonna-t-elle. Et réfléchir à la façon d'en parler. Il faut que je ternisse son image, mais en restant prudente, en faisant preuve de compassion.

Elle ouvrit violemment la porte et cria :

– Marlie ! Où est mon expresso *macchiato*, putain !

– Luca devrait être de retour avec dans une minute.

– C'est pas vrai... Bon, trouve-moi où est Simone Knox en ce moment, et où elle sera la semaine prochaine.

– Mais madame McMullen, l'avocat a dit que...

Seleena se retourna si brusquement qu'elle fit sursauter la timide Marlie :

– Je t'ai demandé ton avis ? Fais ce que je te demande, c'est tout. Je veux savoir où elle sera quand j'interviewerai Patricia Hobart et la fliquette qui a flingué son frère. Et je veux des photos d'elle datant de l'époque et actuelles. Bouge tes fesses, Marlie !

Seleena claqua la porte.

– Nous allons voir qui remporte cette manche, grogna-t-elle.

La victoire revint à Simone. Elle passa les semaines précédant et suivant l'anniversaire de la fusillade à voyager en Arizona, au Nouveau-Mexique et au Nevada. Elle fit des croquis, prit des photos du désert, des canyons, des individus du cru, se voyant déjà transposer ces couleurs, ces textures, ces formes et ces visages en sculptures d'argile.

Jouissant de sa solitude, elle explora avec délectation une région à ses yeux aussi différente du Maine que Mars l'était de Vénus. N'ayant à satisfaire que ses propres caprices, elle s'arrêtait où et quand elle le souhaitait et restait sur place aussi longtemps que cela lui convenait.

Quand enfin elle mit le cap à l'est, elle fit un détour par le nord et traversa le Wyoming et le Montana, où elle s'offrit de nouveaux carnets de dessin et céda à une soudaine envie de bottes de cow-boy.

Le mois d'août était déjà arrivé lorsqu'elle retrouva le Maine. Malgré son chapeau et la crème solaire, dont elle n'avait cessé de se tartiner, elle était bronzée et avait les cheveux décolorés.

Et elle était d'excellente humeur. Heureuse.

Il lui tardait de se remettre au travail, de trier les centaines de croquis et photos accumulés en chemin, de faire le point sur ses idées et ses projets. Et de sentir l'argile sous ses mains.

Ayant un temps envisagé d'envoyer un texto à Sissi, elle préféra lui faire la surprise de son retour. Elle s'arrêterait en route pour acheter une bouteille de champagne – allez, deux, au diable l'avarice ! –, puis elle filerait directement au ferry.

Une pointe de culpabilité l'incita à modifier son itinéraire. Elle ferait d'abord un saut chez ses parents. Une brève visite de politesse.

Si ses relations avec eux et sa sœur restaient tendues, elle avait conscience de ne pas être sans reproche. Depuis le jour où elle avait quitté la maison de son enfance pour réaliser ses rêves, elle s'était le plus souvent tenue éloignée d'eux… ce qui avait au moins eu le mérite d'éviter les disputes.

Par ailleurs, cette distance avait fait des retrouvailles traditionnelles telles que Noël, les anniversaires, les mariages ou les obsèques des zones démilitarisées où personne ne se détendait, voire de véritables champs de bataille.

Pourquoi ne pas faire un effort ? se dit-elle. Leur rendre visite en ce superbe samedi après-midi, histoire de rétablir le contact, peut-être même prendre un verre avec eux, admirer le jardin et leur raconter quelques anecdotes de son périple.

N'était-il tout de même pas triste et pitoyable d'en être arrivée à devoir établir un programme pour aller voir ses parents ?

Non, pas ça. Elle se comporterait comme au cours de ses voyages, à savoir en improvisant le moment venu.

Quelqu'un a organisé un méga-barbecue, on dirait, se dit-elle en voyant les nombreuses voitures garées dans la rue. Elle en trouva ensuite d'autres, toute une file, sur la longue allée en U de la maison de ses parents, et encore d'autres dans la cour. Elle comprit qu'elle tombait en pleine réception.

Elle changea d'avis. *Pas le meilleur moment pour un petit saut vite fait*. Elle hésita tout de même un instant, ce qui lui valut d'être bloquée par un voiturier en pleine manœuvre. Patientant le temps que celui-ci libère la sortie de l'allée et lui permette de s'échapper, elle aperçut Natalie qui traversait la pelouse vert vif, devant la maison, en compagnie de deux femmes aussi élégantes l'une que l'autre.

Horrifiée que son instinct lui ait hurlé de se baisser, Simone se força à sourire lorsque Natalie la remarqua.

Sa cadette ne lui rendit pas son sourire mais se contenta d'abaisser ses lunettes de soleil glamour pour la regarder. Cela décida Simone.

Elle ouvrit tranquillement la portière de sa voiture et en sortit, encore en tenue de voyage : un short kaki, ses bottes de cow-boy rouges, un chapeau de paille à large rebord et un haut récemment acheté sur lequel on lisait : « Bleu Blanc (Vin) Rouge. »

– Salut, Nat.

Natalie dit quelque chose à ses amies, ce qui poussa l'une d'elles à lui tapoter le bras avant qu'elles s'éloignent – non sans avoir l'une et l'autre jeté à Simone un long regard clairement désapprobateur.

Natalie rejoignit son aînée sur le trottoir.

Elle ressemble à maman, pensa Simone. *Le parfait prototype de la femme raffinée.*

– Nous ne pensions pas te voir, Simone.

– Oui, on dirait bien. Je rentre à l'instant. Je comptais passer vous dire un petit bonjour.

– Tu ne tombes pas au meilleur moment.

Le ton employé par Natalie, celui réservé aux connaissances occasionnellement tolérées, n'échappa pas à Simone.

– Oui, ça aussi, c'est clair. Dis-leur que je suis rentrée et que je suis chez Sissi. Je les appelle un peu plus tard.

– Ça changerait un peu.

– La dernière fois que j'ai vérifié, les téléphones fonctionnaient dans les deux sens. Enfin bref, tu as bonne mine, toi.

– Merci. Je dirai aux parents que tu…

– Natalie !

L'homme qui traversait la pelouse, dans ses mocassins gris très pâle assortis à son pantalon en lin impeccable, avait un visage hollywoodien marqué de fossettes. Son élégance – une chemise blanche et un veston bleu marine, avec des cheveux ondulés dorés par le soleil – s'accordait parfaitement avec celle de Natalie.

Bien qu'ayant l'impression de le connaître, Simone eut besoin d'une minute pour retrouver son nom. Il s'agissait de Harry (Harrison) Brookefield, un jeune loup du cabinet de son père.

Et, d'après Sissi, désormais le compagnon de Natalie, approuvé par les parents.

– Te voilà, dit-il à cette dernière. Je te… Simone ? Affichant son sourire tout en fossettes, il tendit la main à la sœur de sa fiancée. J'ignorais que tu étais là, ça me fait plaisir de te voir. Depuis combien de temps es-tu rentrée ?

149

– Environ cinq minutes.

– Dans ce cas, je parie que tu ne serais pas contre un verre, proposa-t-il, glissant un bras autour de la taille de Natalie.

En voilà un qui n'a pas encore compris que ma sœur est une fille coincée, se dit Simone, tandis qu'il la prenait de nouveau par la main.

– Oh ! C'est gentil, mais je ne suis pas habillée pour une réception. Je vais y aller…

– Ne dis pas de bêtises, l'interrompit Harry, sans la lâcher. La clé est sur le contact ?

– Oui, mais…

– Parfait, dit-il, avant d'appeler le voiturier. Un véhicule de la famille !

– Franchement, Harry… Simone doit être épuisée, après toute cette route.

– Raison de plus pour prendre un verre, souligna-t-il, tel un élégant rabot de menuisier lissant l'écorce rugueuse de sa compagne. Maintenant, toute ta famille est présente pour fêter l'événement, ma chérie.

Cet homme a une poigne et une volonté de fer, constata Simone. Mais si elle le laissa la convaincre, ce fut avant tout – si mesquine soit cette réaction – en raison de la gêne évidente de sa sœur.

– Et que fête-t-on, alors ? s'enquit-elle.

– Bon sang, Natalie, tu ne l'as pas prévenue ? s'étonna Harry, qui adressa ensuite un clin d'œil à Simone. Elle a dit oui.

Durant trois bonnes secondes, Simone eut l'impression d'avoir le cerveau absolument vide.

– Tu es fiancée ? Tu vas te marier ? lança-t-elle à sa sœur.

– Et ça fait de moi l'homme le plus heureux au monde, déclara Harry.

De la musique et des voix lui parvinrent lorsqu'ils s'engagèrent sur le chemin qui serpentait sur le côté de la maison pour rejoindre le jardin, à l'arrière.

– Félicitations…

Comment en sommes-nous arrivées là ? Comment était-il possible que sa sœur, qui autrefois la rejoignait dans son lit pour lui chuchoter des secrets, ne lui ait pas confié une nouvelle aussi importante, un tel tournant dans sa vie ? Le genre de nouvelle qui s'accompagnait forcément de robes élégantes, de nappes blanches ornées de fleurs et de serveurs en tenue portant des plateaux chargés de boissons et de petits fours appétissants.

– C'est merveilleux. C'est formidable !

Tu es encore si jeune, si... choyée par les parents, pensa Simone. *Tu es sûre de ce que tu fais ? Pourquoi ne m'en as-tu pas parlé ?*

Harry intercepta un serveur et s'empara de trois flûtes de champagne.

– Au merveilleux et au formidable ! décréta-t-il, après les avoir distribuées.

– Absolument, approuva Simone. Vous avez déjà prévu une date, pour le mariage ?

– Oui, en octobre, répondit Natalie. Enfin, octobre de l'année prochaine.

– Je n'ai pas réussi à la convaincre de franchir le pas au printemps, expliqua Harry. J'attendrai. Je vous abandonne toutes les deux un instant, le temps de trouver ma mère. Elle serait ravie de faire ta connaissance, Simone. Elle a adoré ta sculpture de Natalie portant la balance de la justice, que tu as faite quand elle a obtenu son diplôme de droit. Je reviens dans une minute.

– Mon Dieu, tu es fiancée, Nat ! Fiancée ! Il est canon, et il donne l'impression d'être un type génial. Je…

– Si tu t'étais donné la peine de faire sa connaissance au cours des deux dernières années, tu saurais que c'est vraiment un type génial.

– Je suis ravie pour toi, dit Simone, avec prudence. Il est visiblement fou de toi, et j'en suis très heureuse. Si j'avais su que tu donnais cette réception, je serais rentrée plus tôt et je me serais habillée convenablement. Je vais y aller discrètement, avant de te couvrir de honte.

– Simone !

Le cri enchanté de Sissi fendit la musique et les conversations.

– Trop tard, constata Natalie, tandis que leur grand-mère se hâtait de traverser la terrasse, les pans de sa jupe de bohémienne flottant dans son sillage.

– C'est ma petite voyageuse ! s'exclama-t-elle en prenant chaleureusement Simone dans ses bras. Regarde-toi, tu es en pleine forme, toute bronzée ! Elle attrapa Natalie et l'intégra à l'étreinte. C'est fou, non ? Notre bébé s'est trouvé un fiancé ! Et il est très appétissant !

Elle lâcha un de ses rires retentissants, superbes, serrant ses deux petites-filles contre elle.

– Offrons-nous une tonne de champagne !

Une voix réprobatrice s'éleva.

– Maman…

– Oh oh ! Prise la main dans le sac… ricana Sissi, qui, sans lâcher ses petites-filles, se retourna et sourit à sa fille. Regarde qui est là, Tule.

– J'ai vu. Bonjour Simone.

Adorable en robe de shantung couleur pétales de rose, Tulip déposa un baiser sur la joue de son aînée.

– Nous ignorions que tu étais de retour, ajouta-t-elle.

– J'arrive tout juste.

– Ceci explique cela, dit Tulip, dont le regard trahissait l'agacement, malgré son sourire de société impeccable. Natalie, ma chérie, si tu emmenais ta sœur à l'étage, pour qu'elle fasse un brin de toilette ? Tu dois bien avoir une robe à lui prêter.

– Ne fais pas ta rabat-joie, Tulip.

Sans s'énerver, Tulip tourna la tête vers sa mère :

– C'est un jour particulier, pour Natalie. Je ne permettrai pas qu'on le gâche.

– Je ne vais rien gâcher, je ne reste pas, intervint Simone, qui tendit sa flûte à sa sœur. Dis à Harry que je ne me sens pas très bien.

– Je viens avec toi, proposa Sissi.

Simone déclina son offre :

– Non, c'est vrai que c'est un jour spécial, pour Natalie. Ta place est auprès d'elle. Nous nous verrons plus tard.

– C'était vraiment un coup bas, Tulip, dit Sissi, quand Simone se fut éloignée. Et toi, Nat, tu as vu l'air que tu prends ? Elle fait partie de la famille, quand même ! Vous me faites honte, toutes les deux.

Simone dut courir après le voiturier qui avait garé son véhicule. Pendant qu'elle attendait qu'il aille lui chercher les clés, son père descendit l'allée d'un pas décidé.

Bah, je n'en suis plus à un reproche près, se dit-elle.

Il la prit dans ses bras et la serra contre lui, ce qui la surprit.

– Bienvenue à la maison.

Si les critiques lancées par sa mère et sa sœur ne lui avaient fait ni chaud ni froid, ce geste de son père lui noua la gorge.

– Merci.

– Je viens seulement d'apprendre que tu étais rentrée mais que tu t'apprêtais à repartir. Tu devrais rester, ma chérie, c'est un grand jour, pour Natalie.

– C'est justement pour ça que je m'en vais. Elle préfère que je ne sois pas là.

– Tu dis des bêtises.

– Elle me l'a clairement fait comprendre. Ta femme et ta fille ont été gênées par mon arrivée inattendue, dans une tenue inappropriée pour l'occasion.

– Tu aurais pu venir un peu plus tôt et t'habiller un peu plus chic.

– C'est ce que j'aurais fait, si on m'avait prévenue.

– Natalie t'a appelée il y a deux semaines, non ? Il se tut un instant, le temps de comprendre au vu de l'expression affichée par Simone, puis soupira. Je vois… Je suis désolé, elle m'a assuré qu'elle t'avait mise au courant. Je l'aurais fait, sinon. Allez, suis-moi, je vais lui dire un mot.

– Non, je t'en prie. Elle ne tient pas à ce que je sois là, et moi je n'ai pas envie de rester.

– Ça me fait de la peine de t'entendre dire ça, avoua Ward, le regard chargé de tristesse.

– J'en suis navrée. Je voulais simplement passer vous dire un petit bonjour, à maman et toi, et repartir sur de nouvelles bases avec vous. Essayer, en tout cas… J'ai passé un merveilleux été. Productif, satisfaisant, éclairant. Je comptais vous en parler. J'espérais que vous comprendriez que j'ai fait le bon choix.

– Je l'ai déjà compris, murmura Ward. Comme j'ai compris que j'avais eu tort. J'ai voulu avoir raison à tout prix, et je t'ai perdue. Et c'était plus facile de te le reprocher que de m'en rendre responsable. Aujourd'hui, ma plus jeune fille va se marier. Elle deviendra une épouse, et plus seulement ma petite fille. J'ai compris qu'avec toi je voulais surtout avoir raison, sans trop m'inquiéter de ton bonheur. J'ai honte de regarder la vérité en face, mais il le faut. J'espère que tu me pardonneras.

– Papa… souffla Simone, qui, se réfugiant dans les bras de son père, ne put réprimer quelques larmes. C'est aussi ma faute. C'était plus facile de m'éloigner et de rester loin de vous.

– Je te propose un marché : je reconnais que je n'ai pas toujours raison, et toi tu ne t'éloignes plus de moi.

Elle hocha la tête, la joue plaquée sur la poitrine de son père.

– J'ai bien fait de venir, finalement.

– Allez, rentrons. Je serai ton cavalier.

– Non, franchement c'est impossible. Nat m'agace au plus haut point, mais je ne veux pas ruiner sa fête. Et si tu passais sur l'île, un de ces jours ? Je te raconterai mes voyages et je te montrerai mes travaux en cours.

– Entendu, accepta Ward, avant d'embrasser Simone sur le front. Je suis heureux que tu sois de retour.

– Moi aussi.

Elle était en effet contente d'être rentrée, surtout quand, accoudée à la rambarde du ferry, elle vit l'île se rapprocher.

Chapitre 10

La maison de Sissi offrait une vue splendide : la baie, l'Océan en toile de fond et le littoral tourmenté de Tranquility Island, avec en son point le plus oriental une avancée rocheuse sur laquelle était perché un phare.

À l'époque où Sissi s'était installée sur l'île, celui-ci était d'un blanc terne.

Elle avait remédié à cela.

Faisant pression avec la communauté d'artistes locaux, elle avait convaincu les autorités de l'île, ainsi que les propriétaires et gérants du bâtiment, de les laisser agir. Il y avait eu des sceptiques, bien entendu, à l'idée de voir des artistes juchés sur des échelles et des échafaudages peindre des fleurs, des coquillages, des sirènes et des coraux sur ce phare élancé.

Sissi avait vu juste.

Depuis l'achèvement du chantier, et même pendant que les artistes s'activaient, les touristes venaient nombreux prendre le phare en photo. D'autres peintres faisaient régulièrement figurer ce bâtiment unique dans leurs tableaux. Rares étaient les visiteurs repartant sans quelques-uns des souvenirs de la Lumière de la Tranquillité vendus dans les boutiques du village et du bord de mer.

Tous les deux ou trois ans, les artistes de la communauté rafraîchissaient le phare – et en profitaient souvent pour ajouter un motif ou deux.

Sissi aimait contempler la côte et admirer le bâtiment coloré, témoin de tant de créativité.

Située à l'ouest du phare, sur une éminence surmontant une autre avancée rocheuse de la côte irrégulière dans l'Océan, sa maison était pourvue de grandes fenêtres, d'une terrasse en pierre au rez-de-chaussée, d'un grand balcon, également en pierre, au premier étage, et d'un petit balcon au-dessus, à la hauteur d'un grenier aménagé. La vaste terrasse du rez-de-chaussée se trouvait du côté de la mer, son préféré, où de spectaculaires pots de fleurs et de plantes diverses prenaient le soleil en été, entre d'immenses chaises longues aux coussins de couleurs vives et quelques tables peintes à la main.

D'autres fleurs ornaient le vaste balcon du premier étage, où étaient disposés de confortables fauteuils. S'y trouvait également un Jacuzzi, dont Sissi profitait toute l'année, sous une pergola. Elle se prélassait souvent là, nue et ravie de l'être, un verre de vin à la main, contemplant la mer et suivant du regard les bateaux qui la fendaient.

Elle pouvait gagner l'atelier, ajouté après son installation et dont la grande baie vitrée donnait sur l'Océan, depuis le salon ou la terrasse. Elle aimait y peindre quand l'eau scintillait, aussi bleue qu'un saphir, ou quand elle prenait une teinte gris foncé, agitée par une tempête hivernale.

Elle avait aménagé le grenier. À vrai dire, Jasper Mink (qui avait réchauffé son lit une ou deux fois entre ses mariages) s'en était chargé, avec ses ouvriers, après le départ de Simone en Italie.

Cet endroit lumineux et très spacieux disposait à présent de toilettes, une charmante petite pièce.

Comme elle aimait à le répéter, Sissi était un peu voyante. Elle avait très tôt imaginé Simone travaillant dans cet espace, vivant dans cette maison truffée de recoins en attendant de trouver son propre nid.

Sissi, pour qui l'avenir n'avait donc pas de secrets, avait depuis longtemps deviné où Simone s'installerait un jour… mais celle-ci devait le découvrir toute seule.

En attendant ce jour, Simone, quand elle rentrait dans le Maine, logeait chez Sissi.

Malgré leur fort caractère d'artiste, cette cohabitation se passait sans le moindre heurt. Chacune avait son travail, ses habitudes, et il arrivait que plusieurs jours s'écoulent sans qu'elles se croisent, ou presque. Cela dit, elles passaient parfois des heures ensemble sur la terrasse, en promenade à vélo dans le village, en randonnée sur la fine bande de sable au bord de la mer, ou encore simplement assises sur les rochers face à l'Océan, dans un silence agréable.

Sa petite-fille rentrée de son périple dans l'Ouest, elles passèrent des heures à détailler les croquis et photos de Simone. Sissi lui emprunta deux clichés, une fête de quartier à Santa Fe et une vue saisissante de monticules rocheux du Canyon de Chelly, pour son propre travail.

Quand Ward vint leur rendre visite, Sissi s'éclipsa pour allumer des bougies et des bâtons d'encens et méditer, pendant que le père et la fille, ravis, se réconciliaient.

Dix jours durant, pendant que les touristes grouillaient sur l'île, elles vécurent heureuses dans leur monde, avec leur art et la mer, s'offrant des cocktails au coucher du soleil.

Puis l'ouragan éclata.

Natalie fit irruption dans la maison comme une furie. Sissi, qui en était à son premier café de la journée (elle préférait que le lever du soleil soit la dernière chose qu'elle voie avant de se coucher, plutôt que la première à son réveil), cligna des yeux, encore endormie.

– Bonjour, ma chérie. Que se passe-t-il, tu as le feu aux fesses ?

– Elle est où ?

– Je te proposerais bien un café, mais tu me sembles déjà assez énervée. Assieds-toi et respire un bon coup, ma mignonne.

– Je ne veux pas m'asseoir. Simone, putain !

Sans cesser de crier, elle passa en revue toutes les pièces du rez-de-chaussée, libérant tant d'énergie négative que Sissi comprenait déjà qu'il lui faudrait la dissiper en brûlant de la sauge blanche.

– Elle est en haut ?

– Je n'en sais rien, répondit sèchement Sissi. Je me lève à peine. Au fait, je suis pour la liberté d'expression, mais tu ferais bien de surveiller la façon dont tu me parles.

– J'en ai marre ! J'en ai marre, de tout ça ! Elle peut faire ce qu'elle veut, quand elle veut, et tu ne dis jamais rien ! Moi, je bosse comme une folle, je décroche mon diplôme en terminant dans les premiers de ma promotion, et vous deux, vous vous donnez tout juste la peine de venir à la remise des prix.

Sincèrement stupéfaite, Sissi abaissa sa tasse de café.

– Tu as perdu la tête ? Nous étions toutes les deux présentes, jeune fille, avec des putains de clochettes… Tu me fais tellement enrager que je t'ai appelée « jeune fille », je n'en reviens pas.

On croirait entendre ma mère ! Simone a travaillé pendant des semaines sur ton cadeau, et...

– Simone ! cria Natalie. Simone, putain !

– Tu deviens vulgaire, Natalie. Ressaisis-toi.

– Qu'est-ce qui se passe ? lança Simone, descendue en courant. Je t'entends hurler depuis mon atelier.

– Ton atelier ! Toi, toi, toujours toi ! cria Natalie.

Elle bouscula Simone, qui fut repoussée trois marches plus haut.

– Stop ! intervint fermement Sissi, levée, en s'approchant de ses petites-filles. Pas de violence physique chez moi. D'accord pour les cris et les grossièretés, mais pas de violence physique. N'allez pas trop loin.

– Qu'est-ce qui t'arrive, Natalie, enfin ? dit Simone, qui, redescendant, posa la main sur l'épaule de sa grand-mère.

– Non mais regardez-vous ! cria Natalie, le visage écarlate de colère et ses yeux bleus enflés. Vous êtes tout le temps ensemble. Elle les désignait toutes les deux de l'index, les deux mains tendues. J'en ai marre de ça aussi. Ce n'est pas juste que tu l'aimes plus que moi !

– Premièrement, il n'y a jamais eu de justice en amour. Et deuxièmement, je t'aime autant que Simone, même quand tu te comportes comme une folle. En fait, je me demande même si je ne t'aime pas encore plus dans tes crises de folie... Ça change un peu, et de façon très intéressante.

– Arrête ! lâcha Natalie, ne retenant plus ses larmes de rage. Elle a toujours été ta préférée.

– Si tu m'accuses de quelque chose, sois plus précise, parce que je ne me rappelle pas t'avoir jamais négligée.

– Tu ne m'as pas aménagé un grenier, déjà !

Se sentant proche de l'agacement, Sissi avala une gorgée de café, ce qui n'arrangea rien.

– Pourquoi, tu en voulais un ?

– Ce n'est pas la question !

– Bien sûr que si, enfin ! Je n'ai pas emmené Simone à Washington, à la fin du lycée, pour lui faire visiter le Congrès, tout simplement parce qu'elle n'en avait pas envie. Toi, au contraire, ça t'intéressait, alors je l'ai fait avec toi. Reprends-toi.

– Je ne peux même plus venir ici, maintenant qu'elle habite dans cette maison.

– C'est toi qui en as décidé ainsi, et il me semble bien que tu sois venue, là. Une dernière chose, avant que je remplace ce café par le Bloody Mary dont je meurs d'envie pour me calmer… Simone habitera ici aussi longtemps que ça lui plaira. Ce n'est pas à toi de décider qui habite dans ma baraque. Tu serais la bienvenue, si tu voulais t'installer avec nous, mais tu n'en as aucune envie.

Sissi se dirigea vers le réfrigérateur :

– Qui veut un Bloody Mary ?

– Je suis assez tentée, je dois dire, répondit Simone.

– Et voilà, ça recommence, ricana Natalie. Vous sortez du même moule, comme dit maman.

– Et alors ? s'agaça Simone, en levant les mains. Nous avons beaucoup de points communs, d'accord, comme maman et toi en partagez aussi beaucoup. Où est le problème ?

– Tu ne respectes pas ma mère.

– Notre mère, sale gosse ! Et bien sûr que si, je la respecte.

– C'est ça. Tu ne la vois quasiment jamais. Tu n'es même pas venue la voir pour la fête des Mères.

– J'étais au Nouveau-Mexique, bon sang, Natalie ! Je l'ai appelée, je lui ai envoyé des fleurs.

Les yeux de Natalie, du même bleu que ceux de leur mère, brillaient de colère.

– Parce que tu crois que ça prouve quelque chose ? Cliquer sur une photo de fleurs sur Internet ?

– Tu devrais en parler aux parents, vu que c'est ce qu'ils font à chacun de mes vernissages, dit Simone, la tête inclinée.

– Ça n'a rien à voir, n'essaie pas de rejeter la faute sur nous. Tu te fiches d'elle, tu te fiches de nous, quoi que tu aies dit à papa pour le convaincre du contraire. Ils se sont disputés à cause de toi. Et toujours à cause de toi, Harry et moi on s'est crié dessus le soir de nos fiançailles.

– Non, mais je rêve… lâcha Simone, avant de se tourner vers Sissi. Ne lésine pas sur la vodka.

– Fais-moi confiance.

– Regardez-vous, toutes les deux ! poursuivit Natalie, folle de rage. Vous vous complaisez dans votre univers parallèle, alors que moi je vis dans le monde réel. Un monde dans lequel tu as débarqué sans y avoir été invitée, dans une tenue qui ne ressemble à rien. Et tu as léché les bottes de Harry et de papa, en jouant les victimes.

– Je n'ai léché les bottes de personne, et je n'ai rien joué du tout. Si tu ne leur avais pas menti à tous les deux, en leur disant m'avoir prévenue, tu n'aurais pas eu ce problème.

– Je ne voulais pas que tu sois là !

Cet aveu déchira le cœur de Simone, même si elle n'apprenait rien.

– Oui, c'est évident, mais tu n'as pas eu l'honnêteté de le dire. Je n'y suis pour rien.

– Tu n'es qu'une égoïste emplie de haine, tu ne penses qu'à toi !

– Je suis peut-être égoïste, en tout cas selon tes standards, mais je n'ai pas beaucoup de haine en moi. Si je ne pensais qu'à moi, je n'aurais pas pris la peine de passer chez les parents, ce qui nous aurait évité d'être gênées toutes les deux. Toi, en revanche, tu es une vraie salope, menteuse et lâche, et tu ne l'assumes pas dans ton monde réel. Va chier, Natalie ! Je n'ai pas l'intention de vous servir de punching-ball, à maman et à toi.

Malgré son cœur qui battait à tout rompre et ses mains tremblantes, Simone prit le verre que Sissi avait posé sur le bar et le brandit, portant un toast ironique :

– Amuse-toi bien dans ta version de la réalité, Nat. Moi, je reste dans la mienne.

– Tu sais que tu me dégoûtes ? cracha Natalie, les yeux embués de nouvelles larmes de rage.

– Je suis assez futée. Alors, oui, je m'en suis rendu compte.

– Bon, ça suffit, les filles, intervint Sissi.

– Tu la défends toujours, de toute façon ! enragea Natalie.

Le cœur brisé, Sissi dut se maîtriser pour répondre calmement :

– J'ai fait un gros effort pour ne pas prendre parti, mais tu vas trop loin, Natalie. Tu t'énerves beaucoup trop et…

– Je ne suis rien, pour vous deux ! Et toi, Simone, tu l'as retournée contre moi ! Je te déteste ! Vous allez bien ensemble !

Aveuglée par sa rage et son amertume, Natalie s'éloigna brusquement… et heurta la sculpture *Émergence*, qui bascula du support fabriqué par Sissi.

Simone poussa un hurlement lorsque son œuvre se fracassa au sol. Le visage de son amie disparue, adorable, serein et irradiant de joie, se brisa en morceaux.

– Oh mon Dieu, mon Dieu… laissa échapper Natalie, horrifiée, sa fureur chassée par le bruit et la vision de la catastrophe. Je suis désolée, Simone. Je suis vraiment désolée, je ne voulais pas…

– Fiche le camp… parvint à souffler Simone, à peine un murmure, surmontant cette blessure, ce cri dans tout son corps.

Elle trouva la force de reposer son verre, évitant ainsi de le lancer sur sa sœur, consciente que si elle commençait à la frapper, elle ne s'arrêterait plus.

– Simone, Sissi, je suis affreusement désolée, je ne peux pas…

Natalie avança d'un pas, la main tendue. Simone leva la tête :

– N'essaie même pas de m'approcher. Dégage ! Fiche le camp d'ici !

Vaincue par sa rage et sa tristesse, Simone sortit en courant par la porte du fond, sachant qu'elle ferait parler ses poings si elle restait une seconde de plus.

En larmes, Natalie se couvrit le visage de ses deux mains :

– Je suis désolé… Je suis désolée, Sissi, c'était un accident.

– Bien sûr que non. Tu as cherché à la blesser, et à me blesser. Des excuses ne vont pas suffire, cette fois.

Natalie lui étant tombée dans les bras, Sissi lui tapota le dos un moment, puis elle la retourna et la guida vers la porte.

– Pars, maintenant. Il faut que tu réfléchisses aux raisons qui t'ont poussée à agir comme tu l'as fait, à dire ce que tu as dit, à ressentir ce que tu ressens. Tu devras également trouver un moyen de te faire pardonner.

– Je suis désolée. Je t'en prie…

– Je ne doute pas que tu sois désolée, mais tu as détruit une œuvre de ta sœur en te montrant incapable de contrôler une crise de colère. Tu lui as brisé le cœur, et à moi aussi.

– Ne me déteste pas, supplia Natalie, qui s'agrippa à sa grand-mère lorsque celle-ci lui ouvrit la porte. Elle me déteste, mais toi, ne me déteste pas.

– Je ne te déteste pas, et ta sœur non plus. Ce que je déteste, ce sont les mots que j'ai entendus sortir de ta bouche. Je déteste ce que tu as fait parce que tu as voulu nous blesser, elle et moi. Et je vais détester te dire, à toi, ma propre petite-fille … et pourtant je t'aime, Natalie… de ne pas revenir ici tant que tu n'auras pas assumé ce que tu as fait et trouvé comment te faire pardonner.

– Elle me déteste. Elle…

– Arrête, maintenant ! lança sèchement Sissi, en poussant Natalie hors de la maison. Arrête et observe ce qu'il y a en toi, plutôt que de t'en prendre à quelqu'un que tu ne veux même pas essayer de comprendre. Je t'aime, Natalie, mais là, tout de suite, je n'ai aucune envie d'être avec toi. Rentre chez tes parents.

Même si cela lui brisa un peu plus le cœur, Sissi ferma la porte au nez de sa petite-fille.

Adossée au battant, elle baissa un instant les yeux sur la beauté, la grâce et la joie détruites et, à son tour, laissa couler ses larmes. Sans chercher à les refouler, elle rejoignit ensuite son autre petite-fille, qu'elle trouva assise sur les dalles de la terrasse, les jambes repliées contre la poitrine et le visage plaqué sur les genoux, sanglotant elle aussi. Sissi s'installa à côté d'elle, la prit dans ses bras et la berça jusqu'à ce qu'elles aient toutes les deux épuisé leurs larmes.

– Comment a-t-elle pu faire ça ? Pourquoi me déteste-t-elle à ce point ?

– Elle ne te déteste pas. Elle est jalouse, en colère et méprisante. C'est bien la fille de sa mère. Cela dit, je suis certaine que jamais Tulip n'aurait souhaité un tel drame. Tu ne rentres pas dans le moule, ma chérie, alors elles y voient une insulte. Nous les gênons, et comme cette gêne les fait se sentir minuscules, elles se réfugient dans le mépris.

Un bras entourant les épaules de Simone, qui avait posé la tête contre la sienne, Sissi contemplait l'Océan, son bleu intense et ses quelques nuances vertes, et les vaguelettes s'écrasant contre les rochers.

– Je pourrais endosser ma part de responsabilité, mais à quoi bon ? poursuivit-elle. J'ai fait de mon mieux. Tulip a vécu une enfance heureuse. Quant à ma mère… Eh bien, je n'ai aucun reproche à lui faire, non plus. Nous sommes celles que nous sommes, celles que nous avons choisi d'être, dit-elle en caressant doucement les cheveux de Simone. Elle est dévastée, mon bébé. Elle est vraiment désolée.

– Arrête ! Ne la défends pas.

– Je ne la défends pas, crois-moi. Elle m'a blessée, moi aussi, et c'était injustifié. Il est grand temps qu'elle grandisse et cesse de te coller ses problèmes sur le dos, sur le mien ou sur celui de je ne sais qui. Si elle reconnaît la gravité de son acte, si elle fait tout son possible pour se racheter, alors ce pourrait être un tournant dans sa vie.

– Je m'en fiche.

– Je sais, et je ne te le reproche pas. Une famille sur deux est minée par ce genre de problèmes. Quoi qu'il en soit, elle sera toujours ta sœur et toujours ma petite-fille. Nous ne lui accorderons pas facilement notre pardon, et c'est bien normal. Elle devra le mériter.

– Je ne sais pas si je vais pouvoir la réparer. C'est Tish… Je ne suis pas sûre d'y arriver, d'en avoir la force. Et même si je le fais, même si j'y arrive, cette sculpture ne sera plus la même.

– Bien sûr que si, tu vas la réparer, assura Sissi, qui déposa un baiser sur le sommet du crâne de Simone. Tu en as largement la force. Et non, en effet, elle ne sera plus la même. Elle exprimera autre chose, plus de choses. Voici ce que nous allons faire : nous allons rentrer, rassembler les débris et évaluer les dégâts, puis porter tout ça dans ton atelier. Quand tu te sentiras prête, tu te lanceras dans la réparation. En attendant, nous brûlerons de la sauge blanche dans toute la maison pour chasser toute cette énergie négative.

– D'accord, mais on reste encore un peu ici.

– Entendu.

Harry rentra chez lui plein d'énergie, après son parcours de golf. Il avait battu son record de deux coups, la journée promettait d'être excellente !

Il lui restait encore une heure avant d'aller chercher Natalie pour un déjeuner prévu avec des amis. Il comptait ensuite surprendre sa future épouse en lui faisant visiter en début de soirée une maison qu'il estimait leur convenir à tous les deux.

Une maison, leur maison. C'était l'étape suivante. Ils la dénicheraient, l'achèteraient et l'équiperaient puis, enfin, ils vivraient ensemble.

La demoiselle souhaitait un mariage en automne : il attendrait. Elle tenait à une cérémonie grandiose, formelle : il s'était plié à cette exigence. Mais il avait hâte de passer à cette fameuse étape suivante.

Il entra dans son appartement et, après avoir rangé ses clubs près de la porte, aperçut Natalie blottie sur son canapé. Son humeur déjà excellente s'illumina un peu plus.

– Bonjour, chérie. Je ne m'attendais pas à…

Alors il remarqua les larmes et le visage défait de Natalie, qui lui tendit les bras.

– Qu'y a-t-il ? Que s'est-il passé ? s'inquiéta-t-il en la faisant se lever, tandis qu'elle fondait de nouveau en larmes. Mon Dieu ! Tes parents ? Ta grand-mère ?

Elle secoua vivement la tête.

– J'ai fait quelque chose d'affreux, Harry.

– J'ai du mal à le croire. Chut… Là, doucement, ne pleure plus. Il sortit un mouchoir, sa mère lui ayant enseigné à en avoir un sur lui en permanence, et essuya ses larmes. Tu as cambriolé une banque ? Donné un coup de pied à un chiot ?

– Je suis allée voir Simone.

– Je vois. Et j'imagine que ça s'est mal passé ?

– Elle me déteste, Harry. Et Sissi aussi.

– Mais non.

– Tu ne sais rien de tout ça, tu ne comprends pas. Simone a toujours été la préférée de Sissi. Elle l'aime comme une folle… elles sortent du même moule, comme dit maman. Et moi, je n'ai que les restes.

– Si c'est vrai, ces restes sont copieux. Chaque fois que je t'ai vue avec ta grand-mère, j'ai vu combien elle t'aime, comme elle est fière de toi. Je n'ai pas remarqué la moindre trace de haine.

– Elles me détestent. Si ce n'était pas encore fait, c'est sûrement le cas maintenant, après ce qui s'est passé.

– Mais que s'est-il passé, enfin ?

– Je n'ai pas fait exprès, se lamenta Natalie, agrippée au polo de son fiancé et la tête plaquée contre sa poitrine. J'étais dans une colère noire, et Simone m'a dit des choses affreuses. Sissi préparait leurs foutus Bloody Mary, et je sentais qu'elle se moquait de moi. J'ai pété les plombs.

– Mon Dieu, Natalie, tu n'as pas frappé ta sœur, quand même ?

– Non ! J'ai seulement… Je me suis énervée, je l'ai renversée et elle s'est cassée. C'était involontaire, et j'étais vraiment désolée, mais elles n'ont pas voulu m'écouter.

– Qu'est-ce que tu as renversé ?

– La sculpture, le buste de femme, répondit Natalie, qui, de nouveau gagnée par l'émotion, plaqua ses mains sur les yeux. Celle que Simone a faite pour cette foutue expo, à Florence. Sissi l'a achetée et en était très fière. Je l'ai bousculée, elle est tombée et s'est brisée. Juste après, genre une seconde, j'ai eu l'impression qu'une autre que moi avait fait ça. J'étais sous le choc et navrée, j'ai essayé de le leur dire, mais elles ne m'ont pas écoutée.

– La femme qui sort de la piscine ? dit Harry, qui avait vu et admiré cette œuvre. Dans le salon de Sissi ?

– Oui, c'est ça. J'ai perdu mes nerfs. Elle… Elles se sont liguées contre moi et j'ai craqué. Mais après, elles ne m'ont pas laissé m'excuser.

Harry se leva et s'approcha de la fenêtre. Visualisant le buste, il se rappela le jour où il l'avait contemplé. Sissi lui avait parlé de l'exposition et de ce qu'elle avait ressenti en découvrant cette merveille.

– Natalie, tu savais ce que représentait cette sculpture pour ta grand-mère et pour ta sœur.

– Elle était sur mon chemin, c'est tout, je n'ai pas fait exprès.

Il revint s'asseoir et prit la main de sa fiancée :

– Je te connais, Natalie, et je sais que tu ne me dis pas tout.

– Tu la défends ! se révolta la jeune femme, cherchant à retirer sa main, qu'il ne lâcha pas.

– Non, je t'écoute… mais ne me cache pas la vérité.

– Je ne suis pas venue pour encore me disputer avec toi à propos de Simone !

– Nous ne nous sommes pas disputés à propos de Simone, mais parce que tu ne m'avais pas dit la vérité. Tu m'avais dit qu'elle ne pouvait pas assister à nos fiançailles, qu'elle était trop occupée. Tu m'as fait croire que tu l'avais prévenue, mais qu'elle ne pouvait pas venir.

– Elle se baladait dans l'Ouest, alors je me suis dit que…

– Nous sommes tous les deux avocats, l'interrompit-il. Nous savons tous les deux employer des demi-vérités et jouer avec la sémantique. Alors ça ne prend pas avec moi. Que s'est-il passé aujourd'hui ?

Sincèrement terrifiée, Natalie agrippa de nouveau son polo.

– Ne te retourne pas contre moi, Harry, je ne le supporterais pas.

– Cela n'arrivera jamais, promit-il, les mains sur les joues de Natalie. Mais plus de mensonges entre nous. La vérité, rien que la vérité.

– Mes parents… Enfin, ma mère est fâchée parce que mon père s'est rendu deux fois sur l'île depuis la réception.

– Ta mère est fâchée parce que ton père passe du temps avec ta sœur ?

– Tu ne comprends pas ! Tu ne comprends rien ! Simone est méprisante et ingrate envers ma mère. Après tout ce qu'ils ont fait pour elle, elle a laissé tomber la fac et a fui en Europe.

Harry, qui avait déjà entendu cette histoire, s'efforça de se montrer patient :

– Elle a pris la bonne décision, il me semble. Et puis, s'il y a un problème, c'est entre ta mère et ta sœur. Tu n'es pas concernée, Natalie.

– J'aime ma mère.

– Évidemment, et moi aussi, dit Harry, souriant, avant de l'embrasser avec douceur. Le même moule… Tu es allée la voir pour lui parler ou pour te disputer avec elle ?

– Je suis avocate ! Je voulais discuter, mais…

Le voyant la regarder avec patience, Natalie se sentit culpabilisée par l'amour qu'elle lui portait.

– Non, ce n'est pas vrai, reprit-elle. C'était mon intention quand je suis partie de la maison, mais en arrivant sur l'île, chez Sissi, j'étais folle de rage. C'est moi qui ai crié la première. Oh mon Dieu, Harry, je suis minable…

– Ne dis pas ça de la femme que j'aime, chuchota Harry

Il garda Natalie dans ses bras une bonne minute, l'aimant autant pour ses défauts que pour sa perfection. Il l'aimait, tout simplement.

– Reste tranquille un moment, mon cœur, reprit-il. Je vais annuler le déjeuner.

Et la visite de la maison, ajouta-t-il en pensée.

– J'avais oublié, J'avais complètement oublié.

– Ce n'est que partie remise. Je vais déboucher une bouteille de vin, et tu vas tout me raconter. Nous allons trouver une solution, ma chérie.

– Je t'aime, Harry, je t'aime si fort… murmura Natalie, s'accrochant à lui, son havre dans la tempête. Tu es la meilleure chose qui me soit arrivée.

– Idem.

– J'ai voulu que tout soit sa faute. J'ai voulu être en colère contre elle, ça me semblait plus facile.

– Quand je vois ces larmes sur ton splendide visage, je me dis que ce n'est pas si facile.

Sissi installa son chevalet sur la terrasse. L'été n'en avait plus pour longtemps, aussi était-elle déterminée à profiter de chaque journée ensoleillée. Délaissant la vue, elle comptait poursuivre son étude d'une photo de voyage de Simone.

La femme au chapeau rouge à grand rebord plat et au visage ridé par le temps et le soleil lisant avec soin l'étiquette d'une boîte de conserve de tomates, dans un marché en plein air, sous le sourire du vieillard flétri posté de l'autre côté de l'étal.

Dans son tableau, les tomates seraient transformées en œufs magiques aussi éclatants que des pierres précieuses, et l'oiseau perché sur l'auvent à rayures en dragon ailé.

Elle jouait sur les nuances, sur les sensations. C'était le mot d'ordre de la semaine, que Simone avait passée concentrée sur sa réparation minutieuse du buste.

Sissi eut une pensée positive pour leurs travaux respectifs, alluma deux bougies, une pour chacune, et mélangea ses couleurs.

– Entrez ! cria-t-elle, lorsque la sonnette retentit. Je suis sur la terrasse.

Elle verrouillait rarement la porte d'entrée, préférant qu'un visiteur, quel qu'il soit, entre de lui-même sans l'obliger à interrompre son travail pour lui ouvrir.

– Sissi…

Ne sachant pas vraiment si elle devait être soulagée ou sur ses gardes en reconnaissant la voix de Natalie, elle posa sa palette et se retourna.

Sa petite-fille semblait repentante. Et calmée, la main dans celle du garçon que Sissi surnommait intérieurement Sexy Harry.

– Comme tu as toujours suivi les règles, j'ai envie de croire que tu as décidé d'assumer ta responsabilité et trouvé comment te faire pardonner.

– Oui, je reconnais ma faute, et je vais tâcher de me faire pardonner. Je ne sais pas si j'y parviendrai, mais je veux essayer. J'ai tellement honte de ce que j'ai dit l'autre jour, Sissi, de ce que j'ai fait. J'ai beaucoup de choses à dire à Simone, et j'espère qu'elle acceptera de m'écouter. Mais avant cela, il faut que je te dise… Je savais ce que ce buste représentait pour toi. Je savais que c'était un lien qui vous unissait, toutes les deux. Je l'ai brisé parce que je m'en sentais exclue. Et c'est impardonnable.

– C'est moi qui décide de ce que je pardonne ou pas.

– Pour que tu ne m'en veuilles plus, je pense qu'il faudrait d'abord que Simone elle-même me pardonne. Et pour ça, il faut que je lui parle.

– Oui, ce serait bien. Elle est là-haut, dans son atelier.

Natalie hocha la tête et lâcha la main de Harry.

– Tu as toujours été merveilleuse avec moi, j'ai honte de ce que je t'ai dit. Jamais tu ne m'as laissée tomber, même quand je le méritais.

– Ça ne va pas se faire en un clin d'œil, murmura Sissi, quand Natalie fut entrée dans la maison.

– C'est certain, convint Harry. Nous vous avons interrompue en plein travail, je vais attendre dans…

– Ne dis pas de bêtises, je ne peux pas travailler en me demandant à chaque seconde si des cris, des hurlements ou des insultes ne vont pas éclater. Prenons une bière.

– Ce n'est pas de refus.

Sissi s'approcha de la porte et tapota la joue du jeune homme :

– Tu es parfait pour elle, Harry. Je n'en étais pas sûre, au début, mais tu es celui qu'il lui faut.

– Je l'aime.

– L'amour est une colle. En s'en servant correctement, on répare à peu près tout.

Simone utilisait de la colle, précisément, mais aussi des tiges métalliques, du papier de verre et de la peinture. Après une semaine de travail intensif, elle se prenait à espérer reconstituer Tish, à redonner vie à son visage.

Entendant des bruits de pas dans l'escalier, elle prit du recul pour juger des progrès accomplis en cette matinée.

– Viens voir, dit-elle. Je crois que, enfin peut-être…

Elle leva les yeux et découvrit Natalie. Elle se leva aussitôt :

– Tu n'es pas la bienvenue ici.

– Je sais. Je te demande seulement cinq minutes. S'il te plaît. Je mérite… Oh mon Dieu, tu l'as réparée !

– N'essaie même pas de t'en approcher.

Natalie, qui avançait déjà vers le plan de travail, se figea et mit ses mains dans son dos.

– Je mérite tout ce que tu pourrais me dire, reprit-elle. Être désolée, honteuse, dégoûtée de moi ne suffit pas. Et voir que tu as réparé ce que j'ai tenté de détruire ne change rien.

– Elle n'est pas encore reconstruite.

– Mais ce… Elle est si belle, Simone. Et je t'en voulais justement pour ça. Je t'en voulais de faire naître des choses à partir d'un tas de boue. J'en ai honte, jamais je ne saurai te dire à quel point. Je ne t'ai pas parlé de mes fiançailles ni de la réception, parce que je ne voulais pas t'y voir. Je me disais que tu ne serais de toute façon pas venue, que tu t'en ficherais. Et je comptais t'inviter au mariage juste pour éviter que les gens disent du mal de moi. J'ai pensé et éprouvé des choses affreuses à ton sujet.

– Pourquoi ?

– Tu m'as abandonnée. J'ai eu cette impression, en tout cas. Après ce qui est arrivé au centre commercial… Elle se tut un instant lorsque Simone, soudain livide, se détourna d'elle. Du jour au lendemain. Tu ne voulais pas m'en parler.

– J'en ai parlé au psy, j'en ai parlé à la police. Je n'ai pas arrêté de me répéter.

– Mais tu ne m'as rien dit, à moi ! Et j'avais besoin de ma grande sœur. J'étais terrifiée. Je me réveillais la nuit en hurlant, mais toi…

– Moi aussi, je faisais des cauchemars, Nat. Je me réveillais en sueur, glacée et croyant étouffer. Je ne hurlais pas, alors maman ne s'est jamais précipitée pour me rassurer… mais moi aussi, j'ai fait des cauchemars.

Natalie considéra sa sœur un instant, tout en essuyant quelques larmes.

– Tu n'en as jamais parlé.

– Je n'y tenais pas, à l'époque, et je n'en ai toujours pas envie aujourd'hui. J'ai mis ça de côté.

– C'est moi que tu as mise de côté.

– Arrête avec ces conneries ! explosa Simone, en se retournant vers sa cadette.

– Ce ne sont pas des conneries. Pas pour moi, en tout cas, Simone. Avant, tu me gardais auprès de toi. Tu étais avec Mi et Tish, mais tu me gardais avec toi. C'étaient aussi mes amies. Mais après, tu m'as mise de côté. Tu n'étais plus qu'avec Mi.

– Tish est morte ! Et Mi est restée quatre semaines à l'hôpital !

– Je sais, je sais. J'avais quatorze ans, Sim. Au nom du ciel, aie un peu pitié de moi, je t'en prie. J'ai cru que maman était morte, quand je l'ai traînée à l'abri du comptoir. Je t'ai crue morte, toi aussi. Même après avoir vu que tu t'en étais sortie, je n'ai pas cessé de faire des cauchemars dans lesquels tu étais morte. Où tout le monde était mort, sauf moi. Tish était mon amie, à moi aussi. Comme Mi. J'ai eu l'impression d'avoir été remplacée dans le rôle de sœur. J'ai conscience que ça doit paraître idiot et égoïste. Vous êtes toutes les deux venues ici, chez Sissi, quand Mi est sortie de l'hôpital. Et moi, la même question me tournait sans cesse dans la tête : pourquoi m'ont-elles abandonnée ?

– Elle avait besoin de moi, et moi j'avais besoin de…

Simone avait pensé que Natalie n'avait pas été blessée. Mais bien sûr que si. Évidemment.

– Je ne pensais pas… bredouilla-t-elle. Je n'avais pas l'impression de t'abandonner. J'avais simplement besoin de fuir. De m'éloigner des journalistes, de la police, des commentaires et des regards.

J'avais seize ans, Natalie, et j'étais brisée à l'intérieur.

– Il n'y en a plus eu que pour Mi, à partir de ce jour-là. Vous aviez chacune l'autre pour vous soutenir. Mais moi aussi, j'étais brisée.

– Je suis désolée, dit Simone, qui se laissa tomber sur son tabouret et se frotta les yeux. Désolée… je ne m'en suis pas rendu compte. Je ne le voulais peut-être pas. Tu avais papa et maman, Sissi, d'autres amis. Tu étais si focalisée sur tes études et sur d'autres projets.

– Tout ça m'a aidé à ne pas trop penser, à faire cesser les cauchemars… mais c'est toi que je voulais, Simone. J'étais trop en colère pour te le dire. Non, pas en colère, plutôt consternée. Ensuite tu es partie à la fac à New York. Avec Mi. Tu as pris l'habitude de te teindre les cheveux de couleurs bizarres, de porter des vêtements qui faisaient horreur à maman. Alors, moi aussi j'en ai eu horreur. Je voulais retrouver ma sœur, mais la sœur que j'avais connue. Tu n'étais plus comme je te voulais, ou comme je pensais que tu devais être. Et après, tu as… Enfin, tu ne me plaisais plus.

Enfin, Natalie s'assit en soupirant puis lâcha un petit rire incrédule.

– Je viens seulement de comprendre tout ça, ajouta-t-elle. Je n'aimais pas la Simone en tailleur, qui sortait avec… Comment il s'appelait, déjà ?

– Gerald Worth, quatrième du nom, rien que ça !

– Ah oui, dit Natalie, reniflant ses larmes. C'était un peu un crétin, mais, bon, il n'était pas méchant. Je ne t'aimais pas comme ça, pas plus que quand tu étais à New York, parce que tu n'étais plus la grande sœur que j'avais eue avant que le monde soit chamboulé pour nous. Puis tu as laissé tomber la fac et tu es retournée à New York, et ensuite tu es partie en Italie. J'avais l'impression de ne plus te connaître… Tu ne rentrais presque jamais à la maison.

– L'accueil n'y était pas vraiment chaleureux.

– Tu n'as pas fait beaucoup d'efforts, de ton côté.

– Sans doute pas, c'est vrai.

– Je pensais vraiment tout ce que j'ai dit, la semaine dernière. J'avais tort, mais j'en étais convaincue au plus profond de moi-même. J'ai également eu tort de penser que tu resterais la même, alors que tout avait changé pour nous, ce soir-là. J'ai eu tort, mais vraiment tort de dire ce que j'ai dit à Sissi, qui est la personne la plus formidable et la plus affectueuse au monde. Jamais je ne cesserai d'en avoir honte.

– Ça ne lui plairait pas que tu aies honte jusqu'à la fin de tes jours.

– Je sais. Autre raison pour moi d'avoir honte : c'est grâce à Harry que je suis ici, parce que son contact me rend meilleure. Les yeux bleus de Natalie s'embuèrent de nouveau. Il me donne envie de devenir quelqu'un de bien. Tu t'es comportée de façon égoïste, Simone, et moi aussi… mais c'est comme ça que tu es, et c'est comme ça que je suis. Je vais tâcher de devenir meilleure, celle que Harry voit quand il me regarde. Je vais essayer d'être une meilleure sœur. Je ne vois pas d'autre façon de me faire pardonner pour ce que j'ai fait.

– Je ne sais pas si nous serions différentes de celles que nous sommes devenues, mais je suis désolée, moi aussi. Je m'excuse de ne pas avoir été présente pour toi, de ne pas l'avoir compris. On pourrait repartir de zéro, telles que nous sommes aujourd'hui ?

– Oui, bien sûr…

Les joues ruisselantes de larmes, Natalie se leva et fit quelques pas. Ses yeux se posèrent sur le buste, et alors seulement elle vit ce qui lui avait échappé jusque-là :

– C'est Tish…

– Oui.

Natalie plaqua une main sur sa bouche, de nouvelles larmes filtrant entre ses doigts.

– Oh mon Dieu, c'est Tish… Je n'avais jamais vraiment regardé… Je ne voulais pas. Tremblante, Natalie baissa la main et, en voyant Simone se lever, lut sur son visage une profonde tristesse. C'est Tish… Tu as fait quelque chose de merveilleux, et moi… Tu as dû avoir l'impression qu'elle était morte une deuxième fois. Oh, Simone…

– Oui, c'est exactement ce que j'ai éprouvé, avoua Simone.

Elle contourna le plan de travail, se sentant à présent capable et désireuse d'attirer Natalie à elle. Le regard toujours sur la masse d'argile, elle ajouta :

– Mais je peux lui redonner vie. On peut toujours recommencer.

DEUXIÈME PARTIE

UN OBJECTIF, UNE PASSION

« Perte d'argent, perte légère ;
perte d'honneur, grosse perte ;
perte de courage, perte irréparable. »

JOHANN WOLFGANG VON GOETHE

Chapitre 11

Reed et Chaz Bergman s'installèrent sur les rochers, face à la baie baignée par le clair de lune. Ils avaient chacun une bouteille de Summer Pale Ale à la main, ce qui était en principe interdit ; mais à 2 heures du matin sur la côte isolée, personne ne les embêterait sur ce point.

Même après que Chaz se fut installé à Seattle, où il avait trouvé un emploi à la sortie de l'université, les deux amis étaient restés en contact et se donnaient de temps à autre des nouvelles par texto et courrier électronique.

En général, ils se voyaient seulement quand Chaz rentrait chez les siens, à Noël ou pour un week-end prolongé en été.

– Désolé de ne pas m'être libéré plus tôt, dit Reed tandis qu'ils se mettaient à l'aise.

– Un truc de flic ?

– Ouais.

– Tu as chopé les méchants ?

Reed hocha la tête et s'accorda sa première longue gorgée de bière :

– « Bouclez-les, Danny [8]. »

– Inspecteur Quartermaine. Je ne m'y fais toujours pas.

– Crack en informatique Chaz Bergman… Moi, ça ne m'étonne pas du tout, dit Reed, avant de prendre une nouvelle gorgée, jouissant de la fin de cette longue journée. Je ne m'attendais pas à te revoir cet été. Tu es déjà passé en juillet.

– Ouais…

Chaz but une petite gorgée, plus lentement, et remonta ses

lunettes sur son nez. Toujours aussi trapu, il avait pris du muscle avec les années et s'était laissé pousser les cheveux, les attachant en un petit catogan. Sa barbichette, entre la lèvre inférieure et le menton, ne dissimulait guère sa nature de geek.

Son regard s'attarda sur les eaux, puis il haussa les épaules :

— Ma mère tenait à ce que je revienne pour l'émission de McMullen. Et moi aussi, plus ou moins, j'imagine. Non pas pour parler de ce qui s'est passé, mais pour revoir certaines personnes présentes à la boutique, ce soir-là.

— Le gosse, se rappela Reed. Il devait avoir douze ans, à l'époque. Aujourd'hui, il fait des études de médecine.

— Ouais, et la femme enceinte a eu des jumeaux.

— Tu leur as sauvé la vie, mon pote, dit Reed, qui fit tinter sa bouteille contre celle de Chaz.

— Ouais, je suppose. À propos, tu as des nouvelles de Brady Foster ?

— Il va très bien. Il a cartonné dans l'équipe de base-ball de son lycée, cette année. Et Lisa et Michael, ses parents, ont eu un autre enfant.

— Oui, c'est vrai, tu me l'avais dit.

— Une fille, Camille. Elle a cinq ans, maintenant, et elle est très futée. Elle ressemble à sa mère. Lisa est stupéfiante, Chaz, je t'assure. Elle vit au quotidien avec le traumatisme de la fusillade sans se laisser ronger par ça, tu vois ? Elle ne va pas laisser ça l'empêcher de faire tout ce dont elle a envie. Quand je regarde cette famille et ce que leur a coûté le massacre, je me rends compte qu'ils ne se sont pas contentés de s'en remettre : ils sont… éclatants. Comme cette putain de lune, là-haut.

— Je ne t'ai jamais posé la question, mais ça t'arrive de retourner là-bas ? Au centre commercial ?

— Ouais. Ça a beaucoup changé.

Reed avait dressé des plans, noté les lieux des tirs, les mouvements des victimes ainsi que leur nombre. Il avait conservé tout ça dans ses dossiers.

— Je suis incapable d'y retourner. J'évite même de passer devant en voiture. Je ne te l'ai jamais avoué, mais j'ai accepté ce poste à Seattle parce que c'était l'endroit le plus éloigné d'ici, tout en restant aux États-Unis. Enfin, sur le continent, je veux dire : je n'ai pas reçu d'offre de Hawaï ni d'Alaska. Ce boulot est génial, et la boîte aussi, mais je l'ai choisi avant tout en raison de son éloignement.

Reed laissa passer quelques instants avant de réagir :

— Il n'y a pas de quoi te le reprocher.

— Il m'arrive de ne plus y penser pendant des semaines, voire des mois… Mais dès que je reviens ici, je l'ai en permanence dans la tête. C'est bizarre, quand même, vu que moi, je suis resté enfermé dans une pièce verrouillée pendant cette horreur, pas sous les tirs comme toi. Bon sang, on n'était que des gamins, Reed !

Chaz prit une autre gorgée de bière, plus longue, et ajouta :

— Ça me revient aussi quand j'entends parler d'une nouvelle fusillade dans un lieu public.

— Tu m'étonnes.

— J'ai filé à Seattle et toi, tu es monté en première ligne.

— Tu as pris un boulot, mec. Tu as entamé une carrière.

— Justement, à ce propos… Si je suis là, c'est en raison de ma mutation à New York. Je prends d'abord quelque jours de vacances, et ensuite je file visiter quelques appartements que la boîte a réservés. Chaz haussa les épaules. Ils veulent que je dirige le service de cyber-sécurité.

— Que tu le diriges ? Putain, Chaz ! Tu deviens un patron geek !

Reed félicita son ami d'un coup de coude dans les côtes.

Chaz esquissa un sourire puis secoua la tête et rajusta ses lunettes :

— J'ai failli refuser. New York est beaucoup plus près d'ici que Seattle, mais je ne peux pas laisser cette foutue soirée, ce foutu centre commercial… comment tu as dit, déjà ?… ronger ma vie. Je déménage donc à New York en novembre.

— Félicitations, mec. À tous points de vue.

— Comment tu fais, toi ? Je veux dire, pour brandir ton badge et sortir ton flingue tous les jours ?

— Un inspecteur, ça passe surtout son temps à inspecter, tu sais. À remplir des tonnes de paperasses, à enquêter sur le terrain. Ce n'est pas comme à la télé, où on ne voit que des courses-poursuites en voiture et des fusillades.

— Ne me dis pas que ça ne t'est jamais arrivé ?

— J'ai parfois poursuivi des suspects en voiture, mais le plus souvent à pied… Pourquoi ils s'enfuient, ces cons ? Dans ces cas-là, c'est la folie, j'avoue.

— Pas de fusillade ?

— Je ne bosse pas à OK Corral, Chaz.

Chaz leva les yeux et posa son regard tranquille sur son ami, derrière ses épais verres correcteurs.

– On a dû tirer deux ou trois fois, concéda Reed.

– Tu as eu peur ?

– J'ai failli me faire dessus, tu veux dire !

– Pourtant tu l'as fait, et tu continues. C'est typique de toi, ça, Reed. Tu affrontes ta peur et tu fais ton job, quoi qu'il arrive. Tu as toujours été comme ça. Accepter ce poste à New York est sans commune mesure avec le fait de se retrouver face à un connard armé, mais pour moi ça revient à « faire mon job, quoi qu'il arrive ».

Et Chaz de conclure, après un silence, et avec un grand sourire :

– Avec une promotion et une grosse augmentation.

– Petit enfoiré, va. Je parie que tu as tout un pack de bières au frais dans une glacière pour fêter ça, dans ta bagnole de location.

– Bien sûr… Scout toujours prêt ! Mais je conduis, alors je me contenterai d'une bouteille.

– Allons chez moi, alors. Je ne suis pas de service demain… enfin, tout à l'heure, on est déjà dimanche. Tu peux dormir sur le canapé.

– Pourquoi pas… Au fait, pourquoi tu vis toujours dans cette poubelle ?

– Il n'est pas si mal, cet appart. Et on dit que le quartier s'embourgeoise. Si ça se trouve, je vais finir par m'y plaire. Non, mais en fait je n'y resterai peut-être plus très longtemps. Je visite une maison demain. D'après ce que j'en ai vu de l'extérieur et la vidéo de l'agence, ça pourrait être la bonne. Joli jardin, cuisine neuve…

– Tu ne fais pas la cuisine.

– Peu importe. Une grande chambre, et ainsi de suite. Et le quartier me plaît. J'irai au restaurant ou au pub à pied. Je tondrai ma propre pelouse, pour changer. Et surtout, si j'arrive à faire baisser un peu le prix, je pourrai me l'offrir sans vendre mon sang ou accepter des pots-de-vin.

– Tu pourrais vendre ton sperme, aussi, suggéra Chaz. C'est ce que faisait ce type, à la fac. Fruenski, tu te rappelles ?

Ils se levèrent.

– Je pense que je vais d'abord tenter de négocier, dit Reed. Viens la visiter avec moi demain, si tu veux.

– Je dois voir mes grands-parents, c'est déjà programmé. Et lundi, je file à New York me chercher une turne, moi aussi.

– Bon, allons faire un sort au reste du pack de bières.

Reed dormit jusqu'à midi. Puis, comme il avait un invité, il prépara en vitesse du café et des œufs brouillés. Les deux amis de longue date se quittèrent avec la promesse d'un week-end de folie à New York dès que Chaz serait installé.

Après s'être douché sous un jet d'eau tiède, la chaudière du bâtiment ayant une fois de plus déclaré forfait, Reed revint en pensée sur ces heures passées en compagnie de Chaz, sur le plaisir qu'il avait eu à le retrouver. Et à aborder des sujets que Chaz avait jusqu'alors pris soin d'esquiver.

En s'habillant, il examina le mur de sa chambre qu'il avait transformé en panneau d'affichage, sur lequel étaient punaisées des photos de tous les rescapés de la fusillade du centre commercial DownEast décédés depuis ce jour, avec la cause de la mort citée au-dessus de chaque groupe : Accident, Causes naturelles, Homicide, Suicide. Des plans indiquaient le lieu de décès de chacun d'entre eux, avec leur nom et l'heure et la date de leur mort.

Il multipliait les vérifications, s'efforçant d'associer ces décès en fonction de l'endroit où ils étaient intervenus ou des blessures subies le soir du 22 juillet 2005.

Il y en a trop, conclut-il une fois de plus. *Beaucoup trop.*

Il ne trouvait rien à redire aux arguments d'Essie, qui soulignait la variété des armes et des méthodes employées pour les homicides. Néanmoins il avait la certitude de l'existence d'un lien entre eux. Un lien qui ne lui avait pas encore sauté aux yeux.

Il s'était procuré des rapports d'autopsie, des comptes rendus de témoignages, des transcriptions d'interrogatoires de parents proches, et avait rassemblé des articles et enregistrements depuis une bonne dizaine d'années, jusqu'à la récente émission spéciale de McMullen.

Il avait d'ailleurs été étonné d'y trouver la sœur de Hobart. Pâle et les yeux enfoncés, Patricia Hobart paraissait plus âgée que ses vingt-six ans. Cela n'avait rien de surprenant : n'importe qui aurait vieilli prématurément en voyant son frère assassiner un tas de personnes, sa mère shootée aux médicaments et à l'alcool – c'est ce qu'avait conclu le rapport d'enquête – mettre le feu à sa maison, et son connard de père bourré se tuer au volant, emportant avec lui dans la mort une femme et son enfant.

Elle n'avait pas pleuré, se rappelait Reed, s'attardant sur la photo de Patricia. Pleine de tics nerveux, cela dit. Les épaules voûtées, ne cessant de se tripoter les doigts ou de tirer sur ses vêtements.

Et très mal habillée, avec des chaussures affreuses. Vivant avec ses grands-parents, elle leur servait d'aide à domicile. Sa grand-mère ne se déplaçait plus qu'en déambulateur, depuis qu'elle s'était brisé la hanche, et son grand-père avait subi deux attaques sans trop de gravité.

Il s'agissait de ses grands-parents paternels, très riches ; ils avaient déshérité son père et son oncle, deux abrutis possédant suffisamment d'armes pour que trois ados barrés tuent quatre-vingt-treize personnes en quelques minutes.

Quelle famille de merde…

Reed fixa à sa ceinture l'arme qu'il portait quand il n'était pas de service et glissa son portefeuille, son badge et son téléphone dans ses poches.

En sortant de chez lui, il appela Essie, préférant un coup de fil à un texto qu'elle risquait d'ignorer.

Il descendait l'escalier du bâtiment en trottinant lorsqu'elle répondit.

— Je suis en route pour la maison dont je t'ai parlé, lui annonça-t-il. J'y retrouve Renée, de l'agence. Ça te dit de faire la visite avec moi ? Tu peux venir avec toute la troupe.

— Il fait chaud, Reed. J'ai envie de flemmarder tout l'après-midi.

— Justement, c'est parfait. On ira ensuite au parc. Le chien et le petit se défouleront un peu. Et après je vous offre une pizza, pour fêter la proposition de prix que j'aurai faite. Je pense vraiment que c'est la bonne, là.

— Tu disais déjà ça pour la maison victorienne toute bizarre, il y a trois mois.

— Elle me plaisait, c'est vrai, mais j'ai eu un mauvais feeling quand on y est entrés.

— Ah oui, les mauvaises vibrations… En fait, tu es devenu accro aux visites de maison, Reed.

Son amie ayant peut-être vu juste, le jeune homme éluda sa remarque :

— Allez, ce sera sympa. En plus, la maison n'est qu'à quelques rues de chez toi.

— Pas loin d'un kilomètre, tu veux dire.

— Et alors ? Tu n'es pas tentée par une agréable promenade dominicale ? Et après, le parc et la pizza ! Et je prendrai une bouteille de vin.

— C'est déloyal de me prendre par les sentiments.

Reed s'esclaffa :

– Allez, viens ! J'ai besoin de quelqu'un pour m'éviter de faire une bêtise, si la maison n'est pas bien, ou au contraire pour me dire de foncer si c'est une bonne occasion. La chaudière est encore morte, aujourd'hui, à l'appart… Il faut vraiment que je fiche le camp.

Un long soupir d'Essie lui fit comprendre qu'il était vainqueur.

– Bon, il est à quelle heure, ton rendez-vous ?

– À 14 heures. Je suis déjà en route.

– Ça ferait du bien à Puck et à Dylan de marcher et de courir un peu. Et Hank et moi, on ne serait pas contre un peu de vin. Il faut d'abord que je rassemble tout le monde. Ne balance pas de proposition avant notre arrivée, OK ?

– Ça roule. Merci et à tout à l'heure.

Se retournant vers l'immeuble, Reed constata que quelqu'un fâché avec l'orthographe avait ajouté un nouveau tag donnant un judicieux conseil : « VA ENKULÉ UN DUKE. »

Il supposa que l'auteur avait voulu parler de « trou du cul », en écrivant « Duke ». À moins qu'il connaisse un type prénommé Duke. Ou alors il parlait de sodomiser un aristocrate, ou quelque chose comme ça.

Quoi qu'il en soit, Reed y vit un signe supplémentaire lui indiquant qu'il était grand temps pour lui de partir d'ici.

Un café correct avait tout de même ouvert deux rues plus loin, et quelqu'un avait racheté tout un immeuble du quartier, claironnant son intention de le rénover pour proposer des appartements chics.

Le coin allait peut-être vraiment s'embourgeoiser, après tout.

S'il aurait apprécié de voir le quartier nettoyé et rafraîchi, Reed n'avait pourtant pas envie de passer sa vie dans un appartement.

Tout en conduisant, il s'imagina installer un barbecue sur sa nouvelle terrasse. Il savait plus ou moins préparer des grillades, et peut-être apprendrait-il un jour à cuisiner autre chose que des œufs brouillés et des sandwichs bacon-fromage. Peut-être.

Il organiserait des barbecues, ou des soirées dans le salon en hiver, la cheminée à gaz allumée. Il aménagerait une des trois chambres en chambre d'amis, et une autre deviendrait son premier bureau digne de ce nom.

Il s'offrirait également un grand, un immense écran plat qu'il fixerait sur un mur, et s'abonnerait à toutes les chaînes sportives du câble.

Voilà ce dont j'ai envie, pensa-t-il en arrivant dans ce qu'il considérait déjà comme son nouveau quartier.

Les maisons étaient anciennes, certes, mais cela ne le dérangeait pas. La plupart avaient été rénovées selon l'agencement aéré très en vogue, avec des salles de bains et une cuisine classe.

Il y avait beaucoup de familles par ici, et ce n'était pas non plus un problème. Peut-être ferait-il la connaissance d'une mère célibataire sexy. Il aimait les enfants, pas de souci.

Il se gara dans l'allée de la maison compacte en briques, à deux niveaux. Bien que préférant le côté étrange, et fier de l'être, de la demeure victorienne à l'aspect traditionnel de celle-ci, il appréciait tout de même une bonne construction robuste. Les propriétaires avaient fait un effort sur l'allure de la maison, vue depuis la rue, avec des plantes et des arbustes, sans oublier la porte toute neuve du garage.

Ce serait pratique, un garage.

Sortant de sa voiture, il en aperçut une autre, déjà sur place. Ce n'était pas celle de Renée, l'employée de l'agence Realtor, une femme dotée d'une patience infinie. Par réflexe, il enregistra en pensée la plaque d'immatriculation de ce véhicule puis remonta ce qu'il voyait déjà comme son allée pavée de briques.

La femme ouvrit la porte d'entrée sans lui laisser le temps d'appuyer sur la (sa) sonnette.

– Bonjour ! Reed, c'est ça ? lui lança une séduisante blonde en chemise rouge et pantalon blanc impeccablement coupés, en lui tendant la main. Je suis Maxie. Maxie Walters.

– D'accord, mais je devais retrouver Renée.

– Oui, elle m'a appelée, dit-elle à toute vitesse. Elle a un petit souci familial. Sa mère a eu un accrochage en voiture, rien de grave. Enfin, les mères, vous savez ce que c'est. Renée va essayer de nous rejoindre, mais elle ne voulait pas retarder le rendez-vous ou le remettre à plus tard… surtout que nous savons que les vendeurs vont baisser le prix de cinq mille dollars demain, mais c'est top secret !

– Je ne vais pas m'en plaindre.

Reed franchit le seuil et détailla l'entrée au plafond très haut, qu'il avait admirée sur la vidéo.

– J'étais en train de visiter les lieux, reprit Maxie. C'est vraiment charmant. C'est le parquet d'origine, parfaitement rénové. Et cette sensation d'espace, dès l'entrée !

Elle referma la porte et lui fit signe d'avancer.

– Oui, cette maison a de bonnes vibrations, reconnut Reed.

Il fit quelques pas dans le salon – bien aménagé, se dit-il, car il avait tout vu, dans ce domaine – et imagina son immense écran au mur.

La perspective donnant sur la cuisine, avec le vaste bar pour le petit déjeuner, la salle à manger proprement dite, et enfin la grande porte coulissante s'ouvrant sur la terrasse dont il rêvait.

– Vous travaillez avec Renée, donc ?

Pourquoi posait-il cette question ? Il connaissait tous les collègues de Renée. Il se tourna vers Maxie : blonde aux yeux bleus, dans les vingt-cinq ans, un peu plus d'un mètre soixante, cinquante kilos, des muscles fermes.

– C'est une amie, répondit Maxie, ouvrant la marche vers la cuisine. À vrai dire, c'est elle qui m'a mis le pied à l'étrier. J'ai décroché mon diplôme il y a seulement trois mois. Plans de travail en granite. Les appareils électroménagers sont neufs. Ce n'est pas de l'acier inoxydable, mais le blanc va bien dans tout cet espace.

Sa voix, se dit Reed pendant qu'il se dirigeait vers la fameuse terrasse. *Il y a quelque chose qui cloche dans sa voix.* Il s'immobilisa et se retourna : ils se trouvaient chacun d'un côté du bar.

– Vous cuisinez, Reed ?

– Non, pas vraiment, répondit-il, se disant que le sourire dragueur de la jeune femme ne collait pas avec l'espace séparant son nez de son menton.

– Vous êtes inspecteur de police, roucoula-t-elle en s'approchant du bar. Ça doit être passionnant ! Mais vous n'êtes pas marié ?

– Non.

– C'est une grande maison, pour un célibataire.

Elle pivota un instant. Il ne voyait pas ses mains, mais son langage corporel… L'instinct de Reed était en alerte maximale. Le regard, les cheveux, et même la forme de la bouche, avec la mâchoire supérieure un peu trop avancée, tout cela était différent. Mais la voix…

Il percuta une fraction de seconde trop tard : elle avait déjà brandi son pistolet. Il plongea mais elle tira deux fois, lui collant une balle dans le flanc et l'autre dans l'épaule. Il chuta violemment sur le parquet rénové, au pied du bar, et sentit une douleur stupéfiante se répandre dans tout son corps.

– Tu parles d'un flic ! s'esclaffa Patricia, qui contourna le bar, décidée à achever sa victime d'une balle dans la tête. Tu t'es mieux débrouillé quand il a fallu protéger un sale mioche, il y a dix ans. Allez, adieu, le héros !

Reed vit l'allégresse céder la place à un authentique choc, sur le visage de la tueuse : il avait à son tour dégainé son arme. Il tira à trois reprises, de la main gauche car la droite était hors service.

Elle hurla. Il pensait l'avoir touchée au moins une fois avant qu'elle s'abrite de l'autre côté du bar. Il l'entendit ensuite courir jusqu'à la porte d'entrée.

– Enculé ! hurla-t-elle en prenant la fuite.

Serrant son pistolet de toutes ses forces, il dut se traîner sur le sol pour jeter un coup d'œil au-delà du bar. Elle avait laissé la porte ouverte. Il entendit une voiture démarrer et des pneus crisser.

Elle pourrait revenir, se dit-il. *Et dans ce cas...*

Les dents serrées, il se redressa. Assis à même le sol, le dos contre le bar et haletant, il dut fournir un violent effort pour tenter de sortir son mobile de sa poche.

Il perdit momentanément connaissance, sans savoir combien de temps. Luttant pour respirer malgré la douleur, il sortit enfin son téléphone. Alors qu'il composait le numéro de Police-Secours, il pensa à Essie et sa famille et changea d'avis.

Elle répondit dès la deuxième sonnerie :

– On arrive ! Cinq minutes !

– Non, non ! Ne venez pas ! On m'a tiré dessus !

– Quoi ? Reed !

– Appelle une ambulance. Et des renforts. Merde, je vais encore tomber dans les pommes. Il faut lancer un avis de recherche...

– Reed ! Reed ! Hank, reste ici ! Reste avec Dylan.

– Essie, qu'est-ce que...

Elle s'était déjà élancée, son téléphone dans une main et son arme dans l'autre.

– Agent blessé, agent blessé ! cria-t-elle dans son mobile.

Hank prit son fils dans ses bras, attrapa la laisse de Puck... et pria.

Essie combla les quelques centaines de mètres la séparant encore de Reed en moins de deux minutes, sous le regard ébahi de quelques personnes occupées dans leur jardin.

– Police ! leur criait-elle. Rentrez chez vous !

Elle ne ralentit pas avant d'avoir atteint le perron de la maison de brique. Son pistolet brandi, elle s'assura qu'il n'y avait personne dans l'entrée, puis du côté de l'escalier. Et enfin, elle aperçut Reed, un peu plus loin.

– Non ! Pourvu que…

Elle vérifia d'abord le pouls de Reed puis se releva pour attraper les serviettes en tissu harmonieusement disposées sur des assiettes, sur la table du coin salle à manger. Elle les roula en boule et s'en servit pour comprimer la blessure au flanc, ce qui raviva la douleur.

– Touché… souffla Reed.

Et en état de choc, ajouta Essie en pensée.

– Oui, mais ça va aller, lui assura-t-elle. Ne bouge pas. Une ambulance va arriver et les renforts sont en route.

– Elle risque de revenir, il me faut mon arme.

– Qui ? Qui ça ? Non, non, reste avec moi ! Garde les yeux ouverts ! Qui t'a tiré dessus ?

– La sœur de Hobart. Oh ! putain… Patricia Hobart. Au volant…

– Reste éveillé ! Regarde-moi ! Reste avec moi, bon sang !

– Au volant d'une Honda Civic récente. Blanche. Immatriculée dans le Maine. Merde, merde, je peux plus…

– Si, tu peux ! Tu entends ? Tu entends les sirènes ? Les secours arrivent.

Les mains trempées du sang de Reed, Essie ne parvenait plus à endiguer le flot de la blessure.

– Les plaques d'immatriculation, avec le homard débile dessus, haleta Reed, luttant pour rester auprès d'Essie, pour rester en vie. Quatre-sept-cinq-charlie-bravo-roméo.

– Bien, parfait ! Par ici ! Par ici ! Dépêchez-vous, putain ! Je n'arrive pas à arrêter le saignement.

Les secouristes écartèrent Essie, étendirent Reed et se mirent au travail.

Des policiers firent irruption aussitôt après, armes dégainées.

Essie leva la main gauche et sentit le sang de Reed couler sur son poignet :

– Je suis de la maison ! Et lui aussi.

– Inspecteur McVee ! Je suis Bull, vous vous rappelez ? Merde, c'est Reed ! Qui a fait ça, putain ?

– Patricia Hobart, environ vingt-cinq ans, cheveux bruns, yeux marron. Elle est ou était au volant d'une Honda Civic d'un modèle récent, avec un homard sur ses plaques d'immatriculation du Maine. Quatre-sept-cinq-charlie-bravo-roméo. Retrouvez-la. Je ne connais pas son adresse, elle vit chez ses grands-parents.

Chopez-la. Chopez cette salope !

Un agent intervint :

– Il y a du sang entre ici et dehors, inspecteur. Elle a peut-être été touchée.

Essie baissa les yeux sur Reed, espérant vivement que ce soit bien le cas.

– Prévenez les hôpitaux et les cliniques, ordonna Bull. Et deux hommes pour fouiller la maison. Allez, action !

Patricia fonçait à toute allure. Ce salopard lui avait tiré dessus. Elle n'en revenait pas ! Pourvu qu'il ait succombé en hurlant… Il lui était impossible de s'arrêter pour s'examiner, mais la balle s'était fichée juste en dessous de son aisselle gauche. Heureusement, elle estimait, et espérait, qu'elle en était ressortie. *Elle a seulement traversé la chair*, se dit-elle, clignant des yeux pour chasser ses larmes de douleur et de rage.

S'il tenait assez longtemps, l'enfoiré donnerait son nom à ses collègues. Par ailleurs, elle avait perdu du sang en prenant la fuite : la police aurait son ADN.

Elle abattit le poing sur le volant de la voiture volée lorsqu'elle se gara dans l'allée de la maison de ses grands-parents.

Elle devait à tout prix récupérer son argent liquide, ses fausses pièces d'identité, quelques armes et son sac d'urgence. Il lui faudrait en outre abandonner cette voiture et repartir avec la sienne pour s'en débarrasser plus tard.

J'ai prévu cette situation, se rappela-t-elle. Elle n'avait simplement pas imaginé qu'elle aurait à s'enfuir avec une blessure par balle.

Elle entra en trombe dans la maison et courut à l'étage.

Tout aurait pourtant dû parfaitement se passer. Elle avait fréquenté l'agence qui avait pour client ce con de flic, et visité quelques maisons vues par Reed. Elle avait même pris quelques verres avec cette salope incapable – comme entre copines ! Elle se trouvait avec elle, sirotant de la limonade, lorsque ce connard – qui aurait dû être mort, maintenant – avait appelé cette débile de Renée à propos de la maison.

La suite avait été un jeu d'enfant. Dimanche matin, elle avait extorqué à Renée le code de la boîte à clés extérieure de la maison, avant de la tuer et de prendre ses dossiers, et ainsi de suite. Arrivée à la maison, elle n'avait eu qu'à attendre.

Mais il l'avait reconnue. Comment était-ce possible ?

Elle arrosa sa blessure de décolorant pour cheveux, ce qui lui arracha un gémissement de douleur, et la tamponna.

Elle l'avait senti, à la façon dont il s'était crispé, à son regard, quand il avait détaillé son visage.

Il est probablement mort, à présent, se rassura-t-elle, en enfilant un tee-shirt propre. Elle attrapa son sac d'urgence et y fourra davantage de billets et de faux papiers.

Elle avait pourtant pris ses précautions : se doutant qu'il portait une arme, même n'étant pas de service – elle n'était pas stupide –, elle lui avait logé deux balles du côté droit, dans le flanc et dans l'épaule.

Comment pouvait-elle imaginer qu'il trouverait le moyen de dégainer et tirer de la main gauche ?

Comment aurait-elle pu le deviner !

Elle glissa également dans son sac deux pistolets, ses poignards de combat, un lacet étrangleur fait maison et de nombreuses munitions. Elle prit même le temps d'y ajouter une autre perruque, des éléments de masques faciaux, des lentilles de contact, des pansements et quelques comprimés antidouleur piochés dans la réserve de ses grands-parents.

Folle de rage à l'idée de ne jamais toucher l'argent de la vente de la maison et les polices d'assurance le jour où ses grands-parents claqueraient enfin, elle avait tout de même de quoi tenir des années.

Grimaçant sous l'effet de la douleur, elle passa le sac en bandoulière et s'engagea dans l'escalier.

– Patti ? Patti ? C'est toi ? Grand-père a encore trifouillé la télé. Tu peux la réparer ?

– Oui, bien sûr, je m'en occupe, répondit-elle à sa grand-mère qui apparut, s'aidant de son déambulateur.

Patricia dégaina un 9 millimètres et logea une balle au milieu du front de la vieille dame, qui s'effondra dans un doux bruissement.

– Et voilà, c'est réparé ! s'écria-t-elle avec bonne humeur.

Elle entra ensuite dans la chambre de ses grands-parents, surchauffée et empestant une odeur de .vieux. Installé sur son fauteuil inclinable, son grand-père tapotait sur la télécommande, devant l'écran de la télévision qui n'affichait que des parasites.

– Il y a quelque chose qui cloche dans ce machin, dit-il. Au fait, tu as entendu ce bruit bizarre, Patti ?

– Oui. Au revoir.

Il leva les yeux et la regarda par-dessus ses lunettes à double foyer.

Elle lui colla à lui aussi une balle dans la tête.

– Enfin ! s'écria-t-elle, avec un petit rire joyeux.

Restée moins de dix minutes dans la maison – il est vrai qu'elle s'était entraînée, prévoyant cette éventualité –, elle laissait deux cadavres derrière elle.

Prenant soin de ne pas commettre d'excès de vitesse, elle se rendit à l'aéroport, abandonna sa voiture dans un parking longue durée, vola une berline banale et reprit la route.

Chapitre 12

Des lumières défilaient au-dessus de sa tête. Était-il mort ? Peut-être des anges sexy allaient-ils le guider quelque part ?

Il y avait aussi des voix, des voix très rapides, qui enchaînaient les termes médicaux. Les anges sexy ne s'inquiétaient probablement pas de « blessures par balles » ou de « chute de la tension artérielle ». De plus, on n'avait sûrement pas si mal, quand on était mort.

Malgré la souffrance, le froid – pourquoi avait-il donc si froid ? –, la confusion et un curieux sentiment de détachement vis-à-vis de sa propre mort, il entendit la voix d'Essie :

– Tu vas t'en sortir, Reed. Accroche-toi. Ça va aller.

Bon, d'accord… pensa-t-il.

Puis la douleur s'accentua, omniprésente dans son corps, dans son esprit, partout. La douleur était un jeu flippant.

Comme il ne voulait pas y participer, il se laissa aller.

La douleur refusa de sortir du terrain quand il refit surface, et il enragea. Quelque chose ou quelqu'un lui tapota le bras, et ça, c'était encore plus pénible.

– Va chier ! lâcha-t-il.

Ses oreilles engourdies ne perçurent qu'un vague « vachié », mais l'intention était là.

– C'est presque fini, inspecteur.

Il ouvrit les yeux. Tout était trop blanc, trop lumineux, si bien qu'il fut près de les refermer. Puis il distingua un beau visage, avec de grands yeux marron et une peau d'un brun doré.

– Un ange sexy.

Unanchexy.

189

Il eut le temps de remarquer ses douces lèvres bien formées avant de perdre connaissance.

Il sombra ainsi à plusieurs reprises, non pas comme s'il évoluait sur des montagnes russes, mais plutôt comme s'il dérivait sur un radeau ballotté au gré d'un fleuve aux remous mollassons.

Le Styx. C'était mauvais signe.

Il perçut la voix de sa mère.

Yossarian ? Qu'est-ce que c'est que ce foutu nom ? C'est le nom de Yossarian.

Ah oui, cette phrase était tirée du roman *Catch 22*.

Son esprit dériva encore, il eut avec cet aviateur qui détenait un secret une longue conversation sur la mort et les anges sexy.

Quand la douleur le frappa de nouveau, il décida – une fois pour toutes – que ça craignait de mourir.

– C'est sûr, mais tu ne vas pas mourir.

Il cligna des yeux et découvrit Essie.

– Ah non ? s'étonna-t-il.

– Eh non… Tu comptes rester éveillé, cette fois ? Je viens de convaincre tes parents d'aller avaler un morceau. Je peux les faire appeler, si tu veux.

– Putain, mais qu'est-ce que… ?

Essie abaissa la barrière de lit pour s'asseoir et prit la main de Reed qui, à présent suffisamment conscient, fit le point. Des machines, des écrans, la gêne d'une perfusion sur le dos de la main, un mal de crâne épouvantable, un goût métallique dans la gorge et mille autres tracas dans son corps perclus de douleur.

– Elle m'a tiré dessus. Patricia Hobart… Au volant d'une Honda Civic blanche immatriculée dans le Maine…

– Tu nous as déjà dit tout ça.

Bravant son cerveau qui ne songeait qu'à se rendormir, il insista :

– Vous l'avez chopée ?

– Ça viendra. Tu te sens en état de me raconter ce qui s'est passé ?

– Je suis dans le pâté, là. Depuis combien de temps je suis là ?

– Trois jours. Bientôt quatre.

– Merde… Et merde ! C'est grave ?

Essie changea de position, sur le lit. Ils avaient déjà eu cette conversation, du moins partiellement, mais il semblait plus lucide cette fois. À moins que ce soit juste une impression, qu'elle prenne ses désirs pour des réalités.

– Commençons par les bonnes nouvelles. Tu ne vas pas mourir.

– Super nouvelle, en effet.

– Tu as pris deux balles. Une dans l'épaule, qui a déchiré un peu de muscle, mais les médecins assurent que tu retrouveras toutes tes capacités de ce côté-là, avec une bonne rééducation. Ne zappe surtout pas la rééducation, même si ça fait mal ou si ça t'ennuie, pigé ?

– Ouais, ouais.

– La deuxième balle t'a touché au torse, sur le flanc droit. Elle t'a fracturé deux côtes et entaillé le foie. Tu souffres de blessures internes et tu as perdu beaucoup de sang, mais on t'a bien raccommodé. Tu vas en baver pendant un moment, mais tu te remettras complètement… si tu ne déconnes pas.

– Elle n'a pas touché le… enfin, tu sais, mon outil pour faire la fête ? Non, parce que je sens que c'est moyen, de ce côté-là.

– C'est le cathéter que tu sens. On te le retirera quand tu pourras te déplacer.

– Si je résume, je suis presque mort, mais pas encore raide mort, depuis quatre jours, série en cours.

– Tu as déliré, en citant et en mélangeant des dialogues de deux grands classiques du cinéma [9]. Bon, comment elle a fait pour te surprendre ?

Reed ferma les yeux et revit la scène en pensée.

– Une perruque blonde, des lentilles de contact bleues, une fausse mâchoire supérieure, un peu en avant mais plutôt sexy. Elle a prétendu que Renée avait… Renée !

Il ouvrit les yeux et comprit avant même qu'Essie ouvre la bouche.

– Je suis désolée, Reed. Nous l'avons retrouvée chez elle. Deux balles dans la tête. Le légiste estime qu'elle a été tuée environ deux heures avant ton rendez-vous. D'après ce que nous avons reconstitué, Hobart, déguisée en rouquine et se présentant sous le nom de Faith Appleby, a fait la connaissance de Renée il y a quelques mois. Elle disait être à la recherche d'une maison. Apparemment, elle a suivi tes traces au fil de tes visites. Devenue amie avec Renée, elle a dû apprendre que celle-ci avait rendez-vous avec toi dimanche et a vu là l'occasion de te descendre.

– Elle m'a dit que Renée serait en retard et lui avait demandé de me faire visiter la maison. Je ne l'ai pas reconnue tout de suite, mais sa voix… Je l'ai vue plusieurs fois interviewée, et j'ai fini par reconnaître sa voix. J'ai mis trop longtemps à tilter.

– Si tu n'avais pas tilté du tout, tu serais très sincèrement mort, collègue.

– Tu es encore dans les films, là [10]. Elle m'a surpris, Essie. Et je peux te dire qu'une balle dans la peau, ça fait un mal de chien. Elle a fait le tour du bar, qui est comme un îlot au milieu de la cuisine, pour m'achever. Je ne pouvais plus bouger le bras droit, mais j'ai réussi à sortir mon pistolet du gauche. J'ai tiré trois fois, je crois. Je sais que je l'ai touchée, j'en suis certain, putain.

– Je te le confirme, il y avait des traces de sang devant la porte d'entrée.

– Bien.

– On l'a ratée, Reed. Elle avait sûrement un plan de fuite préparé. Elle a tué ses grands-parents avant de filer.

– Tu rigoles ?

– Cette salope a descendu sa grand-mère appuyée sur son déambulateur et son grand-père dans son fauteuil. Nous avons gelé leurs comptes en banque. Elle avait une procuration et se servait régulièrement depuis des années. Elle doit avoir mis des millions de côté. Essie lui prit les mains et les serra avec douceur. Je te dois des excuses, d'énormes excuses.

– C'est elle. C'est elle qui tue les gens que son frère et ses potes ont loupés.

– On a trouvé son quartier général, sa liste de cibles, des photos, des données rassemblées, des armes qu'elle n'a pas emportées, d'autres perruques et déguisements, des plans. Mais pas d'ordinateur. Elle se servait sans doute d'un portable qu'elle a pris avec elle. La voiture avec laquelle elle est rentrée chez elle avait été volée le matin même, et elle l'a abandonnée chez ses grands-parents. On a lancé une alerte générale au niveau national sur sa voiture, qui est enregistrée à son nom, car elle est maintenant le suspect principal dans plusieurs affaires non résolues dans d'autres États.

– Le FBI va s'en mêler.

– Je ne suis pas contre. Elle est futée, Reed. Elle est rusée et cinglée. C'est notre affaire, mais on ne va pas refuser de l'aide. Il faut te remettre sur pied, collègue. Ça veut dire repos, médicaments, rééducation et faire tout ce que te demanderont les médecins. Pas de conneries, OK ?

– Dans ma chambre, à l'appart, il y a un panneau d'affichage fixé au mur, et des dossiers. Ne laisse pas le FBI les prendre.

192

Je veux bien leur dire tout ce que je sais, mais ne les laisse pas me piquer mon boulot. Allez, file chercher tout ça.

– Ça marche. Je vais appeler une infirmière, vu que tu sembles vouloir rester éveillé plus longtemps que d'habitude. Et aussi tes parents, qui sont quasiment vingt-quatre heures sur vingt-quatre ici, même si ton frère et ta sœur les relaient de temps en temps.

Ressentant un besoin de contact physique avec son ami, Essie caressa sa barbe de quatre jours.

– Tu as l'air de souffrir, Reed, mais tu vas t'en sortir. Tu vois ce bouton ? C'est l'interrupteur qui commande le flux de morphine.

– OK, j'y penserai. Au fait, j'ai vu une infirmière… enfin, je crois que c'était une infirmière, ou alors c'était une hallucination. Super mignonne, les yeux marron, un grand sourire, la peau de la couleur du caramel dont ma mère enrobait les pommes à Halloween…

– Tu n'as pas rêvé, c'est Tinette. Je vais voir si elle est de service.

Essie se pencha et déposa un léger baiser sur les lèvres de son équipier avant d'ajouter :

– Tu m'as foutu une sacrée trouille, Reed. Ne recommence pas, s'il te plaît.

Il alterna encore les périodes de conscience et d'abrutissement pendant vingt-quatre heures, mais maintenant à parts égales. On insista pour qu'il se lève et marche un peu. Tinette, en effet charmante (mais hélas mariée), lui donna comme un coup de fouet en lui expliquant qu'il devait pouvoir se déplacer seul s'il voulait être débarrassé de son cathéter… *Oh oui, faites donc ça !*

Il enchaîna donc les promenades, traînant sa perfusion derrière lui, le plus souvent accompagné d'un membre de sa famille ou d'un collègue.

Il fut très touché de constater que Bull Stockwell lui rendait visite chaque jour, même s'il ne cessait de le traiter de tire-au-flanc en lui ordonnant de se bouger les fesses.

Dix jours après avoir été blessé, Reed avait perdu plus de trois kilos et sentait presque ses muscles fondre.

Sa mère le régala avec un pain de viande, son père lui glissa en douce une pizza, sa sœur lui prépara des cookies, et son frère lui apporta une bière.

Il revint épuisé de sa première séance de rééducation, et couvert d'une sueur glacée.

Sa chambre d'hôpital – remplie de fleurs, de plantes, de livres, et d'un ours en peluche ridicule affublé d'un badge d'inspecteur et d'un 9 millimètres – lui faisait de plus en plus l'effet d'une cellule de prison. Un seul point positif : il était aussi difficile d'y entrer que d'en sortir. Seleena McMullen, l'unique fois où elle avait réussi à se glisser dans la chambre, avait été dégagée en vitesse par Tinette – que Reed idolâtrait.

La journaliste avait tout de même eu le temps de le prendre en photo avec son mobile. Quand il découvrit le cliché sur Internet, Reed crut que tout le monde lui avait menti et qu'il était bel et bien mort : il avait l'air d'un zombie.

Fidèle à sa réputation, Bull le harcela, au retour de sa deuxième séance de rééducation, pour qu'il se lève et marche un peu, alors que Reed voulait seulement dormir pour oublier ses douleurs.

– Arrête de te plaindre de ton petit mal de ventre.

– Ce n'est pas au ventre que j'ai mal.

– Et ça râle, et ça gémit, et ça pleurniche… Tu veux redevenir flic, ou pas ?

– Je n'ai jamais cessé de l'être, répondit Reed, les dents serrées, tandis qu'ils marchaient côte à côte.

À présent, il était autorisé à porter un pantalon en coton et un tee-shirt, plutôt que l'humiliante tenue des patients de l'hôpital.

– Si t'es plus fichu de dégainer et de tirer comme un homme, ils te foutront derrière un bureau.

– Essie te mettrait son pied au cul si elle t'entendait dire « comme un homme ».

– Elle est pas là.

Bull guida Reed jusqu'à un jardinet où l'air avait vraiment une odeur naturelle.

– Elle te dit pas tout, en plus, poursuivit-il. Elle veut pas te causer trop d'émotions, mon pauvre biquet.

– Qu'est-ce que tu racontes ?

– Les Fédéraux. Ils nous ont mis sur la touche et prennent le relais.

– J'en étais sûr…

Dégoûté, Reed donna un coup de poing dans le vide, ce qui déclencha une douleur si vive dans son épaule que sa vue se troubla.

– Vas-y mollo, gros dur, dit Bull en prenant Reed par son bras valide pour l'aider à s'asseoir sur un banc. Elle s'est battue comme une lionne, il faut que tu le saches. Tu es le seul à avoir vu juste depuis des années, et personne te croyait, pas même bibi. Le truc, c'est que c'est pas seulement une grosse affaire, elle est aussi hyper médiatisée. Ils ont beau prendre leur air sérieux, au FBI, et jurer que les journalistes n'ont rien à voir là-dedans, c'est des conneries. L'autre truc, c'est que tu as été impliqué dans la fusillade du centre commercial DownEast, et que tu as été pris pour cible par la sœur d'un des tireurs.

– Elle était au courant de tout. Elle savait ce que son frère prévoyait de faire.

– Je dis pas le contraire. Je te dis seulement que pour le FBI, ça fait deux bonnes raisons de te retirer l'enquête, et les huiles de chez nous sont d'accord.

– Ça, c'est des conneries.

– Des conneries qui puent, même, mais c'est ce qu'ils nous donnent à becqueter. Ils vont te planter derrière un bureau quand tu reviendras parmi nous, et te coller des boulots à la con tant que tu n'auras pas passé tes tests physiques. Et même après ça, ils t'empêcheront de t'occuper de l'affaire Hobart.

– Les salopards…

– Occupe-toi de remettre ton petit cul en selle, gamin. On est beaucoup à bosser sur l'affaire en douce, mais toi, il faut d'abord que tu te rétablisses, après ces balles que tu as chopées. Et me dis pas que tu trembles pas quand t'y penses dans le noir.

– Je la revois encore lever son pistolet. Au ralenti. Comme si j'avais tout mon temps pour plonger à l'abri et riposter, mais moi aussi je bouge au ralenti, encore plus lentement qu'elle, et ce foutu flingue est aussi gros qu'un canon.

– Oublie ça et reviens bosser.

– On sent que ta compassion vient du fond du cœur.

Bull grogna, en taureau digne de ce nom :

– Tu as eu assez de douceurs et de bisous sur le front. Il est temps que quelqu'un te balance un bon coup de pied au cul.

– Je le prends bien.

– Et mange quelque chose, putain, tu ressembles à un épouvantail zombifié. Maintenant, lève-toi et marche.

Peu après, Reed se retrouva à attendre Essie pour discuter avec elle de l'affaire, car on ouvrait enfin les portes de sa cage.

Il allait rentrer à la maison. Pas dans sa poubelle, car il n'était pas encore en état de grimper trois étages, mais dans son ancienne chambre chez ses parents, avec les petits plats de sa mère et les blagues délicieusement pourries de son père.

Ayant demandé à Essie de venir le chercher pour le déposer chez ses parents, il avait attendu ce moment pour lui parler.

– Pourquoi faut-il que je quitte l'hôpital en fauteuil roulant, alors que depuis deux semaines et demie tout le monde me harcèle pour que je marche ?

Tinette-au-joli-sourire tapota le fauteuil roulant :

– C'est le règlement, chéri. Allez, pose tes jolies fesses là-dedans.

– Ça te dirait, quand je serai de nouveau à cent pour cent, qu'on s'offre une nuit torride et agitée, tous les deux ? Ce serait bon pour ma santé émotionnelle et mentale.

– Mon homme t'écraserait comme une punaise, maigrichon, mais c'est dommage que ma sœur n'ait que dix-huit ans.

– Elle est majeure, non ?

– Si tu t'approches de ma petite sœur, je t'en colle une qui te fera revenir dans cet hôpital, promit Tinette, avant de lui caresser l'épaule. Je suis contente que tu sortes, Reed, mais aussi un peu triste de te voir partir.

– Je reviendrai pour les séances de torture.

– Je descendrai voir si tu ne pleures pas trop. Tiens, ton nounours.

Reed prit la peluche et regarda une dernière fois sa chambre. Essie avait déjà emporté les livres, la tablette et quelques autres effets entassés ici.

– Cet endroit ne me manquera pas, dit-il, quand Tinette le fit sortir de la pièce, poussant son fauteuil roulant. Mais toi, tu me manqueras. Si je mets ma mère de côté, tu es la seule femme que j'aime qui m'ait vu nu sans que j'aie eu ce privilège.

– Tu vas me faire le plaisir de remettre un peu de viande autour de ces os, lui ordonna Tinette, le dirigeant vers l'ascenseur. Et je vais te donner un bon conseil.

– Venant de toi, je le suivrai.

– Ne replonge pas trop vite dans le boulot, chéri. Donne-toi un peu de temps. Fais des promenades au soleil, caresse des chiots, mange de la glace, fais du cerf-volant. Je te connais assez pour savoir que tu es un bon flic et un homme exemplaire. Prends le temps de te rappeler pourquoi.

Il leva la main – gauche – vers elle.

– Tu vas vraiment me manquer, tu sais, lui avoua-t-il.

Essie l'accueillit avec un grand sourire :

– Te voilà libre, collègue. Tinette, tu es un amour.

– Tu peux le dire. Allez, chéri, en voiture.

L'infirmière se chargea elle-même d'installer Reed sur son siège et d'attacher sa ceinture de sécurité.

196

– Et prends soin de mon patient préféré.

– Une heure dans une chambre d'un motel miteux, et je te jure que ça changera ta vie, insista Reed.

Tinette s'esclaffa et déposa un baiser sur sa bouche.

– Ma vie me plaît telle qu'elle est. Allez, file vivre la tienne, maintenant.

– Et si elle avait dit oui ? lui demanda Essie comme ils s'éloignaient.

– Aucune chance. Elle est folle amoureuse de son mari. Et tu sais, elle avait vingt ans à l'époque de la fusillade. Elle travaillait en tant qu'aide-soignante pour financer ses études. Du coup, elle s'est retrouvée en première ligne à l'hôpital, ce soir-là. Le monde est vraiment petit.

Reed laissa passer quelques secondes avant de changer de sujet :

– Bull m'a dit que le FBI nous avait piqué l'affaire. Ils m'ont mis sur la touche.

Essie soupira.

– Je comptais t'en parler quand tu serais sorti de l'hôpital et bien installé chez toi. Je suis navrée, Reed, ils ont été on ne peut plus clairs : tu es trop concerné, et moi aussi. J'ai tout fait pour empêcher ça, sans succès.

– Ça ne va pas m'arrêter.

Essie lâcha encore un soupir, ce qui fit voleter sa nouvelle frange.

– Écoute, je ne croyais pas à ta théorie, elle est maintenant prouvée. Les Fédéraux ramassent tout ça derrière ton dos. Ils vont te serrer la main et te caresser dans le sens du poil. Et chez nous, les grands chefs ont pris la même décision.

– Ça ne va pas m'arrêter, répéta Reed.

– Ils vont te l'ordonner, crois-moi. Quoi que tu fasses, tu devras le faire discrètement. S'ils s'en rendent compte, ils te colleront un rapport et te descendront en flammes. C'est injuste, mais c'est comme ça.

– Et toi, qu'en penses-tu ?

– Je suis de ton côté. On fera tout ce qu'on peut pendant notre temps libre. Et je peux te dire que Hank est avec nous.

– C'est un mec bien.

– Je confirme. Il ne va pas reprendre un boulot de prof à plein temps. Il compte terminer le bouquin qu'il a commencé. Une « fiction policière littéraire », comme il dit. C'est génial pour le moment, en tout cas ce qu'il m'a laissé lire. Mais s'il ne reprend pas de travail, c'est aussi pour me donner davantage de temps pour bosser sur notre affaire – avec toi, quand je le pourrai.

– Il faut que je réfléchisse à tout ça, que je prenne un peu de temps, que je retrouve la forme. Apparemment, ces balles m'ont transformé en « épouvantail zombifié ».

– Je t'ai connu plus fringant, Reed, mais je t'assure que tu as déjà bien meilleure mine.

Il en avait conscience mais ne perdait pas de vue qu'il lui restait encore du chemin à faire.

– Il faut que je la chope, Essie, il faut que je participe à la traque, mais je vais d'abord prendre le temps de réfléchir. Pas de nouvelles d'elle, depuis qu'on a retrouvé sa voiture ?

– Elle s'est envolée.

– Elle finira bien par se poser quelque part un jour.

Reed passa un mois chez ses parents et, suivant ses séances de rééducation les dents serrées, regagna quelques kilos ; il en avait perdu cinq, durant son incarcération à l'hôpital, avant de se stabiliser.

Enfin, il reprit le travail derrière un bureau. Et quand son supérieur lui fit savoir qu'il n'était plus concerné par l'enquête sur Hobart, il ne fit aucune objection. C'était inutile.

Le travail de bureau avait tout de mêmes des avantages, comme celui de lui laisser tout le temps d'accéder à des dossiers. S'il n'était pas soutenu par les huiles, les flics de terrain étaient de son côté.

Des traces du sang de Hobart avaient été retrouvées sur le siège conducteur de la voiture qu'elle avait abandonnée à l'aéroport. Quant à la voiture volée dans ce même parking, qui appartenait à une famille de quatre personnes ne l'ayant pas retrouvée à son retour de trois semaines de vacances à Hawaï, on ne l'avait encore signalée nulle part.

Reed était prêt à parier que Hobart l'avait jetée dans un lac, planquée dans un bois ou fait disparaître d'une façon ou d'une autre. Elle avait de l'argent, de fausses pièces d'identité, vraisemblablement, et des cartes de crédit ; elle n'allait certainement pas garder une voiture volée.

Elle en achèterait une autre en donnant un faux nom, en liquide. Un modèle d'occasion, robuste et banal. Elle changerait de coiffure et d'apparence, de façon à ne plus du tout ressembler aux photos diffusées par les bulletins d'information et sur Internet.

Elle suivrait de près les flashes spéciaux, les blogs et les journaux, et resterait tapie loin de la foule. Jusqu'au jour où elle frapperait de nouveau.

Si elle avait une balle dans le corps, elle trouverait un moyen d'être soignée. Il vérifia les cambriolages de cliniques, de cabinets vétérinaires et de pharmacies, sans rien trouver d'intéressant. Puis il passa aux décès de professionnels de la santé – médecins, infirmières, aides-soignantes, vétérinaires –, mais les quelques cas qu'il dénicha ne collaient pas.

Comment aurait-il réagi, lui, à la place de Hobart ? Où se serait-il réfugié ? Il opta pour le Nord. Le Canada. Un faux passeport lui aurait permis de franchir la frontière et de s'accorder une pause.

Voilà ce qu'il aurait fait. Cette option présentait l'avantage de ne pas impliquer de prendre l'avion, ni d'apprendre une langue étrangère. Ensuite, il n'y avait plus qu'à louer une cabane dans les bois et faire profil bas.

Cela étant, Reed avait la certitude que Hobart serait incapable d'arrêter les frais. Elle voudrait à tout prix terminer ce qu'elle avait commencé. Tôt ou tard, il recevrait une alerte lui apprenant que quelqu'un ayant vécu le même cauchemar que lui avait été tué.

Il passait ainsi son temps dans ses dossiers, se rendait à ses séances de rééducation et profitait de la cuisine de sa mère.

Un matin, au réveil, il se rendit compte qu'il n'avait plus le sentiment d'être un bon flic. Et à peine celui de faire partie de la police.

Il pouvait bouger le bras droit sans souffrir de l'épaule et portait facilement des piles de dossiers de cinq kilos, mais il n'avait même plus l'impression d'être un homme.

Il n'était plus qu'un épouvantail zombifié qui, un vautour perché sur l'épaule, attendait que quelqu'un meure.

Il était temps de passer à autre chose et de suivre le conseil de Tinette. De marcher au soleil, de se rappeler ce qu'il avait été, et pourquoi.

Chapitre 13

C'était la deuxième fois de suite que Sissi, pendant qu'elle se délectait de son café matinal sur la terrasse, apercevait ce jeune homme sur l'étroite bande de sable en contrebas.

Il trottinait un peu, marchait, trottinait de nouveau, et ainsi de suite durant environ une demi-heure, avant d'escalader – lentement – les rochers pour s'asseoir et profiter de la vue sur l'Océan.

Puis il recommençait, donnant à Sissi l'impression d'un homme autrefois costaud récupérant d'une longue maladie, et enfin longeait une dernière fois la plage pour retrouver le sentier cycliste menant au village.

Dès le premier jour, elle avait appris son nom par l'agence qui l'avait installé dans un bungalow. Une location de trois semaines en octobre débordant sur novembre : ce n'était pas inédit, mais cela restait peu commun.

Auparavant, elle avait détaillé son visage grâce à ses jumelles.

Mignon, mais maigrelet et trop pâle, avec de la barbe.

À titre personnel, Sissi aimait les barbes de quelques jours.

Elle l'avait reconnu, se tenant au courant de l'actualité, mais avait tenu à s'en assurer.

Sachant donc qui il était et ce qui lui était arrivé, elle se demandait à quoi il pensait en trottinant, en marchant et en prenant sa pause sur les rochers.

Le troisième jour, ce rituel matinal se reproduisit. Décidée à obtenir des réponses à ses questions, Sissi se maquilla, gonfla ses cheveux récemment teints en prune foncé, enfila un legging

– ses jambes étaient encore bien galbées –, un tee-shirt à manches longues et une veste en jean.

Enfin, après avoir rempli de moka deux gobelets à couvercle, elle descendit à sa rencontre lorsqu'il s'installa sur les rochers.

Parvenue au pied du perchoir, elle entreprit de l'escalader : le jeune homme se leva aussitôt et tendit un bras pour aider Sissi, ce qui lui valut d'emblée l'estime de celle-ci. Elle remarqua qu'il s'était servi de son bras gauche, et non sans une grimace de douleur.

– Bonjour, lui dit-elle, lui offrant un gobelet.

– Merci.

– C'est une matinée idéale pour un petit café crème sur les rochers. Mon nom est Sissi Lennon.

– Reed Quartermaine. J'ai eu l'occasion d'admirer vos tableaux.

– Dans ce cas, vous êtes un homme de goût, en plus d'être à mon goût. Pour être franche, je vous ai reconnu. Je sais qui vous êtes et ce que vous avez enduré. Mais pas d'inquiétude, rien ne nous oblige à en parler.

– J'apprécie votre délicatesse.

Quel regard ! pensa Sissi. *D'un vert calme, mais chargé d'une intensité qui lui confère quelque chose de magique.*

– Qu'êtes-vous venu faire sur l'île, Reed ?

– Me reposer, me détendre.

– C'est l'endroit parfait pour ça, surtout hors saison.

– Je suis venu quelquefois ici en été, avec ma famille quand j'étais petit, puis avec mes amis, quand j'ai été en âge de conduire… Mais ça doit faire dix ans que je n'avais pas remis les pieds dans le coin.

– Ça n'a pas beaucoup changé.

– Non, et tant mieux, commenta Reed, qui se retourna avec précaution. Je me souviens de votre maison. Je me disais que ce serait super cool d'y habiter, avec toutes ces fenêtres. Voir la mer en permanence, n'avoir que quelques pas à faire pour se retrouver sur cette plage.

– C'est cool, je vous le confirme. C'est le seul lieu où je me sente chez moi, à vrai dire. Et vous, où vivez-vous ?

– Je cherche encore. C'est justement pendant que je visitais une maison, mais pas la bonne, qu'on m'a tiré dessus. Il eut un bref sourire et reprit : Ça me servira de leçon. Je me souvenais d'une autre maison, par ici ; j'y suis allé à pied, depuis le village, pour voir si elle était toujours là. Deux niveaux et un belvédère. Avec, comme la vôtre, plein de coins et de recoins… Ça me plaît, j'imagine.

Moins de baies vitrées, mais assez tout de même. Des bardeaux en cèdre usés par le temps, deux énormes perrons à l'avant et une terrasse à l'arrière. Elle est plus ou moins à cheval entre les bois et le bord de mer. Il y a aussi une petite plage, pas aussi grande que celle-ci, et des rochers.

– C'est la maison de Barbara Ellen Dorchet, de ce côté-ci du village. Le jardin est couvert de lupins, en été. Y avait-il un pick-up rouge garé devant ?

– Oui, et aussi un 4 x 4 Mercedes.

– Il appartient à son fils. Il est venu aider sa mère à rafraîchir la maison avant de la mettre en vente.

– Elle la met en… Sérieux ?

Sissi, qui était un peu voyante, sourit et avala une gorgée de café.

– Ce n'est pas la période idéale pour elle, car les acheteurs potentiels intéressés par une telle maison sur l'île seront rares à la fin de l'automne ou en hiver, quand elle sera prête à la vendre. Elle a perdu son mari l'année dernière et ne se sent plus la force de rester ici. Elle compte déménager dans le Sud. Son fils est parti à Atlanta il y a environ douze ans, pour son travail. Comme elle a trois petits-enfants là-bas, elle souhaite s'installer près d'eux.

– Et elle vend sa maison, conclut Reed, avec un petit rire. Ça fait maintenant des années que je cherche la bonne. En arrivant ici et en voyant la vôtre et l'autre, j'ai compris pourquoi toutes celles que j'avais visitées ne m'avaient pas séduit.

– Vous cherchiez au mauvais endroit. Vous devriez lui faire une proposition. Je peux facilement savoir dans quelle fourchette de prix elle prévoit de la mettre en vente.

– Je ne pensais pas… dit Reed, qui se tut, le temps d'une gorgée de cet excellent café. C'est très bizarre, quand même…

– Je suis une grande fan de tout ce qui est très bizarre. Allez, suivez-moi, inspecteur Délicieux, je vais vous préparer un petit déjeuner.

– Ne vous sentez pas obligée de… Reed s'interrompit et observa cette étonnante femme à la chevelure extraordinaire et au regard stupéfiant. Ça vous arrive souvent d'inviter des types étranges ?

– Uniquement ceux qui m'intéressent. En temps normal, je vous aurais demandé de faire la cuisine vous-même, mais puisque je n'ai pas passé la nuit à faire des folies avec vous, je m'occupe des crêpes aux canneberges.

Reed rit aux éclats, ce qui lui valut encore des points dans l'estime de Sissi.

– Je serais stupide de décliner à la fois l'invitation d'une femme charmante et des crêpes aux canneberges. Or je ne suis pas stupide.

– Je l'avais deviné.

– Je vais vous aider à redescendre.

Il quitta son perchoir. Bien que ménageant son côté droit, il ne put réprimer une grimace. Puis il tendit la main gauche à Sissi.

– Vous souffrez toujours ? lui demanda-t-elle.

– Quelques élancements… Je n'ai pas encore récupéré toute ma mobilité, ni ma masse musculaire normale. J'ai des exercices physiques à faire et je prends deux fois par semaine le ferry pour suivre mes séances de torture.

– Vous devriez essayer le yoga. J'en suis une fervente amatrice, tout comme du holisme. Mais commençons par les crêpes. Et au fait, que pensez-vous du Bloody Mary ?

– Ne lésinez pas sur le Tabasco.

– Vous êtes fait pour moi ! s'extasia Sissi, qui prit la main gauche de Reed et l'agita d'avant en arrière. Comme disait je ne sais plus qui, « c'est le début d'une belle amitié [11] ».

L'intérieur de la maison de Sissi se révéla aussi fascinant que son aspect extérieur. Les couleurs, la luminosité, et surtout la vue !

– Cette maison vous ressemble.

– Vous êtes observateur, dites-moi !

– Je le pense vraiment, assura Reed, qui regardait partout. Elle est pleine d'audace, de beauté, de créativité, et… Il se figea devant le buste *Émergence*, émerveillé. Waouh… Et ça, c'est… waouh…

– C'est l'œuvre de Simone, ma petite-fille. Et en effet, c'est waouh.

– On sent le triomphe, la joie. Je ne sais pas si j'emploie les bons mots, mais…

– Si, c'est exactement ça. Elle était au centre commercial, elle aussi. Ma Simone.

– Je sais, dit Reed, incapable de détourner le regard de la sculpture. Simone Knox.

– Vous la connaissez ?

– Pardon ? Non, c'est juste que je me tiens informé. Même avant de devenir flic, j'avais besoin de savoir, quand c'était possible, ce que devenaient les gens qui avaient vécu la même horreur que moi.

– Elle aussi était là-bas…

Elle caressa le buste avec douceur, puis alla à la cuisine pour préparer les boissons.

– Le visage que vous voyez est celui d'une amie que Simone a perdue ce soir-là, tel qu'elle l'imagine si elle avait vécu jusqu'à aujourd'hui. Alors, oui, triomphe est le terme idéal.

– Votre petite-fille a été la première à appeler Police-Secours.

– Je constate que vous êtes en effet bien informé.

– En fait, la policière qui a abattu Hobart… la première à être intervenue, vous la situez ? Elle est devenue mon équipière quand j'ai été promu inspecteur, et c'est en grande partie grâce à elle que je suis entré dans la police.

– Le monde n'est-il pas fascinant, Reed ? Les chemins se croisent, se séparent et se recroisent. Ce garçon a tué cette gentille fille, car c'était vraiment une gentille fille. Il a détruit le potentiel qu'elle représentait. Simone l'a ramenée à la vie, en une sorte de triomphe, en se servant de son talent et de son amour pour Tish. Cette policière a réagi car le destin l'avait placée à cet endroit, ce jour-là ; elle a empêché ce garçon malade d'ôter davantage de vies et aidé Simone à affronter l'après, qui a été terriblement difficile.

Sissi s'approcha de Reed et lui tendit un Bloody Mary.

– Cette même jeune femme prend plus tard contact avec vous et vous entrez dans la police, poursuivit-elle. Je suis un peu voyante, vous savez, et je devine que vous êtes un très bon policier. Puis la sœur de ce garçon dérangé, qui l'est tout autant que lui, tue d'autres personnes et tente de vous tuer. Et vous voici chez moi, dans la maison que vous admiriez quand vous étiez enfant. Je suis convaincue que c'était écrit. Elle fit tinter son verre contre celui de son invité. Je ne suis pas trop mauvaise cuisinière, mais je vous préviens tout de suite : mes crêpes sont tout simplement exceptionnelles. Préparez-vous à être étonné.

– Je n'ai pas cessé de l'être un instant depuis que vous vous êtes assise à côté de moi, sur les rochers.

– Vous me plaisez énormément, c'est à présent un état de fait irréversible. Asseyez-vous, pendant que je prépare la pâte, et parlez-moi de votre vie sexuelle.

– C'est le désert, en ce moment.

– Ça ne durera pas. De l'exercice, une alimentation saine, du yoga, de la méditation, une consommation raisonnable de boissons alcoolisées, un peu de temps sur l'île et – surtout – du temps avec moi. Et vous retrouverez votre *mojo*.

– Ça commence déjà fort !

Sissi sourit avant de poursuivre :

– Vous avez loué le bungalow de Whistler.

Le Bloody Mary fit à Reed l'effet d'une ruade donnée par une mule folle de rage – exactement comme il l'appréciait.

– Vous êtes donc au courant de tout ?

– Oui, on peut le dire. Cette maisonnette n'est pas mal, mais vous serez mieux ici. Après le déjeuner, allez chercher vos affaires et venez vous installer ici.

– Je…

– Pas d'inquiétude, je ne vais pas jouer les Mrs Robinson. C'est tentant, mais vous devez rester tranquille de ce côté, pas vous lancer immédiatement dans des crescendos. Il y a une chambre d'amis au-dessus de mon atelier. Je ne la propose qu'aux personnes qui tiennent une place particulière dans mon cœur. Vous aurez la vue, accès à la plage et le plaisir de profiter de ma compagnie inégalée. Savez-vous cuisiner ?

Reed était incapable de quitter Sissi des yeux. Elle avait un tatouage autour du poignet et un cristal violet taillé en pointe autour du cou.

– Pas vraiment… Loin de là, même.

– Ce n'est pas grave, vous avez d'autres qualités. Et puis vous me rendrez service, à moi aussi.

– Comment ça ?

– Simone habite ici et travaille ici, la plupart du temps. Depuis qu'elle s'est installée avec moi, je me suis habituée à partager mon espace avec quelqu'un de *simpatico* et d'intéressant. Vous avez le bon profil. Simone est partie il y a quelques jours pour Boston, et elle file ensuite à New York. Acceptez, vous ferez une bonne action au profit d'une vieille dame qui se sent seule. Je vous promets de ne pas vous draguer.

– Ça ne me déplairait pas forcément.

– C'est mignon, dit Sissi et, sans cesser de remuer sa pâte, elle le remercia d'un sourire éclatant. Mais croyez-moi, monsieur Délicieux, vous ne tiendriez pas la distance.

Cette femme était une force de la nature, constata Reed. Alors qu'elle venait tout juste de faire sa connaissance, elle avait réussi à lui faire avaler des crêpes (extraordinaires) et à le convaincre de s'installer dans sa chambre d'amis.

Une force de la nature, à l'évidence, car bien que n'ayant jamais cru au coup de foudre, il venait d'y succomber.

Il défit ses bagages. Cela lui prit très peu de temps, il n'avait pas emporté grand-chose. Encore plus ou moins hébété par ce qui lui arrivait, il s'intéressa à la pièce que Sissi lui avait offerte avec autant de chaleur que quelqu'un d'autre lui aurait indiqué comment se rendre au bar du coin.

À l'image du reste de la maison – et de sa propriétaire –, cette chambre étonnait par ses couleurs et son style. Sissi Lennon n'était pas du genre à privilégier les agencements neutres et sans risque. Sur les murs d'un violet profond étaient fixés des tableaux : non pas des scènes de plage, comme on aurait pu s'y attendre, mais des nus – ou presque – stylisés masculins et féminins.

Reed fut particulièrement frappé par une toile représentant une femme au réveil, une main tendue vers le ciel, avec un air entendu, espiègle, et des ailes sur le point de se déployer dans son dos.

L'immense lit à baldaquin brillait d'un éclat de bronze, avec des plantes grimpantes sculptées sur ses poteaux. Le dessus-de-lit était un parterre de roses violettes sur fond d'un blanc éclatant. Et d'énormes oreillers, bien sûr : Reed avait toujours constaté que les femmes étaient, curieusement, amoureuses des oreillers. Les pieds des lampes de chevet étaient en forme d'arbres qu'il aurait imaginé contempler dans une forêt magique.

Le coin salon était pourvu d'un petit canapé d'un vert quasi électrique, d'une table portée par un dragon recroquevillé – peut-être le compagnon de celui qui se dressait sur un piédestal de pierre, prêt à cracher du feu – et d'une commode aux pieds arrondis dont les tiroirs étaient ornés de visages de fées.

Une chambre magique, conclut Reed, observant de plus près le dragon dont il admirait les écailles si détaillées, et le regard exprimant une puissance tout juste contenue.

Malgré toutes ses merveilles, la chambre n'arrivait pas à la cheville – si l'on ose dire – de la vue. La baie et plus loin l'Océan, les bateaux, les rochers, le ciel… Tout cela faisait autant partie de la pièce que son mélange magique d'œuvres d'art et de couleurs.

Il n'était pas venu sur l'île pour vivre des aventures, mais pour profiter de sa tranquillité, réfléchir et se refaire une santé. En une seule matinée, il avait trouvé comment atteindre ces objectifs.

Il commença par se laver. Sissi n'avait pas non plus lésiné sur la salle de bains, cependant il n'actionna pas les jets massants de la douche, ses côtes le faisant toujours souffrir.

Elle lui avait proposé de la rejoindre dans son atelier après son installation. Il descendit les marches peintes en rouge piment et frappa à la porte de la même couleur flanquée de gargouilles ricanantes.

– Entre ! lui lança-t-elle.

Il découvrit un autre monde de merveilles.

Cette pièce était chargée d'odeurs de peinture, de térébenthine et d'encens… et d'un soupçon d'herbe. Cela n'avait rien d'étonnant, car Sissi, un pinceau dans une main, tenait un joint dans l'autre. Elle avait enfilé un tablier de boucher maculé de peinture, son éblouissante chevelure – de la même couleur que les murs de la chambre d'amis – rassemblée en un chignon retenu par ce qu'il crut être des baguettes de restaurant chinois incrustées de pierres précieuses.

Du matériel et divers outils étaient entassés pêle-mêle sur de hautes étagères rouges, et plus encore sur la longue table de travail aussi tachée que le tablier.

Des toiles étaient posées ou suspendues un peu partout.

Reed n'y connaissait pas grand-chose en art, mais il savait reconnaître une vision spectaculaire quand elle surgissait ainsi devant lui.

– Waouh ! On dirait… Non, en fait, ça ne ressemble à rien d'autre.

– C'est justement ça que j'aime. La chambre te plaît ?

– Elle est magique.

– C'est le terme exact, approuva Sissi, rayonnante.

– Un simple merci ne suffirait pas. J'ai l'impression d'avoir débarqué dans les pages d'un bouquin super cool. Non, en fait, c'est comme si j'avais été transféré dans un de ces tableaux.

– Nous allons passer de merveilleux moments ensemble, dit Sissi.

Elle tendit son joint à Reed, qui secoua la tête avec un demi-sourire :

– Je suis flic, Sissi.

– Et moi une vieille hippie, Reed.

– Tu n'as rien de vieux, assura le jeune homme, qui fit quelques pas et resta soudain bouche bée. Mais c'est…

– Les Stones, vers 1971. Ce n'est qu'une photo. Mick a acheté l'original. Difficile de lui refuser quoi que ce soit.

– Tu m'étonnes. Dire que maintenant, je connais quelqu'un qui connaît les Stones…

– Tu es fan ?

– À fond, répondit Reed, poursuivant sa visite de l'atelier. Je reconnais quelques pochettes d'albums, là. Et des posters, aussi. Tiens, j'avais celui-ci, de Janis Joplin.

Intriguée, Sissi tira sur son joint.

– C'est un peu ancien pour toi, non ?

– Janis est éternelle.

– Nous sommes faits l'un pour l'autre, décréta Sissi qui, le regardant admirer son travail, remarqua qu'il se frottait le flanc droit. C'est là que tu as reçu une balle ?

– Oui, une des deux balles, répondit Reed, laissant retomber son bras. Mes côtes se réparent doucement, mais elles me font toujours mal.

– Tu prends des antidouleur ?

– J'ai arrêté pour le moment.

Sissi agita son joint :

– Ça, c'est un bon remède bio.

– Peut-être, mais les deux ou trois fois que j'ai essayé, à la fac, j'ai un peu plané et j'ai eu une mégadalle, mais surtout un mal de crâne monstre après.

– Quel dommage… Moi, j'adorais les drogues. Je les ai toutes essayées. Mais vraiment toutes. On ne peut pas se faire d'opinion sur quelque chose tant qu'on ne l'a pas essayé, pas vrai ?

– Oui, enfin moi, je sais que si je saute dans l'Océan depuis le haut de la falaise, je vais mourir.

– Et si une sirène te sortait des flots et te soignait ? objecta Sissi, son sourire voilé par un nuage de fumée.

– Ah oui, là, évidemment…

– Au cas où le flic en toi s'inquiète, ça fait une dizaine d'années que ma consommation de drogues se limite à l'herbe – j'ai une ordonnance pour ça – et à l'alcool. Il n'y a pas de substances illégales planquées dans cette maison.

– C'est bon à savoir. Je vais te laisser travailler.

– Dis-moi d'abord ce que tu penses de ça, dit Sissi, désignant la toile posée sur le chevalet, face à elle.

Reed s'approcha. Son cœur cogna violemment dans sa poitrine, à trois reprises. Une femme était représentée de dos dans une clairière remplie de fleurs et de papillons et baignée par les rayons du soleil. Elle le regardait de ses yeux dorés, la tête tournée sur l'épaule gauche, un léger sourire aux lèvres. Une plante grimpante sinueuse poussait au centre de son dos et se déployait sur ses omoplates. Cette créature était saturée de lumière et de couleurs, pourtant c'était son regard qui donnait envie à Reed de se glisser dans la toile pour la suivre.

N'importe où.

– Elle est… « Superbe » n'est pas un qualificatif assez fort. « Envoûtante », peut-être ?

– C'est parfait.

– On se demande qui elle attend, qui elle regarde, et pourquoi cette personne met si longtemps à la rejoindre. N'importe qui ayant toute sa tête ne pourrait que mourir d'envie de la retrouver.

– Sans savoir où mène ce chemin ?

– Peu importe. Qui est-elle ?

– Sur ce portrait ? C'est la Tentation. Dans la vraie vie, c'est Simone, ma petite-fille.

– J'ai une photo d'elle dans mes dossiers, mais… Il n'avait alors pas été frappé par ce regard, pas à ce point. Elle te ressemble. Elle a tes yeux.

– C'est un joli compliment, pour elle comme pour moi, apprécia Sissi, qui désigna une autre toile. Et voici Natalie, mon autre petite-fille, la sœur cadette de Simone.

Reed constata que les couleurs étaient plus douces, sur ce tableau dont les tons pastel mettaient en valeur une autre beauté, une autre humeur. Cette femme était à ses yeux une princesse de conte de fées, un diadème incrusté de pierres précieuses ornant le halo doré de sa chevelure. Des yeux d'un bleu paisible brillaient sur un visage adorable dégageant du bonheur plutôt que de la puissance, tandis que sa silhouette élancée était drapée dans une longue robe blanche, suffisamment translucide pour laisser deviner le corps qu'elle voilait.

– Elle est charmante, commenta Reed. Elle regarde quelqu'un qui la rend heureuse.

– Bien vu : elle regarde Sexy Harry, son fiancé. Ce sera son cadeau de Noël de ma part. Natalie, telle que je la connais, refuserait net qu'une toile la représentant nue soit suspendue chez eux ; j'ai donc dû faire un compromis.

– Tu aimes beaucoup tes petites-filles, ça se voit.

– Ce sont mes plus grands trésors. Bon, il va falloir que tu poses pour moi.

– Euh… à vrai dire…

– Je te convaincrai petit à petit. Il est aussi difficile de dire non à Sissi qu'à Mick.

– Je veux bien te croire. Allez, je ne te dérange pas plus longtemps.

– Que dirais-tu d'un cocktail vers 17 heures ?

– Je dirais banco.

Sissi ne reparla pas de sa proposition de pose au cours des deux jours suivants, ce fut un soulagement pour Reed. Quand il revint éreinté de sa séance de rééducation, elle l'attendait avec son acupuncteur. Il rechigna quelque peu – des aiguilles dans la peau, tout de même ! – mais elle n'avait pas menti, il était difficile de dire non à Sissi.

Il s'endormit pendant la séance d'acupuncture, ce qu'il mit sur le compte de l'épuisement consécutif à la séance de rééducation, et non des aiguilles bizarroïdes ou des bougies d'aromathérapie.

Sissi l'enrôla ensuite pour une séance de yoga sur la plage avec d'autres personnes, au coucher du soleil. Il s'y sentit stupide, gauche et raide… et manqua de peu s'assoupir quand il prit la posture *shavasana*.

Au terme de sa première semaine chez Sissi, Reed se sentait plus fort et l'esprit plus clair, indéniablement. Mais c'était précisément dans ce but qu'il était venu sur l'île. Il ne protesta pas lorsque se présenta le moment de la séance d'acupuncture suivante, d'autant que ni le kiné chargé de sa rééducation ni sa Tinette adorée n'avaient descendu en flammes cette pratique – ce qu'il avait pourtant espéré – quand il leur en avait parlé.

Sissi le convainquit de l'accompagner pour une balade à bicyclette. Ses côtes et son épaule le firent souffrir, mais moins que précédemment.

L'automne s'était installé depuis longtemps, toutefois Reed aimait l'allure « halloweenesque » des arbres dénudés et la façon dont leurs branches s'entrechoquaient dans le vent. Il aperçut des citrouilles dans des jardins, et d'autres déjà sculptées et posées sur les perrons. L'air portait la senteur épicée que la terre exhale avant de s'endormir pour l'hiver.

Sissi immobilisa sa bicyclette devant l'autre maison que Reed avait admirée étant enfant.

Toutes ces façades, ces multiples ornements, les baies vitrées donnant sur de curieuses petites terrasses, sans oublier les deux perrons. Le tout surmonté du belvédère au charme suranné.

– Cette couleur gris argenté rend très bien, déclara Sissi. Quand les lupins et les autres fleurs du jardin sont éclos, ça leur fait une toile de fond idéale. Cela dit, si j'habitais ici, je repeindrais les perrons en mauve orchidée.

– En mauve orchidée ?

– Ce n'est que mon point de vue. Cody les a peints, ainsi que les ornements, en gris foncé parce que c'est plus vendeur. Je ne peux pas le leur reprocher. Bon, allons-y, ils nous attendent.

– Ah oui ?

– J'ai appelé Barbara Ellen hier.

Reed prit le temps d'observer la maison, qui lui faisait très envie, mais il secoua la tête.

– Je ne peux pas acheter une maison sur l'île, Sissi. Un flic, ça doit habiter près de son lieu de travail.

– Tu ne veux pas voir l'intérieur ?

– Si, j'aimerais beaucoup, mais je ne veux pas déranger ces gens.

– Ça fait maintenant des semaines que Cody a sa mère dans les pattes. Une petite distraction leur ferait du bien à tous les deux.

Ils mirent pied à terre et laissèrent leurs bicyclettes, puis Sissi prit Reed par la main et l'entraîna sur un chemin dallé. Parvenue sur un des perrons qui auraient mérité d'être repeints en mauve orchidée, elle frappa à la porte, l'ouvrit aussitôt et entra dans la maison.

– Barbara Ellen ! Cody ! C'est Sissi et un ami.

Des bruits de marteau se faisaient entendre à l'étage, auquel on accédait par l'escalier disposé sur la droite du salon. Il offrait une cheminée dans laquelle brûlait un feu, et un parquet composé de larges planches – probablement d'origine, estima Reed – récemment poncé et ciré. Cette pièce donnait sur une cuisine que les propriétaires avaient nettement modernisée, à en juger par le bar, la desserte et le plan de travail – également gris foncé –, sans oublier les placards d'un blanc immaculé, visiblement neufs. Reed pensa qu'il fallait être un cinglé de la cuisine pour avoir besoin de six plaques de cuisson et de deux fours ; néanmoins, le tout était impressionnant.

— Vas-y, regarde un peu partout, pendant que je les appelle, lui dit Sissi.

Il ne put s'empêcher de se diriger vers le fond du salon et la cuisine, où il remarqua une double porte de style grange, dont il fit coulisser un panneau. Acheter cette maison était hors de question, se rappela-t-il, non seulement pour des raisons évidentes, mais aussi parce qu'il ne se sentait pas digne d'une cuisine comprenant un cellier suffisamment vaste contenant assez de provisions pour résister à une invasion extraterrestre.

Pourquoi avaient-ils installé ces antiques ampoules à filament, au-dessus du bar ? Elles étaient vraiment cool.

Il tourna la tête en entendant quelqu'un descendre l'escalier tout en parlant :

— Sissi ! J'ai failli ne pas t'entendre, avec tout ce bruit ! Cody retape les placards d'une chambre. Je ne sais pas ce que je ferais sans mon garçon.

Cette femme fluette serra Sissi contre elle sans cesser de piailler, faisant à Reed l'effet d'un oiseau agité :

— Il reste un mois entier, cette fois. Et il reviendra cet hiver pour terminer les travaux, si c'est nécessaire, alors nous pourrons mettre la maison en vente au printemps. Tout le monde dit que c'est le meilleur moment, mais j'ai vraiment envie de la mettre sur le marché avant le nouvel an. Je rentrerai avec lui quand il repartira, et je commencerai à chercher un petit quelque chose, peut-être un appartement, je ne sais pas. En tout cas, je sais que je ne veux pas passer encore un hiver seule ici.

— Tu nous manqueras, Barbara Ellen. Tiens, je te présente Reed.

— Mon Dieu, bien sûr, pardon… Bonjour, jeune homme. Sissi m'a longuement parlé de vous.

Elle glissa sa main menue dans celle de Reed en lui souriant, ses yeux marron foncé voilés par les verres poussiéreux de ses lunettes.

— Vous êtes policier. Mon oncle Albert était policier à Brooklyn, à New York. Sissi m'a dit que vous aviez déjà remarqué ma maison quand vous étiez enfant.

— Tout à fait, madame.

— L'intérieur a beaucoup changé depuis cette époque. Cody travaille comme un forcené.

— C'est très réussi.

— Je reconnais à peine ma maison. Il me semble que ce n'est

plus la mienne. Cela dit, je dois avouer que la cuisine est un vrai bonheur. Je vais vous chercher du thé et des cookies.

– Non, ne t'embête pas avec ça, lui dit Sissi, la retenant d'une petite tape sur la main. Cody a aménagé de charmantes toilettes sous l'escalier, je crois ?

– Oui, c'est un excellent bricoleur. Je ne sais pas ce que je ferais sans lui.

Multipliant les louanges de Cody, Barbara Ellen – poussée par Sissi – leur fit visiter le rez-de-chaussée. Reed dut se retenir pour ne pas laisser échapper un cri d'admiration en découvrant les différentes vues sur les bois et la mer. Sissi ouvrant la marche, ils gagnèrent ensuite l'étage.

Quatre chambres, pas moins, dont une suite récemment rénovée. Une cheminée à gaz, des vues à couper le souffle, une baignoire presque aussi grande que la chambre de sa vieille poubelle.

Tout l'attirait dans cette maison, à l'encontre de la logique de sa réalité. Il fit la connaissance de Cody, avec il discuta bricolage, puis Sissi l'appela :

– Viens voir le belvédère.

– Oh ! oui, n'oubliez surtout pas de monter là-haut ! s'écria Barbara Ellen. C'est le bijou de la maison. Je n'y vais plus parce que je ne suis plus assez forte sur mes jambes pour m'engager sur ces marches étroites, mais allez y jeter un coup d'œil.

Des marches étroites, en effet, mais solides. Reed devina que Cody était intervenu là aussi.

Il ne fut plus capable de penser quand il se hissa sur le balcon circulaire. Il voyait tout. L'eau, les bois, le village, la stupéfiante maison de Sissi à l'ouest, mais aussi le phare décoré, à l'est. Le monde, dans toute sa beauté et toutes ses couleurs s'offrait à lui, comme dans un tableau de Sissi.

Ce paradis pouvait devenir le sien.

Au cours de ses nombreuses visites de maisons puis de ses réflexions, pas une fois il n'avait eu cette impression, non pas que le bien pouvait être à lui, mais qu'il devait à tout prix l'acheter, qu'il lui appartenait déjà.

– Putain, putain, putain…

Par réflexe, il se passa la main dans les cheveux, ce qui réveilla sa douleur à l'épaule.

– Je suis fou, je suis fou, poursuivit-il, se frottant l'épaule sans même s'en rendre compte. Ou pas. Merde. Ça pourrait être un placement immobilier, non ? Je la louerais en été et en profiterais pendant l'année, les week-ends prolongés, ou encore pendant les vacances hors saison. Il fit à nouveau le tour du belvédère, longeant la rambarde, se répétant : Non, impossible, je ne peux pas faire ça. Impossible…

En redescendant, il entendit Sissi poser à Cody la question qu'il avait en tête.

– Eh bien, quand la dernière salle de bains à l'étage sera terminée et la dernière chambre refaite, répondit Cody. J'ai encore quelques fignolages à faire ici ou là, il faut que j'applique une bonne couche de peinture dans toutes les pièces et que j'aménage encore quelques petites choses…

Il donna un prix qui fit tressaillir Reed, non pas parce qu'il était au-dessus de son budget, ce qui aurait été prévisible, mais parce qu'il ne l'était pas tant que ça.

Barbara Ellen gratifia Reed d'un sourire éclatant et ajouta :

– Bien entendu, si quelqu'un était intéressé avant la mise en vente et nous épargnait ces soucis et les honoraires à verser à l'agence, nous ferions un effort sur le prix. N'est-ce pas, Cody ?

– Oui, un petit effort, bien sûr, mais nous avons encore du travail.

– Et si vous n'alliez pas plus loin ? s'entendit demander Reed, pleinement conscient de se passer la corde au cou. Si vous renonciez à refaire la deuxième salle de bains et à vous occuper des derniers aménagements, de la chambre encore à rénover et des peintures ? Mettons que vous vous contentiez de terminer les travaux en cours sur les placards ?

– Ce ne serait plus la même chose, convint Cody, se frottant le menton.

En effet. Cody avança une nouvelle fourchette de prix, et une corde supplémentaire fut passée au cou de Reed.

Ce dernier ne s'engagea pas immédiatement – il s'en défendit –, désireux de faire quelques calculs et de sérieusement réfléchir à ce qu'il comptait faire de sa vie. Jamais il n'aurait les moyens de s'offrir une maison à Portland, s'il achetait celle-ci. Seulement… il n'avait pas envie d'une maison à Portland.

– Tu en meurs d'envie, lui dit Sissi, quand ils eurent repris le chemin du retour.

– J'ai envie de beaucoup de choses que je ne peux pas avoir. Toi, par exemple.

– Ah oui, tu crois vraiment ?

– Quoi donc ? Je peux t'avoir, tu crois ? Je te conseille d'accélérer !

Sissi lâcha un de ses superbes rires :

– Je suis folle de toi, monsieur Délicieux. Tu as dit, et je suis d'accord, qu'un flic devait vivre près de son lieu de travail.

– Oui, c'est ça, le vrai problème.

– Il y a peut-être une solution. Tu pourrais vivre et travailler sur l'île. Le chef Wickett va prendre sa retraite. Ce n'est pas encore officiel, mais il me l'a dit. Il reste jusqu'en février, peut-être jusqu'en mars, mais il prévoit de l'annoncer au conseil municipal de l'île le mois prochain, pour leur donner le temps de lui trouver un remplaçant.

Chapitre 14

Chef de la police de l'île ? Ce n'était qu'une folie de plus.

Sans insister, Sissi gagna son atelier avec insouciance. Reed en profita pour s'offrir une marche solitaire sur la plage, espérant que le grand air lui rendrait la raison.

Il s'assit sur les rochers et rumina ses pensées un long moment, puis il se releva et marcha encore un peu.

Quand enfin il fut de retour à la maison, il trouva Sissi installée sur la terrasse, un plaid bien chaud sur les genoux, et une bouteille de vin et deux verres sur la table.

– Je sens que tu as besoin d'un verre de vin, dit-elle.

– Je ne peux pas devenir chef de la police de l'île.

– Pourquoi pas ? Ce n'est qu'une appellation.

Elle versa le vin.

– Non, pas seulement. Ça veut dire être responsable de la police locale, c'est un boulot administratif.

Elle tapota la chaise voisine de la sienne :

– Tu es malin, Reed, et le chef actuel resterait avec toi le temps que tu prennes tes marques. Tu m'en as suffisamment dit, au cours de ces derniers jours et de ces soirées passionnantes, pour que je comprenne que tu n'es pas heureux à Portland. Tu n'es pas heureux dans la boîte dans laquelle ton supérieur t'a enfermé. Sors de la boîte, Reed. Tu as un objectif à atteindre. Ton aura rayonnante ne laisse aucun doute à ce sujet.

– Mon aura te dit que j'ai un objectif ?

– Eh oui… Et aussi que c'est ici que tu l'atteindras. C'est également ici que tu réussiras, et c'est tout aussi essentiel, à poursuivre ton enquête sur cette cinglée de Hobart. Le chef de la police a tout de même un peu de boulot hors saison, mais tu aurais à la fois le temps et l'espace pour ça.

Elle se tut un instant, le regardant droit dans les yeux.

– Dis-moi que tu es heureux là où tu travailles pour l'instant, et j'arrête de t'embêter.

Reed, qui aurait pourtant voulu répondre par l'affirmative, secoua la tête :

– Non. J'ai même envisagé de demander une mutation. Je ne l'ai pas fait parce qu'il y a Essie et quelques autres proches, ma famille…

– Ici, tu serais à moins d'une heure de tes amis et de tes proches. Tu as envie de cette maison. Je n'ai pas à faire appel à mes dons de voyance pour le deviner, c'est écrit sur ton visage. Mais justement, comme je suis un peu voyante, je sais que tu seras heureux ici, dans cette maison, parce qu'elle t'est destinée. C'est clair comme de l'eau de roche. Tu auras ton objectif à atteindre et ton chez-toi. Et tu trouveras l'amour de ta vie.

– Ça, c'est déjà fait.

Sissi se pencha et lui prit la main :

– Tu trouveras celle qui partagera cette maison avec toi. Tu fonderas une famille ici.

– J'ai à peine de quoi m'offrir cette maison. Et qui peut savoir si j'ai les compétences requises pour être chef de la police de l'île, ou si le conseil municipal me proposera ce job ?

Sissi sourit à Reed par-dessus son verre. Des anneaux d'argent ornés de gouttelettes écarlates brillaient à ses oreilles.

– Je ne suis pas dénuée d'influence par ici, tu sais. Nous avons besoin de sang neuf, d'un jeune homme brillant. Et te voici.

– Tu n'es pas impartiale parce que tu m'aimes, toi aussi.

– C'est vrai, mais si je n'estimais pas que c'est la bonne décision pour toi et pour l'île – ce n'est d'ailleurs pas seulement une bonne décision pour toi, mais tout simplement la réponse que tu cherches –, je n'en aurais pas parlé à Hildy hier.

– Hildy ?

– Hildy Intz, le maire. Elle serait ravie de discuter avec toi.

– Sissi, enfin…

Elle lui tapota le bras en riant :

– Tu commences à sérieusement y réfléchir, pas vrai ? Tu me fais penser à Simone. Je t'ai raconté qu'elle avait essayé de rester sagement dans sa boîte, jusqu'au jour où elle a compris qu'elle en était incapable. Et quand enfin elle en est sortie, elle a trouvé sa réponse. Une réponse, en tout cas. Ne les laisse pas t'enfermer dans leur boîte, Reed. Merde, ça sonne ! C'est mon téléphone, je l'ai laissé à l'intérieur.

– Je vais le chercher.

Reed fila en courant dans la maison et rapporta son mobile à Sissi.

– Tiens, c'est Barbara Ellen, dit-elle, remuant les sourcils, avant de décrocher. Bonjour, Barbara Ellen… Oui… Mmm…

Elle écouta un moment son amie, hochant la tête en sirotant du vin.

– Je vois, dit-elle enfin. Oh oui, je n'y manquerai pas… Oui, moi aussi j'ai été ravie de vous revoir, Cody et toi. Il a fait des merveilles, c'est normal que tu sois fière de lui… D'accord. Elle tourna la tête vers Reed et leva les yeux au ciel. Oui, je sais que tu le feras. Je te rappelle, d'accord ? Allez, au revoir.

Sissi raccrocha et posa le téléphone, puis s'octroya une gorgée de vin.

– Barbara Ellen a hâte de déménager, de partir avec Cody et que cette affaire soit réglée. Elle a donc tanné son fils pour qu'il consente à baisser le prix de la maison – pour toi, si tu la prends dans les conditions dont vous avez discuté – de sept mille cinq cents dollars.

– Oh, putain…

– Elle est certaine que tu aimeras la maison qu'elle a aimée, dans laquelle elle a élevé ses enfants. Et elle a évidemment raison.

– Je n'aurais pas dû monter sur le belvédère, dit Reed, qui se passa la main sur le visage, se disant qu'il se sentait sombrer. J'étais déjà assez piégé avant ça, j'étais déjà assez attiré par cette maison. Là-haut, j'ai carrément craqué. Je n'arrive plus à me faire à l'idée de ne pas l'acheter.

– Je n'ai jamais compris pourquoi les gens cherchent toujours à s'empêcher de faire ce dont ils ont envie. C'était simplement un signe de plus, mon gars. Alors vas-y, fonce !

– Ouais.

– Et si j'invitais Hildy à venir prendre un verre ?

Reed leva la tête :

– Bonne idée.

Dès qu'il fut de retour à Portland, Reed appela Essie et lui demanda de le retrouver dans le parc. Il s'installa sur le même banc que plus de dix ans auparavant, le jour où, avec l'aide de son amie, il avait donné une nouvelle orientation à sa vie.

Comme il était à nouveau sur le point de le faire.

Caressé par une brise fraîche de novembre, il contemplait la mer en repensant à cette journée d'été brûlante et aux obsèques d'Angie, une fille qui n'avait jamais eu la chance de changer de direction.

Peut-être était-ce le destin – son destin, en tout cas. Il avait eu cette chance, et par deux fois ; il devait en profiter au maximum.

Après la fusillade, il avait redouté qu'une balle soit suspendue en vol, en mode « Pause », dans l'attente que quelqu'un appuie sur la touche « Lecture ». Patricia Hobart s'en était chargée et lui avait collé non pas une, mais deux balles.

Et il avait survécu.

Il était hors de question de perdre du temps ou de laisser passer des opportunités. Surtout ne pas regarder en arrière un jour et se dire : « Pourquoi je ne l'ai pas fait ? »

Les cheveux chahutés par le vent et les doigts frigorifiés par l'hiver qui perçait la brume automnale, il pensait au passé et à l'avenir. Car, bon sang, l'instant présent était là, et il fallait le vivre.

Il la vit approcher. Son équipière, son mentor, son amie. Des pas vifs, d'épaisses bottes, un blouson noir fermé pour se protéger du vent et un bonnet foncé sur ses cheveux coupés courts sans souci esthétique – sa coupe maman-flic, disait-elle.

Sans elle, il se serait vidé de son sang sur un parquet rénové. Reed aimait beaucoup sa famille. Cependant, Essie était la personne qu'il ne voulait jamais, mais vraiment jamais décevoir.

— Bon, voyons ça, dit-elle, les yeux plissés, détaillant son visage avant de hocher la tête. Ça va, tu as bonne mine. Ces deux semaines sur Tranquility Island t'ont fait du bien. Elle s'assit et le regarda droit dans les yeux. Comment tu te sens ?

— Mieux. Beaucoup mieux. J'ai marché tous les jours, j'ai fait un peu de footing, j'ai suivi mes séances de rééducation et je suis tombé amoureux d'une femme aussi sexy que fascinante.

— Ça a été vite, dis donc.

— Boum ! dit Reed, claquant des doigts. As-tu déjà entendu parler de Sissi Lennon ?

– Ah oui… Une artiste peintre de la région. Mais… elle n'a pas l'âge d'être ta grand-mère ?

– Si, peut-être. J'ai pris conscience que les femmes ont eu une profonde influence sur ma vie. Ma mère, évidemment, et ma sœur. Angie, aussi, d'une façon étrange et terrible. On s'est assis sur ce banc, toi et moi, le jour de son enterrement.

– Oui, je m'en souviens.

– Et toi, bien sûr. Tu as énormément influé sur ma vie.

– Tu as toi-même trouvé ta voie, Reed.

– C'est ce que j'aime croire, mais tu m'as aidé. J'adore mon métier. J'ai souffert de lire de l'inquiétude sur le visage de mes parents à l'hôpital, comme je souffre de penser qu'ils n'oublieront jamais ces moments, mais je sais qu'ils sauront l'assumer. J'ai besoin d'être flic.

– Je n'en ai jamais douté.

– Moi non plus, à vrai dire, confia Reed, le regard perdu sur l'eau. Même ce jour-là, quand j'étais allongé par terre, en me demandant si ma dernière heure était arrivée. Terminus. La décision que j'ai prise ici, ou en tout cas à laquelle j'ai commencé à réfléchir, était la bonne. Or je la dois en grande partie à Angie et au soir de la fusillade. Je ne peux pas m'arrêter, Essie. Jamais je ne pourrai cesser de vouloir descendre Patricia Hobart.

Essie tourna la tête vers lui :

– Cette salope a tiré sur mon équipier. Écoute, je suis furieuse qu'on ait été mis sur la touche, et j'espère que les Fédéraux la choperont, mais quoi qu'il advienne on ne lâchera pas, Reed. On y travaillera en douce, sur notre temps libre.

– Ils vont me laisser un bon moment derrière mon bureau. Trois à six mois, je dirais. Le service ne couvre plus nos arrières, et tu as une famille, Essie. On pourrait trouver du temps pour travailler là-dessus, c'est vrai, mais le temps que je sois de nouveau autorisé à reprendre du service sur le terrain, on t'aura collé un autre équipier.

– Je m'y opposerai.

– Il faut s'occuper des affaires en cours, c'est la priorité. Jamais ils ne nous laisseront participer à l'enquête sur Hobart, même de loin… et ça me rend fou. Mais Hobart est la clé de tout le reste, je ne lâcherai pas l'affaire. Quand je serai de nouveau apte, ils me mettront avec quelqu'un d'autre. On pourrait tous les deux s'y opposer, mais avec de minces chances d'être entendus. Sans compter qu'on aura chacun des affaires en cours à régler.

– Tu tournes autour de quelque chose que tu veux me dire, et je sens que ça ne va pas me plaire. Tu ne penserais pas à demander ta mutation, par hasard ?

– Pas vraiment. J'ai trouvé ma maison. Sur l'île. Elle a tout ce que je veux et dont j'ai besoin, et c'est pour ça que je ne l'ai jamais trouvée ici.

– Je sais combien tu tiens à trouver une maison, Reed, mais…

– Ma maison, Essie ! C'est là toute la différence. Je suis resté presque tout le temps chez Sissi, pendant mon séjour sur l'île. Il lâcha un petit rire. Non, ce n'est pas ce que tu crois. Cela dit, si elle m'avait laissé tenter ma chance… Enfin, bref, j'ai découvert beaucoup de choses. Le Bloody Mary, les crêpes, le yoga sur la plage…

Essie leva la main, bouche bée :

– Attends, tu as fait du yoga sur la plage ?

– Sissi est très persuasive. En fait, pendant mes sorties sur la plage, je faisais des pauses sur les rochers juste en bas de chez elle parce que je me souvenais de sa maison. Je l'avais déjà remarquée il y a un million d'années, quand j'étais en vacances sur l'île. Elle est venue me trouver et m'a proposé de m'installer chez elle car elle m'avait reconnu… d'après les articles parus suite aux deux balles que j'ai prises et à mon lien avec la fusillade au centre commercial. Sa petite-fille était aussi là-bas, ce soir-là.

– Ah mais oui, c'est ça ! s'exclama Essie. Il me semblait bien que ça me disait quelque chose, c'est la grand-mère de Simone Knox.

– C'est ça. Tu as été la première à intervenir, après l'appel de Simone à Police-Secours. Je revois tout depuis le début, Essie. J'ai discuté avec Angie, un peu de drague lamentable, quelques minutes avant sa mort, puis je me suis retrouvé avec Brady dans son kiosque, taché de son sang. Plus tard sur ce banc, avec toi, et enfin sur l'île. Tout est lié. Sans vouloir sombrer dans la métaphysique ou je ne sais quoi, tout ça a un sens.

– Tu vas m'annoncer que tu as acheté la maison de Sissi Lennon ?

– Non. Quand j'avais dans les dix ans, deux maisons m'avaient frappé. J'en ai parlé à Sissi parce que, si tu savais, on peut tout lui dire. Moi, en tout cas. Et c'est un signe, Essie, que la propriétaire de cette autre maison et son fils aient justement été occupés à la rénover dans le but de la vendre. Ce n'est pas non plus anodin si, quand j'y suis entré, j'ai senti quelque chose de viscéral… encore un mot débile, je sais. Elle était déjà à moi. J'ai bien tenté de ne plus y penser, mais c'était trop tard.Je me suis dit que ce n'était pas si grave… Je pouvais toujours la considérer comme un placement immobilier, la louer et y passer quelques vacances, car un flic doit vivre près de son lieu de travail, et j'ai besoin de rester flic. Le problème, c'est que je ne veux pas la louer.

— Reed, ne me dis pas que tu vas accepter un poste d'adjoint quelconque sur cette île. Tu es un enquêteur, tu…

— Non, non, pas adjoint.

— Quoi, alors ?

— Chef de la police.

— Tu… bredouilla Essie, qui lâcha un soupir incrédule peu discret. Sérieux ?

— Ce n'est pas encore fait. Le conseil municipal de l'île doit voter, tout ça. J'ai passé un entretien, et même deux en fait, et je leur ai laissé mon CV. Ils vont vous contacter prochainement, toi, Bull et le lieutenant. Si je ne décroche pas ce job… Bon, d'accord, je suis jeune et pas originaire de l'île, ces détails jouent contre moi. D'un autre côté, je suis inspecteur de police avec déjà quelques années d'expérience, j'ai résolu pas mal d'affaires et j'ai déjà une maison en vue là-bas. Mais mon atout numéro un, c'est Sissi. En prenant tout ça en compte, je pense avoir soixante-dix pour cent de chances d'être pris.

Essie resta un temps muette, réfléchissant à cette nouvelle.

— Tu en as envie, c'est clair, dit-elle enfin.

— Il y a tout de même des inconvénients. Ma famille ne va pas apprécier que je m'éloigne, et je ne travaillerai plus avec toi. Je ne pourrai plus passer vous voir à l'improviste, Hank, Dylan et toi, et m'incruster pour dîner. J'espère compenser ça en vous recevant chez moi. Mais oui, tu as raison, je veux m'installer là-bas, parce que j'y ai trouvé ce dont j'ai besoin. Et aussi parce que je pense que j'y ferai du bon boulot. J'aurai tout le temps, surtout en automne et en hiver, pour avancer sur l'affaire Hobart. Je ne pourrais pas me regarder dans le miroir si je restais flic sans travailler sur Hobart.

— Ça craint, dit Essie, qui se leva, fit quelques pas vers la baie et revint près du banc. Ça craint vachement.

— Essie…

Elle le fit taire d'un geste, alors qu'il se levait.

— Ça craint parce que je sens que c'est la bonne décision, pour toi. Ça va me manquer de ne plus te voir t'incruster pour le dîner, de ne plus travailler avec toi.

– C'est la bonne décision, alors ?

– Oui. Et tu partirais quand, du coup ?

– Je n'ai pas encore le job.

– Tu vas l'avoir, assura Essie, n'imaginant pas un instant qu'il en aille autrement, tant ce projet lui semblait logique. Tu pars quand, donc ?

– Pas avant le nouvel an. Le chef actuel prend sa retraite en mars... Encore une preuve : il en avait parlé à Sissi, mais pas encore au conseil municipal. Tout s'est mis en place comme par magie.

– Chef Quartermaine... dit Essie, secouant la tête. Un sacré coup de pied au cul !

Reed eut en effet l'impression d'être propulsé en avant quand, dix jours plus tard, il accepta officiellement le poste de chef de la police de Tranquility Island.

Pleine de bonne volonté et décidée à réparer les pots cassés, Simone accepta l'invitation à un déjeuner raffiné entre filles au country-club de sa mère. Elle aurait préféré passer cet après-midi venteux de novembre dans son atelier, mais ses relations avec Natalie s'étaient améliorées.

Natalie ayant insisté pour qu'elles se retrouvent toutes les trois, elles étaient donc attablées, se délectant de salades recherchées, buvant du kir royal et bavardant à propos d'un mariage prévu près d'un an plus tard.

Sa mère avait déjà regardé avec insistance sa nouvelle coupe de cheveux, courte et ébouriffée, d'une couleur que son audacieuse coiffeuse surnommait « Braises brûlantes ». Toutefois, le fait que Tulip ait pour une fois tenu sa langue contribuait à faire de cette rencontre un interlude civilisé.

Simone devait bien reconnaître que si elle avait opté pour des cuissardes, un pantalon en daim et une veste de cuir d'un vert osé, c'était surtout pour titiller sa mère.

Quoi qu'il en soit, Simone était ravie de voir Natalie si heureuse, même si ce bonheur était en grande partie dû au débat sur la robe de mariée et les couleurs à choisir pour la réception.

Se sentant sur le point de lâcher prise quand fut abordée la question de la boisson idéale pour un mariage en automne, Simone orienta la conversation vers la maison que Natalie et Harry venaient tout juste d'acheter.

– Alors, cette nouvelle maison ? C'est super, ça ! Quand prévoyez-vous de vous y installer ?

– Il n'y a pas urgence, déclara Tulip. Surtout avec les festivités des vacances qui approchent. Simone, il faut vraiment que tu viennes au bal du Flocon de neige, le mois prochain. Tristan, le fils de mon amie Mindy, fera le déplacement de Boston pour Noël. Je suis sûre qu'il serait ravi d'être ton cavalier.

Enchantée, Natalie faillit bondir sur son siège :

– Oh oui ! On irait tous les quatre ensemble, Harry, moi et vous deux !

Simone pinça discrètement la jambe de sa sœur, sous la table.

– Mon planning est déjà rempli, maman, mais merci d'avoir pensé à moi. Concernant la maison…

– J'aimerais pour une fois avoir toute ma famille présente à cet événement, qui est important pour moi !

Simone s'empara de son verre et avala prudemment une gorgée de kir, une boisson débile et trop sucrée à son goût.

– Je sais que le bal du Flocon de neige est important pour toi, maman, tout autant que le Gala d'hiver, le bal de Printemps, le jubilé d'Été en juillet, et ainsi de suite. Je suis venu à plusieurs de ces fêtes, ces dernières années.

– Tu n'as jamais assisté au Jubilé, où nous collectons de l'argent destiné aux arts.

– Ce n'est pas le moment de l'année idéal pour moi, maman.

Tulip, qui s'apprêtait à réagir, détourna le regard.

– Faire une bonne action apporte beaucoup, dit-elle tout de même.

– Je sais, et j'en fais. Pour moi. Bon, j'aimerais qu'on me parle de cette maison.

– Tu ne crois pas que tu es restée assez longtemps terrée sur l'île ? Quand tu n'y es pas, tu es toujours partie ailleurs. Jamais tu n'étofferas ton réseau social ou rencontreras quelqu'un d'aussi merveilleux que Harry sur cet île.

Ça y est, c'est reparti… pensa Simone.

– Mon réseau social actuel me convient très bien, et je ne suis pas à la recherche d'un double de Harry, même si c'est un type merveilleux, répondit-elle en souriant à sa sœur puis, enchaînant avant que Tulip ne reprenne la parole : Maman, restons sur des sujets sur lesquels nous avons le même avis. Parlons de Natalie, par exemple, qui est si heureuse et qui va avoir un mariage de rêve, ou de sa fantastique nouvelle maison.

– Au fait, à propos du mariage… Oui, je sais, j'y reviens encore… dit Natalie, s'efforçant à l'évidence d'éviter la tempête, ce qui lui valut une nouvelle tape – affectueuse, cette fois – de la part de Simone. Accepterais-tu d'être ma demoiselle d'honneur ?

Simone fut aussi surprise que touchée, cela se lut sur son visage.

– Nat, ce serait un honneur, sincèrement. Ça compte beaucoup pour moi, que tu me le proposes, et si c'est vraiment ce que tu souhaites, ce sera avec plaisir, mais… Elle prit la main de sa cadette, sur la nappe blanche… Cerise est ta meilleure amie depuis dix ans. Vous êtes si proches, toutes les deux, et elle sait exactement ce que tu veux pour ton mariage. Elle saura exaucer toutes tes envies. C'est elle qui devrait être ta demoiselle d'honneur.

– Les gens s'attendront que… intervint Tulip.

Simone tourna si vivement la tête vers sa mère, l'air presque féroce, que celle-ci se tut.

– L'important, c'est ce que veut Natalie, reprit-elle. Propose-le plutôt à Cerise. Moi, de mon côté, je te prépare quelque chose de spécial.

– Je ne veux pas que tu te sentes vexée. Tu es ma sœur.

– Ne t'en fais pas pour ça, je t'assure. Je serai ravie de voir Cerise t'accompagner. J'aimerais, quant à moi, m'occuper de la figurine de ton gâteau et réaliser une sculpture de Harry et toi, que tu garderas ensuite pour te souvenir du plus beau jour de votre vie. Un objet qui prouvera non seulement combien tu as été heureuse ce jour-là, mais aussi à quel point je le suis pour toi.

– Nous avons déjà commencé à choisir les décorations et figurines des gâteaux, fit remarquer Tulip.

– Maman… dit Natalie, qui prit la main de sa mère – toutes trois étaient à présent physiquement liées – avant de revenir à Simone. Ça me plairait beaucoup. Franchement, j'adorerais ça. Pourrais-tu aussi faire quelque chose d'amusant pour le gâteau du marié ? Harry puttant sur un green de golf ou en plein swing au départ d'un trou, quelque chose comme ça ?

– Bien sûr ! Dis-moi à quoi ressembleront les gâteaux, quand tu le sauras. Et dès que tu auras ta robe, je ferai quelques croquis et photos, et même chose avec le costume de Harry. Nous pourrons réfléchir ensemble à la figurine du gâteau du marié, si tu veux, mais pour celle du grand gâteau, ce sera une surprise.

Et Simone de se tourner vers sa mère :

– Ne t'inquiète pas, je ne te décevrai pas, je ne te couvrirai pas de honte. Je tiens à offrir à Natalie quelque chose de spécial, quelque chose qui soit une part de moi-même. Choisissez un dessert, toutes les deux, et commandez-moi un café noir, d'accord ? Je reviens tout de suite.

Se frayant un chemin dans la salle du restaurant, Simone se réfugia aux toilettes, en se promettant de ne plus jamais accepter un déjeuner entre filles au country-club, quels que soient les pots cassés à réparer.

Pour compenser cette corvée, elle se promit d'acheter quelques parts de la pizza végétarienne préférée de sa grand-mère sur le chemin du retour : elles s'en gaveraient en dégustant un bon vin.

Aux toilettes, elle dut fournir un réel effort pour entrer dans la cabine, comme toujours ; mais sa légère angoisse se dissipa aussi vite qu'elle était apparue, là encore comme chaque fois.

En sortant de la cabine, elle jeta à peine un regard à la blonde qui retouchait son rouge à lèvres devant le miroir surmontant le meuble argenté à plusieurs vasques. Elle devait à tout prix trouver la force d'afficher un sourire chaleureux, puis elle expédierait le dessert et le café. Et filerait.

— Simone Knox.

Elle tourna la tête vers la blonde, dont la voix était comme un ricanement, que Simone retrouva sur les lèvres rose vif de cette femme ; cette impression était en réalité due à des cicatrices soigneusement masquées par du fond de teint.

L'œil gauche, d'un bleu intense, était légèrement plus bas que le droit. Contrairement à un observateur ordinaire, qui n'aurait pas perçu ce détail, une artiste ayant longtemps étudié la structure du visage et l'anatomie humaine ne pouvait que s'en rendre compte.

Simone conserva un air neutre :

— Oui, c'est moi.

— Tu ne me reconnais pas ?

Simone, en effet, n'avait dans un premier temps pas reconnu cette personne. Soudain, tout lui revint d'un coup.

— Tiffany… Désolée. Ça fait longtemps.

— Le temps est toujours long, de toute façon.

— Comment ça va, toi ?

— À ton avis ? répondit Tiffany, qui désigna son visage des deux mains. Tu as vu ma tête ? Oh ! ne fais pas comme si de rien n'était. Huit opérations en sept ans, des années de rééducation orthophonique et quelques hémorragies cérébrales. Et mon oreille gauche a été entièrement refaite. (Elle se la tapota.) Je n'entends plus grand-chose de ce côté, bien sûr, mais on ne peut pas tout avoir.

— Je suis désolée…

— Désolée ? Cet enculé m'a tiré en plein visage ! On a dû recoller les morceaux ! Et toi, tu t'en es sortie sans une égratignure, pas vrai ?

Rien de visible, en tout cas, pensa Simone. Tiffany continua :

— Aujourd'hui encore, après toutes ces années, on parle encore de la présence d'esprit de la courageuse Simone Knox, qui s'est cachée pour appeler à l'aide. Pendant que moi, j'étais écrasée par le corps de mon copain, le visage en miettes !

Elle ne voulait pas revoir cette scène, les éclairs des coups de feu à travers la porte restée ouverte car bloquée par un cadavre. Elle ne voulait pas de nouveau entendre les hurlements.

— Je suis désolée pour tout ce que tu as traversé.

— Tu n'as aucune idée de ce que j'ai traversé ! s'emporta Tiffany, dont l'œil gauche se contracta un instant. J'étais magnifique. J'étais importante. Et toi, tu n'étais rien. Personne ne voulait de toi. Tu as eu de la chance, et maintenant, tout le monde te prend pour une héroïne. Pourquoi les gens avalent ces conneries que tu leur fais avaler ? Tu es désolée ? Tu devrais être morte. J'ai attendu douze ans pour te lancer ces mots.

— Bon, eh bien voilà, c'est fait.

— Ça ne suffit pas. Ça ne suffira jamais.

Tiffany sortit des toilettes comme une furie. Simone remarqua que son épaule gauche était légèrement affaissée par rapport à la droite. Elle retourna devant la cuvette puis vomit la salade recherchée et le kir royal.

Quand elle regagna la table, elle trouva sa mère et sa sœur qui riaient, penchées l'une vers l'autre, tête contre tête.

— Excusez-moi, mais je dois y aller.

— Oh, Simone, nous venons de commander le dessert, dit Natalie, qui lui prit la main.

— Je suis désolée.

Combien de fois devrait-elle prononcer ce mot, aujourd'hui ?

— Ce n'est pas parce que nous ne sommes pas d'accord que… commença Tulip, qui soudain s'interrompit. Simone, tu es pâle comme un linge !

— Je ne me sens pas très bien. Je…

Tulip se leva et contourna la table :

– Assieds-toi, juste une minute. Je vais te chercher de l'eau fraîche.

– Ça va aller, assura Simone, qui n'aurait pourtant pas dédaigné un peu d'eau, et dont les mains tremblaient quelque peu. Franchement, il faut que j'y aille. J'ai besoin de prendre l'air.

– C'est ça, un peu d'air te fera du bien. Natalie, reste ici, je raccompagne ta sœur dehors.

Elle glissa le bras autour de la taille de son aînée.

– Allons prendre nos manteaux, j'ai le reçu.

Tulip, toujours efficace, récupéra les manteaux et aida Simone à enfiler le sien.

– Prends mon béret ; tu aurais dû te couvrir la tête, ajouta-t-elle, avant de guider Simone jusqu'à l'entrée du restaurant, décorée de façon festive pour les vacances. Bon, et maintenant dis-moi ce qui s'est passé.

– Rien. J'ai seulement une migraine.

– Ne mens pas, Simone. Pas à moi. Je connais ma fille, tout de même. Ne me manque pas de respect en pensant le contraire.

– Désolée. (Encore…) Tu as raison. J'ai besoin de marcher un peu, de respirer.

– Faisons quelques pas, tu pourras respirer tant que tu voudras. Et tu vas me dire ce qui s'est passé.

– Dans les toilettes. Tiffany Bryce.

– C'est une fille que nous connaissons ?

– J'étais au lycée avec elle. Elle était au cinéma, le soir de la fusillade.

– Ah oui, ça me revient. Je connais un peu sa belle-mère. Elle, et toute sa famille aussi, ont traversé des moments très difficiles.

– Oui, elle m'a raconté ça.

– Je sais que c'est pénible pour toi de revivre ce drame, mais…

– Elle dit que c'est ma faute.

– Quoi ? s'étonna Tulip, qui se recoiffa d'une main sans même s'en rendre compte, les cheveux soufflés par le vent. Bien sûr que non.

– Eh si, et elle me l'a clairement fait comprendre. Elle a reçu une balle en plein visage, mais pas moi. Je n'ai pas été touchée.

– Nous avons tous, absolument tous été touchés par ce qui s'est passé, que ce soit physiquement ou autrement, affirma Tulip, qui prit la main de Simone. Que t'a-t-elle dit, ma chérie ?

– Elle m'a décrit ses blessures et m'a reproché de n'en avoir aucune. Elle m'a dit que j'aurais dû être tuée, qu'elle regrettait que je ne sois pas morte.

– Quoi qu'elle ait subi, elle n'avait pas le droit de dire de telles horreurs. Sans ta réaction rapide, elle serait très probablement morte, ce soir-là.

– Ne dis pas ça, je t'en prie. Je ne veux pas être cataloguée comme ça.

– Tu as fait preuve de courage et d'intelligence, ne l'oublie jamais, insista Tulip, un bras autour des épaules de Simone. Cette fille est amère et pleine de colère, ce que je peux pardonner, mais ce qu'elle t'a dit... ce n'est que de la haine. Tout à l'heure, tu as dit que tu ne voulais pas me décevoir ni me couvrir de honte. Alors ne me déçois pas maintenant, en prenant à cœur une seule de toutes les horreurs que cette fille t'a jetées au visage.

– Je la détestais. Ce soir-là, avant la fusillade, elle est entrée dans la salle avec Trent, si suffisante, si méprisante. Je la détestais, et maintenant...

– Maintenant tu as grandi, alors qu'elle n'a de toute évidence pas du tout changé. Tout le monde n'évolue pas, Simone. Tout le monde n'a pas la force d'aller de l'avant après une tragédie.

Simone posa la tête sur l'épaule de sa mère :

– J'ai parfois l'impression de toujours être coincée là-bas, dans la cabine des toilettes.

– Dans ce cas, ouvre la porte... Mon Dieu ! Je croirais entendre ma mère. Tu l'as déjà fait, et tu continueras de le faire, même si je n'approuve pas forcément la destination que tu choisis ensuite. Je t'aime, Simone, et c'est peut-être pour ça que tu m'exaspères en permanence. Non mais c'est vrai, qu'est-ce que c'est que cette coiffure ?

Simone parvint à lâcher un rire triste :

– Tu m'embêtes avec mes cheveux pour m'empêcher de penser au reste.

– Peut-être, mais sérieusement, je ne comprends pas pourquoi tu les as coupés courts et teints en rouge infernal.

– J'étais probablement d'humeur infernale quand je suis allée chez le coiffeur, répondit Simone, qui se dégagea et déposa un baiser sur la joue de sa mère. Merci, je me sens mieux, mais je préfère ne pas retourner à l'intérieur. Je serais de toute façon incapable d'affronter un dessert.

— Tu te sens en état de conduire ?

— Oui, ne t'en fais pas.

— Bien sûr que si, je vais m'inquiéter. Envoie-moi un texto dès que tu es arrivée chez ta grand-mère.

— D'accord. Dis à Nat…

— J'ai bien l'intention de tout dire à Natalie, ça nous permettra de ragoter sur cette affreuse et stupide fille pendant tout le dessert et le café.

Le rire de Simone fut cette fois plus spontané.

— Je t'aime, maman. C'est certainement pour ça que tu m'exaspères en permanence.

— Tu m'as eue, là. Cela dit, je reconnais que cette couleur est moins affreuse que la précédente. Pense à m'envoyer un message… et demande à Sissi de te préparer un de ses thés extraordinaires.

— Entendu.

Simone contourna le bâtiment pour reprendre sa voiture. Elle était venue à contrecœur et ne pouvait pas dire qu'elle s'était amusée, néanmoins elle était heureuse d'avoir fait cet effort. De façon aussi étrange que sinistre, ce moment pénible venait de réparer les pots cassés, et ils semblaient désormais plus solides.

Peut-être résisteraient-ils un bon moment.

Chapitre 15

Simone ne pouvait oublier le visage de Tiffany – celui d'avant comme celui d'aujourd'hui –, pas plus que la suffisance qu'il exprimait autrefois et la rage qui l'avait remplacée. Ses pensées étaient hantées par les deux faces de cette pièce : le mépris de l'adolescente sûre de sa beauté, et la colère de la femme qui pensait l'avoir perdue. Ces deux visages tournoyaient dans sa tête tandis qu'elle travaillait.

Elle n'était jamais retournée au centre commercial DownEast, ni dans aucun autre, et jamais elle n'avait remis les pieds dans une salle de cinéma. Elle avait tout fait pour chasser de son esprit, et de sa vie, cette funeste soirée et tout ce qui s'en rapprochait.

Aujourd'hui, à cause de cette stupide rencontre, ces deux visages ricanaient en elle et faisaient resurgir d'affreux souvenirs.

Ne trouvant pas la force de les repousser, elle décida d'en faire un projet artistique. Elle dessina de mémoire le visage de Tiffany à seize ans : des traits harmonieux, une beauté épanouie pleine de confiance, et la cascade parfaite de ses cheveux. Elle passa ensuite à la femme d'aujourd'hui, celle qui l'avait agressée verbalement au country-club : les cicatrices, l'œil gauche légèrement affaissé, la lèvre relevée et l'oreille gauche refaite.

Tiffany est devenue imparfaite, pensa Simone, comparant les deux visages. Clairement imparfaite, mais pas non plus monstrueuse, loin de là. En vérité, son regard d'artiste trouvait le visage actuel plus intéressant que celui d'autrefois.

Tiffany ne devait-elle pas sa rage au fait de se voir rappeler ce qui lui était arrivé chaque fois qu'elle se voyait dans un miroir ?

231

L'horreur revenait-elle sans cesse l'agresser ? Les conséquences du soir terrible étaient comme vivantes dans son reflet, si bien qu'il lui était impossible de les oublier et de passer à autre chose.

Il lui aurait certainement fallu une force et une détermination peu communes pour aller de l'avant malgré ces rappels permanents.

Qui Simone était-elle pour critiquer le comportement de Tiffany ? Avait-elle le droit de mépriser la colère et la rancœur de sa rivale d'autrefois, alors qu'elle-même avait refusé d'affronter les siennes, préférant les reléguer dans un recoin de son esprit ?

Simone se leva et s'approcha de la fenêtre. Dehors, le ciel d'un gris maussade déversait des flocons de neige qui s'empilaient sur les rochers. L'hiver effaçait tout, sauf la mer et le ciel qui se confondaient.

Face à elle se déployaient le silence et la paix, la solitude de l'hiver sur l'île, le chaos et la laideur de l'été depuis longtemps disparu patientant sous l'épaisse couche de neige.

Simone entendit alors en pensée la voix de Tiffany : « Tu t'en es sortie sans une égratignure. »

Non, loin de là. Bon...

Elle prit une profonde inspiration et se retourna.

Elle prit ses outils puis de l'argile.

Une échelle ½, décida-t-elle en écartant quelques toiles. Elle forma ensuite un rectangle avec son argile, non sans s'assurer qu'elle était libre d'arrêter à n'importe quel moment. Ou de changer de modèle. Mais peut-être était-il nécessaire de façonner ces visages pour les chasser de son esprit.

Elle tailla la plaque d'argile et la roula en un cylindre qu'elle redressa à la verticale et lissa avec les mains. Elle adoucit les angles, fit des entailles, rabattit des morceaux, en accola d'autres, comprima les lignes de jointure, formant ainsi le vide à l'intérieur du bloc.

Une sculpture commençait toujours par ces manœuvres techniques et pratiques, de façon à poser les fondations de l'œuvre.

Simone dessina ensuite le contour du visage à l'aide d'une spatule à embout rond, vérifia les proportions obtenues et, avec les mains, entreprit de lui donner sa forme. Les orbites des yeux, le front, le nez, encore un peu d'argile, la main plongée dans le cylindre pour faire saillir les joues, les pommettes et le menton.

Elle le voyait, de même que ses mains le sentaient. C'était un visage féminin, pour l'instant tout à fait banal.

Des creux, des encoches, des bosses.

La suffisance d'autrefois et l'amertume d'aujourd'hui en tête, Simone fit pivoter son bloc et s'attaqua à l'autre côté.

Les deux faces d'une vie.

Enfin, le dôme du crâne, les jointures effacées, compressées, puis l'ajout d'une fente, ne laissant finalement qu'une ouverture assez large pour y glisser la main.

Elle prit un moment pour examiner le résultat – c'était ça : simple, basique, dur –, laissant l'argile se rigidifier avant d'en tailler un peu de chaque côté selon une forme ovale, pour figurer le cou.

Elle sculpta l'avant, prenant tout son temps pour préciser le menton et le cou, reproduisit la manœuvre de l'autre côté, sans omettre les légères différences dues aux blessures et au passage du temps.

Enfin, elle se leva et fit le tour de sa table de travail pour juger son ébauche des deux visages, ainsi que les tracés des reliefs encore à réaliser.

Puis elle se rassit et se lança en abaissant du pouce ce qui devait devenir l'orbite de l'œil gauche.

– C'est parti, murmura-t-elle en roulant une petit boule d'argile. Je ne sais pas ce que j'essaie de prouver, mais c'est parti.

Se servant de ses doigts et de quelques outils, elle façonna les orbites, le coin des yeux et les paupières.

Comme elle en avait l'habitude, elle passait souvent d'un trait à un autre, esquissant à peine les yeux pour aussitôt travailler sur le nez, le menton ou les oreilles, avant de revenir aux yeux. Le tout sans cesser d'alterner entre les deux visages, en fonction des exigences de son esprit et de ses mains.

La bouche si parfaite, sur la face d'autrefois, portait une infime touche de suffisance. Sur la face d'aujourd'hui, le coin de la lèvre était relevé – *mais pas en un sourire*, se dit-elle, ajoutant de l'argile avec une spatule à bout carré pour ensuite la modeler avec les doigts.

Imparfaite, oui, c'était cela : imparfaite, avec des lèvres durcies par l'amertume.

Tandis qu'il neigeait toujours, Simone travaillait en silence. Pas de musique, ce jour-là, pas de bruits de fond. Rien que l'argile sous ses mains, et la former, la façonner.

Elle sentit son œuvre prendre vie avant même de revenir aux

yeux. Pour ceux-ci, les formes avaient leur importance, bien entendu, les plis, les poches et les rides, mais c'était toujours la vie qu'ils dégageaient qui faisait la différence. Les yeux étaient capables d'exprimer les pensées et sensations d'un instant donné comme de toute une vie.

Chez la splendide adolescente, les yeux brillaient d'une assurance qui frôlait l'arrogance ; tandis que chez la femme, ils reflétaient non seulement l'horreur et la peur d'un soir, mais aussi les conséquences subies par le visage, l'esprit et le cœur d'une rescapée.

Patricia Hobart travaillait autant que Simone.

Chez elle aussi, il neigeait, et elle aussi étudiait les traits d'un rescapé de la fusillade.

Lassée de Toronto, elle voulait changer de décor, partir ailleurs. Or Bob Kofax lui en donnait l'occasion.

Agent de sécurité au centre commercial le grand soir, il avait survécu à deux balles dans la peau. Son histoire et son combat pour se remettre de ses blessures lui avaient valu une exposition médiatique bien trop importante aux yeux de Patricia. Il fallait ajouter à cela qu'il profitait, selon elle, du funeste destin de JJ pour continuer de travailler au centre commercial.

Il méritait des claques !

Visiblement, Bob voyait dans le fait d'avoir survécu comme un message du Ciel l'incitant à profiter au maximum de ce cadeau qu'était la vie, à aider les malheureux dans le besoin et à commencer et terminer chaque journée en éprouvant de la gratitude.

Elle avait lu tout cela sur sa page Facebook.

Pour Bob, profiter au maximum de la vie reviendrait entre autres à fêter son cinquantième anniversaire avec son épouse et leurs deux enfants, dont l'un était homo et « marié » à un autre homo, ce qui heurtait Patricia jusqu'au tréfonds de son être. Comme si cela ne suffisait pas, ce couple contre nature avait adopté un mioche asiatique. L'autre fils de Bob, lui, au moins, avait épousé une vraie femme avec laquelle il avait eu deux vrais enfants.

Cette foutue tribu prévoyait de se prélasser toute une semaine sous le soleil des Bermudes.

Leurs pages Facebook précisaient tous les détails du voyage, avec même – quelle horreur ! – un compte à rebours.

Bob aurait cinquante ans le 19 janvier.

Après réflexion, Patricia se décida sur son identité et son look, puis elle réserva un billet d'avion et une chambre dans le même hôtel que la famille de Bob.

Elle s'attela ensuite à la partie la plus amusante du programme, à savoir imaginer les meilleures façons de tuer Bob avant qu'il franchisse le cap des cinquante balais.

Deux jours avant Noël, la maison de Sissi brillait de mille feux, à tel point que par nuit claire on l'apercevait depuis le continent. Dans son sapin de Noël était suspendue toute une armée de pères Noël, créatures mythologiques, dieux et déesses, ainsi que des boules peintes à la main.

Le feu crépitait délicieusement, dans la cheminée. Au crépuscule, ce soir-là, elle allumerait les dizaines de bougies disposées à l'intérieur et les lampions de verre à l'extérieur, au moment où le traiteur disposerait le gueuleton prévu pour la soirée portes ouvertes qu'elle donnait traditionnellement pendant les vacances de Noël.

Si elle réservait la veille de Noël pour Simone et elle puis le jour de Noël pour la famille, Sissi consacrait cette soirée – une de ses préférées de l'année – aux habitants de l'île.

Son bonheur monta d'un cran lorsqu'elle ouvrit la porte à Mi :

– Joyeux Noël, joyeux plein-de-choses ! lui lança-t-elle en l'étreignant avec vigueur, avant de prendre ses bagages.

– Sissi, ta maison est fantastique ! Comme toi !

– Je suis ravie de te voir. Retire ton manteau et posons tes sacs, et ensuite je te prépare un verre de quelque chose.

– Il n'est que 14 heures !

– C'est Noël ! On va se faire des mimosas et tu en monteras un à Simone… Tu en profiteras pour la faire descendre, pour que je passe un petit moment avec mes cocottes. Je crois qu'elle s'est planquée dans son atelier pour éviter que je la harcèle avec sa tenue de ce soir. Comment va ta famille ?

– Tout le monde va bien, répondit Mi, ôtant son bonnet et dévoilant sa coupe au carré ultra-lisse. Nari est fiancée… enfin, elle sera fiancée demain soir. Tout le monde est au courant sauf elle. James, son chéri, a demandé sa main à mon père, ce qui lui a valu de précieux points. Il doit lui faire sa demande en mariage demain soir.

Ce garçon de Boston a tenu la route, pensa Sissi, une bouteille de champagne à la main.

– Et elle l'aime ?

– Oui, bien sûr.

– Bon, eh bien dans ce cas… dit Sissi, qui fit sauter le bouchon dans un joyeux claquement, buvons à leur bonheur. Et toi ? As-tu quelqu'un en vue ?

– Mmm… Certains attirent mon regard mais… dit-elle en haussant les épaules, personne n'a touché à la fois mon cœur et mon esprit.

– Ça viendra. Le sexe, c'est facile, mais l'amour, c'est compliqué. Allez, monte cette coupe à Simone, prenez un peu de temps pour bavarder entre filles et redescendez. Nous boirons encore, nous échangerons quelques ragots et nous nous ferons toutes belles.

Mi gravit les deux étages, une coupe dans chaque main.

Parvenue à la porte de l'atelier – la musique baignant les lieux avait masqué le bruit de ses bottes sur les marches –, elle trouva Simone occupée à couvrir une sculpture d'une sorte de gel rouge.

Harmonieusement penché en arrière, ce nu féminin formait presque un cercle des pieds à la couronne qu'il portait sur la tête. Armée d'un arc avec une flèche encochée, cette femme visait droit vers le ciel.

Puissance et grâce, songea Mi, qui aurait pu en dire autant de sa meilleure amie. Ses cheveux d'un brun profond nuancé de mèches d'un rouge osé, rassemblés en une courte tresse, Simone portait un jean maculé d'argile et de peinture et troué aux deux genoux, et une chemise tout aussi barbouillée aux manches courtes déchirées. Enfin, elle était pieds nus, les orteils vernis en bleu nuit.

Submergée par un élan d'amour, avec l'impression que tout allait bien dans le monde, Mi envia une fraction de seconde le talent artistique de Simone, si naturel. Celle-ci s'écarta de son œuvre et, quand elle inclina la tête pour juger de son travail, aperçut Mi. Elle poussa un glapissement qui fit sourire Sissi, deux étages plus bas et projeta du gel rouge un peu partout en posant brutalement son pinceau.

– Tu es là !

– Avec des mimosas.

– Tu es plus précieuse que dix mimosas ! Je ne peux pas te serrer dans mes bras, je suis couverte de peinture.

– On s'en fiche, dit Mi, qui, ayant posé les coupes, prit les deux mains de Simone puis dansa avec elle en rond. Tu m'as manqué.

– Pareil ! répondit Simone, avant de lâcher un long soupir. Là, c'est vraiment Noël.

– Buvons à ça. Ou alors, je bois à ça pendant que tu termines ce que tu faisais.

– C'est fini.

– Qui est-ce ?

– *L'Archère*. Une commerçante que j'ai rencontrée à Sedona, en Arizona. Elle dégageait cette… sérénité et ce courage.

– Tu les as parfaitement rendus.

– Tu trouves ? Tant mieux.

Simone s'empara des coupes et en tendit une à Mi.

– J'adore cette pièce, dit celle-ci. Elle te ressemble énormément. Rien à voir avec mon labo, qui me ressemble énormément. Mais on en est là.

Elle serra la main de Simone puis s'intéressa aux autres œuvres, émerveillée.

– Toutes ces sculptures t'ont été inspirées par ton séjour dans l'Ouest ?

– La plupart, oui. J'en ai en envoyé quelques-unes à mon agent, pour qu'elle voie quelle direction je prends. Enfin bref…

– Celle-ci me rappelle quelqu'un, s'étonna Mi, qui abaissa son mimosa et contourna un buste. C'est Tiffany ? Je n'ai pas pensé à elle depuis des années, mais…

– Ouais.

Sa curiosité attisée, Mi s'approcha, la tête inclinée :

– Il y a un autre visage de l'autre côté ?

– Tu peux la prendre dans les mains, elle est terminée.

Mi saisit le double buste et le retourna avec précaution.

– Oh, j'ai compris…

– Un visage avant, un visage aujourd'hui, confirma Simone. J'aurais dû la ranger dans un coin. On ne va pas se rappeler de tristes souvenirs.

– Non, attends. Pourquoi ? Pourquoi Tiffany ?

– Je suis tombée sur elle il y a quelques semaines, expliqua Simone, haussant les épaules. C'est vraiment bizarre, il y a eu comme une inversion des choses. Autrefois, j'étais convaincue que cette fille… Elle fit courir un doigt sur le front sans une ride et la joue lisse. Cette fille a ruiné ma vie. Elle m'a volé le mec que j'aimais, le mec avec qui j'étais certaine de me marier et d'avoir beaucoup d'enfants. Je la rendais responsable de mon malheur. Mon Dieu, Mi, on avait seize ans !

– Seize ans, oui, répéta Mi, qui passa un bras autour de la taille de Simone. Cela dit, cette fille n'en était pas moins une salope cruelle et sournoise.

– Carrément.

– Et quand tu parles d'inversion des choses, c'est parce que maintenant elle estime que c'est toi qui as ruiné sa vie ? Mais pourquoi ?

– Je m'en suis sortie indemne, expliqua Simone, caressant l'autre visage. Pas elle.

– C'est à cause de JJ Hobart, ça. Qu'est-ce qu'elle t'a dit, Sim ?

– Tu vois ce visage ? Pas seulement ses imperfections.

– Tu penses à sa colère, à son amertume ? Bien sûr que je les vois. Tu as un talent fou pour exprimer les sentiments.

Mi s'offrit nonchalamment une gorgée de champagne et poursuivit sur un ton en accord avec son geste :

– C'est donc toujours une salope cruelle et sournoise ?

Simone s'esclaffa et se sentit d'un coup libérée d'une tension collante et étouffante :

– Oh oui ! Tu peux le dire !

– Les tragédies ne changent pas forcément les gens. Je dirais même que, la plupart du temps, elles ne font que révéler ce qu'ils sont depuis toujours.

Mi reposa le buste sur l'étagère, le visage nouveau tourné vers la pièce.

– Tiffany a toujours été comme ça, intérieurement.

Elle leva son verre et porta un toast avec insouciance avant d'enchaîner :

– Elle n'est peut-être pas aussi belle, physiquement j'entends, qu'elle l'aurait été sans la fusillade, mais elle est vivante. Beaucoup n'ont pas eu cette chance. Et si elle est vivante, c'est certainement grâce à toi. Comme moi. Ne secoue pas la tête, je te rappelle que je suis le Pr Jung ! Je perdais tant de sang que je n'aurais pas survécu si les secours étaient arrivés ne serait-ce que dix ou quinze minutes plus tard.

– Ne parlons plus de ça.

– Si, juste une minute, parce que j'ai quelque chose à dire. Tu vois ça ? Ce que tu as fait avec Tiffany… c'est quoi, son nom de famille, déjà ?

– Bryce.

– Tu t'en souviens, pas moi. Ça aussi, ça veut dire quelque chose. Ce que tu as fait, en sculptant ces visages, c'est sain.

– Ah oui, vraiment ?

– Et comment ! Ce buste ne représente pas seulement qui elle est, Sim, mais aussi qui tu es. Nous avons survécu et nous sommes devenues ce que nous sommes aujourd'hui. Tu as toujours eu en toi la force qui t'a permis de créer ce double visage à partir de l'argile. La fille de seize ans, qui croyait sa vie fichue à cause d'un abruti qui voulait tirer un coup mais n'était pas digne d'elle – je sais, j'irai peut-être en enfer pour avoir dit du mal d'un mort, mais c'était vraiment un abruti qui voulait seulement tirer un coup – aurait pu se complaire dans sa tristesse et renoncer à ses dons par amertume. Mi se tourna vers le buste. C'est justement ça que je vois sur ce visage : cette fille a renoncé au don de la vie par amertume, en ne pensant qu'à reprocher aux autres ce qu'elle a subi. Nous avons perdu une amie, Sim, et c'est aujourd'hui encore une terrible souffrance, ça le sera toujours. Dans l'époustouflante sculpture qui est au rez-de-chaussée, et dans d'autres, tu l'as ramenée à la vie, tu as fait honneur à sa courte vie, et même à la vie qu'elle aurait pu avoir.

– Je ne sais pas… dit Simone en lâchant un soupir frémissant. Je ne sais pas ce que je ferais sans toi.

– Et tu ne le sauras jamais. Moi, de mon côté, j'ai canalisé mes dons, mes talents artistiques, si on veut, de façon à œuvrer pour trouver de nouvelles façons de soulager la douleur, la souffrance, d'améliorer la qualité de la vie. Tout ça ne fait pas de nous des personnes exceptionnelles, c'est simplement ce que nous sommes. Nous valons mieux que Tiffany Bryce, cette salope, Sim. Depuis toujours.

Simone souffla de nouveau, longuement, puis trouva la force de réagir :

– Waouh !

– Je pense tout ce que j'ai dit, y compris sur les abrutis, qu'ils soient morts ou vivants. Maintenant, repense à ça chaque fois que tu poseras les yeux sur ce double visage. Que cette pute aille au diable, Simone !

Les sourcils froncés, Simone considéra une dernière fois le buste :

– Je peux donc être désolée pour ce qui lui est arrivé, car personne ne mérite une telle horreur, mais tout de même la détester ?

– Bien sûr !

– Je ne sais pas pourquoi je n'y ai pas pensé. Même en façonnant ces deux visages de mes mains, je n'ai pas réussi à voir les choses sous cet angle.

– C'est à ça que ça sert, les amies.

– Tu as trouvé une réponse à la question qui me titillait, « meilleure copine pour la vie ». Tu as raison, que cette pute aille au diable. Allez, descendons et sifflons d'autres coupes de champagne. Je vais en avoir besoin pour me montrer sociable jusqu'à l'aube.

– J'adore les soirées de Sissi, se réjouit Mi, qui offrit un sourire chaleureux à son amie en sortant de l'atelier. J'ai acheté une nouvelle robe spécialement pour ce soir. Une vraie tuerie.

– Tu exagères ! Sissi va encore plus me harceler, maintenant. Enfin, je me fiche de ça aussi, tiens ! J'oublie toute prudence et je vais la laisser choisir ma tenue.

Aux anges, Mi donna un petit coup d'épaule à Simone :

– On va s'éclater, tu vas voir !

Sissi avait en fait déjà acheté une robe pour Simone – robe dissimulée dans sa penderie – déterminée à convaincre sa petite-fille de la porter.

Après de nombreuses coupes de champagne et autant de bavardages, elle entraîna les deux amies dans son immense salle de bains pour une séance de maquillage et de coiffure. Après avoir décrété que Mi devait adopter un style sexy et racé, elle s'arma du fer à friser et couvrit de boucles la tête de sa petite-fille étonnamment docile.

Elle approuva la robe rouge de Mi – épaules dénudées, jupette affolante et taille de guêpe – et dut quelque peu patienter, le temps que Simone parvienne à se glisser dans sa robe bleu nuit.

Les manches jusqu'aux poignets et la longueur de cette robe – elle descendait jusqu'aux genoux – auraient pu donner une impression de pudeur ; cependant, les profonds décolletés, sur la poitrine comme dans le dos, et la fente remontant haut sur la cuisse droite faisaient l'effet inverse, ce d'autant plus qu'elle était aussi moulante qu'une seconde peau.

– Je comprends pourquoi tu m'as donné du vernis à ongles bleu nuit hier, dit Simone.

– Eh oui, ils sont assortis, confirma Sissi avant de sortir son arme suivante. Surtout avec ça.

Les chaussures arboraient des lacets bleu métallisé allant des orteils à la cheville, et des talons aiguilles argentés.

– Tu feras une bohémienne très sexy, apprécia-t-elle.

– Elles sont splendides ! s'extasia Simone, qui s'assit pour les enfiler, puis se releva. Je risque de boiter pendant des semaines, mais ça aura valu le coup.

– Joyeux Noël ! s'écria Sissi, s'étant emparée de son appareil photo. Prenez la pose, les filles.

Tandis qu'elles faisaient les folles devant l'objectif, Sissi eut l'idée de les peindre en jeunes sirènes.

– Merde, le traiteur a sonné ! Enfilez les bijoux, maintenant ! Mi, tout en subtilité, et Simone un côté artiste, un peu *too much*. Allez, action !

Sissi disparut dans une tempête de jupes volantes, de bottes hautes et de cheveux roux lâchés.

– Comment fait-elle ? demanda Mi.

– Je n'en sais rien, mais j'ai bien l'intention d'avoir aussi bonne mine, d'être aussi vive et de vivre aussi intensément qu'elle quand j'aurai son âge. Choisissons nos boucles d'oreilles et descendons lui donner un coup de main.

Tandis que le vent soufflait et que la température chutait, la maison de Sissi se remplit d'invités. Toute l'île semblait s'être donné rendez-vous chez elle, et même quelques continentaux. Des personnes du monde des arts et de la musique se mêlaient aux locaux en dégustant des petits fours au homard, des brochettes de crevettes et du champagne.

Cette foule débordait jusque sur la terrasse, où étaient installés des chauffages d'appoint. De la musique sortait des enceintes, quand tel ou tel artiste talentueux ne cédait pas à l'envie de prendre une guitare ou de se mettre au piano, le temps d'une improvisation.

Sissi parlait avec tout le monde, profitant de chaque instant, même si elle guettait l'arrivée d'une personne en particulier. Quand enfin elle l'aperçut, elle s'approcha de Simone :

– Tu pourrais monter une seconde, ma chérie ? Je crois que j'ai laissé ma bougie de Noël allumée dans ma chambre. J'aimerais éviter de mettre le feu à la maison.

– Bien sûr ! Super soirée, Sissi.

– Oui, je n'organise que des super soirées.

Pendant que sa superbe petite-fille filait remplir sa mission-prétexte, Sissi fondit sur Reed, qui la gratifia d'un grand sourire :

– Tu ne mentais pas quand tu m'as dit que ce serait la soirée la plus énorme qui soit. Joyeux Noël !

Il lui tendit un paquet cadeau.

— Comme c'est mignon ! s'écria Sissi. Je vais le déposer sous le sapin.

Elle l'embrassa, puis laissa courir sa main sur la manche de sa veste gris foncé.

— Tu es charmant, dis-moi !

— J'ai dû me faire beau, pour la « soirée la plus énorme qui soit ». Et toi, tu es éblouissante. Dis, on pourrait peut-être filer, après la soirée, pour…

Sissi sourit en le voyant perdre l'usage de sa voix, tandis que son visage, dragueur une seconde auparavant, se figeait de stupéfaction. Elle n'eut pas besoin de se retourner pour deviner que Simone était apparue dans l'escalier, de retour de sa chambre, comme elle l'avait prévu.

Il la connaissait, il avait évidemment déjà vu son visage et eu tout le loisir de le détailler, comme tant d'autres figurant dans ses dossiers. Il avait également eu l'occasion de la voir sur les photos habilement disposées un peu partout dans la maison de Sissi, sans oublier le tableau qui lui avait valu une poussée de désir et un émerveillement brûlant.

Mais ce n'étaient qu'une œuvre d'art, des photos, des témoignages et quelques interviews télévisées.

Là, il avait devant lui la femme en chair et en os. Le cerveau déconnecté durant dix bonnes secondes par cette apparition, il n'entendait plus qu'un bourdonnement indistinct et n'avait qu'une pensée en tête : *Waouh !*

Elle se dirigea droit vers lui. Le bourdonnement s'intensifia.

— C'est bon, dit la déesse.

— Merci, mon bébé. Je te présente Reed, qui sera bientôt le nouveau chef de la police de l'île. C'est aussi un de mes meilleurs amis, en comptant mes autres vies. Reed, je te présente ma Simone, mon trésor le plus cher.

— Reed, dit Simone. Oui, bien sûr. Ravie de faire enfin votre connaissance.

Ces lèvres… Ces lèvres de rêve, ce sourire enchanteur… Et sa voix, pareille à une douce brume stagnant sur une piscine magique.

Reed serra la main qu'elle lui tendait. Avait-elle ressenti la même chose que lui ? Cet élan incontrôlable ?

— De même, parvint-il à articuler.

— Simone, conduis donc Reed à un des bars et sers-lui à boire.

Que dirais-tu d'une bière, monsieur Délicieux ?

– Ah… Oui, bien sûr. Une bière. Très bien. Parfait.

Bon sang…

– On va te trouver un remontant.

Simone lui fit signe de le suivre et ouvrit la marche, tandis qu'il s'efforçait de reprendre ses esprits. Il fut quelque peu aidé en cela par les deux ou trois salutations et tapes dans le dos ou sur le bras qu'il reçut de la part d'autres invités.

Après avoir lancé un mot au barman, Simone se tourna vers Reed pour lui faire la conversation pendant qu'ils attendaient sa bière :

– Alors comme ça, vous avez acheté la maison des Dorchet ?

– Oui, je… Je m'y installe après le nouvel an.

– Elle est formidable.

– Vous y êtes déjà entrée ? demanda Reed, qui enchaîna sans laisser à Simone le temps de répondre. Oui, sûrement. J'ai eu le coup de foudre.

– Je vous comprends. Avec ce…

– … belvédère, dirent-ils en chœur.

– Exactement ! s'esclaffa-t-elle.

Elle a le même rire que Sissi, se dit Reed, reprenant peu à peu le contrôle de lui-même. Il prit sa bière et décida de tenter sa chance :

– Vous avez certainement beaucoup de choses à faire, mais je peux vous garder une minute ?

– Bien sûr.

Il l'éloigna de la foule massée autour du bar et la mena jusqu'à un coin moins bondé, à l'autre bout de l'immense pièce.

– Je voulais simplement vous dire que je m'y connais un peu plus en matière d'art depuis que je traîne avec Sissi.

– Elle vous adore.

– Je suis amoureux d'elle.

– Bienvenue au club, sourit Simone.

– Elle m'a ouvert une porte par laquelle je ne parvenais pas à me glisser. Je suis encore loin d'être un expert, cela dit, mais vous voyez cette sculpture, là-bas ? (Il désigna *Émergence*.) Si j'avais les moyens de m'offrir de telles œuvres, et si celle-ci n'appartenait pas déjà à Sissi, elle serait mienne.

Simone resta muette un moment, mais cela ne l'empêcha pas d'attraper une flûte de champagne au passage d'un serveur.

– Pourquoi ? demanda-t-elle enfin.

– Eh bien, parce qu'elle est splendide, déjà, mais surtout parce j'y vois une preuve de vie. C'est une expression un peu bancale mais…

– Non, non, c'est exactement ça.

– J'étais présent, ce soir-là.

Simone hocha lentement la tête, les yeux rivés sur sa sculpture.

– Je ne dis pas ça pour en parler, ce n'est pas le moment, en pleine fête. Je le précise seulement parce que je ne sais pas si c'est pour cette raison que cette sculpture me touche au plus profond. J'ai vu d'autres œuvres de vous, Sissi m'a fait visiter votre atelier et j'en ai aperçu quelques autres dans la maison. Elles sont toutes magiques, mais celle-ci me noue la gorge, me donne un coup de poing en plein cœur. Il prit une gorgée de bière. Enfin, bref…

– On vous a tiré dessus, dit Simone, plongeant son regard dans le sien. Pas le soir de la fusillade, l'été dernier. Mais ces deux événements sont liés.

– Exact.

– Comment vous sentez-vous, à présent ?

– Eh bien, je parle avec une femme superbe en buvant une bière… Je dirais que je me sens très bien.

– Vous m'excusez une minute ?

– Je vous en prie.

– Attendez-moi ici, je reviens dans un instant.

Suivant des yeux Simone qui s'éloignait, Reed fit le point sur son état. Son cœur semblait battre de nouveau normalement, et son cerveau donnait l'impression d'avoir retrouvé ses capacités.

Simplement une réaction bizarre, conclut-il. *Un étrange coup de fouet qui a secoué mon corps. Ça va mieux, à présent.*

En voyant Simone revenir, il fut de nouveau secoué et lâcha son deuxième « Waouh ! » mental de la soirée.

Elle était accompagnée d'une élégante femme vêtue d'une robe rouge, dont il reconnut également le visage.

– Mi, je te présente Reed.

– Bonjour, Reed.

– Reed, voici Mi-Hi Jung, dit Simone. Le Pr Jung.

– Mi, tout simplement, rectifia l'intéressée, qui, tout sourire, tendit la main à Reed. Ravie de faire votre connaissance.

– Reed a acheté la maison des Dorchet, celle avec le belvédère et la forêt derrière.

– Oh, elle est fantastique !

– C'est le prochain chef de la police de l'île. Il était... il est toujours, j'imagine, inspecteur à Portland.

– Je ne le suis plus, dit Reed, en serrant la main de Mi.

– Il était présent ce soir-là, ajouta Simone, qui n'eut pas besoin de préciser à quel soir elle faisait allusion. Nous y étions tous les trois. C'est étrange, non ? Nous étions tous les trois là-bas, et nous voici aujourd'hui de nouveau réunis. Reed est devenu policier et Mi médecin, scientifique et ingénieur biomédical. Quant à moi... Elle tourna la tête vers la sculpture, avant de revenir à Reed. Êtes-vous entré dans la police à cause de ce qui s'est passé ce soir-là ?

– Disons que ça m'a orienté dans cette direction. Je dois aussi beaucoup à Essie. Essie McVee.

Simone soutint son regard, sans ciller une seconde.

– L'agent McVee. C'est elle qui m'a trouvée. Et elle qui est intervenue la première. Et donc, vous la connaissez.

– Oui, c'est une amie proche. Nous étions même équipiers ces dernières années.

– Ça y est, je me souviens de vous, intervint Mi. Vous avez pris le petit garçon et l'avez caché, mis à l'abri des tueurs. Vous n'étiez pas encore policier.

– Non, j'étais à la fac. Et je travaillais au Manga, le restaurant.

– Vous n'avez pas été blessé ce soir-là, mais plus tard, laissa échapper Simone. Mi a également été touchée. Et vous voici devenus un policier et une scientifique. Comme tu l'as dit tout à l'heure, Mi, les tragédies nous révèlent qui nous sommes. Excusez-moi.

– Je l'ai contrariée, se désola Reed, en la regardant s'éloigner.

– Non, je vous assure que non, affirma Mi, une main sur le bras du jeune homme. Quand elle est contrariée, elle est froide comme un glaçon ou brûlante comme de la lave en fusion. Vos paroles lui ont donné à réfléchir, à considérer quelque chose qu'elle éludait depuis longtemps. Mi se retourna vers lui, rayonnante. Je ne sais pas ce que vous lui avez dit avant que je vous rejoigne, mais ne serait-ce que pour ça, je suis encore plus contente d'avoir fait votre connaissance.

Chapitre 16

Reed commença dès le mois de janvier sa formation sur le terrain. Il savait se comporter en policier ou en enquêteur et interroger un suspect, un témoin ou une victime. Il savait également traiter une affaire et n'ignorait rien des exigences et raisons des procédures et paperasses administratives. Enfin, il avait conscience de l'importance des relations et contacts au sein d'une communauté.

Il se sentait moins sûr de lui quant à ses talents d'administrateur, de chef d'équipe ou de politicien, en particulier sur une île, et savait pertinemment qu'il serait, au moins dans les premiers temps, considéré comme un étranger.

Décidé à faire tout son possible pour se débarrasser de cette étiquette, il se rendait tous les matins au village à pied ou à bicyclette, où il prenait un café et le menu petit déjeuner du jour au Sunrise, établissement ouvert toute l'année de 6 heures à 22 heures. Il discutait avec les serveuses et les commerçants. Il acheta sa première pelle à neige à la quincaillerie locale puis investit dans un chasse-neige manuel peu après, quand cinquante centimètres de poudreuse se déposèrent sur l'île.

Sur les conseils de Sissi, il embaucha Jasper Mink pour rénover les quelques coins de la maison qui le méritaient.

Il s'entendait parfaitement avec le contractuel de l'île, un sosie de Willie Nelson portant un tee-shirt Def Leppard sous sa chemise de flanelle.

Il faisait ses courses à la supérette locale et squattait un tabouret au Drink Up – le seul bar ouvert en hiver –, faisant de façon générale l'effort d'être visible et accessible le plus souvent possible.

Il s'était fait au rythme hivernal de l'île, tout en lenteur. Obsédés par les conditions météorologiques, les habitants étaient plutôt repliés sur eux-mêmes et fiers de l'être. Il tint à faire la connaissance des pompiers volontaires et des médecins, ce qui lui valut un examen de routine.

Il fut piégé de la même façon chez le dentiste.

La politique étant inévitable dans son nouveau métier, Reed assista à une réunion à la mairie, pendant laquelle il écouta les personnes présentes se plaindre de la coupure de courant survenue dans le sud de l'île lors de la dernière tempête et s'inquiéter de l'érosion sur la côte nord. Il fut témoin d'un échange plein d'amertume à propos du recyclage obligatoire, décret que certains – dont les noms furent cités – transgressaient régulièrement.

Ayant seulement prévu d'écouter et de prendre des notes, Reed sentit son estomac se nouer lorsque le maire l'appela :

– Levez-vous, Reed, pour que tout le monde vous voie. Vous savez, pour la plupart d'entre vous… en tout cas, il faut que vous le sachiez … que Reed remplacera Sam Wickett en tant que chef de la police quand celui-ci prendra sa retraite, d'ici deux mois. Approchez, Reed, et présentez-vous. Parlez-nous un peu de vous et des raisons qui vous ont poussé à vous installer parmi nous.

Et merde… Merde, merde et merde.

Il croisa le regard pétillant de Hildy. Cette femme était un maire futé ; elle connaissait bien ses administrés, maîtrisait sa politique et se révélait allergique aux crétins.

Reed avait grand intérêt à ne pas passer pour un idiot devant tout ce monde, à la mairie.

Parvenu au bout de la salle, il prit quelques secondes pour observer le visage des quelques dizaines de personnes qui s'étaient donné la peine de se déplacer.

– Je m'appelle Reed Quartermaine, et j'étais inspecteur à la police de Portland.

– Vous « étiez » ? lança quelqu'un. Vous avez été renvoyé ?

– Non, madame. Si tel était le cas, Madame le maire et le conseil municipal ne m'auraient pas proposé ce poste, me semble-t-il. Si je suis ici, c'est tout simplement parce que, comme beaucoup de mes connaissances à Portland, j'ai passé un peu de temps sur cette île en été, et que je m'y suis plu.

– L'été, c'est une chose, mais l'hiver, c'en est une autre ! cria une autre personne.

– Je m'en suis rendu compte, sourit le jeune homme. Je me suis procuré un chasse-neige Cirus à la quincaillerie de l'île, et j'ai appris à m'en servir. J'ai acheté une maison sur l'île l'automne dernier, alors que j'étais venu pour deux semaines de vacances, car je me rappelais l'avoir déjà remarquée quand j'étais enfant. Quand je l'ai revue, puis quand j'y suis entré, j'ai su que c'était celle qu'il me fallait. Ça faisait un moment que je cherchais une maison, j'ai fini par la trouver sur cette île.

– La maison des Dorchet est bien grande pour un célibataire, fit observer une femme.

Ses cheveux gris acier rassemblés en tresse, elle le considérait avec plus qu'un léger doute, sans cesser de tricoter quelque chose à partir d'une pelote de laine d'un vert vif.

– En effet, madame. Je m'emploie précisément à la remplir de suffisamment de meubles pour que l'écho ne soit pas trop fort. Vous ne me connaissez pas, pour beaucoup d'entre vous, mais je suis installé ici, désormais. Le chef Wickett me fait découvrir les ficelles du poste. Quand il sera parti, je continuerai sa politique de la porte ouverte et vous aiderai de mon mieux. Cette île est à présent mon foyer et vous êtes mes voisins. En tant que chef de la police, j'ai prêté serment de servir et protéger l'île et ses habitants. Et c'est précisément ce que je compte faire.

Alors qu'il s'apprêtait à regagner son siège, un type enrobé arborant une barbe grisonnante se leva, au premier rang :

– Vous êtes proche de Sissi Lennon, je crois ?

– Si vous pensez à une relation amoureuse, je ne peux que vous répondre ceci : j'aimerais bien.

La réponse de Reed déclencha quelques rires qui lui laissèrent le temps de fouiller dans sa mémoire et de mettre un nom sur cet homme. Il s'agissait de John Pryor, îlien à l'année, plombier et propriétaire avec son frère de quelques maisons qu'il louait en été.

– J'ai l'impression que vous n'auriez pas décroché ce job si Sissi n'avait pas insisté.

– Hé ! Je vous prie de… intervint Hildy, que Reed fit taire en levant la main.

– Ce n'est rien, Madame le maire, dit-il. C'est une question logique. Il est vrai que je n'aurais jamais su que ce poste allait se libérer, ni même qu'une maison était sur le point d'être mise en vente, si Sissi ne m'avait pas averti. Je lui suis reconnaissant de l'avoir fait, ce qui m'a permis de tenter ma chance dans les deux cas.

– On vous a tiré dessus à Portland. Vous vous êtes peut-être dit que chef de la police ici serait un boulot plus pépère.

Des murmures désapprobateurs s'élevèrent, tandis que le visage de Pryor se faisait plus agressif.

– Je ne cherche pas de boulot pépère, John, la question n'est pas là. Je ne cherche qu'à faire mon travail, à m'assurer que les habitants de l'île et les touristes qui remplissent les hôtels et les gîtes en été mènent une vie pépère, justement. Vous possédez précisément quelques maisons de location, avec votre frère… Mark, c'est bien ça ? Vous êtes bien situés, d'ailleurs. Si vous rencontrez le moindre problème, à partir du mois de mars, appelez-moi. En attendant, si vous avez d'autres questions à me poser, allons faire un tour au Drink Up après la réunion, et je vous offre une bière.

Pryor ne prit pas Reed au mot, concernant la bière ; mais au cours du mois de janvier, bien d'autres ne s'en privèrent pas, au nombre desquels ses quatre adjoints à l'année, la standardiste du poste de police et deux de ses trois adjoints saisonniers, qui ne l'aideraient que de juin à septembre – le troisième passait tous les hivers six semaines à Sainte-Lucie.

Parmi ces nombreux pots pris au bar, un seul fut délicat : celui qu'il partagea avec la seule femme de son équipe d'adjoints. Matty Stevenson avait servi quatre ans dans l'armée, puis trois dans la police à Boston, avant de revenir sur l'île où elle était née. Elle s'était ensuite consacrée durant dix-huit mois et à plein temps à sa mère, veuve, quand celle-ci avait contracté un cancer du sein. Enfin, elle était devenue la première femme nommée adjointe de police de l'île, poste qu'elle occupait depuis neuf ans.

Sa mère, toujours en vie, tenait à présent une boutique de souvenirs saisonnière dont elle était propriétaire.

Ils s'étaient installés à une table pour deux, face à face. Sous ses cheveux blond cendré courts et lisses, Matty avait un regard bleu et dur. Elle portait une chemise de flanelle, un pantalon de laine marron et des chaussures montantes.

Reed avait effectué quelques recherches, autant pour bavarder avec des locaux que pour découvrir « l'historique » de Matty. Il savait ainsi qu'après un mariage houleux et un divorce du même acabit, elle « fréquentait » ou « voyait » John Pryor, éternel célibataire.

Il n'eut pas à enquêter longtemps pour deviner qu'elle n'était pas enchantée par l'arrivée de son futur nouveau patron.

Reed décida d'aller droit au but et de jouer franc jeu :

– Vous êtes furieuse qu'ils m'aient nommé chef.

– Vous venez du continent et ils vous choisissent. Moi, ça fait près de dix ans que je fais partie de la police de l'île, mais personne ne m'a seulement demandé si le poste m'intéressait.

– Moi, je vous le demande.

– Qu'est-ce que ça va changer, maintenant ?

– Je vous pose la question, insista Reed. Je ne suis pas encore chef de la police.

– Vous avez signé votre contrat.

– Exact, mais je vous demande tout de même si vous auriez voulu ce job. Vous avec été militaire pendant quatre ans, puis policière pendant douze ans, sans compter que vous vivez depuis longtemps sur l'île. Vous êtes certainement plus qualifiée que moi pour ce poste.

Matty se redressa et croisa les bras :

– En effet.

– Pourquoi ne vous a-t-on pas proposé la place, d'après vous ?

– Vous êtes un homme. Vous avez pris deux balles. Vous êtes un héros de la fusillade du centre commercial DownEast.

Reed haussa les épaules :

– C'est vrai… sauf que le terme « héros » ne convient pas du tout pour ce qui s'est passé ce soir-là. Mais vous, vous avez servi en Irak, vous êtes décorée de la Purple Heart. Là, en revanche, « héros » est le terme à employer. Moi je suis un homme, en effet. Vous pensez donc qu'ils vous ont écartée parce que vous êtes une femme ?

Matty ouvrit la bouche… puis la referma, prit sa bière et avala quelques gorgées.

– J'ai envie de dire oui, répondit-elle enfin, parce qu'ils ne nous ont pas prévenus. Le chef nous a dit qu'il comptait prendre sa retraite seulement après que tout a été réglé. Je m'en suis aussi prise à Hildy. Je suis sortie avec son frère quand on était au lycée, bon sang !

Et de s'offrir une nouvelle gorgée de bière avant de conclure :

– Mais je ne dirais pas oui, car je ne suis pas une menteuse.

– Pourquoi, alors ?

– Vous le savez très bien.

– Je n'ai aucune idée de ce que vous avez en tête.

– J'ai un sale caractère. Ça m'a valu plusieurs rapports à l'armée, à Boston et même ici, mais pas depuis deux ans, pas depuis que je me suis débarrassée du connard que j'ai fait la bêtise d'épouser. Aujourd'hui, je fais de la méditation tous les matins.

Reed se retint de sourire et se contenta d'acquiescer :

– Et c'est efficace ?

Matty haussa les épaules :

– Oui, la plupart de temps.

– Ravi de l'apprendre. Vous savez, je me fiche que vous portiez une chemise de femme.

– C'est une chemise d'homme, ça, ricana Matty.

– Je m'en fiche, je vous dis. Si l'on fait exception du chef qui va partir, vous êtes flic depuis plus longtemps que tous les autres. Je vais devoir m'appuyer sur vous, et il va falloir que vous me laissiez une chance de faire mes preuves avant de me coller une étiquette d'étranger abruti.

– Et si j'en arrive tout de même à cette conclusion, même après vous avoir donné votre chance ?

– Dans ce cas, je ne resterai pas longtemps chef de la police de l'île.

– Ça me semble honnête.

– Parfait. Autre chose : si j'ai besoin d'un plombier et que j'appelle John Pryor, il va me faire une crasse, d'après vous ?

– Il n'aurait pas dû vous embêter à la réunion, grogna l'adjointe.

– Ce n'était pas bien méchant.

– Il aurait mieux fait de se taire. Il nous a fait passer pour des cons. Et parler de Sissi n'a rien arrangé. Pour vous répondre : non, il est trop fier de son travail pour ça.

– Ravi de l'apprendre, là encore.

Désireux de prendre des nouvelles de Sissi, Reed, dont c'était le jour de congé, se rendit chez elle. Comme elle ne répondait pas lorsqu'il sonna à l'entrée, il fit le tour de la maison pour gagner son atelier, comme souvent. À travers les vitres, il distingua des tableaux mais pas l'artiste peintre.

Pris d'une légère inquiétude, il tâcha de se convaincre que c'était seulement le flic en lui qui imaginait le pire ; ça ne l'empêcha pas de se rendre sur la terrasse, pensant tenter d'ouvrir la baie vitrée et appeler Sissi.

Il aperçut alors une silhouette féminine assise sur les rochers, au bord de la plage enneigée. Il descendit jusque là, jouissant des gifles du vent, du bruit de l'eau et du spectacle de l'océan, d'un bleu hivernal aussi dur que celui du ciel.

Elle l'entendit approcher et tourna la tête. *Ce visage...* se dit Reed, ayant de nouveau l'impression de recevoir un coup de poing en pleine poitrine.

Il grimpa sur les rochers et s'assit à côté de Simone.

– Sacrée vue, dit-il.

– Ma préférée.

– Pareil.

Elle avait autour du cou une écharpe d'une dizaine de couleurs vives et un bonnet d'un bleu éclatant sur la tête.

Pleine de vie, pensa Reed. *Époustouflante.*

– Sissi n'est pas là, lui révéla-t-elle. Elle s'est offert deux jours de thalasso avec un ami. Un coup de tête.

– Je m'étonnais qu'elle ne réponde pas, vu que sa voiture est garée devant la maison, et la tienne aussi.

– Je l'ai déposée au ferry ce matin, et son copain l'a récupérée sur le continent.

– « Son copain » ? répéta Reed, se frappant le torse. Ça y est, j'ai le cœur brisé.

– Son ami, plutôt. Ils se connaissent depuis vingt ou trente ans, et il est homo.

– Et l'espoir renaît ! plaisanta-t-il, avant de laisser passer quelques secondes, se délectant du sourire de Simone. Ça ne te dérange pas si je reste un peu avec toi ?

– Non, pas du tout. J'ai eu des échos de la réunion de l'autre soir. Apparemment, tu t'en es bien sorti.

– Les gens ont besoin d'un peu de temps pour s'habituer à moi, pour décider si je suis nul ou non à ce poste.

– Ça m'étonnerait que tu sois nul.

– Ce ne sera pas le cas, en effet, mais il faut leur laisser le temps de se faire une opinion.

– La plupart des locaux t'apprécient, d'après ce que j'ai entendu dire.

– Je suis sympa, comme mec, dit-il, avec un sourire pour le prouver. Il m'arrive même parfois d'être aimable. Et toi ?

Simone tourna la tête vers la mer :

– Je ne pense pas être très douée pour ça.

– Non... Qu'est-ce que toi, tu en penses, je voulais dire. Parlons de moi. Tu me trouves sympa ?

Elle planta longuement ses yeux de tigre dans les siens avant de répondre :

– Oui, sans doute. Je ne te connais pas vraiment, en fait.

– Je pourrais t'emmener dîner quelque part. C'est « soirée pain de viande » au Sunrise, sinon il y a toujours Mama's Pizza.

Elle secoua la tête :

– Je m'offre une pause, là, mais je compte travailler ce soir. Le visage fouetté par le vent, elle prit une profonde inspiration. Il commence à faire froid.

La voyant se lever, il descendit des rochers et lui tendit la main pour la soutenir.

– C'est le pain de viande qui t'a refroidie, c'est ça ? dit-il, ce qui la fit rire.

– Oui, ça n'a pas aidé, mais j'ai vraiment l'intention de travailler. J'avais d'abord besoin de grand air, de… m'aérer l'esprit.

– D'accord, mais j'espère que ma proposition ne t'a pas gênée.

Elle inclina la tête et leva doucement les yeux.

– Je ne sais pas trop, à vrai dire, parce que je ne te connais pas bien. Et aussi parce que je préfère éviter de sortir avec des mecs depuis quelques mois.

– Hé, moi aussi, tiens ! Enfin, avec des filles. Mais bon, je pense qu'on arrive au bout de cette période.

– Pourquoi ?

– Parce qu'il faut bien arrêter de jeûner, à un moment donné.

Ils remontaient à présent le chemin qu'ils avaient tracé dans la neige en descendant à la plage.

– Non… Je te demande pourquoi tu jeûnes ?

– Ah ! comprit Reed, se disant qu'une femme qui entretenait la conversation avec un homme ne souhaitait pas forcément tout à fait le chasser. Eh bien, on m'a tiré dessus, ce qui m'a occupé l'esprit un bon moment, puis je suis venu ici, j'ai fait la connaissance de la stupéfiante Sissi qui a changé ma vie. Tout ça n'a pas laissé beaucoup de place pour un pain de viande avec une femme. Et toi ?

– Je ne sais pas trop. Ça ne m'intéresse plus vraiment. Je suis peut-être en pleine ZRS.

– En pleine quoi ?

– En pleine Zone de Ruminage Simonesque. Je m'y rends de temps en temps. Mais je mettrais tout de même le manque d'intérêt en raison numéro un.

– Je sais me montrer aussi intéressant qu'aimable, assura Reed, quand ils s'engagèrent sur les marches menant de la plage à la maison. Je peux déblayer l'escalier, si tu veux.

– Ah, voilà M. Aimable. C'est gentil, mais il va encore tomber dix centimètres cette nuit.

– Tu as tout ce qu'il faut, au cas où il neigerait beaucoup ? Nourriture, boisson… Son mobile sonna. Ah, excuse-moi une seconde. Il faut de toute façon que je fasse un tour au… Sa voix faiblit lorsqu'il lut le texto reçu. Il faut de toute façon que je fasse un tour à la supérette, alors si tu…

– Qu'est-ce qu'il y a ? l'interrompit-elle alors qu'ils atteignaient la terrasse. Je m'y connais en visages. Tu sais rester impassible, c'est peut-être un talent de policier, mais tu t'es relâché une seconde. Rien de grave dans la famille ?

– Non, c'est autre chose.

– Je m'y connais en visages, répéta Simone. Entre un instant, le temps de prendre un café. Elle ouvrit la baie vitrée. Sissi insisterait, et je la décevrais si je n'en faisais pas autant.

– Allons-y pour un café, accepta Reed, qui tapa ses bottes sur le sol avant de s'engouffrer dans la chaleur de la maison.

Simone commença par allumer la feu dans la cheminée, puis elle ôta manteau, bonnet, écharpe et gants, et se dirigea vers la machine à café.

– Normal ou sophistiqué ?

– Noir, tout simplement.

– Un vrai mec, commenta Simone d'une voix légère. Je prends généralement un café crème. J'ai travaillé dans un café pourri, pendant mon premier séjour à New York, mais les cafés crème y étaient excellents.

– Je t'ai contrariée, le soir de la fête de Sissi. Ton amie m'a juré que non, mais…

– Mi avait raison, comme toujours. En fait, je pensais déjà à quelque chose, et ce que tu as dit m'y a fait penser plus fort encore. Je suis partie brusquement, je sais, mais c'est parce que j'étais un peu dans ma tête, à ce moment-là.

– Dans la ZRS ?

Simone haussa les épaules, avec une légère moue des lèvres :

– Disons juste après la frontière.

Tout en préparant la crème de son café, elle jeta un regard par-dessus son épaule et constata que Reed n'avait pas retiré son manteau.

– Ce texto avait forcément un rapport avec la fusillade, non ? reprit-elle.

– Tu es un peu voyante, toi aussi ? Comme Sissi ?

– Non, ce n'est qu'une supposition logique, répondit Simone, se retournant pour finir de préparer les cafés. Dis-moi ce qui se passe. Il y a encore peu de temps, j'aurais tout fait pour ne rien savoir, tu n'aurais pas pu sortir un mot là-dessus. Mais aujourd'hui, j'aimerais que tu me dises ce qui se passe.

Reed se débarrassa de son manteau mais ne dit pas un mot quand elle lui apporta son café.

– Asseyons-nous, proposa-t-elle, l'invitant d'un geste à s'installer sur le canapé placé devant la cheminée. Tu es la première personne que j'invite à entrer dans la maison, et je n'ai pas préparé de café à quelqu'un depuis… Je ne sais même pas si ça m'est déjà arrivé, en fait. Je ne sais même pas pourquoi j'ai fait ça… sûrement pas à cause de ta fameuse amabilité.

– J'espère que ce n'est pas parce que nous avons un traumatisme en commun.

– C'est au moins en partie le cas. Ceux qui n'ont pas vécu ce que nous avons vécu ne pourront jamais le comprendre. Pendant des années, j'ai fui ce souvenir. On ne voit rien si on ne regarde pas, et on n'entend rien si on n'écoute pas. Tu veux savoir pourquoi j'ai décidé d'ouvrir les yeux et les oreilles ?

– Oui.

Simone s'assit en tailleur sur le canapé :

– Je suis récemment tombée par hasard sur mon ennemie jurée au lycée. Cette fille était à l'époque une blonde magnifique, et avec des seins. Moi, j'étais brune, empotée et ordinaire.

– Tu n'as jamais été ordinaire.

– C'est pourtant ce que j'ai vu, ce soir-là, dans le miroir des toilettes. Je me suis demandé pourquoi je n'étais pas aussi belle que Tiffany. Elle était entrée dans la salle avec le mec qui venait de me larguer pour elle parce que je n'étais pas prête à passer à la casserole. D'où cœur brisé, humiliation, avec l'intensité qu'on ne connaît qu'à cet âge. La fin du monde, quoi. Et puis il y a eu la fusillade. Le mec qui m'avait larguée est mort. Tiffany a reçu une balle en plein dans son jeune et beau visage. Je l'ai donc revue des années plus tard, dans d'autres toilettes… Si ce n'est pas le comble de l'ironie, ça ! Elle m'a lancé des horreurs. Et pour je ne sais quelle raison, ces quelques minutes affreuses m'ont incitée à regarder et à écouter. Pas pour elle, mais pour moi.

– Moi, je n'ai jamais pu m'empêcher d'ouvrir les yeux et les oreilles. Je ne pense pas que ce soit une obsession, c'est plutôt une mission. Je ne manquais pas un reportage et je montais des dossiers. J'ai toujours eu l'impression que quelque chose clochait dans cette affaire, qu'elle n'était pas terminée. Ces gars n'étaient vraiment pas futés. Pourquoi le seul qui savait à peu près réfléchir ne s'en était pas pris à la fille à qui il reprochait d'avoir ruiné sa vie ? Il y avait forcément autre chose, et je voulais découvrir quoi.

– Et tu avais raison. Cette « autre chose », c'était Patricia Hobart.

– Ouais. Tout s'est expliqué, de façon écœurante, quand nous… enfin quand *ils* ont découvert tout ce qu'elle avait dû abandonner pour fuir en urgence. Elle avait dans les quatorze ans, à l'époque de la fusillade, et c'était déjà une psychopathe, intelligente qui plus est. Très maligne pour son âge, au point de réussir à dissimuler sa véritable nature. Mais avant qu'elle me tire dessus, avant que l'ignoble vérité nous apparaisse, je suivais tout ce qui ce disait sur la tuerie. Et Essie en faisait autant. Nous recevions une alerte par texto dès que quelqu'un au centre commercial mourait, quelle qu'en soit la raison.

Simone comprit ce qui avait affecté Reed peu avant, l'espace d'une seconde.

– Qui est mort, cette fois ? s'enquit-elle.

– Un agent de sécurité du centre commercial. Il a pris deux balles, le soir de la fusillade, puis il a repris son travail une fois remis de ses blessures. Un type vraiment bien.

– C'est elle… C'est elle qui l'a tué ?

– J'ai envie de dire oui, mais il n'y a pas encore de preuve, dit Reed, parlant de plus en plus vite. Elle est forte. Très forte. Elle reste introuvable depuis qu'elle m'a tiré dessus. Pas la moindre trace d'elle. Robert Kofax est mort parce qu'elle a versé du poison dans son verre, sur une plage des Bermudes.

– Aux Bermudes ?

– J'ignore ce qu'il faisait là-bas, mais je le saurai bientôt. J'ai simplement reçu l'alerte : son nom et la cause de la mort. Elle a trouvé un moyen de le tuer parce que c'est sa mission.

– Elle tue les rescapés du massacre ? Ça n'a aucun sens.

– Elle termine ce qu'elle a commencé… elle a laissé derrière elle suffisamment d'éléments prouvant qu'elle est à l'origine de la fusillade. Elle l'a mise au point, mais tout n'était pas encore prêt. Son frère n'a pas eu la patience d'attendre. C'est ma théorie, en tout cas.

Simone perdit soudain une partie des couleurs qu'elle avait prises sur les joues, dans le froid.

– Mi est une rescapée de la fusillade. Comme ma mère et ma sœur. Comme moi. Et comme toi.

– On a un peu parlé de Mi, dans la presse, mais elle n'a donné aucune interview, et toi non plus. Quant à ta famille, elle n'a pas vraiment eu les projecteurs braqués sur elle. Il me semble que la tueuse s'en prend à ceux qui ont été mis en avant. Nous deux, c'est autre chose… Nous sommes les deux premiers à avoir appelé Police-Secours. Je te conseille d'être très prudente, et moi, je peux t'assurer que je vais la guetter.

– L'île est bondée en été, rappela Simone, l'estomac noué par l'angoisse. Elle grouille de visiteurs pour la journée, de vacanciers et de saisonniers.

– Je dirigerai la police, l'été prochain. Mes hommes et les membres des services d'intervention auront tous sa photo. Je l'afficherai également dans tous les commerces, dans tous les restaurants, dans tous les hôtels. Et sur le ferry. Je ne dis pas qu'elle ne tentera pas de venir ici, mais je pense que pour l'instant elle vise des cibles plus faciles. Et puis, si elle débarque sur l'île, ce sera avant tout pour m'achever, car j'ai tiré sur cette salope.

Sa voix n'a plus rien d'aimable, pensa Simone. Il paraissait à présent dur, coriace et extrêmement compétent.

– Je ne serais pas contre quelque chose d'un peu plus costaud que du café, dit-elle en se levant. Et toi ?

– Je ne dis pas non.

Elle opta pour du vin, un rouge corsé, et en versa généreusement dans deux verres.

– Je ne t'ai pas seulement contrariée, cette fois. Je t'ai effrayée.

– Non, ce n'est pas ça. À vrai dire, je ne sais pas trop ce que je ressens. Je suis troublée, c'est sûr. Je ne suis pas une fille courageuse. Je ne l'ai pas été, en tout cas, ce fameux soir.

– Là, tu fais erreur. Tu ne t'es pas enfuie en hurlant, ce qui n'aurait rien eu de honteux, soit dit en passant. Non, tu as réagi intelligemment. Tu t'es cachée et tu as appelé à l'aide. J'ai entendu l'enregistrement de ton appel, tu n'as pas perdu ton sang-froid. Ça, c'est du courage.

— Je ne me suis pas sentie courageuse sur le moment, ni depuis, d'ailleurs. D'un autre côté… Viens dans mon atelier, je voudrais te montrer quelque chose.

— Des gravures ?

Simone sourit, son malaise dissipé.

— Pas du tout.

— Je ne cesse de me faire rembarrer par les deux charmantes artistes qui vivent dans cette maison. Il faut que je change de tactique.

Il suivit néanmoins Simone dans l'escalier.

— Si tu veux, je peux demander à un policier, enfin à une policière, de te tenir compagnie ce soir, si tu angoisses trop.

— Non, mais merci, c'est gentil. Je me suis toujours sentie en sécurité dans cette maison. Cette fille ne fera plus de moi une victime. Justement, je connais ses victimes.

Dans l'atelier, Reed découvrit des dizaines et des dizaines de croquis punaisés sur des panneaux d'affichage.

Lui aussi les connaissait.

Comme il reconnut les quelques visages qu'elle avait façonnés avec de l'argile.

— J'ai commencé par Tiffany, expliqua Simone, qui prit le petit buste. Je l'ai faite avant… dit-elle en tournant la sculpture, et après. J'ai pensé que ce serait comme une purge, pour moi, une façon de chasser tout ça, mais il n'en a rien été. En partie à cause de toi.

— De moi ? s'étonna Reed, fasciné.

— Le soir de la fête de Sissi, j'ai discuté avec Mi ici, je lui ai montré ces deux visages. Et surtout, j'ai écouté ce que tu as dit. Et depuis… Elle reposa son œuvre et reprit : Tiffany a survécu, mais elle n'éprouve aucune reconnaissance. C'était aussi mon cas, enfin, plus ou moins. C'est ça qui m'a frappé, l'autre soir. J'étais vivante, et au lieu d'en être reconnaissante, je cherchais à faire comme si rien ne s'était passé. C'était faire peu de cas des morts. Est-ce que je voulais faire comme s'ils n'avaient jamais existé ? Elle prit une longue gorgée de vin. Tu as parlé de « preuve de vie », l'autre soir, à propos d'*Émergence*. À propos de Tish. Cette expression m'a frappée, a remué quelque chose en moi. Alors moi, à ma façon, j'offre à toutes ces personnes une « preuve de vie ».

Reed ne répondit pas immédiatement, les yeux rivés sur le visage de Simone, pas seulement parce qu'elle faisait battre son cœur, pas seulement parce qu'elle lui échauffait le sang, mais surtout parce qu'elle lui inspirait admiration et respect.

– C'est vraiment du courage, dit-il enfin.

Elle ferma les yeux un instant :

– Mon Dieu, je l'espère.

Reed s'approcha de l'étagère et saisit avec précaution un autre buste.

– C'est Angie… Angela Patterson, dit-il. Je la connaissais. Elle était super mignonne, j'avais complètement craqué pour elle.

– Oh, tu en étais amoureux ?

– Non, mais je l'aimais beaucoup.

Il repensa au kiosque, au sang, au cadavre, puis il revint au visage de Simone, si jeune, si séduisant, presque charmeur.

– Je parle à sa mère deux ou trois fois par an, poursuivit-il. Elle pleurera de bonheur le jour où elle verra cette sculpture.

– J'aimerais créer un mémorial, avec les visages de tous les disparus. Pour que personne n'oublie qui ils étaient et ce qui leur est arrivé. Tu pourrais m'aider.

– Comment ?

– Je voudrais y inclure ceux qui sont morts depuis, soit des suites de leurs blessures, soit de la main de Patricia Hobart. Ton aide ne serait pas de refus.

– D'accord, répondit Reed, qui reposa le buste. Qu'en feras-tu, quand tu les auras toutes faites ?

– Ce ne sera pas avant des mois, peut-être davantage. Il faudra que je m'accorde une pause, un jour ou l'autre, sans quoi je n'y verrai plus clair, je n'entendrai plus distinctement. J'espère pouvoir compter sur mon père, il est avocat et connaît beaucoup de monde. Et il y a aussi Sissi, bien sûr. J'aimerais ensuite en faire des moules pour couler des bronzes et les disposer dans un parc.

– Là aussi, je peux t'aider.

– Comment ça ?

– Je suis en contact plus ou moins régulier avec certains rescapés et proches de disparus, comme la mère d'Angie. Ça pourrait nous aider à mettre sur pied ce projet, quand tu te sentiras prête.

Simone hocha lentement la tête :

– Une demande formulée par les survivants et les proches des morts ? Les autorités auront du mal à la rejeter. Cela dit, certaines personnes ne voudront peut-être pas d'une telle exposition.

– Elles auraient tort. Vraiment.

Il posa son verre, s'approcha d'elle et prit son visage entre ses mains se délectant de ces yeux splendides qui semblaient réfléchir. Puis il l'embrassa avec une douceur infinie. Sans forcer, sans pression. Il sentit, du moins l'espéra-t-il, qu'elle lui rendait son baiser, juste avant qu'il s'écarte d'elle.

– Changement de tactique, dit-il.

– Intéressant…

– Je te l'avais bien dit. Bon allez, j'y vais, j'ai un pain de viande à avaler en solitaire. À un de ces jours, ici ou là.

– Je ne sors pas beaucoup d'ici, tu sais, le prévint-elle, comme il s'en allait déjà.

– Pas grave, moi je bouge. Il s'arrêta sur le pas de la porte et se retourna. J'ai encore quelque chose à te dire : tu es la plus belle femme que j'aie vue dans ma foutue vie.

Sincèrement amusée par cette réplique, Simone s'esclaffa :

– Ça m'étonnerait fort !

– Là encore, tu te trompes. Je sais ce que j'ai vu, au cours de ma vie. Sissi doit avoir mon numéro quelque part dans la maison. Si tu as besoin de quoi que ce soit, appelle-moi.

Les sourcils froncés, Simone le regarda sortir puis entendit le bruit de ses bottes dans l'escalier. Elle but encore un peu de vin, avant de verser le fond du verre de Reed dans le sien et de reprendre quelques gorgées.

Ce type était intéressant. Il branchait et déconnectait son mode « aimable » aussi facilement qu'on enfile ou retire une paire de chaussettes. Elle avait l'impression qu'il savait aussi être dangereux, et ça le rendait d'autant plus intéressant.

Sans compter qu'il embrassait si bien que cela avait entrouvert, juste entrouvert une porte en elle.

Elle allait devoir réfléchir à la question.

Mais surtout, il avait vu son travail et deviné ce qu'elle avait besoin de donner et d'en retirer en s'y consacrant.

Il avait compris.

Chapitre 17

Essie McVee était émerveillée par la vue qu'offrait le belvédère, malgré le gris mortel de cette journée de février aussi froide qu'un coup de fouet glacé.

La couleur terne de la mer et du ciel n'affectait en rien la beauté du spectacle, pas plus que la puissance dégagée par le littoral rocheux harcelé par les vagues.

Essie percevait le parfum des pins et des odeurs de neige. L'air était si froid et si humide qu'elle avait la sensation d'avaler de la glace pilée. Loin sur la droite, se devinaient les bardeaux colorés du village, auquel aboutissait un chemin formé par la neige piétinée, à travers les arbres aux branches blanchies.

De l'autre côté se dressait le phare, point de repère éclatant et respirant la joie dans la morosité hivernale.

Sous la maison, une jetée branlante comportant des trous inquiétants décrivait un angle dans une ouverture, entre deux avancées rocheuses.

– Tu as même un quai.

– Oui. Dans un état douteux, mais oui. J'ai aussi un abri à bateau. Mais pas de bateau. Mme Dorchet a vendu le sien après la mort de son mari. J'en achèterai peut-être un. On verra.

– Un bateau…

– Pourquoi pas ? J'ai déjà l'abri et la jetée, autant qu'ils servent à quelque chose.

Essie leva les yeux vers Reed, revoyant le garçon affligé sur le banc du parc, le jeune flic apprenant son métier, l'équipier avec lequel elle avait franchi des étapes. L'ami qu'elle avait retrouvé en sang.

261

Et aujourd'hui un homme se préoccupant de sa maison.

– Ce n'est pas une poubelle, Reed.

– Il y a encore un peu de boulot ici ou là, mais tu as raison, ce n'est pas une poubelle, sourit-il.

– Quel effet ça fait d'être chef de la police ?

– Je te dirai ça le mois prochain. Je m'acclimate peu à peu. Les gens semblent pour la plupart attendre de voir si un étranger peut se montrer à la hauteur de la tâche.

– Tu y arriveras.

– Oui, pas de souci. L'île va être très calme, au cours des deux mois à venir, ça me laissera le temps de prendre mes marques, de me familiariser avec les habitants et le reste. Et de prendre le contrôle au poste de police.

– Pas de problème de ce côté ?

Reed lâcha un grognement évasif :

– Le chef en place me soutient, c'est un véritable atout. Quant aux adjoints et à la standardiste, ils connaissent l'île par cœur. Il y a comme un creux, pendant cette période de transition. J'ai remarqué quelques excentricités, comme dans n'importe quel groupe, mais ils sont fiables, je pense. Mon meilleur élément est sans doute la seule femme de l'équipe.

– Raconte.

– Intelligente et coriace. Un peu colérique, mais je peux gérer ça.

– Attention aux histoires d'amour avec une collègue.

– Quoi ? Oh non, aucune chance ! s'esclaffa Reed, secouant sa crinière désordonnée. Carrément pas. Elle n'est pas du tout mon genre, et en plus je serai son patron. Le patron, sérieux… Enfin bref, la quarantaine, divorcée et en couple avec un plombier de l'île. J'ai aussi Leon Wendall. Ancien sous-officier dans la Navy et policier ici depuis sept ans. Marié depuis trente ans à une enseignante, trois enfants et une petite-fille, il aime la pêche.

– Il est là depuis sept ans ? Et ils te préfèrent à lui pour le poste de chef ?

– Il n'a pas l'âme d'un chef. Il n'en a pas envie. Mais je suis certain qu'il me gardera à l'œil. On a aussi Nick Masterson, trente-trois ans, jeune marié. Un type compétent. Sa famille est propriétaire du Sunrise, un café de l'île. Sa mère en tient la comptabilité. Il y a aussi Cecil Barr, pour finir avec les adjoints à l'année. Vingt-quatre ans, décontracté mais pas idiot. Son père est pêcheur, et sa mère infirmière. Sa sœur aînée fait des études de médecine et son jeune frère va encore au lycée. Enfin, il y a Donna Miggins, la standardiste. Soixante-quatre ans, l'esprit vif. Elle m'a elle-même averti qu'elle ne me servirait pas le café, ne se chargerait pas de mes commissions et ne tolérait pas l'effronterie. Elle me plaît. Elle me fait un peu peur, mais je l'aime bien.

– Tu es heureux.

– C'est ça.

– Et tu as repris presque tous les kilos que tu avais perdus.

– Je prends souvent mes repas au Sunrise, car la plupart des îliens y font un saut à un moment ou un autre de la semaine. Je suis nul en cuisine, de toute façon.

– Tu devrais apprendre, vu comme tu es équipé maintenant.

– Oui, mais ne jamais préparer de repas, ça présente l'avantage de laisser la cuisine propre.

– C'est débile mais pas bête.

– Descendons prendre un café, je viens d'acheter une machine à café de l'espace.

– Je me demande bien pourquoi, vu que tu le prends toujours noir, fit remarquer Essie, s'engageant dans l'escalier.

– La fille de mes rêves aime le café crème.

– La sculptrice ?

– Boum, boum, boum… répondit Reed, la main sur le cœur.

Essie, montée directement au belvédère en arrivant, se permit – privilège de vieille amie – d'entrer dans la grande chambre du premier étage.

– Quel volume, et quelle vue, ici aussi ! Mais tu n'as toujours pas de lit.

Reed désigna le matelas posé sur une sorte de divan.

– Et ça, alors ?

– Un lit digne de ce nom comporte un cadre, une tête de lit, et si possible un pied de lit. Du style, quoi. Jamais tu ne convaincras la fille de tes rêves de s'allonger là-dessus.

– Tu sous-estimes mon charme et mon sex-appeal.

– Pas du tout.

Balayant la chambre du regard, Essie s'attarda sur l'ours en peluche policier assis sur ce que Reed appelait à tort une commode.

– Tu devrais aussi prendre une vraie commode, pour remplacer cet affreux bloc de bois que tu traînes depuis la fac. Et peut-être un joli fauteuil, des tables de chevet, de belles lampes, un tapis,

263

et… Un coup d'œil dans la salle de bains adjacente lui coupa momentanément la voix. Mon Dieu, c'est génial !

— C'est le fils de l'ancienne propriétaire qui l'a aménagée, comme la cuisine, d'ailleurs. Terminé, les douches sous un filet d'eau !

— Il faut que tu achètes de nouvelles serviettes et que tu décores les murs avec des tableaux du coin. Trouve aussi un grand miroir à fixer dans la chambre.

— Tu es difficile à contenter, Essie.

— Je te dis ce qui me semble évident, c'est tout. Elle sortit de la salle de bains, gagna une autre chambre et demanda : Et que comptes-tu faire de cette pièce ? Un bureau ?

— Non. J'en ai déjà un au rez-de-chaussée, près de l'entrée. Ce sera plutôt une chambre d'amis… j'en aurai même deux. Du coup, tu pourras venir passer quelques vacances ici avec Hank et Dylan. Je vais acheter un méga-barbecue qui me permettra de te rendre tous les dîners, toutes les soirées que j'ai passés chez toi.

— Ce serait super !

— OK, on organise ça dès que se présente un week-end avec une météo de barbecue.

— Ça marche. Donc, pour cette chambre : un lit double, tu as largement la place… avec une couette toute simple, des rideaux, un petit bureau et une chaise, de jolies lampes, des tables de chevet, pas les mêmes, et une vieille commode… pas pourrie, juste de style ancien.

— Tu te prends pour ma décoratrice d'intérieur ? Oui, oui, je sais, tu dis « ce qui te semble évident ».

Poursuivant son exploration, Essie découvrit la salle de bains non rénovée. Un carrelage bleu-vert bordé de noir, une cuvette de toilettes et un bain-douche également bleu-vert, et un lavabo, bleu-vert toujours, installé dans une coiffeuse blanche.

— Très sympa.

— Ah oui, ça te plaît ?

— Oui, c'est rétro et kitch. Cette pièce a du potentiel. Avec une nouvelle coiffeuse, un coup de peinture, quelques serviettes fantaisie et un rideau de douche, ce sera charmant.

Essie reprit sa déambulation, ne cessant de lancer des idées, à tel point que Reed se demanda s'il n'avait pas intérêt à prendre des notes. Enfin elle ouvrit la porte du bureau.

— Ah, d'accord… laissa-t-elle échapper.

Reed avait disposé son bureau, un énorme vestige des années de fac, au centre de la pièce, de façon à profiter de la vue tout en gardant un œil sur la porte et sur les deux panneaux d'affichage fixés sur un mur.

Sur le premier, un tableau effaçable, il avait placé la photo de Patricia Hobart en plein milieu, et des clichés de ses victimes ainsi que des lieux où elles avaient été tuées. Il avait aussi noté la chronologie des événements et ajouté des copies de rapports.

Des lignes, pleines ou en pointillés selon les cas, partaient dans toutes les directions, s'entrecroisant parfois.

Sur l'autre tableau figuraient les trois tireurs du centre commercial DownEast, et d'autres chronologies, des détails sur les armes employées, et les noms, âges et photos des morts. Se trouvaient également, séparés du reste par une ligne rouge, les photos, noms, âges, lieux de résidence et emplois des rescapés de la fusillade.

Cette pièce comprenait en outre trois meubles de rangement gris acier, deux chaises pliantes posées contre un mur – enduit et poncé, mais pas peint –, son vieux mini-frigo datant lui aussi de ses années de fac, et une poubelle de cuisine à moitié remplie de canettes de Coca, de Mountain Dew, de bouteilles d'eau et de gobelets à café jetables.

L'armoire ouverte renfermait des fournitures de bureau : des feuilles blanches pour l'imprimante, un scanner, des dossiers, une barquette remplie de marqueurs et une pile de blocs-notes.

Au bas de l'armoire étaient rangés un pack de Coca et un autre de Mountain Dew, l'un et l'autre entamés.

Essie s'approcha des panneaux d'affichage et les examina :

– Sacré boulot, Reed.

– C'est tranquille ici en ce moment, et je ne suis pas encore chef de la police. J'ai eu tout le temps de travailler là-dessus. Mais bon, elle en a chopé un autre et s'est de nouveau volatilisée. Impossible de deviner à qui elle va s'en prendre, et où, la prochaine fois. Si ça se trouve, elle pioche au hasard un nom dans un chapeau.

– Cette salope tarée a un esprit trop logique pour agir comme ça. Pour elle, ses cibles, jusqu'à présent, ont toutes bénéficié de l'éclat des projecteurs, après ce triste soir. Un peu de célébrité, un peu d'argent, et surtout des habitudes qu'elle a pu découvrir et exploiter. On retrouve ce point commun chez toutes ses victimes, jusqu'à Bob Kofax.

— C'est vrai, il avait tout raconté sur sa page Facebook, confirma Reed. Où et quand et pourquoi il comptait partir en vacances. Il a même ajouté des détails une fois sur place. Pour elle, cette mission a aussi été un séjour de vacances.

— C'est ça. Le FBI a retrouvé sa trace dans une chambre du même hôtel.

Reed se retourna vivement :

— Ah oui ? Tu en es sûre ?

— Je sais ouvrir les oreilles en me faisant discrète. Tu peux ajouter un nom sur ton panneau, Sylvia Guthrie, même si elle ne s'en servira sans doute plus. C'est celui qu'elle a donné pour réserver et régler sa chambre et ses dépenses, par carte American Express, ainsi que son vol, un billet aller-retour en première classe depuis l'aéroport JFK de New York, sur la compagnie JetBlue.

— Chaz est à New York. Il a été promu et muté là-bas.

— Les Fédéraux ne pensent pas qu'elle se terre là-bas. Comme nous, ils estiment qu'elle s'est installée au Canada.

— Mais elle ne va plus y rester, maintenant.

— Sans doute pas, c'est vrai. J'ai des copies de son passeport et de son permis de conduire au nom de Guthrie. Ils donnent une adresse à New York, mais c'est du bidon. Je te les transmettrai aussi, pour tes panneaux. D'après mes informations, elle a pris l'avion pour les Bermudes un jour avant sa cible. Sur place, elle s'est offert un putain de massage, une bouteille de vin à cent dollars et un dîner de luxe dans sa chambre. Sur sa note, on trouve également deux daïquiris à la fraise pris au bar de la plage, le troisième jour. Bob Kofax et sa famille y ont aussi pris quelques boissons au même moment. Peu après, il a éprouvé des difficultés à respirer, s'est effondré, mort, empoisonné par le cyanure versé dans son cocktail mai tai.

— C'est la deuxième fois qu'elle emploie le poison, souligna Reed, un bras tendu vers le panneau. Le Dr Wu est mort empoisonné à la suite d'une injection de toxine botulique, dans un bar bondé. Elle préfère les morts brutales, avec du sang, je pense, mais le poison est parfois une solution plus simple.

— C'est aussi mon avis, dit Essie, faisant quelques pas dans la pièce. La famille Kofax a passé la journée à se baigner, à faire du *bodyboard* dans les vagues, à chahuter dans l'eau, faisant des pauses sur les chaises longues avec parasol fournies par l'hôtel.

La cible a commandé son mai tai, le deuxième de l'après-midi, avec une autre boisson pour sa femme et une limonade pour un de ses petits-enfants. Kofax a ensuite entraîné son épouse dans l'eau, avec ses enfants. En regagnant sa chaise longue, il a bu le mai tai. Et il est mort. La veille de son cinquantième anniversaire.

– Elle n'a eu qu'à s'allonger quelque part sur la plage, repérer où il était installé et ce qu'il buvait, puis verser le poison dans son verre, pendant qu'il était dans l'eau, et foutre le camp.

– C'est ce qu'elle a fait. Elle s'est ensuite rendue à la thalasso de l'hôtel, où elle avait pris rendez-vous pour un soin du visage. Je dirais qu'elle avait dès le début prévu de l'empoisonner. Si ça n'avait pas été à la plage, ç'aurait été au bar de la piscine ou dans un restaurant. Elle a vu sa chance et l'a saisie.

– A-t-elle été interrogée ? s'enquit Reed.

– C'est la pleine saison touristique, mais les flics du coin lui ont brièvement parlé. Elle a déclaré qu'elle était sur la plage à ce moment-là et qu'elle avait remarqué cette joyeuse famille nombreuse mais n'avait vu personne près de ces gens, précisant toutefois qu'elle était plongée dans un roman puis qu'elle s'était rendue à son rendez-vous à la thalasso.Et quand les Fédéraux ont su qu'elle était sur place, elle s'était déjà évaporée…

– Elle a tout planifié avec intelligence, mais elle a aussi eu de la chance, estima Reed, les yeux rivés sur le panneau et les mains dans les poches arrière de son pantalon. Beaucoup de chance…

– Elle en a toujours. La seule fois où sa bonne étoile l'a abandonnée, à notre connaissance, c'est quand elle s'en est prise à toi.

– Ouais… dit Reed, qui se frotta le flanc inconsciemment.

– Comment vont tes blessures, à propos ?

– Bien. Je fais toujours ce foutu yoga.

– Ça, c'est quelque chose que j'aimerais bien voir !

– Non, tu le regretterais, je t'assure. Bon, je vais te faire ton café.

– Je te laisse t'entraîner au café crème, pour la fille de tes rêves, mais buvons-le ici, suggéra Essie, sans quitter le panneau des yeux. En réfléchissant un peu à tout ça. On ne sait jamais, on aura peut-être de nouvelles idées.

– J'espérais que tu proposes un truc de ce genre.

Essie resta encore deux heures avec Reed, avant de devoir repartir pour attraper le ferry. Si rien de vraiment nouveau ne leur était apparu, ils avaient émis l'hypothèse que Hobart resterait un moment sous un climat plus doux que celui du Canada.

Pourquoi pas, après tout ?

Partant de là, ils avaient décidé de s'intéresser de plus près aux rescapés aujourd'hui installés dans le sud du pays.

— Je suis ravi que tu sois enfin venue, dit Reed. La prochaine fois, steaks sur le barbecue pour toute la famille.

— Tu as de la vaisselle, au moins ?

— Euh… Plus ou moins, oui.

— Alors achètes-en, et n'oublie pas le lit. Mets des plumes dans ton nid, collègue, il est vraiment très chouette.

— D'accord, d'accord. La vache, ma mère m'a dit la même chose ! Elle m'a même menacé de demander à mon père de sortir des trucs de leur grenier.

— Non, achète-toi tes propres affaires, dit Essie, lui tapotant la joue. Tu es un grand garçon, maintenant.

Elle s'apprêtait à déposer un baiser sur la joue de son ami, quand on frappa à la porte d'entrée.

— Voilà du monde.

Reed ouvrit la porte et sourit en découvrant Sissi :

— Salut, beauté. Tu arrives juste à temps pour faire la connaissance d'une de mes meilleures amies. Il la prit par la main et la fit entrer.

— Sissi Lennon, Essie McVee.

— Nous nous sommes déjà rencontrées, dit Sissi, coiffée d'un béret vert vif et chaussée de bottes d'une autre époque, en serrant la main d'Essie. Vous ne vous en souvenez peut-être pas.

— Si, nous nous sommes brièvement croisées à l'hôpital, près de la chambre de Mi-Hi Jung.

— Je ne m'en étais pas rendu compte, dit Reed.

— Vous vouliez prendre des nouvelles de Mi et de Simone, rappela Sissi. Sur le moment, vous m'avez fait l'effet d'une femme dévouée et attentionnée. Je ne me trompe jamais. Et vous êtes donc venue passer un moment avec Reed.

— J'allais partir. Cette maison est fantastique ! Elle le sera encore plus quand il aura ajouté quelques meubles.

— Oui maman, glissa Reed.

— Je dois filer pour attraper le ferry. Ravie de vous avoir revue, madame Lennon.

— Appelez-moi Sissi. Reed, la prochaine fois qu'Essie vient te voir, passez à la maison. J'espère que ce sera avec votre mari et votre petit garçon.

— C'est prévu, répondit Essie, qui étreignit Reed et l'embrassa sur les joues. Je suis fière de toi, chef.

– Raccompagne Essie à sa voiture, ordonna Sissi, dénouant son écharpe verte. Il y a un paquet pour toi dans la mienne, tu n'auras qu'à l'apporter. Pendant ce temps, je me sers un verre de vin, si tu en prends un avec moi, Reed.

– J'ai justement acheté le blanc et le rouge que tu aimes.

– Tu es chou. Revenez vite nous voir, Essie.

Sissi posa son manteau, son écharpe et son béret sur un canapé en piteux état. Essie avait raison à propos des meubles, se dit-elle, avant d'opter pour le vin blanc que Reed avait mis au réfrigérateur, comme elle le préférait.

Elle en versa deux verres. Il aurait sans doute préféré une bière, mais le cadeau d'installation qu'elle lui offrait méritait d'être arrosé au vin.

– Tu as dû conduire la vitre ouverte pour faire tenir ce truc, dit Reed, de retour avec le colis. Il fait froid, Sissi.

– Nous autres îliens sommes résistants.

– C'est un tableau ! Tu as peint quelque chose exprès pour moi ?

C'était en effet une immense toile, dont il sentait le cadre sous l'épais papier d'emballage marron.

– Eh oui… J'espère qu'il te plaira.

– Je n'ai même pas besoin de le voir pour savoir que je vais l'adorer.

– Ce serait quand même plus sympa. Allez, déchire-moi ce papier. J'ai déjà une idée très précise de l'endroit où il faudrait l'accrocher. On verra si tu es du même avis.

Reed dut poser son fardeau sur le bar pour retirer le ruban adhésif et les cartons protecteurs des coins, puis il le retourna et ôta le dernier carton recouvrant la toile.

Il resta un moment sans voix, stupéfait, reconnaissant, bouleversé.

– Putain, Sissi…

– Je pense que ça veut dire que ça te plaît.

– Je ne sais même pas quoi dire. C'est extraordinaire.

La plage, les rochers, la bande de sable, le tout en couleurs si vives, si fortes. Des oiseaux planant au-dessus de l'eau, un bateau blanc glissant vers l'horizon. Un ciel du bleu le plus pur qui soit, et un nuage laiteux en forme de dragon, un dragon semblable à celui qui gardait la chambre d'amis de Sissi. Quelques coquillages délicatement détaillés parsemaient le sable, tels des trésors éparpillés. Enfin, deux personnages étaient installés sur les rochers, penchés l'un vers l'autre, le regard tourné vers l'océan.

– C'est nous, murmura-t-il. C'est toi et moi.

– C'est un bon début. Je compte bien te placer dans d'autres tableaux.

Reed se tourna vers Sissi :

– Je ne sais pas quoi dire. Franchement, je ne sais pas comment te remercier. C'est magique. Comme toi.

– Tu as trouvé le mot idéal. On est bien, là, non ? Deux âmes sœurs réunies.

– Je t'aime du fond du cœur, tu sais, Sissi.

– Moi aussi, je t'aime du fond du cœur. Bon, où penses-tu l'accrocher ?

– Au-dessus de la cheminée. Comme ça, on le verra de partout.

– C'est exactement ça, approuva Sissi, qui plongea la main dans sa poche. Ne perdons pas une seconde… J'ai des crochets, et aussi une perceuse dans la voiture, si tu n'en as pas.

– Non, c'est bon, j'en ai une.

– Il nous faudra aussi un mètre. Allez, au boulot, et on s'applique.

Sissi se montra exigeante sur la précision des mesures et ne ménagea pas Reed quant aux calculs nécessaires pour déterminer l'emplacement idéal. Grâce à cela, et avec son aide, Reed put suspendre la première œuvre d'art de sa nouvelle maison.

– Je possède un original de Sissi Lennon ! Qu'est-ce que je raconte ! Je suis dans un original de Sissi Lennon ! Et il est génial.

Sissi tendit vers lui son verre et ils trinquèrent.

– À toi et à ta jolie maison.

Reed but un peu de vin et attira son amie contre lui :

– Où serais-je, aujourd'hui, si tu n'étais pas descendue me rejoindre, le premier matin ?

– Ton destin était d'être ici, alors tu es ici.

– Ça semble évident, en tout cas, confirma Reed, avant de déposer un baiser sur le front de Sissi. Maintenant, je vais devoir m'occuper sérieusement des meubles. Aucun n'est digne de ce tableau, ici.

– Tu as raison. Commence par te débarrasser de cet affreux canapé.

Reed éprouva un léger pincement au cœur en repensant aux bons moments passés sur l'affreux canapé en question. Les siestes, le sport à la télé, les filles déshabillées…

Puis il leva les yeux vers le tableau et pensa aux moments encore à venir.

Il n'y avait pas de véritable magasin d'ameublement sur l'île, mais on y trouvait une sorte de marché aux puces spécialisé dans les antiquités. Reed y dénicha quelques meubles, puis d'autres éléments de décor à la boutique de souvenirs ouverte à l'année qu'il appréciait. Et il s'en fit livrer après les avoir commandés par Internet. Le tout en s'efforçant de penser le moins possible à sa carte de crédit qui chauffait un peu trop.

Ses achats effectués sur l'île eurent en outre le mérite de lui permettre d'étoffer ses relations avec certains locaux. Il offrit un pack de six bières à Cecil, en échange de son d'aide pour porter, assembler et disposer quelques meubles – ce fut l'occasion de mieux connaître l'adjoint. Il découvrit notamment que celui-ci était plus doué que lui en bricolage ; il prenait son temps mais se révélait infatigable.

Après l'avoir installé à deux, ils s'écartèrent et contemplèrent un instant le nouveau lit. C'était le premier achat de Reed, qui tenait à y accueillir la fille de ses rêves ; il avait même cédé pour un nouveau matelas.

– Il est chouette, ce lit, chef.

– Vous trouvez ? Ouais, pas mal.

Simple, mais pas au point de donner l'impression qu'il s'en moquait. Les lattes verticales lui plaisaient ainsi que le pied de lit pas trop haut, qui ne le gênerait pas, et la couleur de l'ensemble, un gris anthracite légèrement éclairci.

– Vous voulez qu'on mette les draps et tout ça ?

– Non, je verrai ça plus tard. Occupons-nous du reste. Merci du coup de main, Cecil, vraiment.

– Bah, c'est rien. J'aime bien monter des meubles. Et puis, votre maison est super cool.

Plus tard, quand il donna ses bières à Cecil, ils avaient meublé sa chambre, installé un nouveau canapé dans le salon, monté un autre lit – un double, comme Essie le lui avait ordonné – dans la chambre d'amis, avec des tables de chevet et des lampes… qui ne se ressemblaient pas trop, espérait-il.

Épuisé, il se laissa tomber sur son nouveau lit pas encore couvert de draps, et le testa en rebondissant un peu dessus. Comment avait-il pu si longtemps dormir sur son ancien matelas, tout pourri en comparaison ? Il envisagea de tendre le bras pour attraper la bière qu'il avait posée sur sa nouvelle table de chevet – sur un sous-verre, il n'était pas fou. Il y pensa encore…

… et s'endormit.

Il rêva de perceuses, de marteaux, de vis et de tournevis. Dérivant quelque peu, il se retrouva de façon peu surprenante plongé dans un extraordinaire rêve érotique en compagnie de Simone. Dans ce rêve, sa nouvelle tête de lit heurtait en rythme le mur, tandis que Simone enserrait la taille de Reed de ses jambes.

Il se réveilla avec une érection quasi métallique, le souffle un peu court, et se rendit compte que le bruit n'avait pas cessé.

– Merde ! Putain !

Il se leva et fit de son mieux pour se calmer.

– Tout doux, toi, dit-il, les yeux baissés sur son pantalon.

Il ouvrit et découvrit le livreur, un costaud qui lui avait déjà apporté plusieurs colis.

– Désolé, j'étais à l'étage.

– Un autre colis pour vous, dit le livreur, tendant sa tablette pour que Reed y appose sa signature.

– Vous savez, vous pouvez poser les colis devant la porte, si je ne réponds pas ou si je ne suis pas là.

– Il faut que vous fassiez une demande par écrit, dans ce cas.

– Ça marche.

Le livreur regagna son fourgon, laissant Reed sur le pas de la porte avec un énorme paquet. Il le traîna à l'intérieur et sortit son canif pour ouvrir le colis.

– De la vaisselle. Ah oui, c'est vrai, j'ai commandé de la vaisselle.

Blanche, car il avait eu mal à la tête rien qu'à regarder les innombrables couleurs et motifs proposés. Le blanc, c'était plus simple. Sauf qu'il devait à présent tout déballer, et sans doute tout nettoyer, soit tout disposer dans le lave-vaisselle, tout ressortir après le lavage et enfin tout ranger dans des placards.

Cette perspective lui donna envie de replonger dans une sieste.

Sans compter qu'il fallait mettre des draps et une couette sur le lit et qu'il n'avait pas encore déballé les nouvelles serviettes. Faudrait-il aussi les laver ?

Comment le savoir ? pesta-t-il intérieurement.

Inutile de demander à sa mère : elle lui répondrait instantanément par l'affirmative, c'était une évidence.

Ça peut attendre, décida-t-il, avant de regagner sa chambre pour récupérer sa bière.

Pas tout à fait tiède, constata-t-il en l'emportant dans la douche.

La vaisselle, les serviettes et toutes ces foutues choses ne cessant de le harceler mentalement, il céda.

Sa douche prise, et rhabillé, il remplit le lave-vaisselle et fourra les serviettes dans le lave-linge. Il attendait encore un écran plat. Et même deux, puisqu'il en avait pris un pour sa chambre. L'écran du salon n'irait pas au-dessus de la cheminée, comme il l'avait prévu dans un premier temps, puisqu'il y avait placé le tableau magique, mais il lui restait d'autres murs.

Il avait encore une semaine complète devant lui avant de prendre son poste de chef de la police. Largement de quoi venir à bout de tout ça.

Il remonta et installa la literie – également neuve, avait-il perdu la tête ? – dans sa chambre. Sa mère lui aurait évidemment assuré qu'il fallait d'abord la laver, mais il écarta cette pensée. Il ne pouvait pas tout faire.

Il avait pris une housse de couette indigo, à en croire l'étiquette… principalement parce que c'était celle qui couvrait le lit sur la photo du site, et qu'elle allait bien avec le reste. Il eut un peu de mal à l'enfiler sur la couette mais y parvint.

Ne se sentant pas l'énergie de sortir pour aller dîner quelque part, il se rabattit sur une pizza surgelée, une valeur sûre.

Passé de la bière au Coca, il porta son dîner dans le bureau.

Dévorant sa pizza, il laissa son regard dériver sur les panneaux.

– Où es-tu, Patricia, salope assassine ? Je parie qu'il fait chaud, là où tu te planques.

Il tourna la tête vers les cibles, le groupe qu'il avait séparé d'un trait rouge des victimes. L'une vivait à Savannah, une autre à Atlanta, une autre à Fort Lauderdale, et encore une autre à Coral Gables.

Il fallait ajouter à ces personnes le gamin qui s'était engagé dans la Navy, actuellement en poste à San Diego, et la femme qui avait déménagé à Phoenix avec son époux et sa fille.

– Qui vas-tu viser ? Où te caches-tu ?

Patricia, alias Ellyn Bostwick, s'était installée dans une charmante maisonnette de vacances, à Coral Gables.

Tous les jours, elle sortait équipée de son appareil photo, coiffée d'un chapeau à large bord et munie d'un sac à dos. Jouant son nouveau personnage, elle avait de fréquentes discussions amicales avec ses voisins, à qui elle avait dit être photographe free-lance et s'accorder trois mois pour constituer un album photo de la région.

Toujours enjouée, elle prenait souvent des photos des sales

gosses d'à côté, allant jusqu'à les imprimer et les encadrer pour les offrir à leur idiote de mère.

Se prétendant récemment divorcée, Patricia expliquait à ses voisins qu'elle souhaitait profiter de quelques semaines de tranquillité, loin du froid et de la foule de Chicago.

Emily Devlon (née Frank) avait dix-huit ans, le soir de la fusillade survenue au centre commercial DownEast. Sa pause terminée, elle regagnait la boutique Orange Julius, où elle avait décroché un job d'été, quand les coups de feu avaient éclaté.

Son père étant policier, elle comprit instantanément de quoi il s'agissait et s'élança aussitôt dans la direction opposée. Soudain, d'autres tirs se firent également entendre de ce côté.

Bien que saisie de panique, elle savait comment réagir : trouver un trou et s'y terrer. Elle fonça vers la boutique la plus proche, bousculant la foule courant dans tous les sens. Une femme s'écroula si près d'elle qu'elle faillit trébucher sur elle. Sans perdre une seconde, Emily attrapa la malheureuse – une vieille personne fragile et gémissante – sous les bras et la traîna dans la boutique.

Les parois de verres volèrent en éclats, et toutes deux furent entaillées par des débris. Heureusement, Emily trouva la force de tirer la blessée derrière un comptoir proposant des hauts d'été et des sweat-shirts.

Un caissier passa à sa hauteur en courant, les yeux exorbités.

Non, ne sortez pas ! hurla Emily, en pensée.

Elle ferma les yeux lorsqu'il poussa un cri, puis elle entendit le bruit d'un corps qui s'effondrait.

Elle ne lâcha pas la vieille dame, qui vécut encore huit ans avant de décéder de causes naturelles. Quand celle-ci mourut, Emily découvrit qu'elle lui avait légué cent mille dollars.

Aujourd'hui mère de famille, Emily avait utilisé une partie de son héritage pour acheter une maison dans un charmant lotissement, loin des hivers du Maine et de ses mauvais souvenirs.

Déterminée à vivre plus longtemps encore que la femme qu'elle avait secourue, elle ignorait que le compte à rebours de sa mort était déjà lancé.

Chapitre 18

Reed s'habillait. C'était son premier jour en tant que chef de la police de l'île. Bien qu'ayant reçu un uniforme – une chemise et un pantalon kaki, et même une casquette –, il avait opté pour un jean et une chemise bleu clair. Il sortirait l'uniforme pour les grandes occasions mais, reprenant un proverbe prisé par sa grand-mère, il comptait donner une première image de lui-même conforme à ce qu'il serait la plupart du temps.

Il enfila ses bottes, ni neuves ni trop défoncées, et un blouson de cuir qu'il possédait depuis une dizaine d'années, car le vent de mars était frais.

Enfin, il fixa son arme de service à sa ceinture.

Il parcourut à pied le bon kilomètre qui le séparait du village. Sa contribution à la réduction de l'empreinte carbone, se dit-il, d'autant plus qu'en tant que chef de la police il disposait d'un véhicule de fonction au poste.

Ce trajet lui donna le temps de faire le point. Il n'éprouvait aucune nervosité. Installé depuis maintenant trois mois sur l'île, il en avait pris le pouls. Bon nombre des mille huit cent soixante-trois îliens, âgés de sept mois à quatre-vingt-huit ans, avaient pensé qu'il ne tiendrait pas l'hiver.

Mais si.

Certains estimaient qu'il ne serait plus chef de la police à la fin de l'été.

Mais si, il le serait toujours, il en était certain.

Ce n'était pas simplement que la vie lui plaisait, ici. Cette île était sa vie.

275

Il avait une autre mission à remplir : il travaillerait sur l'affaire Hobart jusqu'à ce que cette cinglée entende la porte de sa cellule claquer dans son dos. Néanmoins, dès ce jour l'île devenait sa priorité.

Il aperçut deux cerfs un peu plus loin, dans un bois qu'il considérait comme sien, et y vit un bon signe. Le sol était spongieux sous ses pieds, à la suite de la fonte de la neige dont quelques poches étaient encore visibles. L'île n'en avait pas encore terminé avec la neige, du moins à en croire les anciens qui passaient leurs après-midi au Sunrise à jouer aux cartes en buvant du café et en jacassant à tort et à travers.

Tous s'accordaient à dire qu'un dernier coup de nord-est chasserait l'hiver pour installer le printemps.

Reed ne se serait pas risqué à parier contre eux.

Il passa devant des résidences secondaires et maisons de location qui resteraient fermées jusqu'à l'arrivée de l'été. Le vandalisme, même les conneries de mômes, était rare sur l'île. Tout le monde connaissait tout le monde, ici, et avait conscience que l'économie locale dépendait largement des estivants.

Quelques autres maisons se présentèrent, appartenant cette fois à des îliens. Reed avait tenu à se débrouiller pour faire connaissance avec tous les habitants à l'année ou au moins les rencontrer une fois.

Artistes, photographes, commerçants, cuisiniers, jardiniers, retraités, blogueurs, enseignants, pêcheurs de homards, artisans. Deux avocats, quelques professions médicales, des mécaniciens, des hommes (et femmes) à tout faire, et ainsi de suite.

Tous entretenaient le bruit de fond de l'île.

Et lui aussi, désormais.

Il vit le ferry qui glissait en direction du continent. Certains îliens travaillaient là-bas, parfois simplement pour de petits boulots hors saison. Quelques-uns y envoyaient leurs enfants dans des établissements scolaires privés. Le trajet de quarante minutes n'avait rien d'insurmontable. Jamais d'embouteillage.

Reed passa devant le quai où il avait lui-même constaté que les voitures faisaient la queue par dizaines en fin de journée, l'été, après une journée passée sur Tranquility Island.

Il parvint au village où, à l'instar des locations saisonnières, la plupart des commerces et des restaurants n'ouvriraient qu'au début de la saison. Certains seraient repeints au printemps, leurs bardeaux retrouvant l'éclat nécessaire pour attirer les visiteurs et leur porte-monnaie.

La marina et la plage offraient tout ce que désiraient les vacanciers : soleil, sable, mer et sports nautiques et aquatiques.

Reed s'approcha du Sunrise, d'où filtraient des odeurs de bacon et de café.

Val, la barmaid, une fille aux cheveux d'un blond éclatant qui portait un tablier, l'accueillit avec un grand sourire :

– Bonjour, chef !

– Bonjour, Val.

– Vous n'avez pas trop le trac du premier jour de boulot ?

– Non, pas vraiment. Il me faudrait six grands cafés à emporter. Deux noirs, un crème, un crème sucré, un crème avec double sucre et un de vos spéciaux à la vanille, avec triple sucre.

Elle hocha la tête et saisit la cafetière :

– Vous régalez tout le poste ?

– Ça me semble la moindre des choses, pour mon premier jour.

– Bien vu. Je leur dirai ce qui vous plaît, à vous. Vous voulez un moka, pour aller avec ?

– J'ai commandé une dizaine de beignets à la boulangerie. Les beignets, c'est notre truc, à nous les flics.

Tandis que Val s'occupait de ses cafés, Reed salua quelques habitués des lieux, à l'heure du petit déjeuner : les deux types grisonnants, à l'accent de Nouvelle-Angleterre si prononcé qu'il devait adapter son oreille pour les comprendre ; le gérant de la boutique saisonnière Beach Buddies ; un blogueur spécialisé dans les oiseaux, équipé de son appareil photo, d'une paire de jumelles et d'un calepin ; le directeur de la banque ; et enfin le bibliothécaire de l'île.

– Merci, Val.

– Bonne chance pour la rentrée, chef.

Lesté de son plateau, Reed se rendit ensuite à la boulangerie, où il récupéra sa dizaine de beignets et bavarda quelques instants avec la gérante de l'agence de location immobilière de l'île, qui attendait une commande de petits pains sucrés destinés à une « réunion brainstorming », selon ses propres termes.

Il reprit son chemin, prit à droite au coin de la rue et marcha jusqu'au bâtiment de plain-pied d'un blanc passé dont l'étroit perron était couvert d'une marquise. L'enseigne plantée dans la bande de pelouse séparant le perron du trottoir indiquait : « Police de Tranquility Island. »

Prenant soin de ne renverser ni les cafés ni les beignets, Reed piocha dans le jeu de clés que son prédécesseur lui avait remis la veille, autour d'une bière de passation de pouvoirs. Il déverrouilla la porte et, non sans avoir pris une profonde inspiration, pénétra à 7 h 20 précises dans ce qui était à présent sa seconde nouvelle demeure.

Sissi, qui se prétendait sorcière solitaire, en plus d'un peu voyante, avait insisté pour procéder à une sorte de rituel purifiant ou d'ouverture d'esprit, quelque chose dans le genre. Il n'avait pas vu de mal à la laisser venir ici allumer quelques bougies, agiter un bâtonnet d'encens et prononcer une incantation.

Il considéra un moment ce que le flic citadin encore en lui qualifia de poulailler. Les bureaux de ses adjoints, deux fois deux tables face à face, et deux autres pour les adjoints saisonniers ; la réception, contre le mur de droite ; des chaises réservées aux visiteurs, alignées sur la gauche ; un plan de l'île fixé sur un mur ; et enfin une plante en pot miteuse dans un coin.

Une porte d'acier donnait sur trois cellules, à l'arrière du bâtiment, et une autre sur la modeste armurerie. Il fallait ajouter à cela des toilettes communes aux deux sexes, une minuscule salle de pause équipée d'une plaque chauffante pour le café, d'un petit réfrigérateur et d'un four à micro-ondes, enfin une table couverte d'un linoléum écaillé qu'il espérait remplacer si son budget le lui permettait.

Car il avait un budget à sa disposition. C'était pas géant, ça ?

Il traversa le poulailler et s'engagea dans l'étroit couloir donnant d'un côté sur la salle de pause, de l'autre sur les toilettes, et débouchant sur son bureau.

Il entra dans cette pièce, posa les cafés et les beignets puis ôta son blouson, qu'il suspendit au crochet fixé à la porte. Son bureau faisait face à la porte, disposition qu'il ne prévoyait pas de modifier. Un fauteuil correct, un ordinateur, un tableau effaçable pour les plannings, un panneau de liège, des meubles de rangement, et une unique fenêtre laissant entrer quelques rayons de soleil.

Il disposait également de sa propre plaque chauffante mais espérait un jour la remplacer par une machine à café.

– C'est parti, lâcha-t-il à haute voix.

Il s'installa à son bureau, alluma l'ordinateur et composa son mot de passe. Il avait rédigé un message la veille au soir, pendant que Sissi procédait à son rituel magique. Il l'ouvrit, le relut et l'envoya.

Entendant la porte du poste s'ouvrir, il se leva et emporta les cafés et les beignets au poulailler.

Matty Stevenson était la première à se présenter, ça ne l'étonna guère.

– Bonjour, chef… le salua-t-elle, un peu froide et sèche.

– Merci d'arriver de bonne heure. Tenez, un café noir, dit Reed, qui lui tendit un gobelet.

– Merci, dit Matty, les sourcils froncés.

– Il y a aussi des beignets, ajouta-t-il, en ouvrant le couvercle du carton. Vous êtes la première, alors vous avez le choix.

Son adjointe restant sur la réserve, il posa le carton sur le bureau le plus proche.

– Quand je demande à mon équipe de venir une demi-heure plus tôt que d'habitude, le moins que je puisse faire est de lui offrir café et beignets.

Tandis que Matty réfléchissait à ces propos, Leon et Nick firent leur entrée.

– Chef Quartermaine ! lança Leon, sur un ton amical mais professionnel.

– Il y a du café, dit Reed, qui distribua des gobelets, avant de désigner le carton. Et des beignets.

Cecil entra à son tour :

– Bonjour, je suis en retard ?

– Pile à l'heure, lui répondit Reed, en lui donnant son café.

– Merci, chef. Exactement comme je l'aime.

– Prenez un beignet et asseyez-vous.

– Foutu chien ! brailla Donna, surgissant comme une furie. Je me demande pourquoi j'ai laissé Len me convaincre de prendre ce cabot. Elle ôta sa doudoune et le boa constrictor qui lui servait d'écharpe et demanda : C'est quoi, tout ça ? On est en pleine fiesta ou dans un poste de police ?

– Non, en réunion, répondit Reed, qui lui offrit le dernier café. Prenez un beignet.

– Des beignets… On va devenir un tas de flics gras.

Sa prophétie ne l'empêcha pas de se servir.

– Merci à tous d'être venus si tôt, dit Reed. J'ai pris une bière avec le chef Wickett hier soir. Il m'a chargé de vous remercier une fois de plus pour le bon boulot accompli sous ses ordres. Je ne vais pas changer grand-chose, ici.

– « Pas grand-chose » ? releva Donna, avant de mordre dans un beignet fourré à la confiture.

– C'est ça. Je vais voir si le budget nous permet d'acheter une nouvelle table, pour la salle de pause. Comme le chef Wickett, je privilégierai une politique d'ouverture. Si ma porte est fermée, c'est qu'il y a une bonne raison. Sinon, elle restera ouverte. Si Donna ne vous a pas déjà donné mon numéro de mobile, enregistrez-le. Et il me faudra les vôtres. Pensez à garder vos téléphones sur vous en permanence, chargés et allumés, que vous soyez de service ou non. Le chef Wickett notait le planning de service sur le tableau effaçable, je me servirai de l'ordinateur. J'ai déjà établi celui du mois prochain, il doit être arrivé dans votre boîte de réception. Si quelqu'un souhaite échanger tel ou tel jour avec un collègue ou a besoin d'un jour de repos, vous vous arrangez entre vous. Tenez-moi au courant, c'est tout. Si ça pose un problème, on trouvera toujours une solution.

– Votre planning figure également sur le document que vous nous avez envoyé ? demanda Matty.

– Oui. Au fait, tant que j'y pense, quelqu'un peut m'expliquer ce que c'est que cette chose ?

Tous tournèrent la tête vers la plante agonisante.

– Une verrue dans le décor, répondit Donna. La femme du chef la lui avait donnée, je ne sais plus pourquoi. Il faudrait mettre un terme à ses souffrances.

– Donna, enfin… protesta Cecil.

– Le chef n'avait pas du tout la main verte, Cecil. Chez lui, elles étaient carrément noires, même, sans vouloir te vexer.

Cette plaisanterie fit sourire Cecil, unique personne de couleur de l'équipe :

– J'en ai bien deux, moi, dit-il. Mais on ne peut pas la jeter, ce serait injuste.

– Qui est doué en jardinage, ici ? demanda Reed. Moi, je n'en sais rien, je n'ai jamais essayé de faire pousser quoi que ce soit. Toutes les têtes se tournèrent vers Leon. OK, Leon, je vous nomme responsable de ce machin. S'il meurt, on lui offrira un enterrement de première classe. À ce propos, et avant que la nature se réveille, vous pourrez peut-être me donner quelques conseils sur les lupins et les autres fleurs que je vais voir surgir chez moi. Je n'y connais rien du tout.

– D'accord, je vous donnerai un coup de main.

– Impeccable. Autre chose, à titre personnel : je vais avoir besoin de quelqu'un pour faire le ménage chez moi une ou deux fois par mois.

Il ne put s'empêcher de rire en voyant ses policiers afficher des airs allant du plus impassible au tout à fait épouvanté.

– Je ne pensais pas à l'un de vous, je vous demande seulement si vous avez quelqu'un à me suggérer.

– Kaylee Michael et Hester Darby s'occupent des locations de l'île, répondit Donna. On fait venir des saisonniers en été, mais Kaylee et Hester vivent ici à l'année.

– J'ai déjà fait la connaissance de Hester.

– Vu le bazar que ça doit être, une grande maison comme ça, pour un homme seul, je vous conseille de les embaucher toutes les deux. Elles iront plus vite et elles forment une équipe efficace.

– Merci, je leur en parlerai. Si vous avez des questions, des commentaires ou des remarques sarcastiques, je vous écoute. Et si c'est d'ordre personnel, venez m'en parler dans mon bureau.

– Est-ce que les remarques sarcastiques nous vaudront un blâme ? s'enquit Matty.

– Nous verrons bien, répondit Reed, sans ciller. Je ne suis pas hyper strict, mais je ne me laisse pas pour autant marcher sur les pieds. À vous de trouver le juste milieu. Bon, si vous me cherchez, je suis dans mon bureau.

Il prit un beignet avant de laisser son équipe.

Moins de dix minutes plus tard, quelqu'un toqua sur le montant de sa porte ouverte.

– Entrez, Nick.

– Vous m'avez mis de service en soirée, samedi prochain, mais j'ai promis à Tara, ma femme, de l'emmener à Portland pour fêter nos six mois de mariage. Cecil est d'accord pour permuter avec moi.

– Je vais modifier ça. Comment avez-vous fait la connaissance de Tara ?

– Elle est venue sur l'île il y a deux ans avec une amie, le temps d'un été, pour un job saisonnier de maître-nageur. Un jour, elle a sorti de l'eau un type terrassé par une crise cardiaque, il avait failli se noyer. Elle l'a ramené à la vie grâce à une réanimation cardio-pulmonaire. J'étais en patrouille sur la plage, ce jour-là. Je lui ai donc parlé, j'ai pris sa déposition, etc. Et voilà. Il sourit, des étoiles dans les yeux. Enfin, bref. Merci, chef.

Quelques minutes plus tard, Matty entra dans le bureau et s'assit face à Reed, les bras croisés.

– Vais-je avoir droit à une remarque sarcastique ? demanda ce dernier.

– On va bien voir. Je vais commencer par un commentaire et une question. La remarque sarcastique dépendra de votre réponse.

Reed se carra dans son fauteuil :

– Allez-y, je m'accroche.

– Le chef Wickett était un bon flic, un bon patron et un bon chef de la police, mais il était resté borné sur un point. Nous avons des toilettes mixtes.

– En effet, mais je ne vois pas comment je pourrais gonfler notre budget pour ajouter un local et avoir deux toilettes.

– Ça, je m'en moque. Ce que je veux dire, c'est que le chef estimait normal que Donna et moi, nous nous relayions pour nettoyer ces toilettes. Parce que nous avons des ovaires. Ça lui semblait logique.

– Ce n'est pas mon cas. Sauf si, là encore, je trouve un moyen de gonfler notre budget pour faire venir une femme de ménage une fois par semaine…

– Les hommes puent et ne font pas attention à ce qu'ils font. Une fois par semaine, ce sera insuffisant.

– Bon, disons deux fois par semaine, alors, si je trouve une solution. Sinon, tout le monde s'y collera à tour de rôle, tous les jours. Y compris ceux qui n'ont pas d'ovaires. J'enverrai un mémo à toute l'équipe à ce propos.

– Vous aussi ?

Reed sourit :

– Je suis le chef de la police, ça implique que je ne nettoie pas les toilettes. Mais je ferai de mon mieux pour ne pas puer et faire attention à ce que je fais.

– La papier toilette se range sur son support, pas sur ce foutu lavabo.

– Je le préciserai dans le mémo.

– Et on rabaisse la lunette.

– Bon sang… lâcha Reed, se grattant la nuque. Bon, disons que la lunette et le couvercle doivent être rabattus après usage. Pourquoi seulement la lunette ? On dirait que je privilégie les femmes.

– C'est vrai, convint Matty.

– Autre chose ? lui demanda Reed, la devinant hésitante.

– Il faudrait que cette corvée ne soit gérée que par les adjoints.

– Pourquoi pas Donna ? Elle ne va jamais aux toilettes ?

– Il faut se baisser pour nettoyer le sol. Elle est en forme et souple, mais je sais que ça lui fait mal aux genoux.

– Entendu… Seulement les adjoints, alors. Merci de m'avoir prévenu.

Elle hocha la tête et se leva :

– Au fait, pourquoi vous me faites patrouiller avec Nick ou Cecil, mais pas avec Leon ?

– Parce qu'ils ont tous les deux encore besoin d'acquérir de l'expérience, contrairement à Leon et vous.

– Oui, mais avant…

– Avant, c'était avant. Vous avez déjà remporté une victoire dans l'affaire des toilettes, adjointe. Le téléphone sonna dans le poulailler… Si on a besoin de nous quelque part, Nick et vous y allez. Protégeons les îliens.

À la fin de sa première journée, Reed avait effectué d'autres ajustements, cédant ici mais restant ferme là. Il avait pris quelques appels, pour ne pas perdre la main.

Quand s'acheva la première semaine, il verrouilla le poste avec un sentiment de satisfaction et d'assurance. Il laissa son véhicule de patrouille sur place pour rentrer chez lui à pied ; si on le réclamait pendant le week-end, il prendrait sa voiture personnelle. En passant, il acheta quelques petites choses à la supérette puis reprit son chemin dans une atmosphère qui sentait déjà la tempête.

Ses météorologues du Sunrise avaient déclaré que le coup de nord-est n'allait plus tarder à survenir. Les prévisions officielles étant du même avis, il se préparait déjà au pire, et à réagir en cas d'appel l'avertissant d'accidents, d'arbres abattus ou d'autres dégâts.

Ses arbres étaient bousculés par les rafales, mais ils avaient survécu à bien d'autres coups de vent. Allant directement à la cuisine, à l'arrière de la maison, il aperçut la voiture de Simone garée derrière la sienne. *Enfin !* exulta-t-il.

Ne la trouvant pas, il fit le tour et l'aperçut face à l'océan, debout dans le vent, qui faisait voler ses cheveux désormais teints de la couleur acajou de la commode qu'il tenait de sa grand-mère.

Boum, boum, boum. Son cœur s'emballait. Réagirait-il chaque fois ainsi ?

– Salut ! lança-t-il. Jolie brise, pas vrai ?

Simone se retourna, le regard plein de vie et le visage lumineux.

– Rien de tel qu'une tempête qui se prépare, dit-elle en s'approchant de lui. Alors, cette première semaine ?

– Pas mal. Tu entres ?

– Oui.

Ils firent le tour de la maison, puis elle le vit ouvrir la porte coulissante de la cuisine.

– Tu ne fermes pas à clé ? s'étonna-t-elle.

– Si quelqu'un veut entrer, il n'a qu'à casser la vitre, expliqua-t-il, avant de poser son sac de la supérette sur le plan de travail. Tu bois quelque chose ?

– Qu'est-ce que tu me proposes ?

– J'ai encore du vin de Sissi.

Il en brandit une bouteille de chaque.

– Je prendrais bien du cabernet, se décida Simone, qui fit quelques pas dans le salon. Sympa, ton canapé, mais tu devrais y ajouter des coussins.

– Les filles veulent toujours des coussins décoratifs. Mais moi, je suis un mec.

– Un mec qui aimerait sûrement attirer des filles sur son canapé.

– Pas faux. Bon, d'accord, des coussins. Je n'y connais rien en déco de canapé, cela dit.

Il déboucha la bouteille.

– Tu t'en sortiras, assura Simone, s'approchant du tableau. Quelle merveille !

– C'est le plus beau cadeau qu'on m'ait jamais fait, confirma Reed, qui prit une bière pour lui et apporta son verre de vin à Simone. Je te fais visiter ?

– Oui, mais attends une minute. Tu as déjà bien arrangé le salon. Il te faudrait d'autres tableaux, quelques chaises, une ou deux tables, dont une par là-bas, pour recevoir du monde à dîner.

– Je ne sais pas cuisiner. Enfin si, les œufs brouillés, le FBG, ce genre de trucs.

– Le FBG ?

– Fromage et bacon grillés. La spécialité de la maison, avec la pizza surgelée. Tu as faim, peut-être ?

– À vrai dire, je suis plutôt curieuse, avoua Simone, sirotant son vin perchée sur un accoudoir du canapé. La dernière fois que je t'ai vu, et ça date déjà d'il y a deux semaines, tu m'as embrassée et tu m'as dit que j'étais la plus belle femme que tu aies vue de ta vie.

– Je le pense toujours.

– Tu ne m'as jamais relancée.

Il lui répondit d'un geste, sa bière à la main, et but une gorgée.

– Tu es là, non ? dit-il enfin.

Elle haussa les sourcils, dont l'un disparut sous une mèche acajou.

– J'en conclus que tu es soit futé, soit fin stratège, soit veinard. Je me demande bien ce qu'il en est vraiment.

– Un peu des trois, disons… Je me suis dit qu'insister serait une erreur.

– Et tu as eu raison. Tu as pensé que m'attendre me ferait venir ?

– Je l'espérais, oui. Je dois quand même t'avouer que sans nouvelles de ta part, je comptais te contacter d'ici deux jours. Je réfléchissais à la manière la plus subtile de m'y prendre.

– Bon, ça me va, dit Simone, qui se leva. J'ai quelque chose pour toi dans la voiture. Je n'étais pas certaine de te le donner… à vrai dire, je n'étais pas sûre que ce soit une bonne idée. Mais c'est OK, je pense. Elle lui tendit son verre. Tu me remplis ça pendant que je vais le chercher ?

– D'accord.

Reed versa du vin dans le verre de Simone, se demandant que faire d'elle. Elle n'était pas vraiment en mode drague, elle bavardait tranquillement. Si elle lui annonçait qu'elle préférait qu'ils soient simplement amis, il se voyait déjà se noyer dans sa baignoire vert bizarre.

De retour auprès de lui, Simone lui tendit un paquet et reprit son verre.

Il déchira le ruban adhésif avec son canif, défit l'emballage et découvrit une sculpture représentant une femme, pas plus grande que sa main. De toute beauté, ce petit personnage était perché sur une sorte de tige surmontée d'un bourgeon, comme si elle tenait la place de la fleur. Ses cheveux lâchés dans le dos retombaient entre une paire d'ailes. Une main levée comme pour écarter une mèche de son visage, elle avait des lèvres bien formées et un regard malicieux cerné de longs cils.

– Ce sera la fée de ta maison, expliqua Simone. Elle te portera chance.

– Mon Dieu ! D'abord un original de Sissi Lennon, et maintenant un original de Simone Knox !

– Certains hommes trouveraient que ça fait trop fille.

– Pas moi ! Elle est splendide.

Il déposa son cadeau sur le manteau de la cheminée, non loin d'un coin du tableau.

– Elle sera efficace, ici ?

– Oui, ce sera parfait. Tu devrais mettre des bougeoirs de l'autre côté, quelque chose d'intéressant, pas trop…

Il s'approcha d'elle et l'embrassa, avec un peu plus de fougue que la première fois.

– Merci.

– Je t'en prie, dit Simone, qui cette fois s'écarta. Bon alors, cette visite ?

– C'est le moment idéal. J'ai pris des femmes de ménage, elles passent deux fois par mois, et elles sont venues aujourd'hui.

– Oui, Kaylee et Hester. J'ai appris ça.

Il lui fit découvrir le rez-de-chaussée. Comme Essie et Sissi avant elle, Simone fit des commentaires et des suggestions. Elle s'immobilisa devant une porte fermée.

– Le bureau, expliqua-t-il, une main sur la poignée pour éviter qu'elle l'actionne car il ne voulait surtout pas qu'elle voie ses panneaux d'affichage. Comme c'est moi qui le range, c'est encore un peu la pagaille, là-dedans. J'ai une chambre d'amis là-haut.

– Très accueillante, apprécia Simone, quand ils furent montés à l'étage.

– Mon équipière avait des idées très précises pour la déco, alors j'ai tâché de les suivre. Enfin, en gros. J'espère qu'elle en profitera cet été, avec son mari. Ils ont un enfant, mais j'ai une autre chambre pour lui, elle sera meublée quand il viendront. Mes parents me rendront également visite, comme ma sœur et sa famille, et mon frère, avec la sienne.

– C'est vraiment bien, avec la salle de bains adjacente. C'était la grande chambre de la maison ?

– Non, elle est de l'autre côté.

En traversant l'étage, Simone se figea devant la salle de bains que Reed surnommait intérieurement la salle d'eau vert rétro.

– C'est… C'est charmant. Neuf personnes sur dix auraient démonté tout ça, mais toi tu l'as gardée en l'état. C'est adorable.

– Je dois avouer que tout démonter a été mon premier réflexe. Essie, mon équipière, m'a convaincu de ne pas le faire. C'est elle qui m'a envoyé le rideau de douche avec les hippocampes, les serviettes et même le miroir, au-dessus du lavabo, avec le cadre en coquillage. J'ai seulement acheté la coiffeuse. J'ai aussi demandé à John Pryor de remplacer les robinets, ils étaient affreux.

– Mais tu as conservé un style rétro, milieu de siècle. Il te faudrait une sirène. Dégotte-toi un joli dessin de sirène sexy, avec un cadre Shabby Chic, comme la coiffeuse, et suspends-le au mur.

– Une sirène…

– Oui, et sexy.

Simone sortit de la salle de bains et suivit Reed jusqu'à la grande chambre.

– Eh bien… commenta-t-elle, tournant sur elle-même. Ton équipière t'a aidé, ici aussi ?

– Un peu. Elle a insisté pour que j'achète un lit.

– Tu dormais sur quoi, si tu n'en avais pas ?

– Sur un lit, tiens, mais du genre matelas posé sur un divan. J'habitais dans un trou à rat, à Portland. Je m'y suis installé à la sortie de la fac, puis j'y suis resté parce que j'avais envie d'acheter une maison. Je devais donc économiser. Et après j'ai dû chercher la maison idéale. Dans ce genre d'appart, on ne se soucie pas vraiment de l'ameublement.

– Mais ici, tu y as réfléchi. Les couleurs sont sympas, fortes mais pas stressantes. Tu as bien fait de ne pas prendre une commode moderne. C'est toi qui l'as peinte en bleu marine ?

– Je l'ai trouvée au marché aux puces, j'ai pris quelques trucs là-bas. Il a fallu que je retape un peu les tiroirs, mais elle était déjà peinte. Dès que je l'ai vue, je me suis dit que c'était ce qu'il me fallait.

– Pas de rideaux à la porte-fenêtre, évidemment ! Ce serait criminel de cacher cette vue. Si tu veux dormir tard, tu n'as qu'à remonter la couette sur ta tête. Elle se tourna vers lui. Ça t'arrive de sortir sur le balcon, le matin, et de te dire que tout ça t'appartient ?

Reed hocha la tête :

– Pratiquement tous les jours.

Simone ouvrit la porte-fenêtre, laissant le vent s'engouffrer sans la chambre :

– Mon Dieu, on se le prend en pleine figure ! Que de puissance, que de beauté ! Que d'énergie !

Les cheveux de Simone volaient, soulevés par les rafales. Avec le ciel enragé et tourbillonnant en toile de fond, sa peau semblait briller. Dans le lointain, Reed vit le premier éclair de la tempête.

– Oui, approuva-t-il.

Elle referma la porte-fenêtre et se retourna, ultra sexy avec ses cheveux ébouriffés et l'éclat de sa peau. Elle s'approcha de la table de chevet et posa son verre.

– Tiens, un sous-verre.

– Si je pose une bouteille ou un verre directement sur un meuble, j'entends automatiquement la voix de ma mère, avec son ton exaspéré : « Reed Douglas Quartermaine, je t'ai mieux élevé que ça. » Alors bon… Oui, un sous-verre, parce que ça m'arrive de vouloir m'allonger avec une bière.

– Oui, ça arrive…

Elle s'approcha et commença à déboutonner la chemise de Reed, son regard plongé dans le sien.

Il s'imaginait déjà la prendre comme un sauvage, saisir ce dont il rêvait désespérément.

Il se surprit donc lui-même, et Simone par la même occasion, quand il referma une main sur celles qui s'activaient sur sa chemise :

– Je préfère qu'on prenne notre temps.

– Oh ? s'étonna Simone, haussant de nouveau les sourcils.

Il dut reprendre son souffle et s'écarter d'elle. N'ayant pas d'autre sous-verre que celui de sa table de chevet, il posa sa bière sur l'assiette dans laquelle il gardait de la petite monnaie.

– J'ai mal interprété tes gestes ? lui demanda Simone.

– Pas du tout, tu m'as bien percé à jour : vingt sur vingt. Je te veux depuis la seconde où j'ai posé les yeux sur toi, quand tu es apparue dans l'escalier, chez Sissi. Non, même pas, à vrai dire. En vérité, je t'ai désirée quand je t'ai vue sur son tableau intitulé *Tentation*.

– Il porte bien son nom, dit Simone, sans le quitter du regard.

– Oui, je confirme. Et quand je t'ai vue à la fête, sur les marches, tout a chaviré en moi. J'ai cru que le monde s'était arrêté de tourner un instant, avant de repartir. Ç'a été un moment extraordinaire, Simone.

– Certainement pas le premier.

Elle se retourna pour récupérer son verre de vin. Reed la retint d'une main sur le bras :

– Celui-là a surpassé tout ce que j'avais connu. Et pour que les choses soient claires, je vis en cet instant un autre moment extraordinaire. J'ai simplement envie de prendre mon temps avec toi, c'est tout.

– Tu ne veux pas faire l'amour avec moi cette nuit ?

– J'ai dit que je voulais prendre mon temps, pas que j'avais perdu la tête. Je te veux cette nuit, et je t'aurai, sauf si tu t'en vas. Je veux seulement qu'on prenne notre temps.

Il l'attira contre lui et l'embrassa.

Longuement et en douceur, en un violent contraste avec la tempête qui faisait rage dehors. Comme dans un rêve.

– Ne t'en va pas, chuchota-t-il.

Pour toute réponse, elle passa les bras autour du cou de Reed et lui rendit son baiser.

– Prendre ton temps jusqu'à quand ? lui demanda-t-elle.

– Je ne sais pas, mais allons-y doucement, au début au moins, répondit-il, lui ôtant sa veste. J'ai déjà fait des rêves très intenses de toi, dans ce lit. Ils deviendront peut-être réalité cette nuit.

Il l'embrassa de nouveau, tandis que le vent forcissait. Des éclairs déchiraient le ciel, suivis du grondement du tonnerre.

Simone comprenait à présent qu'elle avait sous-estimé Reed. Elle avait été certaine qu'ils sauteraient l'un sur l'autre, qu'elle soulagerait enfin cette sacrée envie de lui qu'il avait fait naître en elle.

Mais non, il avait manœuvré de façon à renforcer son désir, son envie de se donner et ses sensations.

Elle sentit son cœur faire un bond et laissa échapper un petit cri quand il la souleva du sol. Puis il l'embrassa encore une fois. Bon sang, il savait s'y prendre… Il la déposa sur le lit, puis elle l'attira à elle, accueillant son poids et ses formes, avant de rouler sur le côté pour inverser les rôles et se jucher sur lui.

– D'accord pour prendre notre temps, mais je veux commencer tout de suite, dit-elle, lui caressant la bouche de ses lèvres, en une légère provocation.

Sans le quitter des yeux, elle acheva de déboutonner la chemise de Reed puis, du bout des pieds, fit voler ses bottes. Allongée sur lui, elle lui mordilla la mâchoire.

– J'aime ton visage, dit-elle. Fin, anguleux, les yeux enfoncés dans leurs orbites, d'un vert calme… en réalité pas calme du tout. J'ai fait plusieurs dessins de ton visage.

– C'est vrai ?

– Je me demandais que faire en te prenant comme modèle, continua Simone, rejetant ses cheveux en arrière en souriant. J'ai finalement opté pour cette partie de ton corps. Elle fit glisser ses mains sur les flancs de Reed, et soudain sursauta. Tu portes un pistolet !

– Pardon, pardon ! s'exclama-t-il en l'écartant pour se redresser. Je n'y pensais plus.

Il détacha son arme et la rangea dans le tiroir de la table de chevet.

– Tu l'oublies parce qu'il fait partie de toi.

– De mon métier, plutôt.

– Et de toi. Il se retourna. Elle s'agenouilla sur le lit, contre son dos. Il n'y a pas de mal. J'ai seulement été surprise. Ne t'en fais pas, nous savons toi et moi faire la différence entre les gentils et les méchants. Bon, et si tu me déshabillais, maintenant ?

– C'est dans mes cordes.

– Tu devrais d'abord retirer tes chaussures, pour que je puisse te rendre la pareille.

– Bonne idée, dit Reed, qui se pencha pour dénouer ses lacets.

– Ça fait combien de temps, pour toi ?

– Depuis… Il fut à deux doigts de répondre : « Depuis peu avant qu'on m'ait tiré dessus. » Depuis l'automne dernier, pour diverses raisons.

– Longtemps, donc. Moi aussi, ça fait longtemps. Également pour diverses raisons. On pourrait peut-être accélérer ? Juste un peu ?

– Ça aussi, c'est une bonne idée.

Il se retourna et, à genoux face à elle, fit passer le pull-over de Simone par-dessus sa tête. Elle portait un soutien-gorge noir aux bonnets peu relevés.

– Quelle merveille ! s'extasia-t-il. Désolé, mais je vais devoir faire une pause par ici.

Il plaqua ses mains sur les seins de Simone, qui rejeta la tête en arrière.

– Pause accordée, et prends tout ton temps. Tes mains sont parfaites, Reed. Fortes et assurées.

– Je rêvais de les poser sur toi. Comme ceci.

– Tu n'as jamais insisté pour ça, pourtant.

– Ça valait le coup d'attendre.

Elle releva la tête et ouvrit les yeux :

– L'attente est terminée.

Elle lui arracha sa chemise et se plaqua contre lui, s'offrant à un nouveau baiser, plus fougueux, cette fois, plus violent. Envahie de désir, elle s'attaqua ensuite à la ceinture de Reed.

Autour d'eux, la pièce était malmenée par les éclairs auxquels le tonnerre répondait en rugissant. La pluie battait contre les vitres, soufflée par le vent qui sifflait.

Reed repoussa Simone pour lui retirer son jean, pendant qu'elle en faisait autant avec le sien.

– On prendra notre temps plus tard, articula-t-elle.

– C'est la meilleure idée de la journée. Laisse-moi te...

Reed plaqua la bouche sur celle de Simone. Quel goût intense, quelles sensations... Quand il trouva son intimité, brûlante, humide, prête à se livrer, Simone se cambra contre lui en poussant un gémissement saccadé :

– Vas-y tout de suite... N'attends pas plus longtemps...

– J'en serais incapable...

Il acheva de la déshabiller puis plongea en elle.

Le monde vola en éclats. Enfin, après toute cette attente, Reed s'autorisa à accepter ce présent, ses mains agrippant celles de Simone, comme pour les attacher au lit. Les jambes autour de la taille de Reed, Simone avait les hanches en feu mais en réclamait toujours plus.

Elle se serra contre lui, les poings refermés sur sa chair, mais il tint bon, au prix d'un immense effort, pour que l'extase soit plus intense encore. Elle poussa un cri.

Elle se ressaisit. Grognant sous l'effet de la montée du plaisir, Simone s'élevait et retombait en rythme avec Reed.

Quand elle fut envahie par un nouvel orgasme, Simone cria le nom de Reed. Et lui, enfoui en elle, se laissa aller.

Chapitre 19

Ils restèrent un moment dans les bras l'un de l'autre, en sueur et à bout de souffle, tandis que les rafales de grêle giflaient les fenêtres. Si cela n'avait tenu qu'à lui, Reed serait volontiers resté ainsi, heureux en compagnie de la fille de ses rêves, jusqu'au printemps.

Vachement heureux, même, se dit-il, alors que les mains de Simone allaient et venaient dans son dos. Ses doigts suivirent un instant la cicatrice qu'il avait à l'épaule, à l'endroit où une balle était ressortie.

Il se retourna et se redressa sur les coudes pour mieux admirer Simone :

— Jamais je n'ai vu de si beaux yeux.

— Ils sont marron, tout bêtement.

— Tu parles d'une artiste ! Tu n'as rien de mieux que « marron », pour les décrire ? On dirait des yeux de tigre. Ambre foncé. On est bien, là, non ?

— Tu parles d'un chef de la police si, avec toutes ces preuves, tu n'as rien de mieux que « bien » pour décrire ce qu'on vient de partager.

— C'était par modestie. Reste avec moi cette nuit, le temps est épouvantable. Il enchaîna, sans laisser à Simone le temps d'accepter ou de décliner sa proposition : Vraiment épouvantable. Bon, j'avoue que même si on était au cœur d'une douce soirée de juin, je te demanderais de rester avec moi jusqu'à… disons la fin des temps, par exemple. Sauf si Sissi cède à mes avances, bien sûr. Dans ce cas, je te mets à la porte à coups de pied aux fesses.

— Tu te rends compte que tu parles de sortir avec ma grand-mère, alors que je suis nue dans ton lit ?

292

– C'est indéniable. Sérieusement, reste avec moi cette nuit. J'ai du vin, une pizza surgelée et d'autres séances de gymnastique en chambre à te proposer.

Elle lui lança un regard coquin, avec un léger sourire.

– Quel parfum, ta pizza ?

– Saucisses pepperoni, répondit Reed, qui roula sur le côté pour attraper le verre de vin. J'ai aussi des esquimaux.

– S'il y a des esquimaux, c'est d'accord, dit Simone, en reprenant son verre. Mais j'exige d'autres séances de gym.

– Avant ou après la pizza ?

– Après. Nos acrobaties m'ont donné faim. Et il faut que j'envoie un texto à Sissi. Elle savait que je venais ici, et elle a sans doute deviné ce qui allait se passer, mais vu le temps je préfère qu'elle me sache bien au sec.

Reed se leva et s'approcha de la porte-fenêtre.

– C'est vraiment la tempête. Demande-lui de te répondre, pour qu'on soit sûrs que tout soit OK de son côté.

– Sissi a connu plus de tempêtes que nous deux réunis. De plus, elle a un groupe électrogène. C'est ce qui lui permet de donner sa traditionnelle « fête de Coup de nord-est ». Quelques amis et beaucoup de nourriture et d'alcool. Ils dormiront tous chez elle tant que ça soufflera fort. Tu étais invité, mais j'avais d'autres idées en tête.

Reed alluma la cheminée, ajoutant aux flashes des éclairs la lueur des flammes.

– Tu as de bonnes idées, dis donc, dit-il.

– Ça tombe bien, parce que j'en ai une autre… Je vais faire une sculpture de toi. Un gardien, un protecteur, quelque chose comme ça. Elle prit un instant pour réfléchir. Pas de pistolet, je n'aime pas ça. Peut-être en train d'abattre une épée, je verrai…

Il se retourna vers elle :

– En armure ?

Elle s'esclaffa puis se redressa et s'appuya contre les oreillers pour boire un peu de vin.

– Non, Reed, tu porteras une épée, rien d'autre.

– Je ne sais pas si…

– Tu es bien foutu, tu as un corps attirant, élancé sans être décharné. Tu l'étais presque, à la soirée de Sissi, mais tu as retrouvé tes formes.

– Je suis encore à un ou deux kilos en-dessous de mon poids

habituel, précisa Reed qui, bien que pas du genre pudique, cherchait son caleçon boxer. Je n'arrive pas à les reprendre.

– Tu as belle allure. Je connais l'anatomie humaine, le corps masculin. Tu es élancé mais tes muscles sont fermes et puissants.

Elle se leva, s'approcha de lui et parcourut du bout des doigts les cicatrices sur son épaule et son flanc.

– Quant à ça…

– Oui, il ne faudra pas les reproduire sur la sculpture.

– Bien sûr que si, elles font partie de toi, du protecteur. Tu as été blessé, mais tu as tout de même repris ton épée. C'est admirable.

– C'est mon boulot.

– C'est toi. C'est le garçon qui s'est arrêté pour attraper un enfant terrifié au beau milieu d'un cauchemar puis qui l'a protégé. Et c'est quelque chose que j'admire. Je serais peut-être à la même place si ce n'était pas le cas – je sors d'une longue période d'abstinence –, mais je ne le resterais pas.

Se dressant sur la pointe des pieds, elle effleura de ses lèvres celles de Reed.

– J'ai besoin de te sculpter. Je pourrais le faire de mémoire, maintenant, mais je préfère avoir quelques croquis de toi.

– Tu vas tenter de m'amadouer avec des promesses d'ordre sexuel.

Simone esquissa un sourire, très lentement, puis elle laissa glisser sa main sur le torse de Reed, jusqu'à son ventre.

– Oh, mais oui, je n'y manquerai pas.

– Je crois que je vais réclamer des preuves de ce que tu avances.

Il l'attira contre lui, ne pensant plus qu'à dévorer ce sourire.

Soudain, son mobile sonna.

– Merde, merde et merde ! Désolé. Il attrapa son jean et sortit le téléphone d'une poche. Quartermaine… Doucement, parlez moins vite… Où ça ? Très bien, j'arrive tout de suite. Restez calme. Il enfila son jean et revint à Simone. Je dois y aller, je suis de service cette nuit.

– Que se passe-t-il ?

– Un accident de voiture. Un arbre est tombé, c'est la panique.

– Je peux venir avec toi.

– Hors de question, dit-il en boutonnant sa chemise. Reste ici. Mets la pizza au four et dîne. Je t'envoie un texto dès que possible.

Il sortit son arme du tiroir de la table de chevet et la fixa à sa ceinture.

– Il te faut un imperméable, fit remarquer Simone.

– J'ai une tenue de pluie au rez-de-chaussée, répondit-il en laçant ses chaussures. Si l'électricité saute, tu as une lampe de poche dans le tiroir, juste là, et des bougies et une lanterne au rez-de-chaussée.

– Fais attention, chef, c'est vraiment la tempête, dehors.

– Si seulement j'avais mon épée, plaisanta Reed, avant d'embrasser Simone. La pizza et la glace sont dans le congélateur. Je reviens le plus vite possible.

Voilà ce qui arrive quand on couche avec un flic, se dit Simone quand elle se retrouva seule dans la chambre.

Il n'avait pas hésité et avait à peine râlé ; il avait enfilé ses vêtements en quatrième vitesse et s'était élancé dans la tempête.

Elle ouvrit son armoire et sourit en découvrant qu'il utilisait à peu près un quart seulement – et encore – de la place disponible. Un coup d'œil dans la salle de bains lui apprit que son policier élancé et couvert de cicatrices ne possédait pas de peignoir. Elle se rabattit sur l'armoire et lui emprunta une chemise.

Elle envoya ensuite un texto à Sissi, se contentant de la prévenir qu'elle affronterait la tempête chez Reed.

La réponse de Sissi lui parvint deux minutes plus tard : « Waouh ! »

Après avoir un moment envisagé de faire chauffer la pizza, elle décida d'attendre un peu. Peut-être Reed serait-il rapidement de retour. La télévision, alors ? Non plus. Un livre, peut-être. Quelques ouvrages étaient empilés dans la chambre, et elle en avait aperçu au rez-de-chaussée.

Catch 22, quelques thrillers, mais aussi *La Foire des ténèbres*, de Bradbury. Elle avait apprécié ce dernier roman, cependant elle estima que ce n'était pas le choix idéal en cette nuit noire et orageuse, dans une maison encore peu familière.

Quel dommage qu'elle n'ait pas apporté son carnet de croquis…

Avec un peu de chance, Reed avait un cahier ou un calepin quelque part. Elle ouvrit les tiroirs de la table de chevet mais n'y trouva que la lampe de poche, comme il l'avait précisé, ainsi qu'un iPad, dont elle découvrit qu'il commandait la télévision, la chaîne stéréo et la cheminée.

Le chef était donc un mordu de technologie. Encore un détail à ajouter dans le dossier « Faisons connaissance ».

Puis elle se rappela qu'il disposait d'un bureau, au rez-de-chaussée, dans lequel elle aurait de bonnes chances de dénicher un calepin et un crayon. Elle sortit de la chambre et fit une halte, tout sourire, à la hauteur de la salle de bains rétro ; peut-être lui dessinerait-elle une sirène sexy… Si elle n'était pas à la hauteur de Sissi Lennon en peinture, elle restait capable de dessiner une sirène sexy amusante.

Elle tuerait donc le temps, en attendant son retour, en dessinant des sirènes et quelques ébauches du *Protecteur*.

Une étude du côté droit, pour que les cicatrices soient visibles, montrant surtout son dos et ses fesses, la tête tournée vers la droite et abattant son épée brandie à deux mains.

Il fallait qu'elle pense à lui demander de ne pas aller chez le coiffeur prochainement ; elle voulait son modèle avec des cheveux longs et ébouriffés.

La foudre éclata de nouveau à l'instant où elle ouvrit la porte du bureau. Sur le moment, elle pensa à Reed, sorti affronter les éléments parce que quelqu'un avait besoin d'aide. Elle était venue pour faire l'amour, elle le reconnaissait – enfin, surtout pour cela ; mais si elle était restée après, c'était en raison de la personnalité qu'elle découvrait peu à peu.

Elle alluma la lumière. Sa première pensée fut qu'il n'avait pas menti en prétendant que cette pièce était en désordre. Des piles de dossiers s'accumulaient sur un vieux bureau, surveillés par un ours en peluche équipé d'un pistolet et d'un badge. Des chaises pliantes étaient posées contre un mur, et une grande poubelle ouverte remplie de bouteilles et de canettes. Des plans étaient punaisés sur les murs pas encore peints.

Et – *bonjour, toi !* – une pile de blocs-notes qui feraient l'affaire, dans l'armoire dépourvue de porte.

Elle entra dans la pièce, s'empara d'un bloc-notes puis se tourna vers le bureau pour y chercher un crayon.

Alors elle découvrit les deux immenses panneaux, et ce qu'ils affichaient.

– Mon Dieu… Oh ! mon Dieu…

Tremblante, elle dut prendre appui sur le dossier de la chaise, le souffle court.

Elle connaissait la plupart de ces nombreux visages, qu'elle avait pour certains déjà façonnés de ses mains.

Là, le garçon qu'elle avait cru aimer. Ici, sa meilleure amie. Et là, Angie, la copine de Reed.

Il y avait des photos, pas seulement des visages mais aussi des cadavres, du sang, du verre brisé, des armes. Simone prit conscience que celles-ci avaient tué Tish et blessé Mi.

Elle s'attarda sur les tueurs : des gamins, rien que des gamins. Hobart, Whitehall, et Paulson.

Sur l'autre panneau, Patricia Hobart : sa photo et un portrait-robot. Elle avait une allure différente sur ce dernier, mais Simone la reconnut. Elle comprit alors : c'était le visage que Reed avait dû avoir face à lui, quand elle avait tenté de l'assassiner.

D'autres visages, d'autres noms, d'autres corps. Des heures, des dates et des villes.

Il se penchait tous les jours sur ces éléments. Il observait, étudiait et cherchait des réponses.

— Et là, c'est moi… murmura-t-elle, effleurant la photo de la fille qu'elle avait été, puis celle de la femme qu'elle était devenue. Je suis sur son panneau. Et lui aussi. Il regarde les choses en face. Depuis toujours.

Simone s'installa au bureau et affronta ses souvenirs sans se détourner.

Reed rentra, ruisselant, peu avant 2 heures du matin. Il trouva Simone près du feu, vêtue d'une de ses chemises, un Coca à la main et lisant Bradbury.

— Salut, toi. Tu n'étais pas obligée de m'attendre.

— Impossible de dormir, dit Simone, qui se leva. Tu es trempé.

— Oui, ça se calme un peu, mais ça va encore souffler deux ou trois heures.

Il ôta son imperméable noir, le mot « POLICE » inscrit en lettres fluorescentes sur l'avant et dans le dos.

— Je fais un saut à la buanderie, ajouta-t-il, désignant une autre pièce, avant d'y disparaître.

Quand il en ressortit, pieds nus, Simone sortait une barquette d'œufs du réfrigérateur.

— Il est trop tard pour une pizza, expliqua-t-elle.

— Il n'est jamais trop tard pour une pizza, objecta Reed. Tu n'as pas dîné ?

— Pas encore. Moi aussi, je sais faire des œufs brouillés. Qu'est-ce qui s'est passé, alors ? C'était grave ?

— Tu connais les Wagman ?

— Priscilla, surnommée Prissy, et Rick. Ils habitent près de l'école.

– Ils se sont battus. Apparemment, leur mariage bat de l'aile.

– Il a eu, et à mon avis c'est toujours d'actualité, une maîtresse, employée saisonnière chez Benson, le marchand de crustacés, l'été dernier. Une femme de Westbrook, deux fois divorcée.

– Je vois que tu es au courant de la situation. Un café crème ?

– Il est trop tard pour un café.

– Tu buvais du Coca à l'instant, je te signale.

– Oui, c'est débile. Bon, d'accord pour un café crème, céda Simone qui, après avoir mis du beurre dans une poêle chaude, cassa les œufs dans un bol. Je change de sujet une seconde : tu devrais acheter des herbes et épices autres que du sel, du poivre et du piment rouge en flocons.

– Note ça quelque part, j'irai en chercher.

– Bon, que s'est-il passé, avec Prissy et Rick ?

– Un gros clash, on dirait, parce qu'en effet il voit toujours sa maîtresse de Westbrook. Prissy a choisi ce soir, en pleine tempête, pour annoncer à Rick, qui était bourré, qu'elle a pris un avocat et demande le divorce.

– On ne peut pas le lui reprocher.

– Non, c'est vrai. Elle a trouvé un reçu d'une boutique de lingerie fine de Westbrook dans la poche de son mari, ce qui non seulement prouve qu'il trompe sa femme mais aussi confirme que c'est un crétin. Tout ça alors qu'ils ont des problèmes d'argent et qu'il avait juré avoir rompu avec la destinataire de la lingerie sexy. Prissy a commencé à virer ses vêtements de l'armoire et menacé d'y mettre le feu. Elle a ensuite fracassé son trophée de meilleur joueur de softball, qui datait du lycée. Il prétend qu'elle a voulu le jeter sur lui, mais elle assure l'avoir lancé contre un mur. J'ai tendance à la croire, car elle ne l'aurait pas raté ; il était si bourré qu'il n'aurait pas eu le temps d'esquiver.

Reed posa sur le bar le café crème de Simone, pendant qu'elle mélangeait les œufs.

– Enfin bref, il est sorti sous la tempête, déchiré et furieux. Il s'est mis au volant, a perdu le contrôle de sa voiture et percuté un arbre, qui s'est abattu sur le fourgon de Curt Seabold. Celui-ci est sorti de chez lui en courant, lui-même pas vraiment à jeun. Wagman et lui ont commencé à se friter. Seabold a pris le dessus, juste parce qu'il était un peu moins bourré que Wagman... qui, pour ne rien arranger, venait de percuter un arbre – il était donc couvert de sang. Alice, la femme de Seabold, est sortie à son tour et a vu Wagman à terre et son mari, le nez en sang, qui titubait à côté de l'autre. Elle a aussitôt appelé Police-Secours.

– Ça fait au moins une personne à avoir agi avec sagesse.

– C'est ça. Enfin, je les ai tous les deux arrêtés et les ai traînés aux urgences. Seabold est rentré chez lui. Je l'ai simplement assigné à domicile, en attendant d'y voir plus clair. Et Wagman est toujours à la clinique, avec une côte cassée – je suis bien placé pour savoir que ce n'est pas une partie de plaisir –, un léger traumatisme crânien, une lèvre éclatée, un genou amoché, ce genre de choses. Prissy, pas le moins du monde émue par l'accident et la bagarre, m'a suggéré de lui dire d'appeler sa pute, ce que je n'ai pas fait.

– Tu as bien fait, dit Simone.

Elle fit griller du pain, qu'il avait acheté à la supérette, puis disposa deux assiettes.

– Cette histoire va divertir toute l'île pendant des semaines, ajouta-t-elle. J'espère qu'elle ne va pas le laisser revenir.

– Elle semble décidée à ne pas céder.

– C'est pourtant ce qu'elle a fait, au moins une fois à ma connaissance, après une histoire avec une autre saisonnière. Ils ne sont mariés que depuis trois ou quatre ans. Jamais ce type ne restera fidèle à sa femme, ni même à sa maîtresse. Il m'a draguée la semaine dernière.

– Sérieux ?

– Et d'une façon complètement naze, précisa Simone, avant de goûter son café. Très bon…

– Je me suis entraîné. Et tes œufs sont excellents.

– Ils seraient encore meilleurs avec du thym.

– J'ajoute ça sur ma liste, dit Reed, se tapotant la tempe. Et toi, qu'as-tu fait de beau, pendant toute la soirée ?

Simone posa sa tasse et le regarda droit dans les yeux :

– J'ai un aveu à te faire.

– Laisse-moi d'abord t'interroger. Je vois que tu m'as volé une chemise. Ça va se payer très cher, je te préviens…

Elle posa une main sur la sienne :

– Il faut avant tout que je te présente mes excuses. J'ai été indiscrète, et ce n'est pas très poli.

– Quoi ? Tu as trouvé ma planque de revues porno ?

– Tu as une planque de revues porno ?

Il fit mine d'être effaré :

– Euh… Des revues quoi ?

Simone lâcha un petit rire.

– Mon Dieu, c'est fou comme tu m'attires. J'étais très agitée, après ton départ. Je te le dis, car ça m'a frappée : avec n'importe qui d'autre, je serais rentrée chez moi. Je me serais dit que j'avais passé un bon moment, je t'aurais laissé un petit message sympa et je serais partie faire la fête chez Sissi avec ses amis. Mais non, et je vais devoir réfléchir à ma réaction. Pas une seconde je n'ai envisagé de m'en aller.

– Je t'avais demandé de m'attendre.

– Peu importe. Avec n'importe quel autre mec, j'aurais filé. J'ai brillamment décroché mon diplôme de plans cul, à la fac.

– C'était il y a longtemps, Simone.

– Oui, mais il va tout de même falloir que je comprenne pourquoi je n'ai même pas pensé à m'en aller, alors que j'étais seule et agitée dans une maison inconnue. Comme j'avais du mal à retrouver mon calme, j'ai voulu dessiner un peu. Je pensais faire quelques croquis de toi, et peut-être d'une sirène pour ta salle de bains. Le problème, c'est que je n'avais pas mon carnet avec moi. Je suis donc allée dans ton bureau pour prendre de quoi dessiner.

– Oh… Je vois.

Un voile se posa sur ces yeux d'un vert si particulier.

– Tu avais fermé la porte.

– Je ne l'avais pas verrouillée. Je ne t'avais pas non plus dit qu'il valait mieux pour toi que tu n'y entres pas.

– Mon Dieu, que tu es solide… dit Simone.

Ne se sentant pas aussi forte que lui, elle se passa la main dans les cheveux.

– J'ai vu les blocs-notes dans l'armoire, vu qu'elle n'a pas de porte.

– Pour l'ouvrir et la refermer ? Quel intérêt ?

– Et enfin j'ai vu les énormes panneaux. J'ai reconnu des documents officiels, parmi tout ce que tu as affiché, comme les photos et rapports de scènes de crime.

– C'est vrai, mais comme tu ne figures pas sur la liste des suspects, je peux passer l'éponge. En tout cas, je suis désolé que tu aies posé les yeux sur tout ça.

– C'est ce que tu vois. Les morts, les vies détruites, les cadavres, les tueurs. Tu regardes tout ça parce qu'il faut bien que quelqu'un le fasse, c'est ça ? Ne me dis pas que ça fait partie de ton boulot, Reed, demanda-t-elle en lui serrant la main. Ne me dis pas ça…

– Pourtant, c'est le cas. Ça fait partie de mon boulot, du boulot que j'ai choisi. Ça fait partie de ma vie. C'est une sorte de… mission, si ce terme n'est pas trop nul.

– Non, pas du tout.

– Je ne renoncerai pas tant que je n'aurai pas abattu cette fille. Si le FBI la descend avant moi, pas de problème. La question sera réglée, c'est l'essentiel. Mais quand ? Il se pencha, rejeta les cheveux de Simone en arrière et reprit : Je vais décrocher les panneaux et tout classer dans des dossiers.

– Tu ferais ça ?

Il se redressa, son café à la main :

– Ce qui s'est passé ce soir-là, il y a tant d'années, fait partie de nous, fera toujours partie de nous, mais nous ne nous limitons pas à ça. Cette tragédie ne va pas définir ce que nous sommes, toi et moi, ni ceux que nous serons ensemble. Même si c'est un cliché de dire ça, il faut tourner la page. Et aussi que justice soit faite, putain !

– Oui… souffla Simone. Ni toi ni moi n'avons tourné la page, pas plus que nous n'avons le sentiment que justice a été faite.

– J'y travaille. Quand ces deux objectifs seront atteints, je penserai à Patricia Hobart enfermée dans une cellule jusqu'à la fin de ses jours, et ça me fera du bien. Un bien fou.

– C'est ta façon d'être, de voir le monde. Les gentils courent après les méchants.

– Ce devrait être la norme. Et toi, Simone, tu travailles à la création d'un mémorial, pour toucher le cœur et l'âme des gens, pour honorer les morts et réconforter ceux qui les pleurent. C'est un boulot, ça aussi, mais pas seulement. C'est ta mission.

– Je ne suis pas en avance, dans ce projet…

– Et alors ?

– Tu es si bon avec moi, ça me fiche la trouille.

– Ça ne va pas s'arranger… Alors soit tu t'y habitues, soit tu vis avec ta trouille.

Il prit les assiettes et les déposa dans l'évier.

– Tu peux me parler un peu de tout ça ? poursuivit Simone. Par exemple, qu'est-ce qui te fait croire que Patricia Hobart va tenter de tuer un rescapé ayant déménagé dans le sud du pays ? Les deux qui vivent aujourd'hui en Floride sont en première position, sur ta liste.

– C'est surtout une intuition. Le problème, c'est que des centaines de personnes ont réchappé à la fusillade. Elle a le choix.

Je te parlerai de tout ça, et toi tu me parleras de ton travail, mais pas cette nuit. Au fait, tu as prévenu Sissi que tu restais ici ?

– Oui. Elle m'a répondu : « Waouh ! »

– Elle ne voudra sans doute plus passer une nuit torride avec moi, maintenant. Je vais devoir me contenter de toi.

Simone inclina la tête :

– Et moi, j'ai un joueur de violoncelle italien super sexy à Florence, Dante, avec qui j'ai passé de nombreuses nuits torrides. Et je pourrais recommencer. Mais puisque je ne suis pas à Florence, je vais devoir me contenter de toi.

– Jolie riposte. Je t'ai promis une nouvelle séance de jambes en l'air, il me semble.

– Je confirme.

– Je suis un homme de parole.

Il lui tendit une main, qu'elle prit.

Reed parvint à dormir deux heures avant la venue d'une aube lumineuse mais venteuse. Après avoir chuchoté à Simone de dormir encore un peu et de rester aussi longtemps qu'elle le souhaitait, il se prépara un gobelet de café à emporter et, en sortant de la maison, fit un petit bond joyeux typique du type qui a fait l'amour toute la nuit.

Il décida de se rendre au poste de police à pied, malgré les plaques de verglas et les flaques de boue, car il tenait à évaluer les dégâts causés par la tempête. Il vit une multitude de branches à terre, parfois très grosses, mais aucun arbre ayant connu le sort de celui qu'avait percuté Wagman.

Il y a du nettoyage à faire, pensa-t-il. Il lui faudrait acheter une tronçonneuse… et faire attention à ne tuer personne avec, à commencer par lui-même. La mer, bien que d'un bleu éclatant, était encore déchaînée, comme parcourue de chevaux blancs lancés au galop.

Ayant aperçu trois personnes occupées à vérifier l'état de quelques maisons de location, il les rejoignit. Des bardeaux avaient volé ici ou là, parmi plein d'autres débris. C'était un sacré merdier, pour reprendre l'expression de l'une d'elles, car la pluie avait succédé à la grêle.

Reed trouva un vélo cabossé sur la route, mais pas le moindre signe de son propriétaire. Il le ramassa et l'emporta. Un drapeau rose, avec cheval ailé blanc, traînait dans une mare, en lambeaux. Il ne s'en préoccupa pas.

Certains, nettoyant déjà leur jardin, l'interpellèrent et lui demandèrent ce qu'il avait pensé de son premier coup de nord-est sur l'île.

Il ne répondit pas qu'il l'avait essentiellement passé au lit avec une femme splendide.

Mais il le pensa très fort.

Il posa le vélo abîmé à l'extérieur du Sunrise, où il entra pour remplir son gobelet de café et prendre quelques nouvelles.

On lui fit part de branches cassées, d'une jetée effondrée et de quelques légères inondations. En même temps, tout le monde parlait de l'incident Wagman-Seabold. Et bien des gens lui réclamèrent des détails, mais Reed resta muet sur ce sujet.

Lancer des ragots sur des arrestations dans un café ne lui semblait pas une bonne idée.

Il fit rouler la bicyclette jusqu'au poste de police, où il trouva Donna et Leon déjà occupés par leurs propres commérages.

– Où avez-vous trouvé le vélo du petit Quentin Hobb ? lui demanda Donna.

– À environ un kilomètre et demi du village. Mais comment savez-vous qu'il appartient à Quentin Hobb ?

– Je sais me servir de mes yeux. Sa mère, aussi tête en l'air qu'une danseuse de cancan saoule, vient d'appeler pour se plaindre que quelqu'un avait volé la bicyclette de son fils pendant la tempête.

– Une danseuse de cancan saoule ?

– Vous n'en avez jamais vu ?

– Ni saoule, ni sobre.

– Faites-moi confiance. Je lui ai demandé si elle était certaine que son fils avait rangé et attaché son vélo dans l'abri de jardin. Or il se trouve qu'il ne l'a pas fait, ce gamin est le portrait craché de sa mère. Ce vélo s'est envolé, voilà ce qui s'est passé.

– Je suis de l'avis de Donna, ajouta Leon. Personne n'irait faucher un vélo de gosse, encore moins en pleine tempête.

– Il est bon pour la poubelle, maintenant, mais dites-lui qu'on l'a retrouvé.

– Elle exigera probablement que vous l'examiniez pour y prélever des empreintes digitales, puis que vous ouvriez une enquête.

– Elle risque d'être déçue. Leon, rendez-moi service : faites un saut à la clinique où j'ai laissé Rick Wagman menotté à son lit, et voyez dans quel état il est. S'il est retapé, amenez-le ici et enfermez-le dans une cellule. Je l'ai déjà officiellement inculpé et je lui ai lu ses droits.

— Ah oui, j'ai entendu parler de cette histoire. Il a cogné Prissy ?

— Non, sinon j'aurais ajouté ça à la liste. Je l'ai arrêté pour conduite en état d'ivresse, comportement imprudent au volant, agression sur Curt Seabold, destruction de propriété privée et résistance à agent des forces de l'ordre, car il a tenté de me donner un coup de poing quand je suis arrivé sur place.

— Il vous a frappé ? s'étonna Donna, les yeux plissés.

— À peine. Il était ivre et sous le choc de son accident, sans compter que c'est un idiot. J'ai également inculpé Curt pour agression, car ils étaient partis pour se castagner sérieusement. Je lui ai permis de rester chez lui, je ne vois pas de raison de l'enfermer.

— Curt n'a fait que se défendre, non ? dit Leon, les sourcils froncés, en se frottant le menton.

— C'est lui qui a frappé le premier, Leon, il l'a reconnu. Il avait un peu trop bu, mais il ne conduisait pas. Et ce n'est pas demain la veille qu'il va reprendre le volant, vu l'état de son fourgon. Nous laisserons sans doute tomber les charges qui pèsent sur lui, mais il faut les maintenir pour l'instant. Comment prendrait-il la chose, si je demandais à Cecil de prendre une tronçonneuse et d'aller l'aider à débiter le tronc qui s'est abattu sur son véhicule ?

— Bien, je pense.

— OK, faisons comme ça, alors. Nick et Matty sont de réserve, je les appellerai si nécessaire. Leon, je veux que Wagman soit en cellule dès que le médecin l'autorise à sortir de la clinique. J'ai rempli les paperasses cette nuit. Il peut faire appel à un avocat, pour essayer de sortir en réglant une caution, mais pour le moment il restera soit dans sa cellule, soit menotté à son lit à la clinique. Tant que je serai chef de la police de l'île, il est hors de question que ceux qui roulent alcoolisés s'en sortent sans être inquiétés.

— À vos ordres, chef.

— Vous semblez plutôt pimpant, pour quelqu'un qui a passé la moitié de la nuit à s'occuper d'ivrognes, fit remarquer Donna.

— Vous trouvez ? sourit Reed. Ça doit être parce que je prends la vie du bon côté. Bon, je suis dans mon bureau. Envoyez-moi Cecil dès qu'il arrive. S'il n'est pas là dans dix minutes, vous l'appelez, Donna, et vous lui dites de s'activer.

Reed gagna son bureau, s'assit et alluma son ordinateur. Puis il contacta le procureur en charge de l'île.

Chapitre 20

Rick Wagman fut condamné à soixante jours de détention et se vit retirer son permis de conduire (il n'en était pas à son premier rodéo alcoolisé), avec l'obligation de suivre une cure de désintoxication. L'adultère n'étant pas un délit, Reed estima que la sentence convenait pour cet abruti.

Avril se présenta avec deux jours de neige. Les chasse-neige chassèrent la neige et les pelles pelletèrent. En ce début de printemps, l'île fut soudain replongée au cœur de l'hiver. Puis le soleil fit son retour et la température grimpa jusqu'à dix degrés. La subite fonte des neiges forma des torrents, creusa des nids-de-poule sur la chaussée et submergea les plages.

Durant ses trois premières semaines en tant que chef de la police, Reed passa la majeure partie de son temps à gérer des incidents liés aux conditions climatiques. Quand il n'était pas de service, il se montrait au village, se promenait à pied ou à vélo sur l'île, souvent avec Sissi, Simone ou les deux. Il passa également autant de nuits que possible avec Simone dans son nouveau lit.

Et chaque soir, il consacrait au moins une heure à Patricia Hobart.

Vers la mi-avril, profitant de son jour de repos, Reed prit le ferry à destination de Portland, sans avoir convaincu Simone de l'accompagner. Peut-être aurait-il dû éviter de préciser qu'il prévoyait de faire un tour chez ses parents, regretta-t-il un peu tard.

Après la traversée, il s'arrêta chez un fleuriste, où il se décida pour un hortensia d'un bleu aveuglant. Finalement, il en prit trois. Car il n'avait pas prévu de ne voir que ses parents, en ce dimanche printanier.

Il partagea un brunch avec toute la famille, joua avec les enfants, dit quelques conneries avec son frère, taquina sa sœur et aida vaguement son père à planter l'hortensia, qui avait beaucoup plu.

Il repartit, lesté d'un énorme sac rempli de restes du brunch.

Sa destination suivante était la maison de Leticia Johnson. Il trouva celle-ci sur sa terrasse côté rue, occupée à mettre des pensées en pot. Elle retira ses gants de jardinage lorsqu'il se gara à sa hauteur.

Elle n'avait pas du tout changé, depuis la nuit où il avait fait sa connaissance. C'était stupéfiant.

On ne pouvait pas en dire autant de l'autre côté de la rue. Le propriétaire de la maison incendiée avait comme prévu vendu le terrain, et son successeur avait fait raser les ruines pour faire construire une charmante maisonnette peinte en bleu clair, avec des ornements blancs, un perron, un chemin de dalles cimentées, une allée goudronnée et quelques buissons.

Juste à côté, le logis rénové de Rob et Chloe avait depuis longtemps été transformé en une adorable maison à deux niveaux vert cendré, avec l'ajout d'un garage sur le côté et d'une chambre supplémentaire au-dessus.

Reed savait que le couple avait eu un deuxième enfant.

Il sortit le deuxième hortensia de sa voiture et se dirigea vers Leticia, qui l'attendait avec un sourire accueillant.

– Quel plaisir pour les yeux, de voir un beau jeune homme par cette journée ensoleillée !

– Pas aussi beau que vous, dit Reed, avant de déposer un baiser sur la joue de la vieille dame. J'espère que vous aimez les hortensias.

– Bien sûr !

– Alors choisissez un endroit, dans votre jardin, et dites-moi où je peux trouver une pelle.

Elle décida de le placer devant la maison, de façon à l'avoir sous les yeux quand elle s'installerait sur sa terrasse. Pendant que Reed creusait, elle rentra dans la maison et en ressortit avec une petite boîte en plastique.

– Voilà du marc de café et des pelures d'oranges que je n'ai pas encore portées au compost. Mets tout ça près des racines, mon garçon. Ça aidera les fleurs à garder leur superbe couleur bleue.

– Vous vous entendriez bien avec mon père. Je viens de lui en offrir un, et il m'a dit exactement la même chose. Au fait, vous vous y connaissez en lupins ?

Ils discutèrent jardinage un bon moment, même si Reed eut l'impression de parler chinois, puis ils s'installèrent sur la terrasse et dégustèrent du thé glacé et des cookies.

– Tu as l'air en bonne santé et heureux. La vie sur l'île te fait du bien.

Reed n'avait pas oublié que Leticia était venue deux fois lui rendre visite à l'hôpital.

– Oui, à l'évidence. J'espère que vous viendrez me voir un jour. Je vous ferai découvrir le coin, et on pourra s'asseoir sur ma terrasse, cette fois.

– Il te faudrait plutôt une jeune et jolie femme.

– J'y travaille.

– Bien.

– Comment vont les voisins ?

Elle suivit son regard, de l'autre côté de la rue.

– Chloe, Rob et leurs deux filles vont bien. C'est une belle petite famille. Nous en avons des nouveaux, juste devant, à la place de cette malheureuse femme.

– Ah oui ?

– La famille qui avait reconstruit la maison, très jolie aussi, s'est agrandie et s'y trouvait du coup un peu à l'étroit. Elle est maintenant occupée par un jeune couple qui attend son premier enfant pour l'automne prochain. Des gens charmants. Quand je leur ai apporté une tarte aux pommes pour leur souhaiter la bienvenue, ils m'ont aussitôt invitée à entrer et m'ont fait visiter la maison. La veille du passage du camion poubelle, une fois par semaine, Rob et lui se relaient pour descendre mon conteneur sur le trottoir.

– Je suis ravi de l'apprendre.

– Tu penses encore à ce qui s'est passé.

– Elle est encore en liberté, quelque part.

Leticia secoua la tête et effleura la croix qu'elle portait autour du cou :

– Quelqu'un qui tue sa propre mère et ses grands-parents ne mérite pas le qualificatif d'humain. C'est autre chose, qui n'a pas de nom.

– Je lui en ai trouvé plein. Je sais que vous ne lui parliez pas beaucoup, Leticia, mais vous la voyiez arriver puis repartir, lors de ses passages chez sa mère. J'aimerais mieux connaître ses habitudes, et savoir si elle s'en écartait parfois.

– Comme je te l'ai déjà dit, elle arrivait les bras chargés de provisions et restait un petit moment. Elle apportait un petit quelque chose le jour de la fête des Mères et à Noël, mais elle ne m'a jamais donné l'impression d'être heureuse de le faire.

– Lui est-il arrivé de changer de look ? De coupe de cheveux, par exemple, ou de style vestimentaire ?

– Pas vraiment, non. Ah si, un jour je l'ai vue en tenue de sport, du genre de celles que portent les filles pour faire de la gym ou du footing. Ce n'était pas son jour de visite habituel, et elle m'a paru très agacée. Je dois avouer qu'elle avait un corps plus fin et musclé que je l'avais imaginé.

– Elle court presque tous les matins, nous en avons eu la confirmation. En tout cas, c'est intéressant, ce que vous me dites.

– Maintenant que j'y pense, sa mère était malade, ce jour-là.

– Marcia Hobart aurait demandé à Patricia de venir la voir plus tôt que prévu, et celle-ci n'aurait pas pris la peine de se changer, après son footing matinal ?

– Ça me fait penser à un autre jour, se rappela Leticia, se tapotant le genou du bout de l'index. Elle se comportait comme les autres fois, en tout cas elle faisait comme si, mais je me demande si je n'ai pas repéré un écart dans ses habitudes, comme tu dis.

Se balançant sur son fauteuil à bascule, Leticia ferma les yeux pour mieux raviver ce souvenir.

– C'était en hiver, je ne sais plus quand précisément. Les petits faisaient un bonhomme de neige juste devant, là. Vu leur âge à l'époque, ça devait être il y a cinq ou six ans. Mon petit-fils, celui qui est dans la police, tu le connais, dégageait la neige de mes marches et de mon chemin. Il portait l'écharpe que je lui avais tricotée et offerte à Noël, c'était donc après le 25 décembre. J'avais donné une carotte aux petits, pour le nez du bonhomme de neige. Je supervisais toutes ces activités depuis la terrasse, là même où nous sommes, quand elle est arrivée.

Leticia ouvrit les yeux, tourna la tête vers Reed et poursuivit :

– Quand elle est sortie de sa voiture, j'ai deviné qu'elle était contrariée que la neige n'ait pas été déblayée devant la maison de sa mère. Je l'ai appelée et lui ai demandé si elle voulait qu'un de mes gamins s'en charge, la fille censée s'en occuper étant clouée au lit par la grippe.

Leticia se balança encore un moment, hochant la tête.

– Oui, je m'en souviens, maintenant. Tout en lui parlant, je me suis approchée d'elle. Elle a baissé la tête, comme toujours. J'ai alors pris le taureau par les cornes : j'ai demandé à mon petit-fils d'aller déblayer la neige pour cette demoiselle, et au plus grand des petits de lui porter ses sacs de courses.

– Comment a-t-elle réagi ?

– Elle n'a pas eu le choix. Elle avait besoin d'aide, et on lui en offrait. Je lui ai dit qu'elle était bronzée, comme si elle revenait d'un endroit ensoleillé. Elle m'a répondu qu'elle s'était offert un peu de vacances. Mon petit-fils s'est attaqué à la neige, devant chez sa mère, et le gosse a porté les deux sacs de courses jusque devant la porte d'entrée. Elle était coincée, visiblement irritée. Elle m'a dit qu'elle avait horreur de revenir ici en cette saison, et qu'elle rêvait de passer tous les hivers en Floride.

– Elle a précisé « en Floride » ?

– Oui. Il y a du soleil, des palmiers et des piscines, en Floride, alors qu'ici nous n'avons que de la neige, de la glace et du froid… C'est ce qu'elle m'a dit. Jamais elle ne m'avait dit une phrase si longue, alors j'ai répondu que c'était bien qu'elle ait profité d'un peu de congés. Quand je lui ai demandé où elle était allée en Floride, elle a bafouillé qu'elle devait retrouver sa mère et est aussitôt rentrée dans la maison. Elle s'est tout de même arrêtée près de mon petit-fils, toujours occupé à déblayer la neige, pour lui proposer un peu d'argent pour sa peine. Il a refusé, c'est un petit gars bien élevé.

– Elle a tué une femme à Tampa, en février 2011, dit Reed.

– Doux Jésus… Elle était encore bronzée, ce jour-là. C'était sans doute juste après. Elle avait pris ces couleurs en ôtant la vie à quelqu'un, mais ça ne l'empêchait pas de pester contre la neige. Elle est retournée en Floride, à ton avis, après t'avoir tiré dessus ?

– Non, je pense qu'elle s'est réfugiée au Canada. J'ai riposté et je l'ai touchée… elle a laissé une traînée de sang derrière elle. Elle devait filer au plus vite.

– Elle a pris le temps d'assassiner ses grands-parents, rappela Leticia, portant de nouveau la main sur sa croix. Qu'ils reposent en paix.

– Elle les détestait, comme elle haïssait sa mère. Et elle devait souffrir. Pourquoi ne pas se défouler en les abattant ? Elle avait vraiment mal, c'est évident. Je ne l'imagine pas conduire jusqu'en Floride avec une blessure par balle. Le Canada est plus proche. Elle a franchi la frontière grâce à de faux papiers et s'est trouvé un trou où elle s'est terrée. Nous estimons qu'elle avait énormément de liquide sur elle, et des cartes de crédit à de faux noms. Cela dit, je pense qu'elle est aujourd'hui retournée en Floride, où elle a passé de bons moments.

Et Reed de conclure, la tête tournée vers Leticia :

— Selon moi, deux de ses cibles sont établies là-bas.

— Tu dois les prévenir, Reed. Et ne me dis pas que le FBI s'en occupe. Il faut que ces gens aient une chance de prendre des précautions, de se protéger.

Après une bise en guise d'au revoir, Leticia regarda Reed s'éloigner au volant de sa voiture. Elle se faisait du souci pour ce garçon. La personne, qui n'était pas une personne mais quelque chose de si mauvais qu'elle ne trouvait pas de terme adéquat dans son vocabulaire, avait déjà essayé de le tuer. Elle tenterait de nouveau sa chance, et il le savait. Il ne lui restait plus qu'à prier, ce qu'elle ne manquerait pas de faire, pour qu'il se montre suffisamment malin et bon flic pour la capturer avant qu'elle ne parvienne à ses fins.

Essie fut stupéfaite lorsque Reed lui offrit le troisième hortensia.

— Pour des raisons qui me dépassent, il faut verser du marc de café dans le trou avant de le planter, précisa-t-il. Et je prendrais bien une bière en échange.

— Il est magnifique ! s'extasia Essie. Hank ! Reed nous a apporté un hortensia.

Dylan et Puck surgirent les premiers, en courant.

— Salut, mec ! lança Reed, qui claqua un tope-là avec le petit garçon, avant de caresser le chien qui remuait la queue.

— On va sur l'île ? réclama l'enfant. On peut y aller tout de suite ?

— Il va falloir attendre encore.

— Puck et moi, on veut y aller !

Reed le prit dans ses bras :

— Mais plus très longtemps. Quand tu viendras, Puck et toi, vous serez mes adjoints pour la journée.

— On aura un badge ?

— Bien sûr, les adjoints ont tous un badge. Salut, Hank.

— Salut, Reed. Joli hortensia. C'est un Nikko Blue. Il lui faut un sol acide pour garder ses couleurs.

— Bon, je passe le relais au spécialiste.

Reed partagea une bière avec Hank et prit le temps d'admirer les figurines Power Rangers et les dinosaures de Dylan.

Peu après, Hank, à qui un échange discret entre sa femme et son ancien équipier n'avait pas échappé, appela son fils :

– Viens m'aider à creuser le trou de l'hortensia, Dylan. Je crois que je sais où on va le planter.

– Une autre bière ? proposa Essie à Reed, quand son mari fut sorti avec leur fils.

– Non, merci. J'ai un ferry à attraper, il ne faut pas que je traîne trop. Je suis passé chez Leticia Johnson.

Il fit part à son amie des nouveaux éléments recueillis auprès de la vieille dame.

– On a toujours su qu'elle s'était rendue en Floride, Reed.

– C'est vrai, mais je crois qu'elle s'est laissé surprendre. Elle a parlé de son séjour, alors que d'ordinaire elle prenait soin de ne rien dire, ou presque. Or elle a parlé de la Floride. Et puis, la vendeuse de la boulangerie où elle avait l'habitude de passer tous les matins assure que Hobart lui a dit qu'elle s'offrait quelques jours de remise en forme dans les montagnes.

– Ça prouve que c'est une menteuse, ce qu'on savait déjà, mais le point que tu soulèves est intéressant. Elle s'est relâchée et s'en est voulu. Elle venait de quitter le soleil et les palmiers pour retrouver la neige et le froid, et voilà que personne n'avait déblayé cette fichue allée.

– Leticia l'a acculée pendant une minute, alors Hobart a baissé la garde et pesté contre les conditions météo.

– Elle a dû se dire que ce qu'elle pouvait raconter à une vieille fouineuse voisine de sa mère n'avait pas d'importance. Agacée par la neige et par la gamine qui ne l'avait pas dégagée et venant tout juste d'assassiner quelqu'un, oui, elle a commis un écart.

– Elle est retournée en Floride, Essie. J'en suis certain.

– Aucune piste ne nous mène là-bas, Reed.

– Il y a deux cibles potentielles en Floride, et l'hiver a été particulièrement froid ici, insista Reed, faisant quelques pas. Qu'est-ce que tu t'es dit, quand tu as vu cette maison puis quand tu l'as achetée ?

– Je suis chez moi.

– Ouais, c'est ce que je me suis dit aussi. Hobart vivait chez ses grands-parents, qu'elle détestait. Idem pour sa mère. Elle les a tués tous les trois. Elle ne s'est jamais sentie chez elle chez sa mère ni chez ses grands-parents, mais je parie qu'elle se sent chez elle en Floride. Pour commettre son dernier crime, elle a quitté le Canada

– même les Fédéraux pensent qu'elle s'est planquée là-bas – pour les Bermudes. Tu sais ce que je pense ?

Essie hocha la tête en gonflant les joues :

– Ce séjour lui a rappelé combien elle aime le soleil et les palmiers.

– Exactement. On se doutait déjà qu'elle avait filé dans le Sud, et moi je penchais pour la Floride, mais maintenant j'en suis certain. Je sais, ce n'est qu'une intuition, Essie, mais ça colle.

– Je peux discrètement le faire savoir à l'agent spécial chargé de l'affaire.

– Pas si tu risques de te faire taper sur les doigts.

– Est-ce qu'ils préparent leurs bagages pour la Floride ? Non, pas du tout. Et pendant ce temps, Hobart continue de tuer. Je vais suivre la procédure. Écoute, Sloop sait que tu es en contact régulier avec sa grand-mère, il pourra confirmer. On n'a qu'à dire que tu es passé la voir…

– Je lui ai offert un hortensia, que j'ai planté.

– Encore mieux. C'est à ce moment qu'elle t'a donné ces nouvelles infos, que tu m'as ensuite transmises. C'est aussi simple que ça.

– D'accord. Vu que c'est moi qui ai récupéré l'info, et en tant que chef de police ayant prêté serment de protéger et de servir, je me charge de contacter les deux cibles probables.

– Reed…

– Les Fédéraux vont mettre un temps fou à interpréter les renseignements que tu leur donneras. Et même quand ce sera chose faite, rien ne nous assure qu'ils agiront. Je vais prévenir ces personnes, Essie. Que peuvent-ils me faire ?

– Pas grand-chose, voire rien du tout.

– Ils ne pourront pas s'en prendre à toi, si c'est moi qui appelle les cibles.

– La prise de contact aura peut-être plus de poids si c'est moi, inspecteur de la police de Portland, qui les préviens.

– Un inspecteur plus convaincant qu'un chef de la police… ? sourit Reed. Tu plaisantes ?

– Petit con, va…

– Je t'ai dit ce que je compte faire parce qu'on a toujours joué franc-jeu, tous les deux. Je ne veux pas que tu l'apprennes après coup. Bon, il faut que j'y aille, dit-il en regardant par la fenêtre. Un homme, un enfant et un chien. Joli tableau.

– C'est mon préféré. Au fait, je suis enceinte.

– Hein ? lâcha Reed, qui fit volte-face. Sérieux ? Pourquoi tu ne me l'as pas dit tout de suite ? C'est une bonne nouvelle, non ?

– Bien plus qu'une bonne nouvelle. Je n'en suis qu'à sept semaines et demie, et on n'est pas censé l'annoncer avant douze. Mais bon…

Essie tourna la tête vers la fenêtre, les yeux embués.

– Je vais être mère de deux enfants, reprit-elle. Hank a trouvé un agent littéraire motivé pour vendre son bouquin. Il en a même commencé un autre, tu te rends compte ? Rester à la maison et écrire suffit à son bonheur. Et au mien. Dylan, lui, déborde de joie. Je veux qu'on chope cette salope, Reed. Tôt ou tard, elle s'en prendra à moi. C'est moi qui ai tué son frère.

– On l'aura, Essie.

– Elle ne touche pas aux proches de ses cibles, ça ne l'intéresse pas, mais là j'ai un futur membre de notre famille dans mon ventre.

– Fais-le savoir, n'attends pas les douze semaines de grossesse. Tu es certainement très haut placée sur sa liste ; on a dit franc-jeu… il est encore trop tôt pour qu'elle s'occupe de toi. Cela dit, si elle pense tout de même à toi en ce moment, savoir que tu es enceinte pourrait la freiner.

– Ce n'est pas idiot, convint Essie qui, soudain quelque peu tendue, se massa la nuque juste en dessous de sa courte queue-de-cheval. Je peux l'annoncer à tout le monde, en effet. Elle a déjà essayé de te tuer, toi, la deuxième personne à avoir appelé Police-Secours.

– La deuxième personne à avoir appelé, ça n'a aucune importance. Ce n'est pas moi qui ai fait venir la police, c'est Simone. Simone… dont je suis fou amoureux.

– Tu… lâcha Essie, qui réussit à refermer la bouche, qu'elle avait ouverte comme un four. Bon, à mon tour : sérieux ?

– Aussi sérieux que notre histoire. Simone et toi êtes les deux candidates principales pour la place de numéro un sur sa liste. Elle ne va certainement pas s'en prendre à l'une de vous dans l'immédiat.

– Et elle ? Elle est amoureuse de toi ?

– J'y travaille. Allez, il faut que je file.

– Au moment où ça devient intéressant ! Comment ça, tu y travailles ?

– Viens me voir sur l'île, tu t'en rendras compte par toi-même, répondit Reed tandis qu'elle le suivait jusqu'à la porte. Je ne peux pas me permettre de louper le ferry, je suis le chef de la police.

Reed passa ses appels téléphoniques à bord du ferry. Il s'entretint avec Max Lowen, qui vivait à Fort Lauderdale. Après s'être présenté, il lui révéla avoir au cours d'une autre enquête obtenu des renseignements l'incitant à croire que Patricia Hobart se trouvait actuellement en Floride.

Évidemment saisi d'une frousse de tous les diables, Lowen fut calmé par Reed, qui lui énonça les précautions élémentaires à prendre. Il lui posa ensuite quelques questions et lui donna son numéro de mobile, qu'il lui suggéra de transmettre à la police locale. Il lui conseilla également de contacter l'agent spécial du FBI en charge du dossier. Reed conclut en assurant à Lowen qu'il serait ravi de confirmer son identité et ce qu'il savait à toutes ces personnes.

Il tomba ensuite sur le répondeur d'Emily Devlon. Il laissa un message, précisant son nom et son numéro de mobile et lui demanda de le rappeler dès que possible, précisant qu'il était question de Patricia Hobart.

Puis il sortit de sa voiture et contempla l'île qui grossissait.

Chez moi, se dit-il. *C'est ici que je me sens chez moi.*

Il reprit son mobile et envoya un texto à Simone : « Sur le ferry. J'arrive dans 5 min. Envie de prendre une pizza et de regarder le coucher de soleil sur la terrasse avec deux belles femmes. »

Simone répondit aussitôt : « Sissi en pleine préparation de soupe végétarienne du siècle. M'a enrôlée pour pétrir pâte à pain, alors pizza inutile. Trop froid pour coucher de soleil sur la terrasse. On restera devant le feu. Presque arrivée. »

Reed glissa son téléphone dans sa poche. Il essaierait de nouveau de contacter Emily Devlon le lendemain matin, si elle ne le rappelait pas d'ici là, mais pour l'heure il cessa d'y penser.

Le téléphone sonna au moment où Emily verrouillait la porte de la cuisine. Elle hésita un instant, tout près de la rouvrir pour aller répondre, mais elle y renonça. Son mari et les enfants déjà partis pour passer un peu de temps à la plage avant la pizzeria, elle n'avait pas à s'inquiéter. Si Kent avait eu besoin d'elle, il l'aurait appelée sur son mobile.

Ils conservaient une ligne fixe, car Kent l'estimait nécessaire pour ses clients, qui pouvaient y laisser des messages. C'était donc sans doute un client, un sondage ennuyeux ou une sollicitation quelconque.

Et puis c'était sa soirée. Sa soirée entre filles, qu'elle déguisait en club de lecture, le premier et le troisième dimanche de chaque mois. Elle en avait organisé une, et seulement participé à la deuxième. Ce soir, elle ne s'occupait de rien.

Elle entra dans le garage : son mari n'y mettait jamais sa voiture, car il l'avait encombré de matériel de sport, d'outils et d'engins de jardinage, laissant tout juste assez de place pour le véhicule d'Emily.

Elle entendit un claquement et sentit une douleur brûlante.

La seconde d'après, elle n'entendait ni ne sentait plus rien.

Patricia ouvrit le sac à main d'Emily, prit le mobile et fit défiler les contacts jusqu'à tomber sur une des amies que sa victime devait retrouver. Elle envoya un texto : « Un imprévu, vous expliquerai plus tard. Peux plus venir. Trop déçue ! »

Prévoyant le cas où un voisin regarderait dans sa direction, Patricia ajusta sa perruque – même coupe et même couleur que les cheveux d'Emily –, prit les clés du minibus, s'y engouffra et ouvrit la porte du garage grâce à la télécommande.

Elle traversa le quartier puis se rendit directement au marché en plein air situé à trois kilomètres de là, ce qui était bien pratique, et se gara sur place.

Elle retira sa perruque, qu'elle glissa dans son énorme sac, où se trouvait déjà son pistolet, puis elle secoua vivement la tête, répandant délibérément son ADN dans l'habitacle : elle voulait qu'ils sachent qu'elle avait encore remporté la partie.

Elle s'accorda une promenade dans les allées du marché, jouissant de cette douce soirée printanière. Qu'elle aimait la Floride ! Elle fit du lèche-vitrines, s'offrit quelques petites choses et retrouva sa voiture, qu'elle avait garée là avant de couvrir à pied les trois kilomètres séparant le marché de la maison d'Emily.

Ses bagages étaient déjà dans le coffre.

Elle poussa un gros soupir. Quitter la Floride lui fendait le cœur : elle aurait aimé rester et en profiter un moment. Mais elle avait d'autres endroits à voir, d'autres personnes à tuer.

– C'est parti pour un *road trip* ! lança-t-elle en riant.

Elle ouvrit le sachet de chips au piment et le Pepsi Light qu'elle avait pris pour le trajet et alluma la radio.

Tout en roulant, elle se fit la réflexion que le meurtre d'Emily Devlon avait été le plus facile à commettre jusqu'à présent.

La chance lui souriait.

La chance resta du côté de Patricia. Le mari d'Emily ne s'était pas rendu dans le garage en rentrant à la maison, n'ayant aucune raison de le faire. Les enfants, surexcités après la pizza et la glace qu'il avait eu la faiblesse de leur accorder, le tinrent occupé un bon moment. Il ne s'attendait pas à voir son épouse rentrer avant 22 heures, dans le meilleur des cas.

Il laissa les gosses faire les fous dans leur bain car cela le faisait rire, même s'il devait ensuite le payer par une séance intense de serpillière avant le retour de leur mère.

Il leur lut ensuite une histoire, les borda, passa la serpillière et s'offrit une vodka tonic bien méritée. Sans penser une seconde à consulter le répondeur, il s'endormit pendant la sixième manche du match de base-ball qu'il regardait sur la télévision de la chambre.

Il s'éveilla peu après minuit, désorienté. Il fut davantage perplexe qu'agacé en découvrant qu'il était seul dans le lit.

Il éteignit la télévision, fit un tour aux toilettes. Tout en bâillant, il jeta un coup d'œil sur les enfants puis dans la chambre d'amis, où Emily dormait parfois, quand il ronflait.

Il descendit au rez-de-chaussée et appela sa femme.

L'irritation prit le pas sur l'étonnement. *Les règles sont les mêmes pour l'un et l'autre*, rouspéta-t-il intérieurement. *Quand on est en retard, on prévient.*

Cherchant son mobile, il se rappela qu'il l'avait mis à charger près du lit. Il se rendit dans le bureau pour utiliser la ligne fixe. Alors il aperçut le témoin clignotant de l'appareil.

Il écouta le message, fronçant d'abord les sourcils. Pourquoi un chef de la police d'une île située au large de Portland… Soudain, il entendit le nom de Patricia Hobart. Son sang se figea dans ses veines.

Il appela le mobile de son épouse et crut qu'il allait vomir, quand il tomba sur sa messagerie, sur sa voix chaleureuse.

– Rappelle-moi. Rappelle-moi, Emily. Tout de suite !

Tournant en rond dans son bureau, il ne cessait de se répéter que tout allait bien. Elle avait simplement bu un peu trop de pinot, rien de plus. Tout allait bien.

Il sortit jeter un coup d'œil dans la piscine, dans le Jacuzzi. Rien.

Tremblant, il lâcha un soupir de soulagement.

Près de dix minutes s'écoulèrent avant qu'il pense au garage et à la voiture d'Emily. Il fut soulagé, bien que toujours flageolant, lorsqu'il constata que le minibus n'était pas là.

Puis il la découvrit.

La brigade criminelle ne contacta Reed que vers 3 heures du matin. Il attrapa son mobile et se redressa, se rappelant soudain qu'il dormait dans le lit de Simone, et non dans le sien.

– Quartermaine.

– Chef Quartermaine, de Tranquility Island, dans le Maine ?

– Oui, qui est à l'appareil ?

– Inspecteur Sylvio, police de Coral Gables. J'ai trouvé votre nom et votre numéro sur un répondeur…

– Emily Devlon ! s'écria Reed, qui s'accrocha encore dix secondes à l'espoir le plus fou. Elle vous a contacté ?

– Non, chef Quartermaine.

– Vous faites partie de la brigade criminelle ?

– Affirmatif.

– Putain, c'est pas vrai ! Quand ? Où ?

– Nous y travaillons. J'ai quelques questions à vous poser.

– Je vous écoute.

Reed ouvrit la porte-fenêtre et fit quelques pas sur le balcon surplombant la mer. Il avait besoin d'air.

Simone alluma la lumière. Un fort courant d'air frais s'engouffrait dans la chambre. Elle se leva, enfila un peignoir et s'approcha de la porte ouverte. Elle découvrit Reed nu sur le balcon, de temps à autre éclairé par la lune et aboyant des réponses dans son téléphone.

Il ne sentait pas le froid, comprit-elle. Pas avec la rage qui l'envahissait. Elle ne l'avait jamais vu en colère – et n'était même pas certaine que cela lui soit déjà arrivé. Pas à ce point, en tout cas.

Il se contenait, mais sa fureur était visible.

Simone tendit l'oreille. Après chaque réponse donnée, Reed posait des questions, et les réponses ne le satisfaisaient manifestement pas.

– Lâchez-moi, inspecteur. Lâchez-moi, putain ! Elle serait peut-être encore vivante si je l'avais appelée plus tôt, si j'étais entré en contact avec elle. C'est Hobart, bon sang ! Elle a dû la retrouver *via* les réseaux sociaux, trouver un logement dans le quartier. Elle connaissait les habitudes d'Emily Devlon, savait où elle faisait ses courses, quelle était sa banque, ses restaurants préférés, etc. Elle a noté les moindres détails. Est-ce que Devlon avait l'habitude de sortir le dimanche soir ?

Reed se passa la main dans les cheveux et fit quelques pas.

– Mais putain, appelez le FBI ! L'agent spécial en charge de l'affaire s'appelle Andrew Xavier. Là, vous avez une mère de deux enfants assassinée. J'étais présent, comme elle, lors de la fusillade au centre commercial DownEast. Je ne la connaissais pas, mais j'y étais, moi aussi. Et je... Nom de dieu, vous êtes con, ou quoi ? Dites-moi à quelle heure elle est morte, et je vous dirai où j'étais à ce moment-là, putain ! J'étais chez mon ancienne équipière, l'inspecteur Essie McVee, avec sa famille. Il lança à toute allure le numéro de téléphone et l'adresse d'Essie. Elle vous le confirmera. En partant de chez elle, j'ai pris le ferry pour Tranquility Island. C'est de là que j'ai laissé un message à Emily Devlon. J'avais auparavant contacté Max Lowen, à Fort Lauderdale, car j'étais persuadé que Hobart se trouvait en Floride. Le message est daté, bon sang, vous savez parfaitement que je l'ai appelée juste avant ou juste après qu'elle soit tuée.

Il écoutait, à présent, et Simone devinait sa rage dans chacun de ses traits, dans chacun de ses muscles.

– Oui, faites donc ça. Allez-y, putain ! Vous savez comment me joindre.

Reed se retourna. Son visage exprimait une telle rage que Simone recula d'un pas. Il se reprit aussitôt :

– J'ai besoin de réfléchir une minute.

Il s'approcha de la porte-fenêtre pour la fermer, mais Simone s'interposa :

– Ne fais pas ça. Ne m'exclus pas. J'en ai assez entendu pour comprendre qu'elle a encore tué quelqu'un. Quelqu'un que tu as tenté de prévenir. Rentre, Reed, et habille-toi. Tu ne t'en rends pas compte, mais tu crèves de froid.

– Ça n'a servi à rien, putain ! Elle n'a pas répondu. Elle était peut-être déjà morte. Trop tard, merde, dit-il en jetant son mobile sur le lit et en attrapant son pantalon. Et ce connard de la brigade criminelle qui me cuisine pour savoir pourquoi j'ai laissé ce message, pourquoi j'ai quitté la police de Portland, comment ça se fait que j'en sache autant sur cette affaire et qui veut savoir où j'étais au moment du meurtre. Putain d'enculé !

Il se calma de nouveau.

– Désolé, il faut que j'y aille.

– Pour quoi faire ? Pour donner un coup de poing dans un mur ? Quand ce putain d'enculé aura effectué un minimum de vérifications, il se rendra compte qu'il n'est qu'un putain d'enculé.

– Ça ne fera pas revenir Emily Devlon d'entre les morts. Elle avait deux gosses. Je suis intervenu trop tard.

Elle le prit dans ses bras.

– Ça fait chier, Simone… J'ai agi trop tard. Elle m'a niqué.

– Toi ? dit-elle, le serrant plus fort avant de s'écarter. Pourquoi toi, et toi seul ?

– Je suis sa seule cible à l'avoir vue de près et à avoir survécu.

– Tu ne vas pas t'arrêter en si bon chemin. Pour l'instant, tu te dis que tout ça n'a servi à rien, mais je suis prête à parier que le flic de Floride va te rappeler, s'excuser et te demander de l'aider.

– J'en ai rien à foutre, de ses excuses.

– Mais il te les fera quand même. Bon, allons marcher un peu sur la plage.

– Il fait froid et on est en pleine nuit, bon sang ! Non, il faut que j'y aille. Retourne te coucher.

Bizarre, pensa Simone. *Il sait garder son calme, d'ordinaire.* Si Reed s'énervait, Simone, au contraire, se maîtrisait parfaitement.

– Tu vas attendre que je m'habille, et ensuite on ira marcher un peu. C'est un truc qui m'aide, enfin parfois, quand je suis en colère. On verra bien si ça te soulage, toi aussi. Elle sortit un sweat-shirt et un bas de survêtement de la commode. En te voyant fou de rage, je me dis que l'île a bien de la chance de t'avoir.

– Ouais, il n'y a rien de plus dangereux qu'un chef de la police fou de rage.

– Tu as le droit d'être furieux, mais ta colère s'apaise déjà. Et à côté de ça, je devine de la tristesse en toi. Je savais que tu étais un flic intelligent et malin, comme je savais que tu respectais ton métier et tenais à le faire le mieux possible. Je savais aussi que tu te souciais de ton prochain, mais là je viens de comprendre à quel point. Elle s'enroula une écharpe autour du cou. On a de la chance de t'avoir, chef. J'ai une veste chaude au rez-de-chaussée. On va la chercher, on attrape ton blouson et on file.

– Et moi, je suis amoureux de toi… Mon Dieu, il ne faut pas que ça t'effraie.

Interdite une bonne minute, Simone dut fournir un sérieux effort pour conserver son calme.

– Eh bien si, ça me fait peur. Pas au point de me faire fuir, mais j'ai besoin de réfléchir encore un peu avant d'être certaine de ce que nous allons faire. Jamais je n'ai éprouvé ce que j'éprouve pour toi. J'ai besoin d'y voir clair.

– Ça me va. Je suis moins énervé, maintenant.

– Allons-y. Tu es le premier homme que je crois quand il me dit ça. Je pense qu'on a tous les deux besoin de marcher un peu sur la plage.

La promenade leur fit le plus grand bien. Si Reed ne regagna pas le lit de Simone, celle-ci le savait calmé. Il l'embrassa et s'éloigna au volant de sa voiture, après avoir attendu qu'elle soit rentrée dans la maison.

Simone ne retourna pas dormir. Elle se prépara un grand bol de café et monta à son atelier. Elle y trouva le croquis d'Emily Devlon qu'elle avait réalisé d'après la photo fixée sur le panneau de Reed. Elle rassembla ses outils et se lança dans ce qu'elle pouvait faire pour honorer les morts.

TROISIÈME PARTIE

PREUVE DE VIE

« La vie est réelle ! La vie est entière !
Elle ne s'achève pas au tombeau.
"Tu es né poussière, tu retourneras à la poussière" :
l'âme n'a jamais prononcé ces mots. »

HENRY WADSWORTH LONGFELLOW

Chapitre 21

L'inspecteur de Floride présenta ses excuses à Reed – sèchement, obéissant d'évidence à un ordre ; puis son lieutenant, qui semblait moins tête de con, l'appela à son tour. Ils échangèrent quelques renseignements, se promettant de se tenir au courant du moindre élément nouveau.

Donna toqua sur le montant de la porte du bureau de Reed :

– Ida Booker, qui habite sur Tidal Lane, a appelé. Elle est folle de rage.

– Pourquoi donc ?

– Un chien a fouillé dans sa poubelle à compost, retourné la terre de son jardin à l'endroit où des jonquilles émergeaient et pourchassé son chat, qui s'est réfugié dans un arbre.

– À qui appartient ce chien ?

– À personne, et c'est l'autre problème. D'après elle, c'est la deuxième fois en deux jours qu'il s'en prend à son chat. Comme elle ne l'avait jamais vu, elle s'est renseignée dans le quartier. Le voisinage pense qu'il a été abandonné. Quelqu'un a dû venir ici par le ferry et repartir sans lui.

– Y a-t-il un problème de chiens errants dont je ne sois pas au courant, sur l'île ?

– Non, pas jusqu'à présent, mais on dirait bien que nous en avons un sur les bras. Ida m'a promis que si elle revoit ce chien, elle lui tire une balle dans la tête. Elle adore son chat.

– On ne va quand même pas laisser les gens tirer sur les chiens.

– Alors, je vous conseille de retrouver celui-là avant elle, elle est furieuse.

— Je m'en occupe, décida Reed, estimant qu'un peu de légèreté ne lui ferait pas de mal.

Il se rendit en voiture sur Tidal Lane, un charmant lotissement composé de huit maisons occupées à l'année et dont les résidents, fiers de leurs jardins, avaient constitué une sorte de communauté informelle d'artisans.

Robuste quinquagénaire, Ida était spécialisée en tissage, avait élevé deux fils et adorait sa chatte.

— Il a terrifié Bianca ! raconta-t-elle, scandalisée. Dieu sait ce qu'il lui aurait fait si elle n'avait pas atteint l'arbre. Et regardez ce qu'il a fait ! Il a déterré mes bulbes et répandu mon compost dans le jardin. Quand je suis sortie, il a fui comme un lâche.

Il s'agissait sans doute d'un chien peureux plutôt qu'agressif, estima Reed.

— Avait-il un collier ?

— Je n'en ai pas vu. Si ça se trouve, il a la rage !

— Ça, nous n'en savons rien. Décrivez-moi cet animal.

— C'était un bâtard marron, très sale et très vif. La première fois qu'il est venu et qu'il a couru après Bianca, j'étais dehors, je préparais la terre pour mes plantes. Je me suis levée en criant et il s'est enfui. Même chose aujourd'hui. Je l'ai entendu aboyer, etc. Bianca aime faire la sieste sur le perron. Je suis sortie et il a filé.

— De quel côté ?

Ida tendit le bras dans une direction.

— Par là-bas, la queue entre les pattes. Il a de la chance que je n'aie pas eu mon fusil sous la main.

— Madame Booker, je vous conseille fortement de ne pas vous servir de cette arme.

— C'est mon chat, et c'est chez moi, ici !

— Bien sûr, madame, mais il est interdit de faire usage d'une arme dans une zone résidentielle.

— C'est de la légitime défense ! s'entêta Ida.

— Je vais tâcher d'attraper ce chien. Vous me confirmez qu'il s'est enfui sans vous agresser ?

— Il a couru après Bianca.

— Je l'ai bien noté, mais il ne s'est pas montré agressif à votre égard ?

— Il a fui dès qu'il m'a vue arriver. Comme un lâche.

Un chien probablement pas agressif avec les humains, en déduisit Reed.

– Très bien, je me lance à sa recherche. Si je ne le trouve pas, je chargerai deux adjoints de fouiller les environs. Nous finirons par l'attraper. Désolé pour vos jonquilles.

Reed fit le tour du quartier, discuta avec quelques personnes ayant aperçu l'animal – généralement après qu'il eut renversé une poubelle et pris la fuite.

Il reprit sa voiture, se demandant où il se réfugierait s'il était un chien aimant pourchasser les chats et déterrer les jonquilles. Il se rendit compte que cette histoire le calmait, que la tâche bête et méchante consistant à chercher en voiture ou à pied un chien errant l'apaisait.

Sur le point de renoncer, il s'apprêtait à charger Cecil de prendre le relais lorsqu'il entendit des aboiements.

Il aperçut le chien sur une petite plage, chassant les oiseaux et les vaguelettes qui léchaient le sable. Il prit la corde et le hamburger qu'il venait d'acheter puis s'approcha doucement de l'animal. Celui-ci ne semblait pas avoir la rage et était encore tout jeune, à en juger par la façon dont il jouait et courait dans l'eau. Comme il était maigre – on distinguait ses côtes –, l'attirer avec de la nourriture se révélerait peut-être efficace.

Reed s'assit et défit l'emballage du hamburger, dont il posa une moitié à côté de lui.

Le chien leva la truffe en reniflant et tourna la tête. Il se figea en découvrant Reed. Immobile, celui-ci laissait la brise porter la bonne odeur de viande. Le chien se recroquevilla et approcha doucement. De longues pattes, les oreilles pendantes et, en effet, la queue entre les pattes.

Plus il approchait, plus il se baissait, si bien qu'il finit par ressembler à un soldat rampant au combat. Sans quitter Reed des yeux, il attrapa le morceau de hamburger et fila aussitôt retrouver le bord de l'eau, où il dévora sa prise.

Reed posa la deuxième moitié et prépara son lasso.

Le chien revint, toujours à plat ventre, mais cette fois Reed lui passa la corde autour du cou lorsqu'il mordit dans l'appât.

L'animal chercha à se libérer, s'agitant violemment, les yeux effarés.

– Non, non, pas de ça. Tu es en état d'arrestation. Et on ne mord pas.

En entendant la voix de Reed, le chien se figea et trembla.

– On dirait que quelqu'un t'a maltraité. Reed attrapa le hamburger, ce qui fit se recroqueviller le chien. Sérieusement maltraité, même.

Prenant soin de n'effectuer que des gestes lents, il lui offrit à nouveau la deuxième moitié du hamburger.

La faim fut plus forte que la peur. Et la queue, entre les pattes de la pauvre bête, remua légèrement.

– Je suis obligé de t'embarquer. Tentative d'agression sur un félin, destruction de biens privés. C'est la loi.

Tout en douceur, Reed posa la main sur la tête du chien et la fit glisser en avant et en arrière, ce qui lui permit de sentir quelques cicatrices sur le cou de l'animal.

– J'en ai, moi aussi.

Il le caressa quelques minutes, ce dont il fut récompensé par un coup de langue timide sur le dos de la main.

Le chien frémit de nouveau quand Reed se leva, puis il redressa la tête quand il constata que le coup attendu ne venait pas. Il fut rapidement évident qu'il n'aimait pas la laisse : il ne cessait de tirer dessus, de se tortiller et de se figer dès que Reed s'arrêtait pour le regarder. Peu à peu, ils atteignirent la voiture.

Le chien remua la queue avec davantage d'enthousiasme.

– Tu aimes les tours en voiture, on dirait ? Dans ce cas, c'est ton jour de chance.

Il tenta d'abord de le faire grimper dans le coffre, mais le chien lui lança un regard si expressif, comme un début d'espoir, que Reed céda :

– Bon, d'accord, grimpe à l'avant, mais ne vomis pas ton hamburger dans mon véhicule de fonction.

Dès qu'il lui ouvrit la portière, le chien sauta sur le siège passager, s'installa… et se cogna le museau contre la vitre.

Reed découvrit à cette occasion que les chiens pouvaient avoir l'air étonné. Il abaissa la vitre, ce qui permit à son prisonnier de passer la tête dehors. Ses oreilles voletèrent dans l'air sur tout le trajet jusqu'au poste de police.

– Il faut que je rédige un rapport, lui expliqua Reed. Ensuite, je demanderai à un vétérinaire de t'examiner. On verra ce qu'on fait ensuite.

La présence d'un SUV noir sur le parking lui révéla qu'un visiteur fédéral l'attendait.

Dans le poulailler, Donna était au téléphone, et Cecil et Matty à leur bureau. Assis sur une des chaises réservées aux visiteurs, un café dans la main, l'agent spécial Xavier consultait son mobile.

La vue, l'odeur et les bruits émis par tant d'humains dans un espace si restreint firent trembler le chien, qui mit sa queue entre ses pattes et baissa la tête. Cecil se leva :

– Ah, vous avez retrouvé ce gros bébé.

Reed l'arrêta d'un geste :

– Il a peur des gens.

– Pas de vous, apparemment, fit remarquer Matty.

– Si, encore un peu, mais on s'est mis d'accord grâce à un hamburger que je lui ai offert. Donna, appelez le vétérinaire.

– Il n'est ouvert que le mercredi et le samedi, sauf pour les urgences.

– Je suis au courant. Appelez-le chez lui et expliquez-lui la situation. Il faut qu'il examine ce chien et nous assure qu'il n'est pas malade. Cecil, conduisez-le dans le...

Lorsque Reed tendit la laisse à son adjoint, le chien poussa un gémissement et, tremblant de tous ses membres, se plaqua contre sa jambe.

– Bon, laissez tomber, je m'en charge. Je reviens dans une minute.

Sans lâcher le chien, il se rendit dans la salle de pause, dégota un bol et une bouteille d'eau puis revint au poulailler :

– Agent spécial Xavier, passons dans mon bureau.

– Vous prenez le chien avec vous ?

– C'est mon prisonnier.

Reed désigna une chaise à son visiteur avant de s'installer à son bureau, sous lequel le chien se glissa aussitôt. Reed versa de l'eau dans le bol et le posa à ses pieds.

– Que puis-je faire pour vous ? demanda-t-il à l'agent, sur fond de lapements sonores et précipités.

– J'ai pensé qu'une conversation en personne était nécessaire pour vous faire clairement comprendre que ni moi ni mes supérieurs n'apprécions votre interférence dans une enquête en cours.

– Il était inutile de prendre le ferry pour me dire cela. En revanche, c'était une bonne idée pour me préciser en quoi j'ai interféré dans cette enquête.

– Vous avez contacté au moins deux personnes, inspecteur, livré des informations à au moins l'une d'elles et déclaré que vous estimiez que Patricia Hobart avait l'intention de les tuer.

– D'abord, c'est « chef », pas « inspecteur »... Ensuite, je ne m'étais pas trompé puisque Hobart a tué Emily Devlon.

Les mains plaquées l'une contre l'autre, Xavier plia les doigts, sauf ses index.

– Nous ne possédons à cette heure aucune preuve établissant que Hobart est responsable de la mort de Devlon.

Reed se contenta de hocher la tête.

– Pourriez-vous fermer la porte ? Si je me lève pour le faire, ce chien va me suivre et aboyer, et on dirait qu'il s'est enfin calmé.

Reed patienta un instant, le temps que Xavier s'exécute.

– Je vous ai demandé de fermer la porte parce que je préfère éviter que mon poulailler m'entende traiter de connard un agent du FBI.

– Je vous conseille de faire très attention à ce que vous dites, chef.

– Oh mais non, je pense au contraire que j'ai tout intérêt à me montrer le plus direct possible. Vous ne disposez peut-être pas encore de preuves ni de témoin oculaire, mais vous avez tout le reste. Devlon correspond en tout point au profil type de ses victimes. C'est une rescapée de la fusillade survenue au centre commercial DownEast, et ce jour-là elle a sauvé une vie. Elle a connu son heure de gloire… Xavier tenta de l'interrompre. Non, je termine, nous sommes dans mon bureau, ici. Elle a connu son heure de gloire à l'époque, avec quelques articles, et ainsi de suite. Qui plus est, elle a été récompensée de son acte de bravoure quand, quelques années plus tard, la personne qu'elle avait secourue est morte de causes naturelles en lui léguant cent mille dollars. Toutes les victimes de Hobart, sans exception jusqu'à présent, ont été mises en avant dans la presse et ont bénéficié d'une façon ou d'une autre de ce qui s'est passé ce jour-là.

– On vous a expressément ordonné de vous tenir à l'écart de cette enquête.

– Je ne fais plus partie de la police de Portland. J'interfère dans que dalle et j'espère de toutes mes forces que le FBI la chopera le plus vite possible. D'ici là, je continuerai de faire ce que j'ai à faire.

– En fricotant avec des cibles potentielles, vous…

– Mon cul ! Je ne fricote rien du tout ! J'ai contacté Lowen, à qui j'ai tout dit, car mes informations me laissaient penser que Hobart était passée en Floride.

– Sans transmettre ces prétendues informations aux enquêteurs officiels ?

– Je les ai obtenues dimanche après-midi, et j'étais déterminé à vous en faire part dès lundi matin. J'ai conseillé à Lowen de vous contacter, je lui ai donné votre nom et votre numéro de téléphone. J'aurais fait la même chose avec Devlon si j'avais réussi à lui parler. Et dans ce cas, elle serait peut-être encore vivante. Alors ne venez pas me sortir des salades chez moi, agent Xavier. Vous êtes responsable de l'affaire Hobart, mais moi, je l'ai dans la peau, au sens propre du terme.

– C'est précisément pour cette raison que vous avez été écarté de l'enquête.

– Je vous répète que je ne fais plus partie de la police de Portland. Je suis aujourd'hui au service des habitants de cette île et de ses visiteurs. Pour autant que je le sache, aucune loi ne m'interdit, en tant que citoyen, donc à titre privé, de rassembler des informations ou de contacter des personnes qui me semblent en danger.

Xavier baissa les yeux, comme pour regarder l'arrête de son nez :

– Que les choses soient claires : le FBI n'a pas besoin de l'aide douteuse d'un policier obsédé par cette affaire qui joue les caïds sur son île paumée dans le trou du cul du monde et passe son temps à attraper des chiens errants.

Reed considéra un instant le chien, qui ronflait à ses pieds.

– Ça ne m'a pas pris tant de temps que ça. Bon, je vais vous dire une dernière chose, et ensuite nous retournerons chacun à notre travail. Je ne cherche pas à vous gêner, et nous savons tous les deux que je ne l'ai pas fait. Vous êtes furieux parce que maintenant il est écrit quelque part, dans un dossier du FBI, qu'un policier obsédé par cette affaire sur son île paumée dans le trou du cul du monde a contacté, ou en tout cas a essayé de contacter la victime à venir de Hobart. Alors que vous, agent spécial, malgré toute la force du FBI derrière vous, vous ne l'avez pas fait. À votre place, je serais en rogne moi aussi, mais ça ne change rien au fait que Emily Devlon est morte, et que des personnes qui me sont chères correspondent au profil recherché par Hobart. Alors vous perdez votre temps, si vous cherchez à m'effrayer ou à m'intimider.

– Je veux surtout vous avertir. Le FBI est en charge de cette enquête.

– M'avertir ne changera rien. J'espère que vous la choperez. Je prie pour que vous la descendiez avant qu'elle ne tue sa prochaine cible. Et quand vous l'aurez eue, je vous enverrai une caisse de votre boisson préférée. D'ici là, nous savons l'un et l'autre comment nous allons nous comporter, dans cette affaire.

– Vous irez trop loin, prédit Xavier, qui se leva. Et ce jour-là, je ferai en sorte que vous perdiez votre job pépère et que vous n'en retrouviez plus jamais dans la police.

– J'en prends bonne note. Au fait, vous ne m'avez pas demandé comment j'ai découvert que Hobart se trouvait en Floride et tuerait une des deux personnes que j'ai contactées. Vous ne me posez même pas la question parce que vous êtes en rogne. Je vous envoie tous les détails au plus vite, et j'espère que vous les étudierez quand votre colère sera retombée. Si vous n'avez toujours pas de preuve, ils vous donneront la confirmation que c'est bien Hobart qui a tué Devlon. Elle a forcément laissé quelque chose sur place, car elle tient à ce que l'on sache que c'est elle qui a agi.

– Contentez-vous de rester hors de mon chemin, lâcha Xavier, se dirigeant vers la porte.

– Nous sommes encore en saison creuse, dit Reed. Vous avez donc encore deux heures à tuer avant le prochain ferry pour Portland. Le café et les tartes sont excellents, au Sunrise.

Xavier sortit de la pièce, sans prendre la peine de refermer la porte. Reed baissa les yeux sur le chien, toujours endormi :

– Tu vois, mon pote, ce gars réussit à être à la fois con comme un manche et coincé du cul.

Il releva la tête lorsque Donna se présenta à la porte :

– Votre visiteur n'avait pas l'air ravi, quand il est parti. Il a claqué la porte, ce malpoli. Nous avons cru que vous aviez des ennuis avec les Fédéraux, mais vous n'avez pas l'air inquiet.

– Je ne le suis pas, car je suis un policier obsédé par une affaire qui joue les caïds sur son île paumée dans le trou du cul du monde. Et ça me va très bien.

– Les caïds… grogna Donna.

– Je suis le chef de la police, non ? J'ai bien le droit de jouer les caïds !

– Il a vraiment dit que l'île était « paumée dans le trou du cul du monde » ?

– Oui, mais on s'en fiche … On sait ce qu'il en est vraiment.

– Vous l'avez calmé, ce con, j'espère ?

– Il était furieux en sortant, non ?

Donna approuva vigoureusement.

– Doc Dorsey est d'accord pour que vous lui apportiez le chien.

330

Alors que Reed se demandait s'il ne valait pas mieux laisser l'animal dormir, celui-ci, quand il recula son fauteuil de quelques centimètres, leva aussitôt la tête et le regarda avec crainte et espoir.

– Bon, d'accord, allons-y.

Il décida de se rendre chez le vétérinaire à pied, espérant que le chien cesserait de trembler chaque fois qu'il croisait un humain autre que le policier qui l'avait arrêté ; mais, en chacune de ces occasions, son compagnon à quatre pattes se plaqua contre ses jambes en frémissant.

Le cabinet du vétérinaire était accolé à sa maison, à moins de quatre cents mètres du centre du village. Il vivait dans cette bâtisse jaune avec son épouse et leur plus jeune fils, lycéen en terminale.

Doc Dorsey, que même sa femme surnommait Doc, recevait en consultation deux jours par semaine et réservait une troisième matinée aux opérations. Il était disponible n'importe quand pour les urgences, même s'il était à la pêche ou occupé avec ses trois ruches.

En entrant dans le cabinet, Reed trouva l'épouse du vétérinaire assise au bureau de la salle d'attente. Cette pièce était une sorte de salon pour animaux, avec des chaises et des tables dépareillées sur un linoleum bleu pâle.

– Merci d'ouvrir spécialement pour moi, madame Dorsey.

– Je vous en prie, ce n'est pas un souci, répondit la femme aux longs cheveux bruns rassemblés en queue-de-cheval et au joli visage maquillé. Voilà donc notre chien errant. Pauvre bébé perdu.

Elle se leva d'un bond. Le chien alla se cacher derrière les jambes de Reed.

– Les humains lui fichent la trouille.

– Pas vous.

– Parce que je lui ai offert un hamburger et un tour en voiture.

– Il s'est attaché à vous, en déduisit Mme Dorsey, l'index tendu vers Reed, avant de se baisser à hauteur de l'animal. Je parie qu'il mourait de faim. Il est en sous-poids, en tout cas. Il a une bonne bouille, ce toutou, mais il aurait besoin d'un bon nettoyage. Il est bien sale, mais je pense qu'on doit trouver du roux sous cette couche marron. Avez-vous apporté un échantillon de ses excréments ?

331

– Ah… Nous n'en sommes pas encore arrivés là.

– Il nous en faudra un. Emmenez-le donc un moment derrière le bâtiment, où de nombreux chiens font leurs besoins ; les odeurs lui donneront peut-être envie d'en faire autant. Quand a-t-il eu son hamburger ?

– Il y a une bonne heure, je dirais.

– Alors, ça ne va plus tarder. Prenez ça.

Elle sortit d'un tiroir un gant en latex et une bouteille en plastique à large goulot. Je vais prévenir Doc que vous êtes arrivé.

Résigné, Reed sortit avec son compagnon, qu'il n'eut même pas le temps de mener à l'arrière du cabinet, car celui-ci s'accroupit et fit sur le trottoir ce que les chiens font dans ces cas-là.

– Merde alors ! s'exclama Reed. C'est le cas de le dire…

Il enfila le gant et ramassa l'étron.

– Ça n'a pas traîné ! dit Mme Dorsey lorsqu'il regagna la salle d'attente.

– Il a fait sur le trottoir sans me laisser le temps de réagir… Désolé. Il lui tendit l'échantillon, dont il aurait juré qu'il remuait. J'en ai ramassé la majeure partie.

– Ne vous en faites pas, ce n'est pas la première fois. Conduisez-le à l'arrière, première porte à gauche, dit-elle en lui rendant la bouteille. Donnez ça à Doc, je peux déjà vous dire que ce pauvre bébé a des vers dans l'intestin.

– Génial…

Reed se rendit dans la salle d'examen, où une longue table surélevée et rembourrée était entourée de paillasses et de quelques balances.

Le chien trembla de nouveau, à la vue de Doc. Le vétérinaire avait une longue queue-de-cheval marron, à l'image de son épouse, mais la sienne était striée de gris. En plus de ses lunettes rondes façon John Lennon surmontant son sourire béat, il portait un tee-shirt Grateful Dead, un pantalon de treillis et des Doc Martens montantes.

– Alors, qui donc est ce jeune homme ?

– Il ne veut pas me donner son nom, mais j'ai ceci, répondit Reed, ravi de se débarrasser de l'échantillon d'excréments.

– Mmm… commenta Doc, avant de s'accroupir, comme sa femme quelques instants auparavant. On dirait que ça fait un moment qu'il ne se nourrit plus de façon régulière. Il a peur des gens, c'est ça ?

– Il tremble beaucoup, et j'ai senti des cicatrices sur sa nuque.

Le superbe sourire du vétérinaire disparut, son regard se fit soudain dur.

– Nous allons regarder ça. Il n'a pas encore atteint sa taille adulte, je pense. Essayez donc de le poser sur la balance.

Après quelques paroles d'encouragement, Reed, s'étant agenouillé auprès du chien toujours frémissant, le convainquit de se tenir immobile sur le plateau.

Doc prit note du poids affiché puis demanda à Reed de porter l'animal sur la table d'examen.

– Restez devant lui, pour qu'il ne vous perde pas de vue, et parlez-lui d'une voix calme.

– Personne ne va te faire de mal, mais on doit t'examiner, dit Reed, avec douceur, tandis que Doc le caressait d'une main légère. On nous a signalé un chien errant hier. Il a pourchassé le chat d'Ida Booker, lequel s'est réfugié dans un arbre, une première fois hier et de nouveau ce matin. Il a retourné son jardin et s'est enfui dès qu'elle est apparue. Je l'ai retrouvé occupé à essayer d'attraper des oiseaux sur la plage. Je l'ai appâté avec un hamburger, après être resté un bon moment assis sans bouger.

S'exprimant de la voix posée qu'il réservait aux victimes d'agression, il regardait le chien droit dans les yeux.

– Il a apprécié le trajet en voiture, qu'il a intégralement passé la tête par la fenêtre. Il a peur de tout le monde, sauf de moi. Jusqu'à présent, en tout cas. Dès qu'on fait un geste brusque ou qu'on lève le bras, il se recroqueville.

– Signes classiques de maltraitance.

– Oui, je sais ce que c'est. Ce sont à peu près les mêmes signes chez les humains.

– Ces cicatrices sont probablement dues à un collier étrangleur. Il a dû tirer dessus jusqu'à ce que les pointes métalliques lui entaillent la chair.

– Les enculés… Pardon.

– Non, vous avez raison, il faut vraiment être un enculé pour faire ça à un animal. Bon, il va falloir que j'examine ses dents, ses oreilles, etc.

Pendant que Reed continuait de parler en tenant le chien, qui s'agitait, Doc parvint à jeter un coup d'œil sur ses dents, ses yeux et ses oreilles.

– Il a des infections dans les deux oreilles, mais de bonnes dents. Il a entre huit et neuf mois, je dirais, ce qui vous autorise à traiter l'enculé d'enculé une seconde fois.

Doc sortit deux friandises de sa poche et en posa une sur la table. Il attendit que le chien s'y intéresse – il fallait donc qu'il consente à ne plus regarder Reed – et la gobe, puis il lui tendit directement l'autre. L'animal tourna la tête vers Reed.

– Dites-lui que c'est bon, il peut y aller.

– Ne fais pas l'andouille, dit Reed au chien. Quelqu'un t'offre un cookie, prends-le.

Le chien obtempéra et posa les yeux sur Doc.

– Je peux faire un test, pour voir s'il est vacciné, mais j'en serais étonné. Il est toujours entier, il faudra le castrer. Tenez-le sur la table, pendant que je jette un coup d'œil sur ses excréments.

Doc s'activa dans un petit renfoncement.

– On peut le garder et le traiter ici, mais il s'est attaché à vous. Si ça vous est possible, il serait mieux avec vous, jusqu'à ce qu'il retrouve la forme. Il est hors de question que le propriétaire de ce chien le reprenne. Si vous mettez la main dessus, il faudra le poursuivre en justice pour maltraitance et négligence.

Reed hésita :

– Le problème, c'est que je suis absent de chez moi toute la journée…

À cet instant précis, le chien lui lécha la main et le regarda avec de nouveau cet air où se mêlaient crainte et espoir.

– Bon, on verra ça au jour le jour, céda Reed.

– Il a des vers. Je vais vous donner un médicament pour l'en débarrasser – il me faudra un nouvel échantillon d'excréments –, une pommade pour les oreilles et un antibiotique. Je vais vous noter quelques instructions. Je vous recommande de lui donner de la nourriture pour chiots, une bonne marque, trois fois par jour jusqu'à ce qu'il atteigne un poids normal. Je vais lui faire une prise de sang, continuez d'accaparer son attention.

Reed, qui préférait affronter un poing qu'une seringue, fut ravi de penser lui aussi à autre chose et de ne pas regarder, en parlant à son chien.

– Il est de quelle race, au fait, d'après vous ?

– Il a du Coonhound, déjà, répondit Doc, qui pinça le flanc de l'animal et glissa son aiguille dans la peau. Peut-être aussi un peu de labrador, et sans doute pas mal d'autres choses. Il n'a pas encore atteint sa taille adulte. Je vais vous donner du shampooing, pour le débarrasser de ses puces. Tu as besoin d'un bon bain, mon garçon !

Doc caressa le chien, qui tremblait moins ; il gardait tout de même un œil sur Doc, comme s'il s'attendait à voir cette main douce devenir violente.

— Il a été battu, dit Doc. Avec du temps, de la patience et de bons soins, il s'en remettra peut-être. Certains animaux oublient, d'autres pas. Je vais vous chercher les médicaments, pendant que Suzanna imprime les instructions. Je mets la facture au nom de la police de l'île ?

— Non, au mien, répondit Reed, pensant au budget fragile du poste.

Le grand sourire du vétérinaire réapparut :

— Dans ce cas, je ne vous compte que les médicaments. Nous considérerons que l'examen est une œuvre de service public.

— Merci beaucoup, Doc, j'apprécie.

Doc proposa une nouvelle friandise au chien, qui consulta Reed du regard et, après avoir estimé que celui-ci lui donnait son accord, attrapa le cadeau.

— Si vous ne pouvez pas le garder, nous lui trouverons un foyer. Pour le moment, il vous fait confiance. Il a suffisamment été traumatisé, malgré son jeune âge.

Suzanna – ils s'appelaient à présent par leurs prénoms – ajouta quelques instruments de base pour soin de chiots, l'aida pour la première application de pommade et lui offrit un sachet de friandises – ses pilules, disait-elle – à divers parfums.

Reed regagna le poste de police avec le chien et chargé du sac fourni par le vétérinaire.

— Cecil et Matty viennent de filer au lycée, lui annonça Donna. Une petite bagarre devant l'enceinte, entre deux garçons, probablement à cause d'une fille.

— Donna…

— Oui, chef ? dit la standardiste, les yeux plissés en entendant le ton inhabituel de la voix de Reed.

— Je suis au courant des règles, à propos des commissions personnelles, mais je ne peux pas emmener ce chien à la supérette. Le problème, c'est qu'il reste encore cramponné à moi comme du Velcro. Suzanna Dorsey m'a donné une liste de produits à acheter pour le soigner.

– Vous me demandez d'abandonner mon poste pour aller faire des courses à la supérette pour un chien errant ?

– Il a des cicatrices sur la nuque… Son maître devait tirer si fort et si régulièrement sur son collier étrangleur qu'il a souvent été blessé. Il a les deux oreilles infectées et il me colle comme une sangsue parce qu'il n'a jusqu'ici connu que des humains qui le frappaient. D'après Doc, il n'a que huit mois.

Donna leva le menton, à tel point que sa lèvre inférieure disparut presque.

– Doc a vraiment dit ça, à propos du collier étrangleur ?

– Eh oui…

– Donnez-moi cette fichue liste.

– Merci, vraiment.

– Ce n'est pas pour vous que j'accepte de faire cette course personnelle, mais pour le chien. Donnez-moi votre carte de crédit, on ne sait pas combien ça va coûter, tout ça.

Reed obéit, se disant qu'il réfléchirait plus tard à son propre budget.

Quand enfin il ferma le poste, à la fin de la journée, il décida de s'offrir,– ainsi qu'au chien – un petit moment de détente en rentrant chez lui à bord de son véhicule de fonction.

– Tu es en liberté conditionnelle, expliqua-t-il à son prisonnier, qu'il fit entrer chez lui. Tu retournes en prison au moindre pipi ou caca dans la maison ou si tu mâchonnes autre chose que ce que je te donne pour ça. Attention, je ne plaisante pas.

Le chien renifla un peu partout dans la chambre, toujours sans quitter Reed des yeux, pendant que ce dernier se changeait et enfilait son bas de survêtement le plus fatigué, un vieux sweat-shirt et une paire de baskets qu'il ne s'était pas résolu à jeter.

Car Reed, contrairement au chien, savait que l'étape suivante s'annonçait salissante.

Il le fit ressortir, prit le tuyau et le shampooing. Les dix premières minutes de l'opération se résumèrent à une lutte avec un chien trempé qui, tremblant, gémissait et cherchait à fuir cette eau savonneuse cauchemardesque.

Enfin, l'animal se laissa faire, posant sur Reed un regard exprimant la douleur de la trahison.

Ils étaient tous deux trempés et pas vraiment satisfaits l'un de l'autre lorsque la voiture de Simone apparut.

– Tu as intérêt à ne pas approcher, lui lança Reed. On est dégueu !

– Suzanna Dorsey a dit à Hild, qui l'a ensuite répété à Sissi, que tu avais adopté un chien errant. Je vois que la rumeur disait vrai, une fois de plus.

– Il est en liberté conditionnelle, expliqua Reed, arrosant impitoyablement le chien pour le rincer et chasser les puces mortes. Mais là, il frôle le retour en cellule.

– Il a une bonne bouille.

– Ouais, c'est ce que tout le monde dit. Il est aussi dévoré par les puces et il a des vers.

– Il a été battu, d'après Suzanna.

– Ouais, aussi.

Voyant que le chien la regardait comme si elle allait lui jeter une pierre, Simone s'éloigna et s'assit sur les marches du perron.

– Je suis chargée de le prendre en photo puis de l'envoyer à Sissi.

– Attends qu'il soit plus présentable.

– Il a une jolie couleur de robe, un peu alezan.

– Il a du sang coonhound, apparemment, même si je ne vois pas du tout quelle est cette race.

– Tu aimes les chiens ?

– Bien sûr. On avait une chienne, quand j'étais gamin. Ma sœur l'avait appelée Frisky sans nous laisser le temps de nous y opposer, mon frère et moi. C'était une brave bête. Elle est morte avant mon départ à la fac. Il leva la tête. Et toi ?

– On ne pouvait pas en avoir, pas de chat non plus car ma mère y est allergique. C'est ce qu'elle prétend, du moins, mais je ne l'ai jamais vraiment crue. Sinon, oui, j'aime les chiens. Tu vas le garder ?

– Je ne sais pas. Je suis la plupart du temps absent de la maison, et Doc a dit qu'il lui trouverait un foyer. Il sera sans doute plus docile, quand il sera habitué à côtoyer des humains qui ne le frappent pas.

Il lâcha le chien, le temps d'attraper une vieille serviette destinée à la poubelle ; celui-ci en profita pour s'ébrouer, trempant Reed de la tête aux pieds.

Simone rit aux éclats, et Reed s'essuya le visage.

– J'ai besoin d'une bonne douche, maintenant… se lamenta-t-il.

– Tu viens d'en prendre une à l'instant.

– Très drôle, lâcha Reed, frottant à présent vigoureusement le chien. Ça te plaît, ça ?

Le chien répondit en remuant la queue et en léchant le visage de Reed.

– D'accord, d'accord, on est copains, maintenant.

Simone ne perdait rien de la scène. Bien que consciente de craquer peu à peu depuis un moment déjà, c'est à cet instant, en voyant cet homme rire avec son chien joyeux, qu'elle tomba amoureuse.

Chapitre 22

Quand lui vint l'idée de faire raconter son histoire par un professionnel de l'écrit, Patricia estima que seule une personne ferait l'affaire. Déjà sur place lors de la fusillade au centre commercial DownEast, Seleena McMullen avait surfé sur la vague des vidéos qu'elle avait prises de ce crétin de Paulson.

C'était le choix idéal.

Par ailleurs, Patricia avait eu l'impression d'être respectée par Seleena, lors de l'émission commémorative. Son allure et sa voix lui avaient même plu, même si elle, de son côté, avait affiché son masque de pauvre enfant malheureuse et timide.

Il en irait autrement, cette fois. Place à la vérité. Quand son histoire serait diffusée sur le Câble et sur Internet, le monde saurait enfin qui était le cerveau de l'affaire, qui avait des injustices à réparer.

Patricia alla jusqu'à rédiger un dialogue et s'entraîna à le réciter. Elle fut si impressionnée par son talent qu'elle décida que, le jour où elle serait installée en Floride pour y mener la belle vie, elle écrirait le scénario de sa vie.

Quand tout fut prêt, quand elle fut convaincue que tout était parfait, elle prit contact avec la journaliste.

– Seleena à l'appareil.

– Ne raccrochez pas ! gémit Patricia, prenant une voix tremblante. N'appelez pas la police !

– Qui est à l'appareil ?

– Je vous en prie, il faut que je parle à quelqu'un. Je suis terrifiée !

– Si vous voulez me parler, donnez-moi votre nom.

– C'est… C'est Patricia. Patricia Hobart. Ne prévenez pas la police, je vous en conjure !

– Patricia Hobart ? répéta Seleena, sceptique. Prouvez-le.

– Vous m'avez vue dans la salle verte… c'est vous qui avez donné ce nom à cette pièce, juste avant qu'on m'appelle pour l'émission, en juillet dernier. Vous vous êtes assise à côté de moi et vous m'avez dit de vous joindre si un détail me revenait, à propos de mon frère, n'importe quel point dont je n'aurais pas parlé à la police. Vous m'avez encouragée à vous contacter.

– Je suis là, Patricia, assura Seleena, dont l'excitation était audible. Je suis ravie que vous m'ayez appelée.

Patricia sourit lorsqu'elle perçut quelques bruissements ; son interlocutrice attrapait certainement un magnétophone et un calepin.

– Je ne sais pas quoi faire !

– Dites-moi où vous êtes. Le FBI est à votre recherche. Ainsi que beaucoup de policiers.

– Tout ce qu'ils racontent est faux ! Absolument tout ! Je ne comprends pas ce qui se passe. Je n'y comprends rien. Je me suis enfuie, mais je suis morte de peur. Je vais me rendre, mais je voulais d'abord parler à quelqu'un. J'ai besoin que quelqu'un m'écoute pendant que je dis la vérité.

Elle ajouta quelques sanglots étouffés avant d'enchaîner :

– Si vous saviez… Si vous saviez ce qu'ils m'ont fait…

– Qui donc ?

– Mes grands-parents. Mon Dieu ! Il faut que j'en parle à quelqu'un. Je ne peux pas passer ma vie à fuir, mais personne ne me croira jamais.

– Racontez-moi tout ça, je vous croirai. Que vous ont-ils fait ?

– Non, non, pas au téléphone. Il faut qu'on se voie, pour que vous enregistriez tout ce que je dis, ce sera plus… plus officiel. N'en parlez à personne, sinon ils me tueront. Je le sais. Je devrais peut-être me suicider, pour en finir avec tout ça.

– Ne faites pas ça, Patricia. Vous devez me raconter votre histoire. Je vous aiderai.

Patricia sourit et laissa un peu d'espoir éclairer sa voix tremblante :

– Vous… Vous voulez bien m'aider ?

– Bien sûr. Dites-moi où vous êtes.

– Je… Vous allez prévenir la police !

– Non, non, je vous le promets. Vous avez dit que vous alliez vous rendre, de toute façon. Et puis vous voulez d'abord me raconter votre histoire, être certaine que tout le monde soit mis au courant de la vérité. Je n'appellerai personne, promis.

– Vous me le jurez… ? dit Patricia, prenant une voix faible nuancée d'une infime touche d'espoir.

– Je suis journaliste, Patricia. Je ne veux que la vérité, que votre histoire. Jamais je ne vous trahirais. Quand vous serez prête à vous rendre aux autorités, je connais un avocat qui pourra vous aider. Nous ferons en sorte que cela se fasse sans que personne ne vous fasse de mal.

– Vous feriez ça ? dit Patricia, les yeux posés sur la flasque de whisky qu'elle sirotait pendant que Seleena parlait.

– Dites-moi où vous êtes, et je vous retrouve immédiatement. Et nous discuterons.

– Si vous prévenez la police et que je la vois arriver, je me tue ! Je… J'ai des comprimés.

– N'avalez rien du tout. Je n'appellerai personne. Où êtes-vous ? J'arrive tout de suite.

– Tout de suite ?

– Oui, tout de suite.

– Je suis au Repos du Voyageur, un motel sur la route 88, juste avant la sortie de Brunswick. Aidez-moi, madame McMullen, je vous en supplie, je n'ai personne d'autre.

– Ne bougez pas, Patricia. Je suis là dans quarante minutes.

– Il faut que quelqu'un m'écoute… sanglota Patricia. Je n'ai que vous…

Elle raccrocha et, levant les yeux vers le rétroviseur, se porta un toast avec la flasque de whisky, breuvage qu'elle en était arrivée à apprécier.

Seleena se changea en quatrième vitesse et enfila une tenue assez classe pour apparaître à l'écran. Si tout se passait bien, elle aurait des images de l'autre cinglée dans sa chambre d'hôtel dans moins de deux heures. Le scoop du siècle lui tombait tout rôti dans le bec !

Aussitôt après avoir enregistré le témoignage de Patricia, elle préviendrait le FBI. Mais avant, il lui fallait s'occuper de l'exclusivité de sa carrière. Ensuite, seulement, elle ferait tout le nécessaire pour devenir l'audacieuse journaliste ayant permis l'arrestation de Patricia Jane Hobart.

Elle attrapa son ordinateur portable, dont elle gérerait la webcam grâce à la télécommande, et consulta l'heure. Près de minuit. En fonçant, elle serait sur place en moins de quarante minutes.

Elle fourra dans un sac un magnétophone, au cas où Patricia ne voudrait pas être filmée dans un premier temps, un appareil photo, son mobile et une trousse à maquillage, puis elle vérifia son pistolet Glock rose fluo.

Elle entra dans son garage exactement cinq minutes plus tard.

Emily Devlon aurait averti Seleena que Patricia maîtrisait parfaitement l'ouverture des portes de garage. Hélas, les mortes ne parlent pas.

Seleena s'installa au volant… et ouvrit de grands yeux en voyant, dans le rétroviseur, Patricia se redresser sur la banquette arrière. Elle plongea la main dans son sac, à la recherche de son arme, mais sentit au même instant une aiguille se planter dans son cou.

– Bonne nuit, dit Patricia.

Seleena s'effondra. Patricia descendit de la voiture et ouvrit le coffre. Elle sortit ensuite Seleena de l'habitacle et lui attacha les poignets et les chevilles avec des liens en plastique. Enfin, elle bâillonna sa prisonnière, au cas où celle-ci reprendrait connaissance et ferait du tapage.

Non sans efforts, elle la traîna à l'arrière du véhicule et la hissa dans le coffre.

– Fais une bonne sieste, une longue route nous attend.

Puis elle referma le coffre.

Simone ne lui avoua rien. Elle n'était pas prête. De toute façon, l'heure n'était pas aux déclarations d'amour.

Elle était certaine qu'il garderait le chien. S'il n'avait pas encore cédé, il était de plus en plus près de craquer, comme elle l'avait été.

Estimant qu'il en avait déjà suffisamment fait pour la journée, elle décida de s'activer à son tour et se chargea de préparer un dîner tout simple à bases de pâtes – sans préciser qu'elle tenait sa recette d'un certain violoncelliste italien.

Reed lui ayant expliqué que le chien prenait facilement peur face aux humains, et pourquoi, Simone l'ignorait délibérément.

Reed nourrit l'animal, qui se jeta sur cette offrande comme s'il jeûnait depuis des semaines. Le cœur brisé, Simone se demanda si ce n'était pas précisément le cas.

Quand le dîner fut prêt, le chien, qui ne se cachait plus derrière Reed, était roulé en boule sous la table, endormi près de sa gamelle vide.

— Il faudrait lui trouver un nom, dit Simone.

Reed secoua la tête, tandis qu'ils s'installaient à table – un gros meuble en bois à abattants acheté chez un ami de Sissi :

— S'il va ailleurs, ses nouveaux maîtres lui en donneront un autre, et ça ne fera qu'ajouter à sa confusion, affirma-t-il en avalant une fourchettée de pâtes. Quel délice ! Tu sais cuisiner, dis-moi. Tu m'avais caché ça.

— Je maîtrise deux ou trois plats et suis capable d'en préparer quelques autres qui soient comestibles, mais pas plus. Ça, c'est de la survie, plutôt que de la cuisine.

— Pour moi, c'est de la haute gastronomie. Merci ! À part ça, comment s'est passée ta journée ?

— Bien, mais je me suis rendu compte que j'avais besoin d'une pause dans ma… mission. D'un changement de rythme. J'ai envie de te dessiner.

— Avec un pagne, alors ? Je pourrais porter un pagne.

— Tu en as un ?

— Non, mais je peux en bricoler un. Poser nu, franchement…

— Je t'ai déjà vu nu.

— Me voir nu n'a rien à voir avec m'examiner nu, me dessiner nu. Tu serais de l'autre côté d'une sorte de barrière.

— J'ai connu les deux côtés de cette barrière.

Reed se figea :

— Quoi ?

— Je posais, à New York, pour arrondir mes fins de mois.

— Nue ?

— On appelle ça une « académie », expliqua Simone, amusée à défaut d'être surprise, piquant quelques pâtes avec sa fourchette. C'est de l'art, Reed, pas du voyeurisme.

— Je peux t'assurer que certains mecs, et sans doute certaines filles qui te dessinaient étaient en pleine séance de voyeurisme.

— J'ai été payée, de toute façon, dit Simone en riant. Bon, ce soir, c'est le moment idéal pour nous y mettre. J'ai apporté mon carnet de croquis. Vois ça comme mon salaire pour ce repas… et pour ce que je t'offrirai après la séance.

– Tu essaies de me soudoyer avec des promesses d'ordre sexuel ? Je te préviens, c'est… C'est d'accord !

– C'est bien ce que je pensais. Au fait, tu ne m'as pas parlé de la visite du type du FBI.

– Les rumeurs vont toujours bon train…

– Toujours. Tu ne m'as rien dit parce que tu craignais que ça me choque ?

– Non, en fait il ne s'est pas passé grand-chose.

Simone, qui avait eu un autre son de cloche, tenait à entendre la version de Reed :

– Raconte-moi quand même votre entrevue, et je ne serai pas choquée, fais-moi confiance.

Reed prit son verre de vin. Simone avait insisté : le vin allait mieux que la bière avec les pâtes, et il ne pouvait pas lui donner tort sur ce point.

– Ce n'était pas pour éviter de te choquer. Je ne tiens pas à rapporter du boulot à la maison, c'est tout.

Simone haussa les sourcils et inclina la tête pour regarder ostensiblement le chien, sous la table.

– Bon, d'accord. Tu marques un point, là, concéda Reed.

– Cet animal prouve que ton job ne se met pas en pause à la seconde où tu quittes ton bureau. Comme moi. Bon, je t'écoute.

– L'agent spécial Tête de Con n'apprécie pas qu'un flic qui profite d'un boulot pépère sur une île paumée dans le trou du cul du monde marche sur ses plates-bandes fragiles.

– Pour lui, l'île est paumée dans le trou du cul du monde ?

– Ce n'est pas tout à fait faux, et ça me va très bien de servir et protéger notre île paumée. Ce qui me déplaît, en revanche, c'est de le voir débarquer dans mon bureau pour tenter de faire pression sur moi.

Reed résuma la rencontre avec l'agent spécial puis haussa les épaules avant de conclure :

– En gros, je lui ai dit d'aller se faire voir. Et il est parti.

– Il se fiche qu'une femme soit morte ?

– J'ai envie de croire que non, et que c'est une des raisons qui l'ont poussé à s'en prendre à moi. Sans succès, d'ailleurs. Tu sais, la plupart des agents du FBI que j'ai croisés sont des gars qui prennent leur boulot au sérieux : ils veulent choper les méchants et acceptent de coopérer avec les flics locaux – et même de les intégrer à une enquête quand ça tombe sous le sens.

Mais ce type, il prend le terme « spécial » au pied de la lettre, dans « agent spécial ». Il est persuadé d'être meilleur que les policiers.

– Il ne me plaît pas, ce gars.

– À moi non plus, tu penses. C'est un connard enragé. Cela dit, il n'est pas forcément incompétent pour autant.

– Pourquoi n'a-t-il pas attrapé Hobart, alors ?

– Elle est insaisissable, intelligente et foutrement rusée. Elle est douée pour ce qu'elle fait, concentrée sur sa tâche, et en plus elle dispose d'une véritable fortune. Il est encore un peu tôt pour cogner sur l'agent Tête de Con en lui reprochant de ne pas l'avoir coincée, dit-il en haussant les épaules. Si je l'ai envoyé promener, c'est parce qu'il est suffisant et jaloux de son territoire au point d'écarter les informations et l'aide provenant de sources extérieures... en particulier de moi, je ne sais pas pourquoi.

– Sissi connaît beaucoup de monde. Je parie qu'elle connaît des proches de la direction du FBI, ou des gens qui en connaissent.

– Non, pas de ça, dit Reed, avec une petite tape sur la main de Simone. Je me débrouille. Et si je ne m'en sors pas... Il vida son verre de vin. Alors il sera toujours temps de faire appel à la puissance de Sissi.

Il se leva pour ranger les assiettes ; le chien sursauta et se cogna la tête contre un pied de chaise.

– Hé ! Du calme, mon bonhomme. Il faut que je lui donne un comprimé et lui passe de la pommade sur les oreilles. Pour le comprimé, pas de problème, je le glisse dans les friandises parfumées, mais pour les oreilles, ça risque d'être toute une affaire.

– Je suis sûre que c'est un bon chien, très courageux, dit Simone, qui fit pivoter sa chaise, tandis que l'animal suivait Reed jusqu'à l'évier.

Scotché à la jambe du jeune homme, il la regarda un moment.

– Tu es magnifique, tu sais, et tu as un regard si doux, poursuivit-elle, tout en s'asseyant par terre. Comment a-t-on pu être méchant avec toi ? Mais ne t'inquiète pas, tout va bien se passer, à partir de maintenant. C'est comme si tu avais atterri dans un bol de croquettes géant.

Le chien avança prudemment d'un pas vers elle, pour aussitôt faire marche arrière. Simone continuait de parler :

– Et tu as été malin de trouver Reed ! Il va te garder. Il croit qu'il va te donner à quelqu'un, mais pas du tout, tu verras.

Encore un pas hésitant, puis un autre.

Immobile et muet pour ne pas le troubler, Reed, qui suivait la scène, se dit que le chien était comme hypnotisé. Celui-ci se coucha sur le ventre et rampa jusqu'à Simone, qui avait posé une main sur le sol. Il la renifla puis la lécha timidement.

Il eut un mouvement de recul quand elle leva la main, puis trembla quand elle la posa doucement sur sa tête.

– Là… Plus personne ne te fera de mal.

Il s'approcha d'elle, la regardant droit dans les yeux pendant qu'elle le caressait.

– Je sens ses cicatrices, murmura Simone. Il a du cœur et un grand courage. Il doit avoir une âme infiniment pure, pour faire confiance à un humain. Personne n'aurait pu en faire un chien méchant, il n'y a pas une once d'agressivité en lui.

Elle se pencha et déposa un baiser sur sa truffe :

– Bienvenue à la maison, étranger.

Reed sortit un comprimé de sa poche et le fourra dans la friandise. L'évidence lui apparut enfin : il avait adopté un chien.

L'inconvénient de cet état de fait se manifesta quand il alla le promener. Celui-ci finirait par connaître son territoire et sortir seul, mais pour l'heure il fallait l'accompagner dans le bois.

Car si les ours faisaient leurs besoins dans la forêt, ce devait également être valable pour les chiens, non ?

Constatant que son nouveau compagnon n'imitait pas les ours, Reed en déduisit qu'il n'avait pas encore avalé assez de nourriture pour en arriver là.

Mais une fois parvenu sur le chemin dallé, l'animal s'accroupit et se soulagea.

– Bon sang, ça ne te plaît pas, le bois ? Je n'ai plus qu'à aller chercher une pelle.

Voyant l'humain revenir armé de l'outil, le chien se recroquevilla en frémissant.

– Mais non, ce n'est pas pour toi ! le rassura Reed, qui sentit monter un accès de rage à l'idée que quelqu'un batte un malheureux chien avec une pelle.

De retour à la maison, il piocha un cookie pour chiens et s'accroupit, la main tendue :

– Ce n'est pas une récompense pour avoir fait caca sur le chemin, mon gars, parce que ça, c'est digne des animaux sauvages. Non, c'est juste comme ça. Bon, maintenant, il faut que j'aille me déshabiller à l'étage, et pas pour m'amuser dans un lit. Je suis déjà mort de trouille.

Il s'engagea dans l'escalier, le chien à son côté. Parvenu en haut des marches, il entendit un gémissement derrière son dos.

– Comment tu t'es débrouillé pour faire ça ? s'écria-t-il, stupéfait, en constatant que le chien s'était coincé la tête entre deux barreaux. Et pourquoi, surtout ? Du calme, arrête de t'agiter.

Il parvint à incliner la tête du chien, puis son corps, et encore la tête, et ainsi à le dégager complètement.

– Ne recommence pas.

Cette fois, son nouveau compagnon le suivit de près jusqu'à la chambre.

Assise sur le fauteuil disposé devant la cheminée, Simone exécutait déjà des croquis sur son carnet : des corps dans diverses positions. Des corps nus. Le corps de Reed ?

Comme si la situation n'était pas assez étrange, il aperçut un objet sur le lit. Il s'en approcha…

– Une épée ! Il y a une épée sur le lit !

– Je t'ai dit que je voulais que tu en brandisses une.

– Alors comme ça, tu as une épée ?

– Je l'ai empruntée à Sissi.

– Sissi a donc une épée…

Il s'empara de l'arme, assez lourde, et examina son long fourreau sculpté. Cet objet semblait ancien, sans pierreries incrustées ni autres sophistications. Non, il semblait venir du fond des âges… et avoir connu le combat.

– C'est super cool, apprécia Reed.

Et, dégainant l'épée, il s'émerveilla de l'éclat de sa lame lisse.

Cette arme avait combattu, c'était certain, comme le prouvaient quelques ébréchures. Le choc de l'acier contre l'acier.

– C'est tout simplement ultracool ! s'extasia-t-il. Comment se fait-il que Sissi possède une épée ?

– C'est un cadeau d'un ambassadeur. Ou peut-être de Steven Tyler. Elle a aussi un katana, j'ai hésité, mais comme tu es vraiment typé américain, je me suis dit qu'un katana ferait trop exotique dans tes mains.

– Elle a donc un katana et un… C'est quoi, d'ailleurs ? Un glaive ?

– Aucune idée. Allez ! À poil, chef.

Reed fendit l'air au ralenti avec l'épée, un coup à droite, un coup à gauche, car c'était juste impensable de ne pas le faire, puis il tourna la tête vers Simone, les sourcils froncés :

– Il faudrait être fou pour se battre nu à l'épée.

– C'est ce que faisaient les Celtes.

– Oui, mais ils étaient devenus fous avant.

– Déshabille-toi, ordonna Simone, impitoyable. J'ai monté du vin pour te donner du courage.

– Pour ça, tu devrais peut-être me décrire ma récompense sexuelle.

– Ce ne serait plus une surprise. Allez, ne fais pas ton timide. Je t'ai déjà vu nu, je te rappelle.

– Oui, mais pas le chien, objecta Reed, qui, préférant en finir, posa l'épée et ôta ses vêtements.

– C'est gentil de ta part d'avoir donné cette peluche au chien.

– Ce n'est pas moi, c'est Donna. Mon chien ne jouerait pas avec une poupée.

– Ah oui ? Mets-le au courant, alors.

Torse nu et les mains sur les boutons de son jean, Reed regarda le chien. Une patte sur son jouet, il lui léchait le visage avec amour.

– Il me fait déjà honte, soupira Reed, avant de finir de se déshabiller.

– Rapproche-toi du feu, la luminosité est intéressante. Et prends l'épée. Pivote sur la gauche, mais tourne-toi vers moi au-dessus de la taille. On va commencer par quelques essais les mains sur la poignée et l'épée pointée vers le bas. Tu peux parler pendant que je dessine.

– Je ne trouve pas mes mots.

– L'île commence à se préparer pour la saison.

Parler de la pluie et du beau temps tout nu… Avec une épée dans les mains… *Quelle galère*… Enfin, Reed s'y essaya tout de même.

– Ouais… On voit beaucoup de nettoyage de printemps et de peintures de bâtiments, en ce moment.

Simone entretint cette conversation banale, s'interrompant de temps à autre pour donner quelque instruction quant à la pose à prendre.

– Brandis l'épée au-dessus de ton épaule gauche, comme si tu allais frapper vers le bas, et ne bouge plus.

Les muscles des flancs bien dessinés, constata Simone. Des biceps puissants et un torse sec. La cicatrice traversant les muscles oblique, grand dorsal et deltoïde droits renforçait la violence palpable de l'image.

– Abaisse l'épée une minute, dit Simone, qui se leva et offrit du vin à son modèle. Détends-toi.

– C'est terminé ?

– Pas encore. Maintenant, je voudrais que tu tournes la tête vers la porte. Imagine que ton ennemi surgisse de là, fonçant vers toi.

– On peut dire que c'est Dark Vador ?

– Plutôt Kylo Ren, non ? Il a tué Han Solo, exploit que Dark Vador n'a jamais réussi à accomplir.

– Ça compte beaucoup, pour moi, que tu saches ça, apprécia Reed, qui lui rendit son verre. Mais personne ne surpasse Dark Vador.

– Allons-y pour Dark Vador.

Simone prit le verre, le posa et regagna son fauteuil.

– Respire à fond deux fois, puis regarde vers la porte. Et là, tu découvres Dark Vador. Sans le quitter des yeux, lève ton épée et ne bouge plus. Garde ton expression de stupeur et la pose. Je veux que tu sois tendu, prêt à infliger ton premier coup. Compris ?

– Ouais, ouais…

– Il faut que ça paraisse réel. Crois en cette scène, et elle paraîtra réelle. C'est quand tu veux.

Reed s'efforça d'entendre en pensée la respiration flippante de Dark Vador. Quand il la sentit bien en lui, il tourna la tête et brandit son épée.

– Ne bouge plus !

Parfait, pensa Simone. L'angle, les fessiers, les quadriceps… Le pli le long des épaules et des bras… La tension de la mâchoire, le dos…

– J'y suis, j'y suis, marmonna-t-elle, donnant vie à son dessin. Encore un instant.

Elle attrapa son mobile et prit rapidement trois photos, pour plus tard achever son croquis.

– C'est bon, tu as vaincu l'Empire. Tu peux te relâcher.

Reed abaissa l'épée et se détendit les épaules.

– C'est fini ?

– J'ai ce qu'il me faut. Tu es un excellent modèle.

– Voyons voir.

– Pas de ça ! s'écria Simone, qui referma vivement son carnet.

– Allez…

– Tu ne le verras que terminé.

Elle se leva et s'approcha de lui.

– Et maintenant que nous en avons terminé avec la séance, je me rends compte que j'ai un homme nu pour moi toute seule…

Elle lui mordilla la lèvre inférieure, comme pour l'aguicher.

– Attention à l'épée, chuchota-t-il.

Elle fit glisser sa main sur la poitrine puis sur le ventre de Reed, avant de répondre.

– Laquelle ?

– Ha ha…

– Pose la métallique plus loin. C'est la pleine lune, cette nuit. Quand j'en aurai terminé avec toi, tu hurleras comme un loup.

Quand elle se fut occupée de lui, Reed songea qu'au vu de ce salaire, il était peut-être intéressant d'envisager une carrière de modèle.

Il s'éveilla vaseux, en manque de café, et ne se rappela la présence du chien qu'en trébuchant dessus.

– Pardon, je m'en occupe, dit-il quand Simone s'agita dans son sommeil.

Il enfila ses vêtements en vitesse et entraîna le chien dans la cuisine, où il ouvrit un Coca pour éviter de perdre du temps en préparant un café.

Sa hâte se révéla inutile : le chien se soulagea sur la terrasse, avant de s'être laissé emmener dans le bois.

Après avoir nettoyé cette affaire, Reed regagna la cuisine, donna à manger à ce stupide cabot et se fit un café, puis le but pendant que l'animal engloutissait son repas. Il passa ensuite à la routine des médicaments, puis il remonta prendre une douche.

Il se figea au milieu de l'escalier : le chien s'était de nouveau coincé la tête entre les barreaux.

– C'est quoi, ton problème ? Tu es débile profond, ou quoi ?

Il reproduisit la manœuvre de la veille puis fit monter le chien. Ils entrèrent dans la chambre au moment où Simone se levait.

– Je lui ai trouvé un nom, déclara Reed.

– Ah oui ? Comment il s'appelle, alors ?

– Débile Profond.

– Tu ne vas pas appeler ce gentil toutou Débile Profond.

– Ça lui va comme un gant, pourtant. C'est important, ça. On peut raccourcir et l'appeler DP.

– Réfléchis encore.

– Il a chié et pissé sur la terrasse, et il s'est encore coincé la tête dans la rambarde de l'escalier. C'est pas une preuve qu'il est débile profond, ça ?

Pendant que Reed s'agaçait, le chien le regardait avec amour.

– Il a au moins attendu d'être dehors, souligna Simone. Il faut lui donner un nom sympa. Chauncy, par exemple.

– Chauncy ? C'est un nom de… Il se retint à temps de dire « gonzesse ». Non, je ne veux pas que mon chien s'appelle Chauncy. Bon, il me faut un autre café. Et une douche. Allez, à la douche. Et tu viens avec moi. Il prit Simone par la main, avant de s'adresser au chien. Mais pas toi !

Faire l'amour sous la douche le mit de meilleure humeur.

Habillée et ayant vidé sa première tasse de café, Simone attrapa sa veste :

– Viens avec Herman, ce soir, chez Sissi.

– Je ne vais pas l'appeler Herman, mais d'accord, je viens avec lui.

– Parfait. Je te vois ce soir, alors, dit Simone, qui embrassa Reed puis baissa les yeux sur le chien. Et toi aussi, Raphaël.

Elle déposa un baiser sur la truffe de l'animal.

– Raphaël non plus, assura Reed.

Il rassembla les affaires du chien : ses comprimés, ses friandises, ses trucs à mâchonner et quelques biscuits.

– Allez, on file au boulot. Il est temps que tu prouves que tu mérites ta nourriture et ton logis.

Il le fit sortir, puis s'arrêta quand il se rendit compte que des plantes commençaient à sortir de terre.

– Tu as vu ça ? Le printemps approche. Je te préviens, si tu retournes tout ça, tu seras privé de croquettes. Allez, en voiture.

Le chien obtempéra avec entrain… et se cogna la tête contre la vitre fermée.

– J'avais raison, tu es vraiment un débile profond, railla Reed qui, malgré le froid, abaissa la vitre. Je vais devoir te nommer adjoint, je suppose, si je te traîne tous les jours au boulot. On va t'appeler Adjoint Chien, compris ?

L'animal se contenta de passer la tête par la vitre ouverte.

– C'est donc ça, ton problème ? Mes stupéfiants dons d'enquêteur m'incitent à conclure que tu crois que les espaces entre les poteaux de l'escalier sont des vitres de voiture, et que tu vas sentir le vent si tu y passes la tête. Pas futé, l'adjoint…

Reed secoua la tête, recula dans l'allée et prit la direction du village. Soudain, il fut frappé par l'inspiration :

– Pas futé mais adorable. Comme Barney Fife [12], tiens. Allez, c'est décidé, tu t'appelles Barney.

Cela parut convenir à Barney, langue pendante et oreilles dans le vent.

Reed ouvrit le poste de police et se rendit dans son bureau, où il remplit le bol d'eau de Barney et lui donna un bâton à mâchonner.

– Ne me le fais pas regretter.

Il se prépara un café, puis entendit Donna entrer – elle arrivait presque toujours la première – lorsqu'il alluma son ordinateur.

– Vous allez amener ce chien tous les jours ?

– Barney vient d'être nommé adjoint.

– Barney ? répéta Donna, les poings sur les hanches. Comme le dinosaure violet [13] ?

– Non, comme Barney Fife. L'adjoint Barney Fife.

– Vous n'êtes pas un peu jeune, pour avoir connu cette série ?

– C'est un grand classique.

– Je ne dirai pas le contraire, convint la standardiste, qui s'adressa à Barney. Et toi, arrête d'avoir peur de moi. Elle revint à Reed. J'ai pris le courrier en venant.

Elle s'approcha et déposa quelques lettres sur le bureau de Reed puis échangea un nouveau regard avec le chien avant de quitter la pièce.

Alors qu'il s'apprêtait à lire le courrier, le téléphone sonna. C'était Suzanna Dorsey, qui venait aux nouvelles. Il lui raconta la première nuit du chien chez lui, mentionnant notamment son insistance à faire ses besoins sur les trottoirs ou sur les terrasses.

– Vu ce que nous savons de lui, je dirais qu'il était la plupart du temps enfermé dans un enclos cimenté, ou quelque chose comme ça. Il ne connaît que les surfaces dures, pauvre bête. Il prendra de bonnes habitudes, Reed, mais ça va sans doute demander un peu de temps.

– Je garderai toujours une pelle à portée de main.

Après avoir raccroché, il baissa les yeux sur Barney, qui lui rendit son regard et rampa vers lui, avec son air d'adoration et de confiance aveugle.

– Bon, on va bosser là-dessus, lui dit-il.

Il lui caressa la tête avant de s'occuper du courrier.

Il se figea net en découvrant une lettre postée à Coral Gables, en Floride, et adressée à son nom au poste de police. Il enfila une paire de gants en latex, ouvrit soigneusement l'enveloppe avec son canif et en sortit une carte de vœux.

FÉLICITATIONS !!!

Les lettres dorées brillaient sur fond de feux d'artifice de toutes les couleurs. Il déplia la carte du bout de l'index et lut le texte imprimé à l'intérieur.

FAISONS LA FÊTE !

Elle avait dessiné des crânes et des tibias croisés autour de ces mots et ajouté un message à la main.

« Tu as survécu ! Profites-en tant que c'est encore possible. Nous n'en avons pas terminé, toi et moi, mais un jour, je viendrai te régler ton compte.

Gros bisous, Patricia.

P.S. : Ci-joint un petit souvenir de la merveilleuse Floride. »

Reed s'empara du sachet en plastique et examina la mèche de cheveux qu'il contenait, sans aucun doute ceux d'Emily Devlon.

– OK, salope, tu en fais une affaire personnelle, et ça, c'est une erreur.

– Bonjour, chef, vous…

Cecil s'interrompit à la vue de la lueur glaciale dans le regard de Reed.

– Je repasse plus tard, si vous voulez.

– Que voulez-vous ? demanda Reed.

– Je pensais qu'il fallait vous prévenir : les gars qui repeignent le Cabanon de la Plage ont renversé un gros pot du haut de l'échelle sur les Joyaux de la Mer et sur Cheryl Riggs, qui était sortie nettoyer la vitrine. Elle est folle de rage, chef.

– Vous pouvez gérer ça ?

– Oui. En fait, c'est arrivé sous mes yeux, pendant que je venais ici à pied. J'ai fait ce que j'ai pu. Le trottoir est couvert de peinture et Mme Riggs exige que vous vous rendiez sur place.

– Dites-lui que j'arrive après avoir traité une urgence.

– Entendu.

– Occupez-vous d'isoler l'endroit pour que personne ne marche dans la peinture, et demandez à Donna de contacter le service d'entretien du village pour qu'il nettoie tout ça.

– À vos ordres, chef.

– Et fermez la porte, Cecil.

Il fallait gérer cette peinture renversée et les commerçants furieux, mais ils attendraient.

Reed sortit son mobile et prit en photo les deux côtés de l'enveloppe, la carte, intérieur et extérieur, et enfin la mèche de cheveux.

Puis il prit la carte de visite de Xavier dans son tiroir, et l'appela.

Chapitre 23

Seleena refit surface en gémissant. *Quelle gueule de bois !* se dit-elle, vaseuse et nauséeuse. La tête martelée de coups et les yeux palpitants, elle avait la gorge aussi sèche que du papier de verre et l'estomac soulevé.

Combien de verres avait-elle donc…

Et soudain, elle se rappela.

Elle s'éveilla en sursaut et fut aveuglée par la lumière. Elle voulut lever les bras pour s'en protéger mais en fut empêchée par les liens qui lui mordaient les poignets.

Elle poussa un hurlement de démente.

– Tu as le réveil grognon, toi, dis donc ! dit Patricia, qui se matérialisa dans le champ de vision de Seleena, une tasse de café à la main. Tu te sens probablement patraque, mais il faut que tu saches que crier ne fera qu'empirer les choses. Et comme personne ne t'entendra ici, tu te rendrais service en te taisant.

– Où sommes-nous ? Pourquoi vous me faites ça ? Ne me tuez pas, je vous en prie !

– Nous sommes dans le Nord, au fond des bois. Je t'ai déjà expliqué pourquoi j'avais besoin de toi : je veux que tu racontes mon histoire. Si je voulais te tuer, tu serais déjà morte… Alors détends-toi.

Patricia offrit un verre avec une paille à sa prisonnière.

– Ce n'est que de l'eau. Il faut que tu sois bien éveillée et en forme. Désolée, pour l'aiguille dans le cou, mais je n'étais pas certaine de pouvoir te faire confiance. C'est mieux comme ça, pour toi comme pour moi.

Tremblant de tout son corps, Seleena soutint le regard de Patricia, malgré sa vessie qui menaçait de la trahir :

– Vous n'aviez pas besoin de faire ça. Je vous avais promis de ne pas prévenir la police.

– Oui, je t'ai crue, sur ce point. Tu tenais à ton scoop, tu n'aurais pas immédiatement appelé les flics. Mais bon, c'est tout de même mieux d'avoir procédé à ma façon.

Patricia leva les yeux au ciel et aspira un peu d'eau par la paille.

– Tu vois ? H_2O, rien d'autre.

Désespérée, Seleena céda et vida le verre.

– Je ne peux pas te préparer d'espresso *macchiato*. C'est ta boisson préférée, n'est-ce pas ? Mais je parie que tu ne serais pas contre un petit café, histoire de remettre ton cerveau en état de fonctionner.

– Oui, s'il vous plaît.

– Bon, je vais t'exposer les règles de base.

– Attendez… Je suis désolée, mais il faut vraiment que j'aille aux toilettes.

– Je comprends, mais retiens-toi, Seleena. Il est important que tu connaisses les règles avant toute chose, pour éviter qu'on se fâche. Ensuite, je te détache et tu peux y aller. Patricia désigna une ouverture. J'ai démonté la porte. On est entre filles, non ? Quand ce sera fait, tu reviens t'asseoir ici. Je te remettrai les menottes à la main gauche et aux chevilles mais je te laisserai la main droite libre, pour que tu puisses boire ton café et avaler une barre lactée… bref, pour que tu gardes des forces. Si tu tentes quoi que ce soit, je commence par te briser les doigts. Je ne te tuerai pas, nous avons besoin l'une de l'autre, mais je te ferai souffrir.

– Compris.

– Génial.

Seleena eut un mouvement de recul lorsque Patricia s'empara d'un sécateur aux lames longues et pointues.

– C'est pour couper tes liens en plastique, j'en ai plein d'autres.

Elle libéra sa prisonnière, s'écarta d'elle et sortit son pistolet de son étui de ceinture :

– Allez, va pisser.

Seleena se leva, les jambes flageolantes.

– Tu trembles encore un peu à cause du somnifère. Prends ton temps, on n'est pas pressées du tout.

– Mes collègues et mes amis vont se demander où je suis passée.

– Peut-être. J'ai envoyé un texto à ton assistante depuis ton mobile, en lui disant que tu avais reçu un méga-tuyau et que tu serais absente un jour ou deux. Mais ça ne tiendra pas longtemps, c'est vrai.

– Un jour ou deux…

Se faisant violence, Seleena enregistra quelques détails des lieux : une cabane, les volets fermés, des meubles rustiques, pas de bruit de circulation – pas de bruit du tout, à vrai dire.

– Nous n'en aurons pas pour plus longtemps, assura Patricia. Et alors, tu auras ton scoop.

– Et vous me laisserez partir.

Chassant tout honte, Seleena souleva sa jupe et fit ce qu'elle avait à faire.

– Bien sûr, c'est notre marché. Je te raconte mon histoire, et tu sors d'ici pour la répandre dans le monde. Je veux que les gens m'écoutent.

– Vous comptez vous rendre à la police ?

– Ah non ! Là, je t'ai menti, sourit Patricia. Même chose pour mes projets de suicide. Regarde un peu ce que j'ai apporté : un trépied, une caméra de qualité professionnelle, de quoi nous éclairer, tout ce qu'il faut. Considère cette cabane comme notre studio improvisé. Nous nous installerons là et tu me poseras des questions. Et je parlerai. Je vais tout déballer. C'est ce que je veux… et c'est ce que tu veux.

Du coin de l'œil, Seleena repéra son sac à main, dans lequel se trouvait son pistolet.

– J'aurais respecté la confidentialité de cette interview. M'attacher à cette chaise est inutile.

– Réfléchis un peu : certaines choses que je vais te raconter sont, comment dire… très crues. Tu risques d'être choquée, voire terrifiée, de penser que je vais te tuer et vouloir t'enfuir ou tenter quelque chose. En ce moment, par exemple, tu te demandes si tu peux attraper le joli Glock rose qu'il y avait dans ton sac. Que se passerait-il ensuite ? Aïe ! Des doigts cassés.

Elle passa la main dans son dos pour retirer le Glock qu'elle avait glissé dans sa ceinture.

– Tu ne récolterais que des souffrances sans avoir rien gagné. Je préfère t'éviter ça.

Elle sourit, charmeuse, puis retroussa les lèvres.

– Assieds-toi, putain ! Sinon, au lieu de te péter les doigts, je te tire dans le pied avec ton flingue de gonzesse.

– Je vais coopérer, promit Seleena, d'une voix posée et sans détourner le regard, avant de regagner sa chaise. Je veux entendre votre histoire.

– Tu vas l'avoir, ne t'en fais pas.

Patricia remisa son arme, un Sig polyvalent. Et, gardant le Glock braqué sur sa prisonnière, car elle commençait à apprécier le rose, jeta quelques liens en plastique sur les genoux de Seleena :

– Attache-toi les chevilles aux pieds de la chaise. Et ensuite la main gauche à l'accoudoir. On va s'accorder un café et manger un morceau, puis on discutera un peu de la façon dont on va organiser notre affaire. Ton maquillage a coulé et tes cheveux sont épouvantables, mais ne t'en fais pas, je vais rectifier ça. Je suis bonne coiffeuse et maquilleuse, tu peux me croire.

Tandis que Patricia préparait le café, Reed gérait l'incident de la peinture renversée, calmait les commerçants et arrangeait les choses pour le peintre maladroit – un jeune homme à peine sorti de l'adolescence et terrifié à l'idée de perdre son job ou d'être arrêté.

Alors qu'il regagnait à pied le poste de police en compagnie de son adjoint canin, celui-ci s'accroupit sur le trottoir.

– Arrête ! s'écria-t-il.

Risquant son jean, il prit le chien dans ses bras et accéléra l'allure. Barney s'agita et lécha nerveusement le menton de son maître.

– Retiens-toi. Fais un effort !

Il entra en trombe dans le poulailler, faisant sursauter Donna et les adjoints humains.

– Il me faut un sachet de preuve ! cria-t-il. Vite !

Matty se leva d'un bond et lui tendit un sachet :

– Que se passe-t-il ?

– Arrêté municipal 38-B.

Matty leva les yeux au ciel, pendant que Reed filait à l'arrière du bâtiment.

– Ramassage de crotte, traduisit-elle à Cecil.

Reed déposa Barney dans l'herbe.

– Vas-y ! Tu peux y aller, maintenant.

Le chien ayant l'air angoissé et perplexe, Reed le promena un peu sur la pelouse.

– Elle est furieuse. Elle ne m'a pas tué et, pire encore, je lui ai troué la peau. Ça l'a contrainte à prendre la fuite, à abattre sa grand-mère sur son déambulateur. Tu te rends compte ?

Barney reniflait l'herbe, dubitatif.

– Elle n'a donc pas hérité de cette immense maison, qui vaut facilement un million de dollars, sans compter tout ce qu'elle contient. Et je ne te parle pas des comptes en banque gelés. Elle s'était déjà largement servie, mais il restait encore plein d'argent. Je lui ai coûté cher, à cette cinglée, et ça la rend folle de rage. Cette cinglée…

Tout en soliloquant, Reed laissait son regard dériver sur les boutiques et points de restauration, dont certains comportaient des appartements à l'étage, que leurs propriétaires louaient aux saisonniers.

– C'est ça, le truc. Avant de s'en prendre à moi, elle avait toujours connu le succès. Son frère avait déconné, c'est vrai, mais c'était son frère, et la famille, c'est sacré. Mais avant moi, elle avait abattu toutes ses cibles. Cent pour cent de réussite. Et elle ne faisait que commencer.

Méditant sur ces événements, Reed se figea :

– Pour son cerveau de tarée, je n'ai pas seulement abaissé son taux de réussite, je lui ai coûté une fortune qu'elle estimait avoir méritée. Comme si je la lui avais volée. Et je l'ai blessée, je l'ai fait saigner. Et depuis, elle déconne.

Il repensa à leur rencontre, à l'expression de Patricia, quand il avait fait feu sur elle – choc et peur –, et surtout à sa voix, quand elle lui avait hurlé ses menaces en prenant la fuite.

Autant d'insultes et de larmes que de fureur et de terreur.

– J'ai toujours su qu'elle était furieuse et qu'elle rêvait de retenter sa chance avec moi, mais pourquoi cette carte ? Elle veut s'assurer que je ne l'oublie pas. Elle veut que je ressente ce qu'elle a ressenti, ce choc et cette peur, mais elle a commis une erreur. Et quand on commet une erreur, on enchaîne facilement sur une autre erreur.

Barney tira sur la laisse en gémissant.

– C'est sur l'herbe, ou nulle part, décréta Reed. Elle a posté la carte avant de quitter la Floride, juste après avoir assassiné une cible, fière d'elle. Elle va filer vers le nord, à mon avis. Peut-être pas jusqu'ici, en tout cas dans notre direction. Il baissa les yeux sur son chien. On sera prêts à la recevoir.

Pour toute réponse, Barney s'accroupit, avec l'air de s'excuser.

– Eh bien voilà ! C'est comme ça qu'il faut faire. Quand il en eut terminé, Reed le caressa longuement. On dirait qu'on a tous les deux compris quelque chose. Bon garçon. Dommage que je ne puisse pas t'apprendre à nettoyer toi-même, mais bon, c'est à ça que ça sert, un équipier.

De retour à l'intérieur, et bien que s'étant servi du sachet, Reed se lava les mains avant de regagner le poulailler.

– Donna, dites à Leon et Nick de nous rejoindre.

– Pourquoi ?

– Parce que j'ai quelque chose à dire à toute l'équipe.

Il alla chercher le dossier qu'il conservait dans son bureau, au cas où, et en sortit la photo de Patricia Hobart.

– Cecil, faites-moi des copies couleur de ce portrait.

– Combien ?

– Cinquante, pour commencer.

– Cinquante ? Ça va prendre un moment.

– Autant vous y mettre tout de suite, alors. Donna, les Fédéraux vont passer. Je sais que ce n'est pas votre truc, mais j'apprécierais que vous prépariez un pot de café quand ils arriveront.

– Je ferai une exception. Leon et Nick sont en route.

– Parfait. Vous prenez les appels, mais tout ce qui n'est pas urgent attendra la fin de la réunion.

Il s'assit en face de Matty :

– Parlez-moi des adjoints saisonniers. Qui est capable de gérer des problèmes plus compliqués qu'un accrochage entre deux voitures ou un pot de peinture renversé ?

– Vous avez lu leurs dossiers, vous avez parlé à certains d'entre eux.

– En effet, et je me suis fait mon opinion. Maintenant, je vous demande la vôtre.

Matty fronça les sourcils mais répondit à Reed. Celui-ci hocha la tête, puis se leva quand Leon fit son apparition :

– Un problème, patron ?

– Pas encore. Asseyez-vous, Leon.

Il prit l'une des copies effectuées par Cecil et, comme Nick entrait à son tour, la punaisa au panneau d'affichage principal.

– Asseyez-vous, Nick. Cecil, ça ira pour l'instant. Vous terminerez après la réunion. Je veux que tout le monde étudie attentivement cette photo. Vous en aurez des copies et nous en distribuerons dans tout le village, aux agences de location et aux employés du ferry. Cette personne s'appelle Patricia Hobart, elle est âgée de vingt-sept ans. Jusqu'à présent, elle a tué dix personnes, à notre connaissance. Et elle a tenté de me tuer.

Bien qu'estimant que son équipe était au fait de son histoire, en tout cas dans les grandes lignes, Reed la raconta du début à la fin, car il tenait à rafraîchir les mémoires et à ce que ses adjoints l'entendent de sa bouche.

– Voici ce que j'ai reçu de sa part, ce matin.

Il sortit du dossier un sachet contenant la carte, l'enveloppe et la mèche de cheveux.

– Je remettrai ceci aux Fédéraux, quand ils nous auront rejoints.

– C'est n'importe quoi, grogna Matty. Ça fait presque un an qu'ils lui courent après, et ils n'ont pas la moindre piste.

– Nous ignorons où ils en sont, s'ils sont près de la pincer ou pas, parce qu'ils ne veulent rien nous dire. C'est comme ça que ça fonctionne. Il posa le dossier et en ouvrit un autre. Ce dossier est le mien... le nôtre ; il contient une copie de la carte, de l'enveloppe et quelques mèches de cheveux, que je compte faire analyser. J'ai quelques contacts. Nous coopérerons pleinement avec le FBI, mais ce n'est pas pour autant que nous resterons les bras croisés. Elle viendra ici, tôt ou tard. Simone Knox se trouvait au centre commercial, elle aussi, le jour de la fusillade. Cela fait d'elle une autre cible, peut-être la principale, vu que c'est elle qui a prévenu Police-Secours. À partir d'aujourd'hui, nous patrouillerons régulièrement du côté de la maison de Sissi. Nous nous posterons sur le quai à chaque arrivée du ferry, pour observer qui en descend. Je vais demander à deux adjoints saisonniers de se joindre à nous dès maintenant pour nous prêter main-forte.

– Elle se déguise souvent, rappela Matty.

– C'est vrai, et c'est une experte. Alors gardez bien en tête cette photo. Ne vous laissez pas abuser par sa coiffure, sa couleur de cheveux, celle de ses yeux, ses lunettes ou toute autre légère modification du visage ou du corps. Elle se présentera seule. Il lui faudra louer une maison et prendre un moment pour étudier les habitudes de ses cibles. Elle sera armée et très dangereuse. Il faut prévenir les îliens ; assurez-vous qu'ils saisissent parfaitement qu'ils ne doivent en aucun cas l'approcher, et encore moins s'attaquer à elle. Si elle se rend à la supérette, qu'on la serve et qu'on lui souhaite une bonne journée, et qu'on ne nous prévienne qu'après. Elle ne prévoit pas de tuer d'autres personnes que Simone et moi, mais si elle est acculée elle n'hésitera pas. Nous sommes sur une île. Une fois parmi nous, elle sera coincée. C'est notre île, nous la connaissons mieux qu'elle. Elle est patiente.

Elle peut surgir la semaine prochaine comme dans deux ans.

Malgré ses propos, Reed n'imaginait pas Patricia capable d'attendre si longtemps.

– Que personne ne baisse la garde en se croyant trop sûr de lui… Elle viendra, c'est certain, conclut-il.

Il se tut lorsque la porte s'ouvrit sur Xavier et une femme.

– Donna, si vous pouviez vous occuper du café, ce serait formidable, ajouta-t-il.

– Pas de problème, chef, répondit Donna, non sans jeter un regard assassin à Xavier avant d'aller dans la salle de pause.

– Madame, Monsieur… dit Reed, désignant son bureau.

La femme portait un tailleur noir, une chemise blanche et des chaussures de terrain. Avec sa coupe courte brun foncé– l'aspect pratique était privilégié, comme pour les chaussures –, son maquillage réduit au strict minimum et son visage séduisant au regard marron sérieux, Reed lui donnait un début de quarantaine bien entretenue.

Reed, qui l'avait d'office cataloguée parmi les connards dont Xavier faisait partie, fut surpris de la voir sourire au chien :

– Il est mignon, ce toutou.

– Il a peur des gens, expliqua-t-il comme Barney se cachait sous son bureau. Son ancien maître, qui le battait, l'a abandonné sur l'île.

– Navrée de l'apprendre. Ma sœur a récupéré une chienne bâtarde dans des circonstances similaires, c'est maintenant une bête très affectueuse.

– On n'est pas ici pour parler de cabots ! cracha Xavier.

La femme lui jeta bref regard avant de tendre la main à Reed :

– Agent spécial Tonya Jacoby, chef.

– Merci d'être venus, dit Reed, et, puisqu'il l'appréciait déjà beaucoup plus que son collègue masculin, il lui remit le sachet de preuves. C'est arrivé ce matin par courrier.

Jacoby enfila des gants et ouvrit le sachet.

– Vos photos étaient très nettes.

– Cette prise de contact et la menace qu'elle exprime confirment qu'il est impératif que vous vous teniez à l'écart de l'enquête, ajouta Xavier.

Reed lui accorda à peine un regard.

– Cette option étant tout simplement inenvisageable, et une

nouvelle discussion comme celle d'hier étant inutile, laissez-moi tenter autre chose. J'ai mis mes adjoints au courant.

– On n'a surtout pas besoin d'une bande de cow-boys armés tirant sur des ombres.

Reed se leva lentement et devança Jacoby, qui s'apprêtait à réagir :

– Si ça vous amuse de m'insulter, allez-y. Mais attention à ce que vous dites à propos de mes agents. Je vous ai invités, je vous le rappelle. Je peux vous prier de repartir d'une seconde à l'autre.

– Cette enquête est du ressort du FBI.

– Agent spécial Xavier, allez donc faire quelques pas dehors, dit Jacoby, avec un regard dur et appuyé.

Il sortit de la pièce et, comme la première fois, claqua la porte du poste derrière lui.

– C'est vous qui dirigez l'enquête, à présent ? demanda Reed.

– En effet. On me l'a confiée seulement la semaine dernière. Ça le rend furieux, ce qui explique sans doute son comportement d'hier – je l'ai deviné rien qu'en lisant son rapport. Je vous présente nos excuses.

– Inutile.

Donna apporta le café : un pot rempli, des tasses et diverses petites gâteries, le tout sur un plateau. Reed ignorait qu'ils disposaient d'un plateau.

– Merci, Donna.

– Merci, dit Jacoby, qui ajouta une bonne dose de lait dans son café et se rassit. Bon, parlons un peu.

Ils discutèrent une demi-heure et, quand ils se serrèrent la main avant de se séparer, Reed se sentait optimiste.

Après le départ des agents, il acheva la réunion avec son équipe et répondit à quelques questions.

– L'agent spécial Jacoby, qui dirige désormais l'enquête Hobart…

– Ils ont viré l'autre con ? demanda Leon.

– Il fait toujours partie des enquêteurs, mais n'est plus à leur tête.

– Il y a au moins une personne pas totalement stupide au FBI, commenta Matty.

– Jacoby elle-même ne m'ayant pas paru stupide, je dirais même qu'il y en a plusieurs. Elle m'a confié qu'ils étaient sur une piste du côté de Memphis, dans le Tennessee. Si ça se confirme, nous pourrons tout arrêter, mais d'ici là je veux des patrouilles et une surveillance à chaque débarquement du ferry. Et nous ferons notre part de travail, mon équipier et moi.

– Votre équipier ? s'étonna Matty.

Reed tapota la tête du chien :

– L'adjoint Barney. Il est des nôtres, maintenant.

Dans la cabane, tandis que l'ordinateur portable diffusait Fox News en continu, pour ne pas rater un éventuel flash spécial délivrant des informations essentielles à connaître, Patricia maquillait Seleena.

– Tu prends soin de ta peau, constata-t-elle en lui appliquant du fond de teint. Moi aussi. Ma mère se laissait aller, de ce côté-là. Elle a fini par ressembler à une sorcière, surtout après la mort de JJ ; mais même avant ça, elle ne faisait rien pour s'arranger. J'en aurais presque approuvé le vieux, qui couchait ailleurs et lui flanquait une rouste de temps en temps, mais c'était un connard fini. Je vais prendre une nuance neutre pour les paupières, ce sera classe et pro. Ferme les yeux.

Entretiens la conversation, s'intima Seleena. *Établis un contact.*

– Il vous frappait, vous aussi ?

– Il ne s'en donnait pas la peine, il se fichait de moi. J'étais grosse, quand j'étais enfant, et c'est aussi la faute de ma mère. Elle m'offrait sans cesse des bonbons et des friandises et me laissait vider des sachets de chips. Il m'appelait « Gros tas de graisse », ou plus simplement « La Grosse ».

– C'est cruel.

– Je t'ai dit que c'était un connard fini. Et j'ai été brimée à l'école, tu le savais ?

Elle s'interrompit, craignant de bâcler son travail. Seleena ouvrit les yeux.

– Je parle trop. Garde les yeux fermés tant que je ne te dis pas de les rouvrir.

Seleena obéit. Et écouta. Elle perçut la folie, oh oui, que de folie… Et l'amertume. Pire encore, un détachement glacial quand Patricia affirma avoir rendu service à sa mère en la tuant.

– Mais… Mais la police a conclu à un accident, rappela la journaliste.

– Parce que je suis très douée dans ce que je fais, ma cocotte.

Tuer une vieille folle pleurnicharde n'est pas bien difficile, mais il faut tout de même être douée pour ça. Ouvre les yeux.

Seleena obtempéra, faisant de son mieux pour dissimuler sa peur.

– Et moi, je suis très douée. Ferme les yeux. Tout ce que je sais sur le maquillage, la coiffure et l'entretien de la peau, je l'ai appris sur Internet, grâce à YouTube. Ma mère ne m'a jamais rien expliqué. J'ai un QI de 164, et ce n'est sûrement pas à elle ou à mon vieux papa que je le dois. Ouvre les yeux. Elle passa de l'eyeliner sous les yeux de Seleena. Tu es habituée à être maquillée par quelqu'un d'autre.

– Oui.

– Moi, je me le fais moi-même. Je fais tout moi-même, parce que je suis intelligente. JJ n'était pas stupide, mais il n'était pas non plus très malin. Je lui faisais parfois ses devoirs, même après que nos cons de parents nous ont séparés. Ils n'auraient pas dû faire ça.

– Non, c'est vrai. C'était cruel, ça aussi, et égoïste.

– Je ne te le fais pas dire ! C'est JJ qui m'a appris à tirer, parce que le vieux ne s'occupait pas de moi. Baisse les yeux, pendant que je te fais les cils. Non, pas tant que ça !

– Pardon.

– Il tirait bien mais, là encore, j'étais meilleure. Mais ça ne le gênait pas. JJ était fier de moi. Il m'aimait beaucoup. C'était le seul, d'ailleurs. Et ils l'ont tué…

– Il doit vous manquer.

– Il est mort, inutile de se lamenter. Il savait que j'étais intelligente, mais il ne m'a pas écoutée. Il est passé à l'action avec ses armes, mais ça s'est enrayé. Tu piges l'astuce ? Ses armes, enrayé ?

Cherchant à décrypter le regard planté sur elle, Seleena retroussa les lèvres, esquissant un léger rictus :

– Oui, bien trouvé.

– Je sais être drôle, quand je le veux. Je ne parle pas souvent à d'autres personnes, et jamais en étant moi-même. Je suis obligée de discuter avec des abrutis quand je traque une cible, mais je joue un rôle. Ma véritable personnalité reste cachée en moi, je ne montre que ce que les gens s'attendent à voir. Tu as de la chance, tu sais, de me voir sans artifices.

– Ça doit être dur, pour vous, de sans cesse dissimuler votre personnalité.

– J'ai dû le faire pendant des années, des putain d'années passées dans ce mausolée avec mes grands-parents, ces vieux desséchés et geignards. « Oh, je m'en occupe, grand-mère. » « Ne t'inquiète pas pour ça, grand-père, je vais nettoyer. » Ils ne voulaient pas mourir et me lâcher enfin la grappe. Personne n'aurait supporté leur merde aussi longtemps que je l'ai fait. C'est OK pour les yeux.

Patricia fouilla dans sa trousse et en sortit du fond de teint et un pinceau.

– Ils ont dit des choses affreuses sur JJ, surtout après sa mort, reprit-elle. Vraiment affreuses. J'ai dû me retenir pour ne pas leur trancher la gorge. Il n'était peut-être pas très futé et il m'avait désobéi, mais jamais ils n'auraient dû dire du mal de lui.

– Il était leur propre chair, leur propre sang.

– Ils disaient qu'il était malade, déficient et même diabolique. Ils l'ont payé. Pas assez cher, mais ils l'ont payé. Il ne m'a pas écoutée, voilà ce qui s'est passé.

– Vous avez essayé de l'empêcher d'agir ?

Patricia s'écarta et s'estima satisfaite du fond de teint.

– Encore une touche, dit-elle, prenant de la poudre libre translucide. Je l'aurais empêché d'agir si j'avais deviné qu'il avait avancé la date. J'avais encore des détails à peaufiner. Mais non, il a frappé en juillet, à une époque de l'année où trop de personnes sont en vacances ou bien je ne sais où. On visait le mois de décembre, la foule des vacances de Noël. Il aurait tué deux fois plus de personnes. Et surtout, j'aurais eu le temps de préparer ma fuite.

– Ah oui ?

Patricia inclina la tête d'un côté puis de l'autre. Du bout des doigts, elle souleva le menton de Seleena.

– Tu as belle allure. Classe et pro, comme promis. Tu veux boire quelque chose de frais ?

– Oui, je veux bien, merci.

Patricia se rendit dans la cuisine :

– J'ai du Coca Light, de l'eau et du jus de fruits.

– Un Coca Light, ce sera parfait, merci. Un peu de caféine me donnera un coup de fouet avant l'enregistrement.

– Bonne idée, approuva Patricia, qui décapsula la bouteille et versa la boisson dans deux gobelets en plastique, sur quelques glaçons. Bon, de quoi parlions-nous ? Elle revint auprès de

Seleena, à qui elle tendit un gobelet. Ah oui, de JJ. Je t'ai dit qu'il n'était pas très malin, pas vrai ? Tu ne l'imagines quand même pas concevoir la fusillade, avec ses deux crétins de potes ? Non, c'est moi qui ai élaboré le massacre du centre commercial. C'était mon plan, et tout se serait déroulé sans accroc s'ils avaient attendu que je mette au point les détails.

— Vous… C'est vous qui avez planifié la fusillade ?

— C'était mon idée, oui. J'ai tout organisé, j'ai même piqué la carte de crédit de grand-père-de-la-merde-dans-le-cerveau, le temps de commander les gilets pare-balles et les casques. (Elle se tapota la tempe.) Jusqu'à aujourd'hui, j'ai laissé le monde entier croire que JJ était le cerveau de l'affaire. Nous allons rétablir la vérité, toi et moi. Enfin bref…

Patricia porta son gobelet à la bouche et but le soda.

— Tu es presque prête, il ne reste plus que les lèvres. Je m'en occuperai juste avant qu'on se lance. Je vais me maquiller, maintenant, et me mettre en tenue pour passer à l'écran. Ça va prendre un peu de temps, car je tiens à avoir belle allure. Et ensuite, la fête pourra commencer. Réfléchis aux questions les plus judicieuses, Seleena, je compte sur toi.

Chapitre 24

Seleena resta des heures sous les projecteurs, sa chaise tournée vers celle de Patricia, tandis que la caméra enregistrait leur conversation.

Vers la fin de la deuxième heure, Patricia permit à sa prisonnière de se rendre aux toilettes, et en profita pour changer la batterie de la caméra. Elle laissa ensuite Seleena boire un peu d'eau, avec une paille, et fit quelques retouches sur leur maquillage.

L'entretien reprit après cette courte pause.

La discussion avançant, Seleena retrouva peu à peu son rythme de journaliste. De plus en plus passionnée par le sujet, elle sentait sa frayeur céder le pas à son ambition.

Elle tenait le plus gros scoop de sa carrière, sans avoir eu à lever le petit doigt. Son ego gonflé comme jamais, elle en oubliait qu'elle avait été droguée et enlevée.

Dans son esprit, elle avait réussi à décrocher une interview exclusive et à huis clos avec une tueuse en série, cerveau de la fusillade du centre commercial DownEast. Grâce à ses talents de journaliste, lui chuchotaient son ambition et son orgueil, Seleena avait poussé Patricia à lui livrer toute l'histoire jusque dans les moindres détails. Chaque meurtre fut passé au crible, depuis la filature et la collecte de renseignements jusqu'au choix du bon moment et de la méthode.

Quant aux liens en plastique qui lui mordaient la peau des chevilles et du poignet gauche (Patricia lui avait laissé la main droite libre, pour qu'elle prenne des notes), Seleena se disait – et croyait dur comme fer – que si sa ravisseuse ne les lui ôtait pas, c'était dans son intérêt : clairement visibles à l'écran, ils évitaient à Seleena d'être poursuivie pour aide ou soutien apporté à Patricia, ou encore pour obstruction à l'enquête.

Elles seraient toutes les deux gagnantes dans l'affaire, comme l'avait expliqué Patricia. La peur de Seleena n'arrivait pas à la cheville de son excitation, quand elle pensait à ce qu'elle avait là, à ce qu'elle ferait de cette vidéo. Perdue dans ses rêves, elle imaginait déjà les bénéfices à venir.

Elle savait jouer avec une personne interviewée, l'interpeller tout en faisant montre de compréhension et d'empathie. Si cette femme – ce monstre – déversait sa folie, sa rage et sa conviction froide et calculée d'être dans son droit en tuant des innocents, c'était avant tout parce que Seleena la poussait adroitement à le faire.

Un jour, des étudiants analyseraient cette vidéo dans les écoles de journalisme, et elle se ferait une fortune en honoraires de conférences.

Elle en arriva à la conclusion que Patricia considérait les trois garçons comme des armes s'étant déclenchées trop tôt. La tueuse, qui éprouvait pour son frère un étrange mélange d'amour et de mépris, justifiait ses meurtres – si tant est qu'elle éprouve le besoin de le faire – en les qualifiant de vengeance pour la mort de ce jeune homme de dix-sept ans.

C'était fascinant. Et si elle, Seleena, était fascinée, le grand public serait littéralement scotché en découvrant cette interview.

– C'est l'interview la plus intéressante que j'aie menée, Patricia. J'ai du mal à suivre le rythme de vos révélations ! Pouvons-nous nous accorder une nouvelle pause ?

– Je n'ai pas terminé !

– Non, bien sûr ! Juste dix minutes ? proposa Seleena, avec un sourire.

Ayant comme l'impression d'avoir un baril de poudre sur les genoux, la journaliste s'efforçait de ne pas brûler d'allumette.

Continue à la flatter, s'ordonna-t-elle.

– Il faut que je mette un peu d'ordre dans mes pensées, expliqua-t-elle. J'aimerais organiser notre entretien en plusieurs parties… Nous le ferons au montage, bien sûr, mais je voudrais faire le point sur mes prochaines questions. Et puis, je ne serais pas contre quelque chose à manger et à boire, pour rester pleine d'énergie. Je voudrais également que vous fassiez une pause, que vous vous reposiez quelques minutes. Il faut que vous soyez en pleine forme dans chaque partie.

– D'accord, accepta Patricia, qui se leva.

– C'est vraiment énorme, Patricia. Il me faut un peu de temps pour assimiler tout ça.

– OK, dit la tueuse, radoucie. J'ai des crackers au blé complet et de l'houmous.

– Ce sera parfait. Servez-nous quelque chose à grignoter avant la partie suivante. Puis-je me dégourdir un peu les jambes ? Vous faites du footing, et moi je suis également très active. Si je pouvais au moins faire quelques pas dans la pièce… (Encore un sourire.) J'ai les fesses en compote, pour tout vous avouer.

– Pense à tes doigts, Seleena.

Seleena éclata de rire, ne croyant plus à ces menaces.

– Je suis en train de préparer le plus gros scoop qu'on ait jamais vu ! C'est un coup à remporter le prix Pulitzer ou un Emmy Award ! Je peux vous garantir que je ne vais rien faire qui risque de tout foutre en l'air.

– Tu seras une star, après ça, dit Patricia, qui coupa les liens de sa prisonnière.

– Vous aussi. Le monde entier connaîtra votre histoire.

Et la mienne, ajouta en pensée Seleena, faisant quelques pas pour chasser les douleurs et les picotements dans ses jambes. *Attends un peu que je rédige un article sur cette expérience…* Enlevée et séquestrée par Patricia Hobart. L'intrépide journaliste mène une brillante et percutante interview filmée et pousse la tueuse à livrer tous les détails. Les mobiles, les victimes, les méthodes, les trajets. Absolument tout.

– Le prix Pulitzer, un Emmy Award… répéta Patricia, en ouvrant la boîte de crackers. Où vas-tu t'arrêter ? Ta carrière s'est envolée grâce aux vidéos que tu as prises le jour de la fusillade. Tu es devenue quelqu'un.

– Et j'ai conservé mon avance, reconnut Seleena. C'est ce qu'il faut faire, pour rester aux avant-postes, surtout quand on est une femme, une femme intelligente et solide. On me traite d'autoritaire, de vache, d'arrogante… En réalité, je suis simplement forte et ambitieuse.

– Tu réalises une émission tous les ans, en juillet, sur le massacre, parce que c'est le point culminant de ta carrière.

– Pour l'instant. Ah, ça va mieux, je ne me sens presque plus raide, se réjouit Seleena, se frottant les fesses en faisant quelques allers et venues dans la pièce.

– Cette interview t'apportera célébrité et fortune. Tu as écrit un livre sur la fusillade, mais tu n'es pas la seule. Et tu n'es pas un excellent écrivain.

– Je ne suis pas nulle, mais c'est vrai, l'écrit n'est pas mon point fort. Cette fois, je prendrai un nègre. Notre entretien va faire exploser l'Audimat, Pat. On aura de quoi faire une émission en cinq parties, et l'Audimat sera de plus en plus monstrueux. On va ridiculiser le Super Bowl, on va le couler, et tout le reste avec.

– Car des millions de personnes nous regarderont.

– Ça, je vous le promets. Ils seront collés à leur écran ou à leur tablette. Une jeune fille de quatorze ans mettant au point une fusillade parce que sa vie lui fait horreur, parce qu'elle déteste ses parents et parce qu'elle sait manipuler son frère. La façon dont elle a géré la situation quand il l'a écartée pour agir. Les années passées à dissimuler sa véritable nature…

Seleena secoua la tête et lâcha une longue expiration.

– C'est puissant, c'est captivant. Votre premier meurtre ? Mon Dieu, vous étiez si jeune ! Puis votre propre mère. Vos calculs pour éroder sa volonté, pour la faire tourner en bourrique pendant des années, jusqu'à la rendre complice de son propre assassinat. C'est brillant. Tout simplement brillant.

– Assieds-toi et avale quelque chose.

– Merci, je meurs de faim, dit Seleena, qui prit l'assiette en carton et trempa un cracker dans l'houmous. Et quelle ironie, Pat, d'avoir raté le flic… ce type qui avait sauvé un gamin, au centre commercial. Vous l'avez manqué, vous avez même été touchée, mais vous avez réussi à filer et à tenir le coup jusque chez vos grands-parents. Cet épisode remplira une partie à lui tout seul. Impossible de faire autrement.

– Tu penses que ce flic mérite toute une partie ? demanda Patricia d'une voix posée.

– Bien sûr ! Je voudrais développer davantage le moment où vous avez pris conscience que vous ne l'aviez pas tué et qu'il avait riposté. Et parler plus longuement de ce que vous avez pensé et ressenti en courant récupérer de l'argent, des armes et des faux papiers… et ce sans laisser passer l'occasion de tuer vos grands-parents avant de vous enfuir.

– Je ne me suis pas enfuie. Je me suis réorganisée.

– Mmm… dit Seleena, se resservant en houmous. Nous aborderons votre séjour au Canada, mais ce n'est pas un fait majeur de votre histoire. Ce serait plutôt une pause. « Réorganisation » est un bon terme, c'est vrai. Le tournant, ce fut le moment où vous avez compris que vous n'aviez pas tué Quartermaine et qu'il vous avait blessée. Et ensuite, un heureux hasard fait que la fliquette qui a tué votre frère sauve l'homme que vous vouliez abattre.

– Un « heureux hasard »…

– Ce sera un grand moment de télévision. Phénoménal. Je veux me concentrer davantage sur ce tournant, sur la façon dont votre erreur face à Quartermaine vous a contrainte à modifier vos projets, à vous réorganiser. Patricia lui tendit un autre gobelet de Coca Light. Merci.

– Tu penses que j'ai commis une erreur, avec ce putain de flic ?

Affamée et beaucoup trop prise par son sujet, Seleena oubliait qu'un bon journaliste laisse parler la personne interviewée et ne manque pas de remarquer les changements dans le ton et le langage corporel de celle-ci.

– Un mauvais calcul, en tout cas. Et, je le répète, un tournant sur lequel il faut insister. Jusqu'à ce moment, vous n'étiez même pas suspectée, je vous le rappelle.

Elle but un peu de Coca Light et enfourna encore quelques crackers.

– C'est ce que vous avez dit, tout à l'heure : vous avez laissé tout le monde croire que JJ était le coupable.

– Le cerveau.

– Oui, le cerveau. En une seconde, vous êtes passée de sœur d'un ado tueur dévouée à ses grands-parents et menant une vie tranquille à fugitive ayant tenté d'abattre un flic de sang-froid parce qu'il avait survécu à la fusillade, et ayant ensuite tué ses grands-parents avant de s'enfuir, et de se réorganiser, au Canada. Vous aviez déjà tué avant ce jour, Pat, mais cette erreur – vous avez frôlé le pire – avec Quartermaine a tout changé.

– Il a eu de la chance.

– Énormément de chance, même. Il vous a reconnue une fraction de seconde avant qu'il soit trop tard pour lui, puis il vous a blessée. Sans parler de son équipière, déjà en route pour cette maison… Quelle ironie ! La femme qui, autre ironie, se trouvait à l'extérieur du cinéma le jour de la fusillade. Elle a tué JJ et sauvé Quartermaine. Ce sera un grand moment de télévision.

– Tu crois vraiment ?

– Faites-moi confiance, je sais de quoi je parle. Bon, je suis prête, j'ai organisé la partie suivante.

– Tes parties, ton Audimat, ta putain de gloire…

– Quoi ? Qu'est-ce que vous dites ?

– C'est mon histoire.

– Et elle va casser la baraque. Nous ferions bien de nous remaquiller un peu avant de reprendre.

Seleena s'étira les épaules et croisa les jambes.

– Inutile, tout est dans la boîte, dit Patricia.

Seleena leva la tête et eut tout juste le temps de lâcher un cri étouffé avant que Patricia fasse feu, une fois, deux fois, trois fois. *Quelle ironie*, pensa cette dernière, que Seleena succombe sous les tirs de son propre Glock rose.

Elle souffla violemment, expulsant sa colère. Elle se sentait mieux.

– Et j'ai horreur qu'on m'appelle Pat.

Elle se prépara une assiette de crackers et d'houmous, qu'elle avala pendant que le cadavre de la journaliste se vidait de son sang sur le sol de la cabane. Elle emporterait la caméra, décida-t-elle, mais laisserait le trépied et les projecteurs, pour éviter d'être trop chargée durant sa fuite vers le sud.

Ayant déjà changé les plaques d'immatriculation et pris le temps de quelque peu cabosser la carrosserie de la voiture de Seleena, elle l'estimait sûre pour la distance qu'elle avait à couvrir.

Il était temps d'aller retirer du liquide et de prendre deux autres jeux de pièces d'identité à la banque, dans le New Hampshire ; après quoi, elle abandonnerait le véhicule à l'aéroport et prendrait l'avion. Elle louerait une voiture à Louisville.

Le cadavre serait probablement retrouvé d'ici quelques jours. Elle avait réservé la cabane pour une semaine, et il lui restait quatre jours. D'ici là, elle serait… ailleurs.

Elle émit un petit rire en buvant un peu de Coca Light puis considéra le corps de Seleena en souriant :

– Qui de nous deux a commis une erreur, finalement ?

Sa journée de travail terminée, Reed rentra chez lui à pied, avec son chien. Il prit quelques affaires et se rendit en voiture chez Sissi. Il était indispensable qu'il mette Sissi et Simone au courant, pour la carte et la menace, et qu'il leur explique les précautions à prendre.

Parvenu à destination, il observa un moment la maison. Que de verre, avec ces foutues baies ! Magnifique, mais vulnérable. Cela étant, fracturer une porte ou une fenêtre n'était pas dans les habitudes de Hobart.

Elle préférait la ruse. Briser une vitre manquait de classe.

Il perçut de la musique, certaines fenêtres étant ouvertes pour laisser entrer l'air printanier, et reconnut le rythme sexy de *After Midnight*. Il entra avec le chien et trouva Sissi – jean court près du corps, tee-shirt noir et cheveux lâchés – en train de danser.

Elle bouge bien, pensa-t-il. Elle évoluait dans la pièce en balançant les épaules et les hanches au son de la guitare géniale et de la voix charmeuse de Clapton.

Il n'avait pas remarqué que Barney, couché à ses pieds, ne perdait pas une miette du spectacle, sa queue frappant sur le sol.

Pivotant sur elle-même, Sissi aperçut Reed. Sans cesser de se déplacer en rythme, elle esquissa lentement un sourire et, de l'index, lui fit signe d'approcher.

– Viens danser, monsieur Délicieux.

Il s'approcha d'elle et, un bras passé autour de sa taille, l'inclina de façon impressionnante.

– Waouh ! Mais regardez-moi ça ! s'écria-t-elle.

– Les mecs qui savent danser chopent plus de filles, expliqua-t-il en la redressant, avant de la faire lentement tournoyer.

– Tu m'avais caché ce talent.

– Tu ne m'avais jamais proposé de danser.

Apparue dans l'escalier, Simone découvrit sa grand-mère et le chef de la police enlacés et ondulant avec grâce en musique, sous le regard fasciné du chien.

Lorsque la chanson se termina, Reed avait les deux bras autour de la taille de Sissi et celle-ci les mains croisées sur la nuque de Reed. Tous deux affichaient un grand sourire.

– Ah, d'accord… lâcha Simone.

Sissi poussa un soupir de bonheur et posa un long moment la tête sur l'épaule de Reed.

– Simone, tu es mon trésor le plus cher, mais maintenant que je sais que cet homme danse comme un dieu sur Clapton, je crois que je vais devoir te le piquer.

– Je t'appartiens, lui assura Reed, qui déposa un baiser sur le haut de son front.

Il fut envahi par l'odeur de son shampooing, nuancé d'un soupçon de térébenthine et d'une vague réminiscence d'herbe.

C'était tout Sissi.

Elle se serra contre lui puis se dégagea pour s'intéresser au chien :

– Et voici notre petit mignon à quatre pattes. Tu avais raison, Simone, il a une bonne bouille, et aussi de l'amour dans les yeux. Elle lui tendit la main, sans s'accroupir. Viens me dire bonjour, mon petit chéri.

– Il a besoin d'un peu de temps pour…

Reed se tut lorsque Barney se leva et s'approcha de Sissi sans hésiter une seconde.

Barney ne s'était pourtant pas vraiment habitué aux humains, malgré toute une journée passée en leur compagnie. En dehors de Cecil, avec qui le courant était passé, il avait montré de la crainte chaque fois qu'ils avaient croisé quelqu'un sur le chemin du retour à la maison.

Mais là, Sissi n'avait eu qu'à tendre la main pour qu'il la rejoigne en remuant la queue. Elle se pencha pour le caresser.

– Tu dois être une sorcière, toi.

– Évidemment. J'ai un don avec les animaux, en particulier les chiens, car j'ai été louve dans une vie antérieure. Et nous nous sommes reconnus, ce petit et moi. Pas vrai, mon beau ? Nous avons dansé ensemble, tous les deux, dans une autre vie.

Cela n'aurait pas le moins du monde surpris Reed.

– Il s'appelle Barney.

– Pourquoi pas ? dit Simone, qui prit la télécommande pour baisser un peu la musique. Si nous avons tous terminé notre journée, je suis partante pour un peu de vin. Des amateurs ?

– Si on n'a pas le choix… plaisanta Sissi.

– Installons-nous dehors, il fait bon, proposa Reed. J'ai des choses à vous dire.

– C'est sérieux, on dirait.

– Exact.

– Va chercher le vin, Simone. Nous allons voir si Barney apprécie la vue depuis la terrasse.

Elle entraîna aussitôt Reed et le chien à l'extérieur.

– C'est à propos de Patricia Hobart ? demanda-t-elle.

– Les rumeurs ont couru, ou ton don de voyance ?

– Je ressens comme une perturbation, depuis ce matin.

– Dans la Force ?

– Je sais ce que je sais, quand je le sais, dit Sissi, se tapotant la poitrine. Et puis Hildy est venue me voir cet après-midi, après votre entretien. Ce n'est pas une commère, mais nous nous connaissons depuis très longtemps. Elle voulait m'en parler. Je n'ai rien dit à

374

Simone, qui travaillait. J'ai préféré ne pas la déranger. Et je me suis dit que tu voudrais lui annoncer la nouvelle toi-même. Je peux aller promener Barney sur la plage, si tu veux rester seul avec elle.

— Merci, c'est gentil, mais j'ai à vous parler à toutes les deux.

— Je crois profondément en la Loi du Triple Retour. Tout ce que l'on envoie dans l'univers, que ce soit bon ou mauvais, nous revient trois fois. Pourtant, je suis prête à risquer de subir en retour ce qui ferait tomber dans un puits sans fond cette salope qui veut s'en prendre à mon bébé et à toi.

— Je ne la laisserai pas vous faire de mal, à Simone et à toi.

Sissi lui prit le visage entre ses mains :

— Ni à toi.

— J'ai… J'ai déjà « dansé » avec elle, je sais comment elle évolue.

— Ça y est, ça recommence ! plaisanta Simone, qui leva les yeux au ciel de façon exagérée.

Elle posa la bouteille de vin et trois verres sur la table puis sortit un gros bâton à mâcher de la poche arrière de son pantalon :

— Il y en a pour tout le monde.

Elle versa le vin, pendant que Barney s'attaquait à son cadeau.

— Mon Dieu, la journée a été excellente pour moi, et elle se termine par cette belle soirée.

— Désolé, mais je vais la gâcher.

Simone tourna la tête vers Reed :

— C'est vraiment sérieux, alors ?

— Asseyons-nous, suggéra-t-il.

Il avait envisagé plusieurs approches mais, aucune ne l'ayant convaincu, il se résolut à aller droit au but :

— J'ai reçu une carte postale ce matin. De la part de Patricia Hobart.

Simone, qui s'était assise à côté de Sissi, prit la main de sa grand-mère :

— Quel genre de carte ?

— Grande. Elle a dû lui coûter 3,99 dollars, sans compter les taxes et l'affranchissement.

Reed décrivit la carte et cita le message qu'elle renfermait.

— Elle te menace. C'est la première fois ?

— Oui. Le FBI m'a confirmé aujourd'hui que rien n'indique qu'elle ait contacté ou menacé une cible avant de l'éliminer. Elle m'en veut parce qu'elle m'a loupé et que je l'ai blessée. Je lui ai coûté sa grande maison et sa fortune. Sa colère l'a poussée à riposter par courrier, en attendant mieux. Cette modification de ses habitudes me dit qu'elle commettra d'autres erreurs. Ça, c'est la bonne nouvelle.

– C'est une « bonne nouvelle », d'être menacé de mort ? dit Simone.

– Très bonne, même. Ça m'apprend que je l'ai suffisamment perturbée pour m'imposer dans son cerveau tordu, mais aussi qu'elle a pensé à moi juste après avoir tué Emily Devlon. Elle m'a envoyé cette carte avec une mèche de cheveux, ce sont forcément ceux d'Emily Devlon.

– Doux Jésus, quelle affreuse créature, écœurante et cruelle, se lamenta Sissi. Son karma ne va pas la louper dans ses prochaines vies, mais d'ici là…

– Le système judiciaire s'en occupera avant, assura Reed. Elle a posté sa carte en Floride, et le FBI va déterminer de quel endroit précis.

– Elle aura filé, fit remarquer Simone.

– C'est vrai, mais ça nous dira déjà par où elle est passée, et quand. Nous verrons où se trouve ce point, par rapport à la maison des Devlon. Par triangulation, les Fédéraux établiront où elle s'est installée, le temps de traquer Emily. Ils interrogeront des personnes qui lui ont parlé ou qui l'ont vue. Le moindre détail compte. Et surtout, elle m'a averti. Elle a voulu m'effrayer mais elle s'est plantée, une fois de plus. Étant prévenu, je vais prendre des mesures.

– Lesquelles ?

– J'ai déjà prévenu le FBI, d'une part.

– Monsieur Tête de Con ? s'étonna Simone.

– Il n'est plus aux commandes de l'enquête. La nouvelle responsable est l'agent spécial Tonya Jacoby.

– Une femme, apprécia Sissi. Les choses avancent enfin.

– C'est ce que je me suis dit en faisant sa connaissance aujourd'hui. Elle n'est pas bornée comme son collègue. À partir de maintenant, et sans doute grâce à l'erreur de calcul de Hobart, nous nous communiquerons toutes nos informations. J'en saurai plus, et eux, y compris Xavier, désormais sous les ordres de Jacoby, m'écouteront davantage.

– Il fallait une femme, résuma Sissi, levant son verre.

– Oui, comme souvent. J'ai briefé mes adjoints et Donna. Nous avons affiché la photo de Hobart en évidence sur le panneau du poulailler, et nous allons en distribuer des copies un peu partout.

J'en ai parlé au maire, à qui j'ai demandé l'autorisation d'embaucher deux adjoints saisonniers plus tôt que prévu. Elle est d'accord.

– Nous sommes sur une île, rappela Simone. Hobart devra prendre le ferry ou une navette de groupe, ou louer elle-même un bateau, pour venir ou pour repartir. Ce sera plus difficile de s'enfuir, pour elle.

– Tu as tout à fait raison.

– Elle va peut-être attendre que tu te rendes à Portland, pour une raison ou pour une autre.

– Et comment le saurait-elle ? objecta Reed, autant parce qu'il le pensait vraiment que pour rassurer Simone. Je ne traîne pas sur les réseaux sociaux, qui sont sa principale source d'informations. Non, elle viendra ici, et ce sera un avantage pour nous.

– Tu as raison, concéda Simone, sirotant son vin. Tu as tout à fait raison, toi aussi, mais…

– Il y a beaucoup de « mais », nous y viendrons tout à l'heure. Autre avantage pour nous, elle s'attaque à nouveau à un flic. Donc à toute une force de police prévenue. Je l'ai longuement étudiée, certainement plus minutieusement qu'elle ne m'a étudié… ou toi, Simone.

Ce fut au tour de Sissi de prendre la main de Simone :

– Nous n'avons d'autre choix que d'affronter cette menace, et le fait qu'en venant ici elle risque d'être tentée de faire d'une pierre deux coups.

– Il faut d'abord qu'elle débarque sur l'île, puis qu'elle y reste suffisamment longtemps pour observer les habitudes de ses cibles et élaborer un plan. Ça aussi, ça joue en notre faveur… même en été, car c'est en été qu'elle viendra, c'est le plus intelligent à faire pour elle. L'île sera bondée de touristes, les allées et venues seront incessantes, et les commerces et restaurants affairés. Nous allons guetter son apparition dès maintenant, mais elle attendra l'été. Cette année, peut-être l'année prochaine. Venons-en aux « mais ».

Reed se pencha avant de poursuivre :

– Elle est intelligente, méfiante et patiente… même si, à mon avis, sa patience se lézarde de plus en plus sous l'effet de sa colère et de sa folie. Elle sait modifier son apparence et son comportement. Elle sait passer inaperçue, se fondre dans le décor et mentir avec aplomb. Mais vous êtes toutes les deux très familiarisées avec le visage humain. Vous allez étudier le sien, jusqu'à en connaître les moindres détails. Je pense que vous la reconnaîtrez si elle vous apparaît, quel que soit son look. Vous la percerez à jour.

— Elle ne nous dupera pas, affirma Sissi, serrant la main de Simone. Pas vrai, mon bébé ?

— Non.

— Voici quelques règles, reprit Reed.

— J'ai horreur des règles, lâcha Sissi. Trop souvent, elles sont issues du système patriarcal conçu pour opprimer les femmes.

Reed la regarda longuement :

— J'aimerais bien qu'on me présente le patriarche ou le système qui réussirait à vous opprimer l'une ou l'autre.

Cette remarque fit sourire Sissi, le nez dans son verre de vin :

— Beaucoup ont essayé et sont repartis les couilles meurtries.

— Au risque de souffrir de ce côté-là, je ne vais pas me contenter de suggestions ou de recommandations. Ce sont des règles à suivre, qu'elles vous plaisent ou non. Si vous apercevez Hobart, ne vous en approchez pas, ne tentez pas de la maîtriser. Vous me contactez aussitôt, ou à défaut le policier le plus facilement joignable. Si vous repérez une voiture, un vélo ou un promeneur qui passe plus d'une fois devant la maison, vous me prévenez. Si le téléphone sonne et que votre interlocuteur raccroche aussitôt ou prétend avoir composé un mauvais numéro, vous me le dites. Nous allons patrouiller régulièrement par ici.

— Et chez toi ? s'enquit Simone.

— Je suis flic, c'est comme si une patrouille y passait en permanence. Si vous vous trouvez un jour là-bas et que je n'y suis pas, vous verrouillez toutes les portes et vous n'ouvrez à personne. Si quelqu'un se présente, vous m'appelez aussitôt. Si, en vous rendant au village ou ailleurs, vous voyez quelqu'un en panne au bord de la route, vous ne vous arrêtez pas…

— Et on te prévient, devina Sissi.

— C'est ça. Vous ne prenez aucun risque. Ce sont des précautions élémentaires. Je voudrais également que vous modifiiez vos habitudes, même si on ne peut pas dire que vous soyez ancrées dans la routine. En tout cas, n'allez pas faire des courses le même jour chaque semaine, ni à la même heure. Ne vous promenez pas chaque fois au même moment de la journée, ni le même jour, etc. Que vous attendiez une livraison ou non, quand un fourgon se présente, dites-lui de laisser le colis dehors. Vous n'ouvrez pas la porte, vous ne sortez pas. Si quelqu'un ou quelque chose vous paraît bizarre, vous m'appelez. Et vous ne racontez pas votre vie sur les réseaux sociaux. Il se redressa. Vous pourriez aussi installer une alarme dans la maison.

— Hors de question, décréta Sissi, catégorique.

— Je me doutais que tu réagirais comme ça, mais il faut vraiment que tu verrouilles les portes, que tu sois présente ou non. Fais-le pour moi, d'accord ?

— Entendu. Ça ne me plaît pas, mais je le ferai.

— Très bien. Loin de moi l'idée d'insinuer que vous n'êtes pas capables de vous défendre, toutes les deux, d'autant que je tiens à mes couilles et que j'espère être invité à dîner ce soir… mais je tiens à vous dire que je vous aime et que je suis déterminé à veiller sur vous. Voilà, c'est tout.

— Ne crois pas que nous n'allons pas veiller sur toi, et pour les mêmes raisons, dit Sissi, qui se leva pour remplir son verre. Je vais commencer tout de suite, d'ailleurs, en te préparant un bon repas chaud.

— Non, inutile… Je vais chercher des plats à emporter, proposa Reed.

— Un peu de cuisine rééquilibrera mon *qi*, expliqua Sissi, avant de se pencher pour embrasser Reed. Tu es beaucoup plus intelligent qu'elle, et ma petite-fille aussi, et moi je suis largement plus prudente.

Simone attendit que sa grand-mère soit rentrée pour soulever un détail :

— Je n'en ai pas parlé, on en a eu assez. Mais si Hobart vient par ici, Sissi se rendra à Portland, où vivent ma mère et ma sœur.

— J'en ai parlé à Essie et à Jacoby. Elles garderont un œil sur ta famille.

Simone se leva et fit quelques pas en contemplant la mer. Le chien, qui en avait terminé avec sa friandise, était à présent allongé aux pieds de son maître.

— J'aurais dû deviner que tu ne les oublierais pas.

— J'ai aussi discuté avec la police de Boston, ajouta Reed. Ils ouvrent l'œil. Tu ferais bien d'en parler à Mi. J'ai de mon côté prévenu un de mes amis, qui est certainement sur sa liste et qui vit à New York, aujourd'hui. Désolé d'apporter tout ça avec moi.

— Tu n'y es pour rien, c'est elle qui a tout déclenché. C'est son affreux plan qui n'a pas fonctionné. Et celui qu'elle projette maintenant ne réussira pas mieux. C'est drôle, j'aime cette île depuis toujours, mais je n'en ai vraiment pris conscience qu'en comprenant que Hobart risquait de venir ici et de s'en prendre à quelqu'un d'autre que moi, mais qui compte énormément à mes yeux. Qui pourrait vouloir salir cet endroit, comme elle a sali le centre commercial et Portland ? Après ce soir-là, je ne me suis plus jamais sentie en sécurité à Portland.

Elle se retourna vers Reed et poursuivit :

– J'ai déménagé à New York dès que l'occasion s'est présentée, puis j'ai filé en Italie et en d'autres lieux, n'importe où sauf à Portland. La plupart du temps, je revenais ici entre deux exils. Je restais à l'abri ici, sans bouger, mais je continuais à chercher quelque part ou quelque chose d'autre. Je crois qu'avant de faire ta connaissance, je n'avais pas compris que cette île était davantage qu'un abri temporaire, pour moi. C'était chez moi. Et ça ne changera jamais, quoi que fasse Hobart.

Simone se laissa glisser par-dessus l'accoudoir du fauteuil de Reed et s'installa sur ses genoux.

– Les abris peuvent être de différentes sortes, enchaîna-t-elle. Tu en es un, pour moi. Et moi j'en serai un, pour toi.

– J'ai longtemps cherché un endroit qui me convienne, et je t'ai longtemps cherchée, toi. Quelle chance de vous avoir trouvées toutes les deux…

– Tu sais à quoi je pensais, en descendant l'escalier, tout à l'heure ?

– Que tu pouvais facilement être remplacée ?

Simone s'esclaffa et donna quelques petits coups de nez à Reed.

– Pas seulement. J'ai eu envie de vous sculpter, tous les deux, tels que je vous ai vus, enlacés, souriants et dansant.

– Nus ? Alors là, je dois te dire…

– Il ne faut pas confondre l'art et le bizarre ou l'indécent, chef. Non, pas nus.

– Alors d'accord. Tu paraissais heureuse, à ce moment.

– Je sortais d'une très bonne journée de travail sur un nouveau projet passionnant.

– Tu ne me laisseras pas y jeter un coup d'œil ? demanda Reed, ripostant par d'autres coups de nez.

– Quand ce sera terminé. Reste ici, cette nuit. Reste avec moi.

– J'espérais que tu me le proposerais. J'ai nos affaires, les miennes et celles de mon nouvel adjoint dans la voiture.

Dans la cuisine, Sissi les voyait par la fenêtre. Ce tableau – le ciel rougissant au crépuscule, cet homme fort et bon, et même le chien, avec sa bonne bouille – lui donnait de grands espoirs pour son trésor.

Il était hors de question qu'une salope les ruine.

Deux jours plus tard, Essie joignit Reed par téléphone :

– On a reçu un avis de recherche au nom de Seleena McMullen.

– Depuis combien de temps a-t-elle disparu ?

– Plus de quarante-huit heures, maintenant. Son assistante a reçu un texto la prévenant qu'elle quittait momentanément la ville pour un scoop, mais elle a depuis manqué plusieurs rendez-vous et ne répond pas à son mobile.

– Elle a le profil d'une cible, Essie, mais ce serait la première fois que Hobart enlève quelqu'un. Même si elle la tue et se débarrasse du corps, ça ne correspond pas à son mode opératoire.

– On n'a pas repéré de signe d'effraction ou de lutte au domicile de McMullen, pas plus qu'à son bureau. Elle a reçu un appel sur sa ligne fixe peu avant minuit, le jour de sa disparition, mais depuis un téléphone à carte. Impossible de remonter à la source, donc.

– Elle l'a attirée quelque part, devina Reed, les sourcils froncés. Là encore, ce n'est pas dans ses habitudes.

Quoique…

– Hobart n'est peut-être pas la seule personne à en vouloir à McMullen. Elle a un ex qui ne la porte pas spécialement dans son cœur, sans parler de tous ceux qu'elle a écrasés pour faire avancer sa carrière. J'ai demandé à des agents d'aller vérifier si sa voiture n'est pas à l'aéroport, Hobart a souvent abandonné des véhicules dans ces parkings. Pour l'instant, la brigade criminelle est chargée de ce meurtre, parce que j'ai insisté pour qu'on s'en occupe ; mais au premier lien établi avec Hobart, l'affaire file chez les Fédéraux.

– On peut avoir confiance en Jacoby.

– Je suis d'accord, Reed, mais si cette hypothèse est confirmée, ça voudra dire qu'elle est de retour dans la région. Fais attention à toi, collègue.

– Promis. Toi aussi, sois prudente.

Il raccrocha et s'accorda quelques instants de réflexion. McMullen… Oui, ça collait. Toutefois, Reed n'imaginait pas Hobart s'en prendre dès à présent à Essie, qu'il situait beaucoup plus haut dans la sinistre hiérarchie de la tueuse que la blogueuse opportuniste. De même, il ne la voyait pas se jeter sur lui juste après lui avoir envoyé la carte. Elle avait d'autres projets avant d'en arriver là.

Partant de là, pourquoi donc Hobart s'était-elle donné la peine de revenir à Portland pour enlever ou tuer McMullen ?

Il allait devoir y réfléchir.

Deux jours plus tard, les employés chargés de nettoyer la cabane entre deux locations découvrirent le corps de McMullen. Essie envoya un rapport à Reed.

On avait trouvé un trépied de caméra, deux projecteurs, de la nourriture et de la boisson pour plusieurs jours, des traces de maquillage sur le sol et sur deux chaises, et un certain nombre de liens en plastique.

Et les empreintes digitales de Hobart partout dans la cabane.

Que pouvait rapporter l'enlèvement d'une journaliste blogueuse présentant une émission régionale suivie sur Internet par de nombreux fidèles ?

Une certaine jeune femme avait une histoire à raconter, comprit Reed.

Si on ajoutait à cette affaire l'épisode de la carte, il en déduisit que Patricia Hobart était en quête d'attention.

Reed allait s'occuper d'elle. Avec plaisir.

Jacoby et Essie se coordonnant sur l'affaire McMullen, Reed pensa un peu à lui. Il dénicha des badges d'adjoint, des jouets, sur Internet et, amusé, en commanda deux : un pour Barney et un pour Puck, quand Essie et sa tribu débarqueraient.

Il acheta un grand panier pour le chien. Il dut l'installer à côté de son lit, sinon Barney ne voulait pas s'y coucher et dormait par terre. Fin renard, Reed écartait le panier de quelques centimètres tous les matins.

Lorsque Reed lança la balle rouge qu'il avait récupérée, Barney le regarda sans comprendre ce que son maître attendait de lui.

Ils travailleraient là-dessus.

Avril céda la place à mai, les fleurs s'ouvraient peu à peu. Désireux de faire une offre de paix, Reed se rendit un jour chez Ida Booker, portant un pot de jonquilles et accompagné de Barney.

Elle sortit de la maison, non sans avoir laissé son chat à l'intérieur.

— Il voudrait s'excuser pour les ennuis qu'il vous a causés, lui expliqua Reed.

— Ce chien est une menace, décréta Ida, les bras croisés.

— Il s'est réinséré socialement, madame Booker. Quand je

l'ai conduit chez Doc, il souffrait de diverses infections et autres blessures. Il a gardé des cicatrices au cou, car quelqu'un lui avait régulièrement tiré dessus alors qu'il portait un collier étrangleur.

– Quelqu'un a voulu étrangler ce chien ? s'indigna Ida.

– Oui, madame, c'est que disent Doc et Suzanna. S'il avait si peur des gens, c'était parce qu'il avait été enfermé et battu. D'après Doc, c'est peut-être pour jouer qu'il a couru après votre chat. Cela dit, je n'ai aucune certitude sur la question, et je ne le laisserai plus approcher de votre chat ni de votre jardin sans le tenir en laisse. Il était affamé, madame Booker.

– Il a meilleure mine, maintenant, constata-t-elle, avant de lâcher un juron. Je ne suis pas très portée sur les chiens, mais quelqu'un qui maltraite un animal de cette façon est plus que méprisable. J'ai entendu dire que vous l'aviez adopté.

– Il s'appelle Barney, à présent, et il va de mieux en mieux. Nous sortons à l'instant de chez Doc, il sera bientôt en pleine forme. Il a aussi pris quelques kilos. Il n'est pas méchant pour deux sous, mais il doit aimer courir après les chats. Il poursuit aussi les oiseaux, sur la plage.

– C'est dans l'ordre des choses, j'imagine, dit Ida, qui posa le pot en soupirant. Merci pour les fleurs. Je faisais partie de ceux qui estimaient que c'était une erreur de nommer un continental au poste de chef de la police. Je me suis peut-être trompée. Le temps nous le dira.

En regagnant le village, Reed s'arrêta au débarcadère, où il suivit des yeux l'arrivée du ferry et de ses passagers. Il avait chargé les deux adjoints saisonniers de cette tâche, mais une troisième paire d'yeux ne pouvait pas nuire.

Quelques familles, avec des enfants trop jeunes pour être scolarisés, deux îliens de retour chez eux, plusieurs fourgons de livraison et deux promeneurs, qui descendirent à pied.

Satisfait, il se rendit au poste.

– Qu'a dit Doc ? demanda Donna.

– Barney retrouve la santé. Il est bon pour le service.

– Empêchez-le de fouiner dans la corbeille, sinon je m'occupe de lui.

– Il cherchait des preuves, je vous assure.

Le téléphone de son bureau sonna. Il alla décrocher, Barney sur ses talons.

– Chef Quartermaine.

– Agent spécial Jacoby. Je suis à Louisville, dans le Kentucky. Nous suivons une piste et nous avons un témoin, un ancien flic, qui se tient au courant de l'affaire. Il jure avoir vu Hobart.

– Dans le Kentucky ? Elle aurait fait marche arrière ? Ce témoin est fiable ?

– Oui, il me semble.

– OK. Où l'a-t-il aperçue ?

– Dans un centre commercial. Il raconte l'avoir longuement regardée. Quand il a compris à qui il avait affaire, il a tenté de la suivre dans la galerie… Malheureusement il l'a perdue. L'endroit était bondé, comme toujours, d'autant que le Derby [14] approche. Par chance, il l'a retrouvée par hasard alors qu'elle sortait du parking, au volant de sa voiture. J'ai la marque, le modèle, la couleur et l'immatriculation. Vous avez de quoi écrire ?

– Allez-y !

Reed nota soigneusement ces renseignements.

– Ce jour-là, elle a acheté une paire de lunettes de soleil, deux chemises et un jean – du 36. Elle a également pris des vêtements de sport. Nous procédons actuellement à des vérifications auprès de toutes les boutiques de la galerie, mais notre témoin a identifié deux des sacs qu'elle portait. Elle a payé ses achats avec une carte Visa au nom de Marsha Crowder, domiciliée à une adresse bidon de San Diego. Ses cheveux châtains étaient coiffés en queue-de-cheval. Nous avons lancé un avis de recherche général, sans résultat pour l'instant.

– Ce sont de bonnes nouvelles. Louisville ne figure pas sur ma liste, ni aucune ville du Kentucky. Aucune de mes cibles potentielles ne vit par là-bas.

– La piste de Memphis n'a rien donné mais, à en juger par ces plaques, elle était peut-être plus solide que nous ne l'imaginions. Elle a sans doute filé vers le nord. Guettez cette voiture et cette immatriculation, chef.

– Vous pouvez me faire confiance.

– Nous sommes sur ses traces. Je dois vous laisser.

– Merci de m'avoir prévenu. Bonne chasse.

Il raccrocha.

– Donna !

– Quand vous voulez me voir, donnez-vous la peine de sortir de votre bureau, lança la standardiste, le regard noir, lorsqu'elle se présenta à la porte.

– Transmettez ces infos à tous les adjoints, de service ou non. Une Toyota Sienna blanche, peut-être de 2016, immatriculée dans le Tennessee. Six-Huit-Trois-Charlie-Kilo-Oscar. Hobart a été vue au volant de ce véhicule à Louisville.

– Je m'en occupe.

Reed ouvrit son dossier, qu'il gardait toujours à portée de main, et observa un instant le visage de la tueuse.

– On va peut-être t'attraper, cette fois.

Elle changea les plaques d'immatriculation de sa voiture sur le parking d'un Walmart situé sur la Route 64. Tenaillée par un pressentiment, elle était certaine d'avoir été suivie par un vieux type, à Louisville.

Préférant ne pas prendre ne risque, elle détruisit ses pièces d'identité et cartes de crédit du moment et les jeta.

Elle entra dans le magasin et se rendit au rayon cosmétiques, où elle prit de la teinture auburn pour cheveux, qu'elle régla en liquide. N'empruntant que des voies secondaires, elle erra quelque temps avant de repérer un tacot arborant un écriteau « À vendre » sur le pare-brise, devant un énorme mobile home.

Elle marchanda un peu avec le péquenaud, à qui elle assura qu'elle serait bientôt de retour avec l'argent nécessaire. La région comptait de nombreuses zones boisées où abandonner sa voiture.

Revenue à pied au mobile home, elle acheta l'épave sur roues et regagna tant bien que mal l'endroit où elle avait caché la Toyota. Après avoir porté ses bagages dans son nouveau véhicule, elle s'acharna violemment sur la Toyota, ce qui chassa quelque peu la tension qui l'habitait.

Un plouc, peut-être celui qu'elle venait de quitter, tomberait un jour ou l'autre dessus et se servirait en pièces détachées.

Elle descendit ensuite dans un motel bon marché et s'offrit une chambre, en liquide.

Elle se colora les cheveux puis les coupa, avant de modifier la couleur de ses yeux grâce à des lentilles de contact vertes. Enfin, elle changea de jeu de pièces d'identité. Bien que toussant et cahotant, le tacot la mena jusqu'à une grande ville, à quelque quatre-vingts kilomètres de là. Elle gara son véhicule et marcha huit cents mètres pour rejoindre la concession automobile qu'elle avait repérée.

Elle régla en liquide et remplit les formulaires. Moins d'une heure plus tard, elle était de retour sur la Route 64.

Après cette nouvelle métamorphose complète, elle conduisait à présent une Chevrolet Tahoe d'occasion toute propre dont le compteur indiquait un peu plus de quatre-vingt mille kilomètres.

Carrie Lynn Greenspan, cheveux auburn et yeux verts, roulait vers le nord.

Elle avait une affaire à régler en Virginie-Occidentale, cette « belle région sauvage », comme le martelaient les dépliants touristiques.

Chapitre 25

Essie et sa famille se rendirent sur l'île pour un barbecue, une semaine avant le Memorial Day [15]. Le week-end précédant ce jour férié, s'il ne comptait pas parmi les plus bondés de l'année, lançait la saison. Durant ces trois jours, Reed et son équipe au grand complet seraient de service sans interruption.

Il avait donc décidé de profiter du week-end précédent pour accueillir pour la deuxième fois des invités dans sa nouvelle demeure. Sa première réception, un peu plus tôt dans le mois, avec sa famille, s'était parfaitement déroulée ; celle-ci s'annonçait tout aussi réussie.

Après une longue séance de reniflements, Barney et Puck devinrent les meilleurs amis du monde. Barney ne cessait de gambader avec l'autre chien, ainsi qu'avec Dylan dont il acceptait les caresses et étreintes avec un regard empli de bonheur.

Il fit tout aussi bon accueil à Essie, sans doute imprégnée d'odeurs de son fils et de son chien, et peut-être même à l'enfant qu'elle portait.

Face à Hank, en revanche, Barney tremblait et se recroquevillait.

– Ça doit être à cause de ta barbe, lui dit Reed. Mon frère est barbu lui aussi, et Barney n'osait pas l'approcher. À mon avis, son ancien maître, qui le battait, devait être barbu.

– J'attire les mômes et les chiens, assura Hank. Je suis un véritable aimant, pour ça. Il m'adorera avant qu'on reprenne le ferry, tu vas voir.

Il s'approcha de la rambarde de la terrasse de l'arrière de la maison, où Reed avait installé le barbecue et considéra le bois.

– C'est super bien, ici, Reed, et ta maison est très chouette. J'aime bien ta nana, aussi. Ou plutôt tes nanas.

– Oui, je compte les garder toutes les deux.

– Je serais ravi de visiter l'atelier de Sissi Lennon. Et de voir d'autres œuvres de Simone.

– Tu as tout le week-end pour ça.

Dylan, son badge d'adjoint fixé à son tee-shirt, accourut et se jeta dans les bras de son père. Barney, qui le suivait, pila et se plaqua au sol.

– Tiens, regarde, je vais l'amadouer, dit Hank, qui s'assit sur les marches de la terrasse.

Il chatouilla son fils, qui se mit à glousser. Puck les rejoignit en trottinant et glissa son museau retroussé sous le bras de Hank.

– Papa !

– Oui, c'est moi, plaisanta Hank, avant d'embrasser et de câliner son fils et son chien.

Il prit ensuite un air fasciné pour écouter Dylan, qui babillait à toute allure, lui parler de chiens, de poissons et de la plage.

– Et si tu appelais Barney ? lui proposa-t-il.

– Hé ! Barney ! cria l'enfant. Barney !

Le chien poussa un gémissement et recula de quelques centimètres.

– Essaie avec ça, suggéra Reed, qui sortit un biscuit de sa poche et le tendit à Dylan.

– Biscuit ! Viens chercher le biscuit, Barney !

Puck, se croyant concerné, se précipita sur cette offrande.

– Essaie avec un autre, dit Reed.

– À ton tour, Barney !

Visiblement hésitant, le chien s'approcha un peu. Il voulait ce biscuit, comme il voulait se rapprocher du garçon, mais il avait peur de la barbe.

– C'est un bon biscuit, insista Dylan. Miam ! Miam ! Miam !

Il fit mine de mordre dans le biscuit et rit aux éclats de sa plaisanterie. Ce rire décida Barney. Il s'élança, attrapa le biscuit et s'éloigna. Puis il l'engloutit, sans quitter l'homme du regard.

– C'est juste le premier pas, déclara Hank, qui reposa Dylan sur le sol et le regarda partir en courant. Tu penses en avoir, toi ? Des gosses, je veux dire.

– Il faut d'abord que je la convainque de s'installer avec moi. C'est le premier pas, comme tu dis.

Hank se leva et récupéra la bière qu'il avait mise de côté :

– Je parie que tu vas y arriver.

– Ton fils est un charmeur, dit Sissi à Essie lorsqu'elles se rendirent dans la cuisine.

– À la maternité, une infirmière m'a juré qu'il lui avait souri et fait un clin d'œil, ce qui ne m'étonnerait pas.

– Il m'a dit que j'avais de jolis cheveux. Les filles vont être folles de lui. Assieds-toi, pendant que je secoue ces légumes. Pour le second, tu espères une fille ou un autre garçon ?

Essie, qui s'installait sur un tabouret du bar, haussa les sourcils, étonnée :

– Comment le sais-tu ? Ça ne se voit pas encore. Enfin, pas trop.

– L'aura, expliqua Sissi, d'une voix pleine de sagesse, tout en agitant un sachet hermétique dans lequel marinaient des légumes coupés en morceaux.

– L'« aura », répéta Essie. Bon, si ce n'est plus un secret, j'espère simplement avoir un bébé en bonne santé. Et je serai ravie s'il est seulement deux fois moins heureux que Dylan. Ce petit bonhomme se réveille tous les jours avec le sourire aux lèvres.

– Il tient ça de sa nature, mais aussi de ce que vous lui avez transmis, ton homme et toi. Tu as toujours été un point de repère sûr, pour Reed. Ses parents l'ont bien élevé. Ce sont de braves gens, aimants, mais tu as croisé son chemin à un moment crucial de sa vie, et tu l'as aidé à prendre la bonne direction.

– Notre rencontre nous a beaucoup apporté à tous les deux, je pense. Tu sais, jamais je ne l'aurais imaginé s'installer sur cette île, dans cette maison, et devenir chef de la police locale. Mais dès qu'il m'en a parlé, ça ne m'a pas paru invraisemblable.

– Parce que tu le connais bien, et parce que tu l'aimes.

– C'est vrai. Et je trouve que cet endroit est parfait pour lui. Tu dois savoir qu'il est amoureux fou de Simone ?

– Oh oui… Elle aussi est dingue de lui, mais il va lui falloir encore un moment pour l'avouer. Ma petite est forte et intelligente, mais, contrairement à Reed, elle ne se confie pas facilement sur certains sujets. Ils sont chacun exactement ce dont l'autre a besoin.

– Ils sont parfaits l'un pour l'autre, confirma Essie, un sourire aux lèvres.

– C'est ça. Je l'ai compris avant même que nous ayons avalé notre première pile de crêpes aux canneberges, Reed et moi.

Comme chez elle dans cette maison, Sissi ouvrit le réfrigérateur et en sortit un pichet. Elle avait enseigné à Reed comment préparer du thé sous les rayons du soleil et l'avait convaincu des bienfaits de cette boisson. Elle remplit le verre d'Essie.

— Je pense que ces légumes sont prêts à être grillés.

— Reed qui fait griller des légumes, dit Essie. Encore une chose que je n'aurais jamais imaginée.

— C'est un bon garçon. Il a commandé le panier à légumes pour barbecue dont je lui avais parlé. Maintenant, voyons s'il sait s'en servir.

Reed ne déçut personne sur ce point et prit grand plaisir à voir ses invités se régaler d'un plat qu'il avait préparé. Avec un peu d'aide, certes. Néanmoins, il avait donné sa deuxième réception avec nourriture pour adultes.

— Tu es officiellement un homme, le félicita Hank.

— Quel soulagement !

— Un homme n'est pas un homme tant qu'il ne sait pas faire griller des steaks comme il faut, mon ami.

— Je crois que Shakespeare a dit : « La valeur d'un homme se révèle souvent dans les flammes », ou quelque chose comme ça.

Hank s'esclaffa et porta un toast en direction de Sissi :

— Le Barde ne se trompe jamais. Au fait, j'aurais aimé visiter votre atelier, tant que nous sommes ici. J'ai toujours le poster du Dieu de la Guitare qui était punaisé au mur de ma chambre à la fac.

— Et qui est aujourd'hui encadré dans son bureau, à la maison, ajouta Essie.

— Passez demain, proposa Sissi.

— Vraiment ? Ce sera un grand moment, pour moi. Sans exagérer. Simone, serait-il possible de jeter un coup d'œil à ton atelier, tant que je serai là-bas ?

— Bien sûr, mais pas toi, Reed. Je travaille sur une sculpture de Reed, en ce moment. Il a interdiction de pénétrer dans mon antre tant qu'elle n'est pas terminée.

Essie, son thé aux lèvres, faillit s'étouffer :

— Tu as réussi à convaincre Reed de poser pour toi ?

— Elle m'a vampé, se défendit l'intéressé.

— Ça veut dire quoi, « vampé » ? demanda Dylan.

— C'est comme si Power Ranger Rose avait des pouvoirs de contrôle de la pensée.

— Ce serait génial !

– Oui, c'est génial, je confirme, dit Simone. La puissance de l'esprit est une arme redoutable face aux représentants des forces du mal, comme la cruelle Rita Repulsa.

– Tu connais les Power Rangers ? dit Reed, stupéfait, se laissant aller contre le dossier de sa chaise.

– Ça t'étonne ? J'ai été Power Ranger Rose, à Halloween, quand j'avais cinq ou six ans.

– Elle m'a vampé pour que je lui achète le déguisement, confirma Sissi. J'ai des photos.

– Il faut absolument que je voie ça !

– Je suis adorable, franchement, dit Simone, qui prit le dernier poivron grillé de son assiette.

– J'en suis certain.

– On va à la plage, maintenant ? réclama Dylan, tirant sur le bras de son père. J'ai fini tous mes lénumes.

– « Gumes », avec un G.

– J'ai fini mes gumes. On peut aller à la plage ?

– Je suis pour, déclara Reed.

À cet instant, son mobile sonna. Il se leva, le sortit de sa poche et consulta l'écran. Simone le vit poser un regard incisif sur Essie.

– Désolé, je dois répondre. Ne vous occupez pas de la vaisselle et emmenez le petit à la plage, je vous rejoins. Il rentra dans la maison. Chef Quartermaine, j'écoute.

Simone se leva à son tour, souriante :

– Allez-y, Sissi vous indiquera le chemin le plus court. Moi, j'attends Reed.

– Ouais ! brailla Dylan. Et on prend les toutous avec nous !

Essie désigna discrètement son fils à Simone :

– Pour Dylan, le paradis, ça se résume à des chiens et une plage. Allez, c'est parti.

Après le départ de la petite troupe menée par Dylan et les chiens, Simone rapporta les plats à l'intérieur, décidée à s'occuper l'esprit. Elle débarrasserait la table de pique-nique et remplirait le lave-vaisselle puis patienterait.

Car les nouvelles ne seraient certainement pas bonnes.

Cinq minutes s'écoulèrent, puis dix. Elle n'entendit Reed revenir vers la cuisine qu'un quart d'heure plus tard.

Elle sortit une bière fraîche et la lui tendit, quand il l'eut rejointe.

– Je les ai envoyés sur la plage. Essie a deviné que quelque chose clochait, et je sais que tu vas vouloir lui en parler, mais mets-moi d'abord au courant. Vu la façon dont tu l'as regardée, ça ne concerne pas l'île.

— Non, en effet, reconnut Reed, avant d'avaler une longue gorgée de bière. Je ne voulais pas que Dylan entende la conversation.

— Oui, je m'en doute. Il joue sur la plage. C'était l'agent Jacoby ?

— Oui, répondit Reed, songeur. On a retrouvé la voiture que Hobart conduisait quand elle a été vue à Louisville. Avec d'autres plaques et un peu cabossée. Le crétin qui l'a trouvée a décidé de se l'approprier et a plus ou moins rectifié la carrosserie. Il a ensuite été arrêté pour excès de vitesse par la police d'État, qui s'est alors rendu compte qu'il était shooté. Et ils ont fait le rapprochement avec l'avis de recherche. Il y avait de la drogue dans la voiture. Le type a tenté de raconter des conneries, du genre « C'est pas ma bagnole, je l'ai empruntée ».

— Et « Je ne sais pas d'où vient cette drogue ».

— C'est ça, sauf qu'il en avait plein les poches. Enfin bref, ils ont rapidement repéré les empreintes digitales de Hobart et trouvé dans la boîte à gants les documents de location du véhicule, qui portaient le nom qu'elle avait donné au centre commercial. Ils ont finalement établi que ce gars avait trouvé la voiture abandonnée et cabossée. De là, ils ont remonté la piste et sont tombés sur un type qui avait vendu à Hobart une Ford délabrée contre un peu de liquide et sans se soucier de documents officiels.

— On a la description de cette voiture, alors ? s'enquit Simone.

— Elle ne l'a sûrement pas gardée, mais ils essaient de la retrouver.

— Ce n'est pas tout, je le sens.

— Tu as raison, ce n'est pas tout, avoua Reed, qui caressa le bras de Simone en se dirigeant vers la baie vitrée. Je t'ai dit que la police avait effectué des recherches à l'endroit où avait été postée la carte que j'ai reçue…

— Ce qui a permis de déterminer où elle avait logé, à Coral Gables, et de suivre sa trace jusqu'à Atlanta, d'où elle a pris l'avion pour Portland.

— Un peu tard pour sauver McMullen, mais oui, c'est ça. Ils ont retrouvé le nom qu'elle a donné pour louer la cabane.

— Quand elle a été vue à Louisville, et qu'on a eu confirmation du nom qu'elle avait pris pour effectuer ses achats au centre commercial, de la voiture et de son immatriculation, tu as dit que c'était du très bon boulot. Qu'elle commençait à commettre des erreurs.

Reed se retourna :

– Ouais… mais ça ne l'a pas empêchée de tuer Tracey Lieberman.
Simone s'appuya sur le plan de travail puis s'assit.

– Où ça ? Et comment ?

– Près d'Elkins, en Virginie-Occidentale. Lieberman était guide
dans la région, où il y a un parc forestier national. Elle était dans la
salle de cinéma, le soir de la fusillade, avec sa mère, sa tante et sa
cousine. Elle avait quatorze ans. Elle s'est mariée l'année dernière…
À l'époque, elle s'appelait Tracey Mulder.

– Mon Dieu… Je la connaissais un peu. Elle était une classe
en dessous de nous, mais elle était en cours de gym avec Mi. Je
connaissais cette fille.

Reed vint s'asseoir près de Simone.

– Sa mère a été tuée ce soir-là, en la protégeant de son corps. Ça
n'a pas empêché Tracey de prendre deux balles dans les jambes. Sa
tante et sa cousine n'ont été que légèrement blessées, mais Tracey a
été durement touchée. Les médecins ont longtemps été incapables
d'assurer qu'elle pourrait un jour remarcher sans assistance ou
sans boiter sérieusement. En tout cas, la gym, c'était terminé. Les
journaux ont beaucoup parlé d'elle.

– Et c'est ce que vise Hobart.

– Exact. On a continué à parler de Tracey, même après que cette
affaire s'est tassée car elle ne renonçait pas. Elle a subi de nombreuses
opérations, toujours courageuse, et des années de rééducation, ce qui
lui a valu l'attention de deux stars de l'équipe de gymnastique des
États-Unis. Ces filles lui ont donné une de leurs médailles d'or pour
son courage, ce qui a davantage fait parler d'elle. Et non seulement
elle a réussi à remarcher seule, mais en plus elle a participé, à vingt
ans, à sa première course de cinq kilomètres, et terminé cinquième.
Encore des reportages. Deux ans plus tard, elle s'est classée troisième
sur un vingt-cinq kilomètres, course qu'elle a dédiée à sa mère.

– Encore des articles.

– Elle a donné quelques conférences de motivation puis a été
embauchée par les Parcs nationaux. Elle s'est installée à Elkins, où
elle s'est mariée. Comme d'autres journalistes, McMullen a joué
cette carte à fond, avec des photos d'elle après un marathon, l'air
en pleine forme, et d'autres dans sa robe de mariée, avec la médaille
d'or dans le bouquet.

– Elle représentait tout ce que déteste Hobart. La tragédie et ses
souffrances lui ont apporté force, courage et endurance.

– Et une médaille d'or, métal symbole de richesse et de célébrité.

— Elle fréquentait les réseaux sociaux ? s'enquit Simone.

— Elle s'exprimait régulièrement sur deux sites de course à pied. Elle en avait créé deux, un, public, qui parlait des forêts des parcs nationaux et des randonnées, avec des photos et des anecdotes, et l'autre, privé, qu'elle réservait aux sujets plus personnels.

— Mais un site Internet n'est jamais vraiment privé.

Reed tourna la bouteille dans sa main et secoua la tête :

— Il suffit de quelques bases en piratage, ou de trouver une ruse pour convaincre l'administrateur du site de te laisser y accéder. Quoi qu'il en soit, Hobart en savait suffisamment sur elle pour la traquer lors de ses footings matinaux. Elle courait tous les jours, pas forcément sur le même parcours, mais tous les jours. Or nous savons que Hobart est une férue de footing.

— Elle a pu la croiser deux ou trois fois, en prenant soin de se faire remarquer, si bien que Tracey s'est habituée à la voir. Elles ont peut-être même échangé quelques mots.

— Oui, sans problème. Elle a été tuée ce matin, entre 6 h 30 et 8 h 30. Une balle dans chaque jambe, une autre dans la tête.

— Dans les jambes… releva Simone, anéantie. Hobart a voulu la détruire avant de la tuer.

— Oui, elle lui a repris ses jambes. Elle l'a ramenée au temps de la souffrance et de la terreur. Les Fédéraux vont déterminer où elle s'est installée, combien de temps, et quelle voiture elle conduisait.

— Mais elle sera partie et aura changé de véhicule.

— C'est sa façon de procéder, c'est vrai, mais chaque détail a son importance. Ils s'additionnent, et au bout du compte nous donnent des informations. Enfin, en principe.

— Tracey figurait-elle sur ta… Comment dire ? Sur ta « liste de surveillance » ?

— Oui, mais… Elle n'a pas profité financièrement de la fusillade, ni été perçue comme une héroïne le jour même. Elle n'a pas influé sur les événements. Je l'avais repérée, mais nous n'étions pas focalisés sur elle.

Il se leva et fit quelques pas, poursuivant sa réflexion :

— Bon sang, elle a filé de Floride, après avoir assassiné Devlon, puis elle a pris l'avion à Atlanta pour revenir à Portland, où elle a enlevé McMullen, qu'elle a séquestrée pendant des heures dans une cabane des montagnes Blanches, à seulement quelques kilomètres à l'ouest d'ici.

Voyant le calme admirable de Reed se fissurer, Simone décida qu'elle serait calme pour lui :

– Elle n'avait jamais agi ainsi, jusque-là.

– Elle ne voulait pas seulement tuer McMullen. Elle était en manque d'attention. Le trépied, les projecteurs et les traces de maquillage, tout ça avec une journaliste, me font penser qu'elle a enregistré une vidéo. Ça me semble évident.

– Mon Dieu, elle s'est filmée en train de tuer McMullen ?

– Peut-être en bonus, oui, mais elle tenait avant tout à être interviewée. Elle a loué la cabane et accumulé des provisions pour une semaine, pourtant elle a tué McMullen moins de vingt-quatre heures après l'avoir enlevée. Elle n'a pas pu tenir plus longtemps.

– Et qu'en déduis-tu ? demanda Simone, qui rangeait toujours de la vaisselle, pour s'occuper les mains.

– Elle craque. Elle craque, j'en suis certain. Elle avait besoin de parler, d'expliquer à quelqu'un, et de l'enregistrer… combien elle est intelligente, de raconter ce qu'elle a fait et pourquoi.

Simone se retourna vers Reed :

– Elle est isolée comme elle l'a été toute sa vie, essentiellement par choix, en jouant la comédie.

– C'est exactement ça.

– Je n'ai pas connu ça, j'avais Sissi et Mi, mais je me suis éloignée de ma famille, en partie parce que celle-ci s'éloignait de moi. J'ai moi aussi joué la comédie pendant des années, pour essayer de satisfaire mes parents ; mais je n'ai réussi qu'à me rendre malade et malheureuse avant de décider d'arrêter mon cinéma.

– Tu as joué la comédie, toi ? s'étonna Reed, qui, chassant la frustration que lui apportait l'affaire Hobart, se concentra sur Simone. Tu ne m'en avais jamais parlé.

– C'était il y a longtemps, à l'époque de la fac. Première de la classe, tailleur chic, fréquentation d'un mec approuvé par les parents… C'est affreux de chercher à être ce qu'on n'est pas. Or Hobart le fait en permanence, depuis toujours.

– Sauf avec son frère. En sa présence, elle pouvait se permettre de redevenir elle-même.

– Ses parents l'ont d'abord éloigné d'elle, puis nous l'avons tué. Nous sommes tous responsables de sa mort, à ses yeux. Aujourd'hui, elle est seule et joue la comédie. Tu es la seule personne encore en vie à avoir vu l'authentique Patricia Hobart.

– Tu as tout deviné. Elle avait besoin de faire une déclaration, d'être elle-même pendant quelques heures. Je parie qu'elle visionne régulièrement cet enregistrement.

Frustré et écœuré, Reed s'affala sur un tabouret du bar.

— Le problème, c'est qu'elle efface ses traces, et de façon très efficace, enchaîna-t-il. Elle abandonne le corps de McMullen dans la cabane, sachant qu'il ne sera pas découvert avant plusieurs jours, ce sur quoi elle ne se trompe pas. Et ça lui laisse le temps de filer vers l'ouest, dans le New Hampshire, au volant de la voiture de la journaliste, non sans avoir changé les plaques d'immatriculation. Elle laisse le véhicule à l'aéroport de Concord, son stratagème préféré, et s'évapore de nouveau. Elle est plus tard aperçue à Louisville, ce qui oriente nos recherches encore plus à l'ouest. Or elle commet un meurtre en Virginie-Occidentale. Pourquoi est-elle revenue jusqu'ici pour enlever McMullen et la conduire vers l'ouest, si elle comptait ensuite repartir vers le sud ?

— Le Kentucky est encore à l'ouest du Maine, souligna Simone.

— Oui, nous avons tenu compte de ce détail. Nous cherchions à comprendre pour quelle raison elle a traversé le New Hampshire, avant d'obliquer vers le sud-ouest, où elle a été aperçue. C'est pour ça que j'ai pensé au type qui s'est installé il y a deux ans en Arkansas, et à un autre qui vit aujourd'hui au Texas. Je n'ai pas vraiment pensé à la Virginie-Occidentale ni à Tracey.

— Si tu t'estimes responsable de ce meurtre, ne serait-ce que partiellement, je t'en voudrais sérieusement, tu sais.

— Non, je ne me reproche rien, mais… Comment dire ? Elle a une fois de plus fait demi-tour, et nous n'avons rien vu venir.

— Tu y réfléchiras ce soir avec Essie, je dors chez Sissi. Elle leva la main, coupant court à toute objection. D'après ce que j'ai vu de lui, Hank s'occupera de Dylan. Nous allons tous nous faire discrets pour vous permettre de faire le point, Essie et toi.

Reed se laissa glisser du tabouret, fit descendre Simone du sien et l'attira à lui, front contre front.

— Tu as raison, dit-il avant de l'embrasser. Allons à la plage retrouver nos amis, les chiens et un gamin surexcité.

Simone l'accompagna. Elle ignorait où se situait Elkins, mais elle était convaincue de tomber dessus en traçant sur une carte une ligne vers le nord-est, partant de Louisville et visant Tranquility Island.

Reed accompagna Essie et sa famille au départ du ferry, le lundi

396

en début de matinée, après un week-end très réussi, malgré la nouvelle consternante de ce nouveau meurtre.

Ses invités s'éloignaient sur l'eau en lui adressant de grands gestes d'au revoir, tandis que la pluie, qui menaçait depuis un moment, tombait depuis l'aube. Bien que satisfait de ce week-end sec, Reed appréciait l'arrivée de ces gouttes, à présent que lupins, tulipes et autres fleurs non identifiées poussaient un peu partout autour de sa maison.

Il était resté un bon moment avec Essie dans son bureau, retrouvant leur rythme d'équipiers. Ils estimaient l'un et l'autre que Hobart s'intéresserait maintenant à la région de Washington… si elle ne bifurquait pas résolument, bien sûr.

En effet, leur liste comprenait, dans un rayon de quatre-vingts kilomètres autour de Washington, un assistant du Congrès, une avocate de victimes de la fusillade, un journaliste politique, et un couple gérant une maison d'accueil pour femmes.

Reed comptait transmettre leurs théories et conclusions, et la liste mise à jour à Jacoby dès son arrivée au poste de police.

À ses pieds, Barney gémissait en regardant le ferry qui s'éloignait.

– Ils reviendront, lui promit Reed. Tu t'es très bien comporté, mon pote. Tu as même accepté un biscuit de la part du barbu qui te fait peur, même si tu t'es enfui aussitôt après. Bon, allez, au boulot.

Installé de bonne heure dans son bureau, il envoya à Jacoby le rapport constitué avec Essie, avant de s'intéresser aux mémos et rapports d'incidents laissés à son intention.

Un type du continent un peu trop gai avait fait du tapage samedi soir. Il avait été interpellé et calmé, et s'en était sorti avec une amende. Quelqu'un avait par ailleurs décoré le jardin et la maison des Dobson avec du papier toilette, toujours samedi soir. Que d'action !

Richard Dobson était prof de maths au lycée, et pas vraiment réputé pour être chaleureux ou coulant dans sa notation. Matty et Cecil, chargés de l'enquête, cherchaient du côté des lycéens, peut-être un élève risquant de ne pas passer dans la classe supérieure. La période d'examens étant presque terminée, Reed approuvait les conclusions de ses adjoints.

Quelqu'un s'était plaint de bruit et de musique trop forte, toujours samedi, le soir de folie de l'île. Les agents de garde, encore Matty et Cecil, avaient mis un terme à une fête organisée par des adolescents profitant de l'absence de leurs parents pour le week-end.

Des mineurs avaient bu de l'alcool.

Reed remarqua que la fête avait été interrompue vers 22 h 30. De son côté, Dobson n'avait pas remarqué le moindre rouleau de papier toilette dans ses arbres lorsqu'il avait sorti son chien, aux alentours de 23 heures. Il les avait découverts par la fenêtre de la salle de bains, peu avant 2 heures du matin, quand il avait lui-même répondu à l'appel de la nature.

Reed baissa les yeux sur Barney :

– J'en déduis que certains fêtards ne sont pas très doués en algèbre ou en trigonométrie, mon jeune apprenti… ce à quoi je compatis. Ils ont dû se retrouver après la soirée interrompue et, après s'être munis de rouleaux de PQ, exercer leur vengeance.

En temps normal, Reed aurait laissé tombé cette affaire : ce n'était que du papier toilette ; mais il constata que Dobson avait appelé deux fois dimanche, exigeant que l'on châtie les vandales. Un mémo l'informait en outre que le professeur de maths s'était plaint au maire et insistait pour que le chef de la police se charge personnellement de l'enquête.

– Bon, allons-y.

Matty et Cecil n'étaient pas de service en ce lundi matin, mais la clarté de leur rapport rendait inutile toute réunion avec eux.

Il se leva en entendant Donna entrer :

– Bonjour, Donna.

– Bonjour, chef. Vous avez passé un bon week-end ?

– Oui, et vous ?

– La pluie a attendu ce matin pour tomber, donc oui.

– Je suis bien d'accord. Donna, parlez-moi un peu de Dobson, le prof de maths. C'est vraiment un type sévère ?

– Sévère et sans cœur. Mon petit-fils est dans sa classe. Il travaille comme un fou mais a vraiment du mal en géométrie. Dobson refuse de lui accorder une deuxième chance, un nouvel examen… Il est inflexible. C'est à propos de son jardin ?

– Oui.

– Pour vous résumer ma pensée, j'aurais été ravie d'offrir le papier toilette à ces garnements.

– Je vais faire comme si je n'avais rien entendu. Il faut que je lui parle.

– Bon courage, railla Donna. Il ne sera pas satisfait tant que les coupables ne seront pas enfermés dans une cage.

– Nous avons des cages ?

– Lui en a certainement dans son garage. Ça ne m'étonnerait pas, en tout cas.

– Votre petit-fils était-il à la fiesta chez les Walker, samedi soir ?

– Peut-être… éluda la standardiste.

– Donna… dit Reed, qui lui fit signe de s'asseoir avant d'en faire autant. Personne ne sera mis en cage, abattu d'une balle, écartelé ou enduit de goudron et de plumes. Personne ne sera arrêté. Je ne vais certainement pas m'acharner sur des gamins pour une telle bêtise, mais je voudrais savoir qui a fait le coup, pour leur parler. Ça m'aiderait à calmer Dobson.

– Je ne livrerai pas ma chair et mon sang.

– Voulez-vous que je jure solennellement de ne pas inquiéter votre petit-fils ni ses camarades ?

Donna ouvrit un tiroir et en sortit une Bible.

Reed en resta stupéfait :

– Vous êtes sérieuse ?

– Posez la main droite dessus et dites : « Je le jure. »

– Nom de Dieu…

– Ne blasphémez pas quand je vous présente la Bible !

– Pardon, s'excusa Reed, qui posa la main droite sur l'ouvrage. Je jure de ne pas inquiéter votre petit-fils ni ses camarades pour cette décoration au papier toilette.

Donna hocha la tête et rangea sa Bible.

– C'est un bon garçon. Il n'a que des bonnes notes, dans les autres matières. Il est déjà privé de sortie à cause de cette fête, et c'est mérité.

– En effet. Ils ont bu.

Donna tendit un index vers Reed:

– Vous allez peut-être oser m'affirmer en me regardant droit dans les yeux que vous n'avez pas pris une ou deux bières à dix-huit ans, à la fin du lycée ?

Elle ouvrit son tiroir.

– Inutile de ressortir votre Bible, je l'avoue. Je parie que votre petit-fils écoute ce que vous lui dites.

– Tout le monde m'écoute, en tout cas ceux qui savent où est leur intérêt.

– Dans ce cas, aidez-moi et prenez-le à part pour lui dire d'éviter de boire et de refaire ce genre de… bêtise. Dites-lui aussi de se tenir à l'écart de Dobson en dehors des cours, et de ne plus s'approcher de sa maison.

– D'accord.

– Parfait. Qui est son meilleur ami ?

– Reed, vous exagérez !

– J'ai juré sur la Bible, n'ayez aucune crainte.

– Il s'entend très bien avec Mathias, le frère de Cecil, et avec Jamie Walker.

– Jamie Walker, celui-là même qui a reçu ses copains pour cette soirée bruyante ?

– C'est ça.

– OK. Allons-y, Barney.

– Ne me décevez pas, chef.

– Ne vous en faites pas.

Marchant en direction du lycée avec Barney pour escorte, Reed se fit la réflexion qu'il était bien agréable de se remettre au travail.

Il rattrapa le professeur de mathématiques, air revêche et mallette à la main, au moment où celui-ci approchait de la porte d'entrée de la partie lycée du bâtiment, qui abritait également le collège et l'école primaire.

Si l'on ajoutait la crèche à ces trois sections, deux cent vingt-sept élèves fréquentaient le Complexe scolaire de Tranquility Island.

– Enfin ! cracha Dobson. Mes impôts paient votre salaire, je vous signale.

– En effet. Rentrons, si vous le voulez bien. Nous serons à l'abri de la pluie.

– Ce chien n'est pas autorisé à entrer dans le bâtiment.

– C'est mon adjoint, expliqua Reed, qui régla la question en ouvrant la porte pour faire entrer Barney.

– J'attends de vous un meilleur…

– Nous pouvons nous entretenir dans votre classe ou dans la salle des professeurs, comme vous préférez.

Vous pouvez aussi me traîner au bureau du proviseur, plaisanta Reed en pensée.

Dobson ouvrit la marche. Pas très grand, environ un mètre soixante-dix, estima Reed. Trapu, et avec un énorme manche à balai dans le cul.

Malgré sa taille modeste, cet établissement sentait le lycée à plein nez, pour Reed, avec ses relents de produit nettoyant industriel, nuancés d'un mélange d'odeurs d'hormones fébriles et d'ennui propres à l'adolescence. Le claquement de ses baskets trempées sur le sol lui rappela également des souvenirs d'enfance.

400

Idem pour les bureaux de l'administration, situés sur la gauche, face à un mur couvert de casiers d'un gris terne.

– Bel établissement, commenta-t-il, pour faire la conversation. J'ai visité les trois sections, cet hiver.

– Ce qualificatif ne convient pas. Cet endroit est dédié à l'éducation et à la discipline.

Reed, qui avait l'impression d'être revenu à l'époque du lycée, leva les yeux au ciel dans le dos de Dobson pendant qu'il déverrouillait la porte d'une salle de classe.

– Je n'ai pas beaucoup de temps à vous accorder, l'avertit le professeur.

– Je serai aussi rapide que possible. Si j'en crois le rapport de l'incident, vous n'avez vu personne dans votre jardin ni autour de votre maison, quand vous avez découvert le papier toilette dans vos arbres.

– L'acte de vandalisme avait déjà été commis quand je m'en suis rendu compte. Si vous n'êtes pas capable d'identifier et d'appréhender un gang de vandales, vous n'avez rien à faire à votre poste.

– Navré que vous voyiez les choses ainsi. Qu'avez-vous fait des preuves ?

– Les preuves ?

– Le papier toilette.

– Je l'ai retiré, évidemment, ce qui m'a fait perdre un temps fou et demandé beaucoup d'efforts, et je l'ai jeté.

– C'est bien dommage. J'y aurais peut-être relevé des empreintes digitales, même si rien n'est certain à ce sujet, car les coupables l'ont peut-être manipulé en portant des gants. À l'heure où nous parlons, personne, pas même vous, n'a vu ou entendu quoi que ce soit, et vous vous êtes vous-même débarrassé des preuves. Peut-être pourriez-vous me donner une liste de noms de personnes qui vous veulent du mal ?

Dobson en resta bouchée bée, sous le choc, puis se reprit :

– Personne ne me veut de mal ! Il y a ici plusieurs professeurs, un certain nombre de lycéens et d'évidence quelques parents d'élèves qui ont des problèmes avec moi, mais…

– Des problèmes ?

– Beaucoup n'approuvent pas mes méthodes d'enseignement ni ma philosophie.

– « Plusieurs, un certain nombre, quelques, beaucoup »…

Ça en fait, du monde, pour un établissement de cette taille. L'une de ces personnes vous a-t-elle menacé, ou a-t-elle menacé de s'en prendre à vos biens ?

– Pas en termes si clairs.

– Monsieur Dobson, je vais ouvrir l'œil et les oreilles, et mes adjoints aussi… Mais sans témoin et sans preuves, et si vous n'êtes pas en mesure de me donner les noms d'individus qui auraient eu le temps, l'occasion et un mobile pour commettre cet acte, j'ai bien peur que nous ne puissions pas aller beaucoup plus loin dans l'enquête.

– J'attends mieux de vous ! Je réclame justice !

– Monsieur Dobson, si j'identifie le ou les responsables, la justice ne vous offrira pas davantage que quelques heures de service d'intérêt général pour ceux-ci, peut-être une légère amende. Exiger qu'on aille jusque-là ne vous vaudrait d'ailleurs rien d'autre que d'avoir encore plus de personnes ayant « des problèmes » avec vous.

– Je vais aller revoir Madame le maire.

– Libre à vous. Bonne journée.

Reed fit sortir Barney. Quelques étudiants entraient à la file, apportant couleur et bavardages dans ces lieux ainsi qu'une odeur de cheveux trempés. Il sortit à son tour et patienta.

Mathias l'aperçut au moment où Reed le vit arriver en compagnie de deux autres garçons.

Reed s'approcha d'un pas nonchalant de Mathias, qui avait instantanément affiché un air coupable.

– Bonjour, Mathias, ça va ?

– Oui, monsieur. C'est l'heure d'aller en cours.

– Tu as encore le temps, dit Reed, avant de s'adresser aux deux autres. L'un de vous doit être Jamie Walker ?

Un des deux ados haussa les épaules : coiffé d'un chapeau branché, il avait le crâne rasé sur les côtés et des mèches tombant devant et derrière.

– Je voudrais vous parler de la fiesta de l'autre soir ! lança Reed, suffisamment fort pour que les élèves passant près d'eux l'entendent. Allons par ici. Toi aussi.

Le troisième larron portait un sweat-shirt orange dont la capuche couvrait ses cheveux roux. Pour avoir l'air encore plus cool, il avait enfilé des lunettes de soleil, malgré la pluie.

– On a déjà été punis pour ça, chef, dit Mathias. Je suis privé de sortie pendant deux semaines.

– Il faut assumer. Qui d'autre a été puni ?

Les deux autres ados levèrent la main.

– Je suis puni pour avoir organisé une fête, alors que j'ai dix-huit ans, se plaignit Jamie, dégoûté.

– Tu as fait ça dans la maison de tes parents, sans leur autorisation. Avec de la bière et de l'herbe.

– Personne n'a trouvé d'herbe !

– Parce que vous avez étés assez malins pour vous en débarrasser aussitôt. Mes agents ont senti des odeurs d'herbe. Mais oublions ça et estimez-vous heureux, ils auraient pu vous embarquer.

– Ce n'était qu'une fête, grommela Jamie.

– J'aurais plutôt tendance à être d'accord, mais l'ennui, c'est que vous avez fait tant de bruit que vous avez été pris en flagrant délit, ce qui n'est pas très futé. Soyez plus malins, la prochaine fois. Bon, où avez-vous trouvé tout ce PQ ?

– Quel PQ ?

Reed se tourna vers Mathias, le frère de Cecil, qui avait lui aussi son capuchon sur la tête.

– Tu connais Donna, la standardiste du poste de police ?

– Oui, monsieur. C'est la grand-mère d'un copain, et elle est amie avec ma mère.

– Bon, je vous explique : elle m'a fait jurer, une main sur la foutue Bible… Merde, elle m'écorcherait vif, si elle m'entendait dire « la foutue Bible »… de ne pas causer d'ennuis à son petit-fils, que je soupçonne aussi d'avoir été dans le coup, ni à vous autres.

– Elle n'hésiterait pas, c'est sûr, dit Mathias.

Reed le vit sourire, bien qu'il eût baissé la tête.

– Je ne vais pas prendre le risque de subir la fureur de Donna en vous giflant pour avoir mis du PQ dans des arbres. Si je vous pose cette question, c'est parce que si vous avez été assez bêtes pour l'acheter, ça va se savoir, et je serai obligé de faire quelque chose.

Les épaules voûtées, Mathias racla le sol de ses baskets éraflées.

– On a chacun pris quelques rouleaux chez nous.

– Vous n'êtes pas tout à fait idiots, alors. Bon, ne refaites pas cette connerie et passez le mot à ceux que je n'ai pas chopés. Enfin, pas encore. Et tenez-vous à l'écart de Dobson en dehors des cours. Restez discrets. Ne traînez pas près de chez lui, et n'allez surtout pas vous vanter de ça. Si vous faites ce que je vous dis, vous vous en tirerez, et le petit-fils de Donna aussi – à qui je n'ai pas encore parlé – avec seulement quelques travaux d'intérêt général à effectuer, genre deux semaines de jardinage ou je ne sais quelle tâche ménagère dans la maison, vos mères en décideront. Et pas de conneries, je vérifierai que c'est fait.

— Vous n'allez pas dire à M. Dobson que c'est nous ? demanda Mathias.

— Non. Vous serez tous très bientôt en fac ou dans le monde du travail, et vous allez croiser d'autres Dobson, croyez-moi. Vous devrez faire avec, et de façon plus intelligente. Allez, filez en cours.

— Merci, chef ! lancèrent les trois ados, presque en chœur.

Reed s'éloigna, satisfait. Oui, c'était bien agréable de se remettre au travail.

Chapitre 26

Le courrier prenait son temps pour atteindre l'île. Reed reçut sa carte suivante cinq jours après son week-end de repos, juste avant celui précédant le Memorial Day, au cours duquel devait se dérouler la fête du Homard, avec son défilé dans le village. En cette occasion, les commerçants proposaient de nombreuses remises attractives pour les premiers touristes de la saison estivale.

Comme d'habitude, Donna ramassa le courrier en se rendant au poste, où elle se présenta peu après Reed. Celui-ci s'était tout juste préparé sa première tasse, grâce à la machine à café qu'il s'était offerte. Barney était allongé, un os à mâchonner dans la gueule et entre les pattes son chien en peluche qu'il adorait, même si Reed en avait honte pour lui.

Alors que Reed s'était attendu à le voir réduire ce jouet en lambeaux, Barney se contentait généralement de le garder entre ses mâchoires ou ses pattes sans vraiment l'abîmer.

Reed alluma son ordinateur. Il jetait de nouveau un œil sur le calendrier du mois de juin quand Donna fit son apparition sur le seuil du bureau, dont la porte était ouverte.

– Chef.

– J'ai une question, à propos de ce festival des Arts et de l'Artisanat, le deuxième week-end de juin. Je me rappelle que ma mère s'est passionnée pour cet événement, une année. Avons-nous une estimation de…

Il s'interrompit lorsque, ayant levé la tête, il vit l'expression de Donna.

– Un problème, dit-il.

405

Ce n'était pas une question.

– Vous avez une carte dans le courrier. Même écriture, j'en suis certaine. Elle a été postée en Virginie-Occidentale. Je ne l'ai prise que par le coin pour la glisser dans ma serviette.

– Voyons ça.

Il attendait cette carte avec impatience, car c'était une nouvelle piste, une nouvelle crise : Hobart se contrôlait de moins en moins. Donna la posa soigneusement sur le bureau et s'assit.

– J'ai quelque chose à vous dire, avant que vous la regardiez, dit-elle.

– Il faut que je m'occupe de ça en priorité, Donna.

– Je sais bien, mais j'ai quelque chose à vous dire d'abord, insista la standardiste, les mains serrées sur son énorme sac d'été en paille calé sur ses genoux. Je tiens à vous le dire avant que vous n'ouvriez cette carte, car nous savons que c'est une nouvelle menace qui vous est adressée.

– Je vous écoute, dit Reed, qui sortait déjà une paire de gants et son canif.

– Vous avez tenu parole. Et je pense que vous l'auriez fait même sans avoir juré sur les Saintes Écritures, mais bon, c'était une sorte d'assurance. Vous avez bien agi, en n'exemptant pas ces garçons, dont mon petit-fils, de punition, sans pour autant ruiner leur vie à cause d'une farce. Dobson vous a enfoncé, il a insisté auprès du maire, mais vous avez bien agi.

– Ce n'était que du papier toilette, Donna, probablement biodégradable.

– Là n'est pas la question. J'étais vraiment dubitative, quand on vous a nommé chef, mais je me suis trompée. Vous êtes jeune et originaire du continent, et vous êtes un peu insolent la moitié du temps…

Reed ne put réprimer un sourire, malgré la sourde brûlure en lui, en raison de la carte qui l'attendait sur son bureau.

– Je suis insolent ?

– Ce n'est pas un compliment. Cela dit, vous faites du bon boulot, vous traitez les adjoints avec respect et vous tenez vos promesses. Vous êtes même bon avec cet idiot de chien.

– Il n'est plus si idiot que ça, vous savez.

– Je n'étais pas ravie, loin de là, quand vous l'avez fait venir ici pour la première fois… mais pour vous dire la vérité, j'ai un petit faible pour lui, maintenant.

Reed savait que ce faible se traduisait par de minuscules friandises en forme d'os, que Donna sortait de temps à autre d'un sachet qu'elle laissait au poste, pour les offrir à Barney.

– Barney vous apprécie de plus en plus.

– J'aimerais beaucoup que vous alliez chez le coiffeur, pour que vous ayez une coupe correcte, et que vous portiez de véritables chaussures, plutôt que ces vieilles baskets défoncées.

Reed fronça les sourcils en regardant ses chaussures montantes, pas si défoncées à ses yeux.

– C'est noté.

– En dehors de ça, vous vous en tirez raisonnablement, renifla la standardiste. Plus ou moins.

– Je suis très touché, merci.

– Et vous êtes le chef, alors voilà…

Elle sortit de son sac une casquette noire avec « CHEF » inscrit en blanc.

– C'est pour vous.

– Vous m'avez acheté une casquette !

– Je regarde souvent des films policiers à la télévision, et le chef de la police a toujours une casquette dans ce genre.

Sincèrement ému, Reed prit le cadeau et s'en coiffa.

– De quoi j'ai l'air ?

– Vous avez l'air de devoir aller chez le coiffeur, mais sinon ça va.

Reed ôta la casquette et regarda l'inscription puis la remit sur sa tête.

– Merci beaucoup, Donna. Je suis fier de la porter.

– Au moins, les gens, en la voyant, ne vous prendront pas pour un SDF qui vit sur la plage, avec vos cheveux en bataille et vos chaussures miteuses. Elle se leva. Je vais prévenir les adjoints qui ne sont pas de service, pour que vous les teniez au courant après avoir lu la carte.

– Merci.

Donna fit une halte à la hauteur de la porte :

– Soyez malin, et soyez prudent.

– C'est prévu.

– Faites attention à vous. J'ai dépensé une certaine somme pour cette casquette, je ne veux pas qu'il lui arrive quoi que ce soit.

Reed sourit et, dès qu'elle fut partie, enfila les gants et ouvrit l'enveloppe, sur laquelle était écrit sur fond de fleurs :
JE PENSE À TOI

Et sur la carte elle-même, au-dessus d'un arc-en-ciel, avec d'autres fleurs :
JE TIENS À TE DIRE QUE TU COMPTES ÉNORMÉMENT POUR MOI.
QUOI QUE JE VOIE, OÙ QUE J'AILLE,
 TU ES TOUJOURS DANS MES PENSÉES.
Puis, manuscrit :
« Gros bisous, Patricia »

À l'intérieur de la carte, la tueuse avait écrit un message :
« J'ai hâte que nous soyons de nouveau réunis. Nous sommes séparés depuis trop longtemps ! J'espère que tu penses à moi aussi souvent que je pense à toi, et avec la même… peut-on appeler ça de la passion ?
Tu trouveras ci-joint un nouveau témoignage de mon éternelle haine.
À bientôt…
Patricia. »

Reed sortit le sachet hermétique contenant une mèche de cheveux – qui n'appartenaient pas à McMullen, estima-t-il. L'enlèvement de la journaliste, la vidéo et son assassinat n'avaient pas seulement été une affaire personnelle pour Patricia, mais aussi un épisode intime.
Non, cette mèche provenait de Tracey Lieberman.
Il prit des photos et glissa le tout dans un sachet de preuve.
– Je t'attends, salope. Arrête de tourner en rond et viens par ici, qu'on en finisse.
Il contacta Jacoby et lui envoya les photos, puis il fit de même avec Essie.
Il fit ensuite pivoter sa chaise et laissa son regard dériver sur les massifs d'azalées – même lui connaissait le nom de ces fleurs. Elles faisaient un très bel effet. Il en avait deux chez lui, d'un rouge flamboyant, et le cornouiller sauvage – identifié par Sissi – avait éclos à la fin du mois de mars, entre deux tempêtes de neige.
Les bateaux de pêche étaient déjà en mer, ainsi que les pêcheurs de homards. Ils seraient très bientôt rejoints par les voiliers, les bateaux à moteur, les *bodyboards*, les baigneurs et les châteaux de sable.

Quand Patricia se présenterait, quelle que soit la façon dont elle s'y prendrait, Reed trouverait un moyen de l'empêcher de laisser une cicatrice sur l'île.

Il donna une pichenette sur la visière de sa casquette et se leva pour mettre ses adjoints au courant. Le chien le suivit, sa peluche dans la gueule.

Dans son atelier, Simone tournait autour de son œuvre d'argile, à la recherche d'imperfections, d'améliorations à apporter. Depuis quelques jours, elle retouchait des détails, ôtant de minuscules morceaux d'argile à l'aide d'un crochet ou d'un grattoir, ou lissant telle zone avec une brosse, puis passant délicatement du solvant pour effacer les traces laissées par ces outils.

Elle savait d'expérience qu'il était très facile, pour un sculpteur, d'ainsi détruire l'âme d'une œuvre, en quête de trop de perfection.

Ses mains la démangeaient, elle aurait voulu procéder à d'autres rectifications ; mais elle sortit de la pièce et descendit au rez-de-chaussée, où Sissi buvait son café du matin.

– Tu peux monter une seconde, Sissi, et jeter un coup d'œil sur Reed, s'il te plaît ?

– Je suis toujours d'accord pour regarder Reed, répondit Sissi. Et ça fait des jours que je n'ai pas été autorisée à le voir… Tu l'as recouvert d'une toile quand tu as fait monter Hank et Essie.

– Je sais. Il n'était pas prêt. Mais c'est bon, maintenant. Le problème, c'est que je passe mon temps à chercher une raison de faire une retouche. Il faut que tu m'en empêches, ou que tu me dises de continuer.

Elles entrèrent dans l'atelier. Comme sa petite-fille précédemment, Sissi tourna autour de la sculpture, après avoir rejeté sa longue tresse dans le dos.

L'œuvre mesurait une bonne cinquantaine de centimètres de haut, juchée sur un socle figurant un plateau rocheux. Fidèle à sa vision première, elle l'avait représenté sur le point d'abattre son épée, qu'il tenait à deux mains au-dessus de l'épaule gauche, le corps tourné à la hauteur des hanches, les jambes fermement ancrées sur la pierre, le pied droit en avant du gauche afin d'accentuer l'impression de pivot.

Ses cheveux légèrement ondulés semblaient voler, renforçant l'illusion de mouvement. Enfin, le visage affichait une rage à peine contenue et une froide détermination.

Derrière la jambe gauche, Simone avait sculpté Barney, la tête levée, et le regard plein d'espoir et de confiance.

– Mon Dieu, il est sublime… s'extasia Sissi.

– Reed, tu veux dire, ou ma sculpture ?

– Les deux. Vraiment. C'est brillant, Simone. Stupéfiant. Et c'est tout à fait Reed. *Le Protecteur*, comme tu l'as appelé. C'est parfait, tout simplement. N'y touche plus. Le mieux est souvent l'ennemi du bien, mais là, tu touches déjà à la perfection.

Elle laissa courir un doigt le long des cicatrices, les frôlant à moins d'un cheveu.

– Ses failles sont parfaites. Il est réel, mâle, humain.

– Il est chaque jour plus important pour moi. Et surtout… j'ai envie d'en faire un bronze.

– Oui ! Oh oui ! J'imagine déjà le résultat ! s'écria Sissi, qui prit Simone par la taille. Le laisseras-tu voir la sculpture en argile ?

– Non.

– Parfait. Qu'il attende.

– Il est déjà sec. J'avais plus ou moins conscience qu'il était terminé. Je vais pouvoir commencer le moulage ce matin.

– Je te laisse travailler. Quel talent tu as, ma petite ! Ce sera un chef-d'œuvre.

Sissi s'éclipsa.

– Bon, allons-y, se dit Simone.

Elle prit son pinceau et de la mixture à base de latex et de caoutchouc, puis reposa le tout, le temps d'attraper une bouteille d'eau et de mettre de la musique : une playlist New Age de Sissi, avec harpes, clochettes et flûtes apaisantes.

Elle appliqua ensuite la préparation sur la sculpture. Couvrir jusqu'au moindre millimètre carré tout en évitant de former des bulles d'air exigeait patience, soin et temps.

Elle connaissait parfaitement le corps de Reed, désormais : la longueur de son torse, le tracé de ses hanches, et l'emplacement précis de ses cicatrices.

Quand elle en eut terminé, elle s'écarta et chercha en vain quelque minuscule zone oubliée, puis elle nettoya son pinceau et rangea la mixture.

Cette étape demandait de la patience. Simone appliquerait la couche suivante le lendemain matin, puis une autre le jour suivant, jusqu'à en avoir quatre couches. Alors seulement, elle pourrait s'attaquer au moule de plâtre.

Quand celui-ci serait sec, elle le retirerait de la sculpture d'argile, qu'elle débarrasserait de la substance caoutchouteuse. Elle obtiendrait ainsi un négatif de son œuvre, dans lequel elle verserait de la cire pour en faire une réplique.

Simone attendrait d'en être à ce stade pour réserver un créneau à sa fonderie habituelle, sur le continent. Verser la cire nécessiterait plusieurs étapes, après lesquelles il lui faudrait polir l'objet ainsi obtenu – rectifier les imperfections et effacer les lignes des plans de joints laissées par le moule.

Ce serait là un travail méticuleux, mais elle préférait s'en charger elle-même, comme elle l'avait appris à Florence.

Malgré les nombreuses étapes à suivre, elle avait déjà une bonne idée du moment où elle serait prête à verser la cire dans le moule.

Simone but quelques gorgées d'eau et se tourna vers son panneau et les visages qui l'attendaient. Il était temps pour elle de revenir à sa mission. Après une promenade sur la plage pour s'éclaircir les idées, elle se remettrait au travail.

Reed rentra chez lui à pied, accompagné de Barney, dans un air printanier très doux. Les maisons et autres bâtiments, dont beaucoup avaient été repeints pour la saison en rose pâle, bleu vif, jaune tranquille ou encore en vert, lui faisaient l'effet d'un jardin géant, impression accentuée par les massifs de pensées et les jardinières débordant de… fleurs dont il ignorait le nom mais qui avaient belle allure.

Son habitude de se rendre au poste et d'en revenir à pied lui était profitable. Les gens qu'il croisait en chemin le connaissaient bien à présent, et prenaient fréquemment un instant pour lui dire un mot ou lui poser une question. Se montrer de façon régulière était à ses yeux la meilleure façon de s'intégrer dans une communauté… et faire des compliments sur les fleurs en pot, les peintures et les nouvelles coiffures ne pouvait pas faire de mal.

Barney restait peureux, mais moins qu'aux premiers jours, et pas face à tout le monde. Le chien avait ses humains préférés, au cours de ces allers et venues.

L'humain préféré de Barney – une humaine, en l'occurrence, qui occupait également la première place dans le cœur de Reed – sortit de sa voiture lorsqu'ils s'engagèrent dans l'allée de la maison. Le chien poussa un joyeux jappement et s'agita, ce qui incita son maître à décrocher sa laisse pour le laisser gambader à sa guise.

– Synchronisation parfaite, dit Simone, qui caressa Barney avant de relever la tête vers Reed, avec un léger sourire. Jolie casquette, chef.

– Elle me plaît. C'est un cadeau de Donna.

– De Donna ? s'étonna Simone, haussant les sourcils en se redressant. Eh bien, dis donc ! Tu es accepté, on dirait.

– Il faut croire, oui.

– Félicitations.

Simone se blottit contre Reed et captura sa bouche pour un long baiser torride.

– Waouh ! Quelle agréable façon de terminer sa journée de travail !

– J'ai bien travaillé, moi aussi, aujourd'hui, dit Simone, qui embrassa de nouveau Reed.

Il attrapa le dos de la chemise de Simone et la serra dans son poing :

– Et si on…

– Mmm… Mmm… répondit Simone, mordillant la lèvre inférieure de Reed. Il y a plus urgent : va donc chercher ce qu'il y a dans la voiture.

– Tu as fait des courses ?

– Ce soir, salade de pâtes au menu, un plat qui figure dans mon répertoire culinaire limité, et blancs de poulets marinés offerts par Sissi… elle m'a dit de te suggérer de regarder sur Google, si tu ne sais pas faire cuire du poulet.

– Je devrais m'en sortir. Et je m'occupe du vin.

Reed attrapa le sac et un paquet carré, qu'il reconnut comme étant un tableau emballé.

– Qu'est-ce que c'est que ça ?

– Ta sirène, comme promis. Sers-moi du vin pendant que je la déballe.

– Sérieux ? s'exclama-t-il, souriant tandis qu'ils grimpaient le perron, que Cecil et Mathias l'avaient aidé à peindre en mauve orchidée. Ta journée a été productive !

– Je confirme. Et toi ?

– D'abord le vin, et on en discute ensuite.

Reed, qui appréciait de plus en plus le vin, en versa deux verres, pendant que Simone retirait l'emballage de son tableau, qui mesurait quarante-cinq centimètres de côté.

Cette toile lumineuse comportait un ciel azur nuancé de rose et d'or à l'horizon, tandis qu'une eau bleue se mêlait à ces tons riches.

Cependant, la sirène était la star de la scène.

Assise sur des rochers au bord de la mer, elle était pourvue d'une queue de bleus et de verts étincelants, avec quelques touches de doré irisé. Elle passait un peigne d'or dans sa chevelure rousse volumineuse tombant en cascade sur ses seins nus et dans son dos. Enfin, son visage était tourné vers l'observateur.

Reed resta en extase devant ce visage à la beauté étrange, exotique, ce regard vert effronté et omniscient, et ces lèvres parfaites esquissant un sourire sensuel. Plus bas, l'océan projetait de l'écume blanche sur les rochers.

– Elle est… Waouh ! Ça, c'est une sirène sexy !

– C'est Sissi qui l'a encadrée… Jamais je ne serai aussi efficace qu'elle, pour ça. Accrochons-la quelque part.

– Oui, tout de suite, mais avant, il faut que je dise encore un « Waouh ! » et que je te remercie.

Il posa le tableau et attira Simone contre lui pour un nouveau baiser, puis la garda un moment contre lui.

– On dirait que ta journée de travail n'a pas été productive, dit Simone.

– Ça dépend de ce que tu entends par là. Bon, autant en parler tout de suite et ne plus y penser ensuite, dit-il en s'écartant d'elle. J'ai reçu une nouvelle carte, ce matin.

– Mon Dieu…

– Attends, pas de panique. J'en déduis qu'elle est toujours obsédée par moi, donc moins concentrée sur son objectif principal. Elle se laisse dominer par ses émotions et sa haine. Elle nous offre des pistes, Simone, en communicant avec moi plutôt que de ne penser qu'à se volatiliser. C'est un avantage, pour nous.

– Elle veut te tuer.

– Elle a déjà essayé. J'ai toujours su qu'elle tenterait de nouveau sa chance. Seulement, au lieu de faire comme si de rien n'était pour me surprendre sans que j'y sois préparé, elle me fournit une piste et une chronologie. Pas seulement à moi, d'ailleurs, mais aussi au FBI. Jacoby ne la lâche pas.

– Si tu essaies de me rassurer…

– Non. Cette fille est dangereuse et cinglée. C'est une psychopathe assoiffée de sang. Tu n'es pas seulement sur l'île, tu es avec moi sur l'île. Elle n'est pas encore au courant que nous sommes ensemble, toi et moi, mais elle l'apprendra un jour ou l'autre. Et alors, elle voudra nous tuer tous les deux. Je ne te rassure pas, là.

— Non, pas vraiment, souffla Simone. Bon, que dit cette carte ?

— C'est une carte avec des inscriptions du genre « Je pense à toi », expliqua Reed, qui la décrivit et la lui montra sur son mobile.

— Avec une mèche de cheveux, comme la précédente, constata Simone. Ce ne sont pas ceux de McMullen, j'imagine, ça fait trop longtemps.

— McMullen n'est pas une victime comme les autres, pour je ne sais quelle raison.

— C'est la malheureuse Tracey, n'est-ce pas ?

— Oui, c'est mon avis. Nous verrons si le légiste le confirme.

— Je la connaissais à peine, et uniquement par Mi, mais… Simone dut prendre un instant pour contenir ses émotions.

— Je me sens tout de même liée à elle. Sa mort est plus difficile à encaisser, pour moi.

Reed lui passa la main dans les cheveux :

— Je t'aime. Cette île est devenue mon foyer, j'ai même un chien pour le prouver. Ses habitants et les gens qui y viennent en visite sont désormais sous ma responsabilité. Il faut que tu me fasses confiance, que tu sois sûre que je vais régler cette affaire.

Simone pensa à la sculpture, à son âme. Elle avait créé cette œuvre, car elle savait qui était Reed.

— Je te fais confiance. Tu lui feras payer pour Tracey et pour tous les autres, ça m'aide d'y penser. Tu as bien fait de m'en parler tout de suite, pour qu'on passe vite à autre chose.

— Parfait. Oublions ça pour le moment et offrons-nous une soirée normale.

— Normale, oui… Exactement ce dont j'ai envie.

— Alors, action ! s'exclama Reed, qui la souleva du sol et, la portant dans ses bras, se dirigea vers l'escalier.

— Qu'est-ce qui te prend ?

— Il me prend que je te Rhett Butlerise dans l'escalier, jusque dans le lit.

— C'est ce que tu appelles une soirée normale ?

— Exactement.

Il la déposa sur le lit et se coucha sur elle :

— C'est toi qui as commencé, avec ton baiser dans l'allée. Il faut que je termine ça.

Barney, qui avait déjà assisté à de telles scènes, s'installa dans son panier avec sa peluche et patienta.

– Tu parles, tu parles, mais j'aimerais peut-être moi-même terminer ce que j'ai commencé.

– Ton tour viendra, répondit Reed.

Et, plaquant sa bouche sur celle de Simone, il laissa ce baiser les emporter dans un tourbillon sans fin.

Simone songea qu'elle avait tout ce dont elle rêvait, peut-être même davantage. Ses sentiments, ses besoins, ses faiblesses et ses forces s'entremêlaient en elle.

S'agrippant à Reed, elle se laissa sombrer.

Il la dévêtit lentement, sans se hâter, car il se sentait déjà ivre d'elle, puis il fit glisser ses mains sur sa peau nue et sentit sa chaleur. Elle frissonna lorsqu'il la caressa de ses lèvres.

Le temps semblait s'être ralenti, et l'air épaissi. Chaque soupir, chaque murmure, aussi léger qu'une aile de papillon, s'envolait, tandis qu'ils se fondaient l'un dans l'autre.

Il aimait tout ce qu'elle était, avait été et serait. Il savait qu'elle l'aimait tout autant. Alors il lui était facile d'attendre qu'elle trouve les mots pour le lui dire en le regardant dans les yeux. Car ici et maintenant, elle lui prouvait qu'elle l'aimait, sans qu'aucune parole soit nécessaire.

Elle n'aurait su expliquer ce phénomène, pourtant elle se sentait comme ouverte par lui. Il déverrouillait en elle des choses dont elle avait jusque-là ignoré l'existence, et il maniait ces secrets avec le plus grand soin.

Elle passa la main dans son dos, sur les cicatrices. *Le Protecteur…* Mais qui le protégerait, lui ?

Moi, pensa-t-elle, prenant son visage entre ses mains et se redressant face à lui. *Moi, je le protégerai.*

Il se glissa en elle, lentement, très lentement, sans la quitter des yeux un instant.

Je le protégerai, se dit encore Simone, avant de rendre les armes.

Allongée sous lui, elle sentait son cœur battre la chamade contre le sien. Sa beauté lui noua la gorge. Elle trouva la force de souffler quelques mots :

– J'aime ta conception d'une soirée normale…

– Je l'espérais bien, répondit-il, caressant du bout des lèvres le creux de son épaule. Je pourrais passer quelques vies à être normal avec toi.

Pas encore, pensa Simone. *Pas encore…*

– Une soirée normale comprend-elle un dîner ?

– Dès que j'aurai regardé sur Google comment il faut s'y prendre pour faire griller du poulet, répondit Reed.

Il se redressa et, regardant Simone droit dans les yeux, essuya une larme sur ses cils :

– Tu pleures ?

– Ce sont de bonnes larmes, assura Simone. Excellentes. Tu m'aides à retrouver mes sensations, Reed, je n'y suis pas encore habituée. Allons-y ! Tu essaies de trouver comment préparer le poulet, pendant que je suspends la sirène. Chacun fait ce qu'il sait faire.

– Nous verrons si tu es toujours de cet avis après avoir goûté le poulet, plaisanta Reed. Bon, de bonnes larmes, c'est sûr ?

– Très bonnes, promis.

Après avoir nourri le chien, Reed s'occupa du poulet qui se révéla excellent, puis il admira la sirène fixée au mur de la salle de bains. Ils firent ensuite une promenade, ce dont Reed profita pour contempler ses lupins vert vif tout juste éclos. Enfin, ils traversèrent le bois et descendirent à la plage.

Ils s'offraient l'un à l'autre de la normalité.

Reed lança la balle, mais Barney ne daigna pas aller la chercher. Puis Simone la prit et fit une tentative. Cette fois, le chien partit en trottinant, la ramassa et la rapporta.

– Pourquoi il n'y va que quand tu la lances ? s'étonna Reed.

– Parce que c'est un gentleman.

– Recommence. Elle obtempéra, avec le même résultat. Bon, donne-moi ça. Allez, Barney, va chercher ! Il lança de nouveau la balle, mais Barney resta à le regarder. Bon sang, mais pourquoi…

– Barney ? dit Simone, désignant la balle. Rapporte !

L'animal s'élança sur la plage en remuant la queue et rapporta la balle.

– Il cherche seulement à m'agacer. Il m'obéit quand je lui demande de s'asseoir, pourtant. J'ai quatre-vingt-dix pour cent de succès, avec ça. Cela dit, il se coince encore la tête dans les barreaux de l'escalier deux ou trois fois par semaine. Et comme il grossit, ça devient de plus en plus difficile de le dégager.

Ils poursuivirent leur balade. Peu après, Reed tenta une nouvelle tactique en jetant la balle par-dessus son épaule. Barney se précipita pour la rapporter.

– C'est bon, j'ai pigé le truc.

La main de Simone dans la sienne et son chien trottinant à son côté, la balle rouge dans la gueule, Reed vit la lune surgir à l'horizon, sur l'océan.

– Tu restes ici, cette nuit ? demanda-t-il.

– Il faudra que je parte tôt, demain matin, j'ai un horaire à respecter… Mais oui, je peux rester.

Reed porta la main de Simone à ses lèvres et, contemplant toujours la lune, songea qu'il ne pouvait rêver d'une normalité plus agréable.

Chapitre 27

L'été s'installa sur l'île, et avec lui les estivants. Certains ne venaient que pour la journée, munis d'écran total et de serviettes de plage, quand d'autres préféraient s'amuser et profiter du soleil tout un week-end. D'autres, enfin, affluaient en masse pour une ou deux semaines, un mois ou toute la saison.

Le ferry accostait toutes les heures, chargé des voitures, cyclistes et randonneurs qui faisaient la queue des deux côtés de la baie.

Et toutes les heures, Reed en personne ou une équipe d'adjoints surveillaient les arrivées.

Il avait vérifié de plus près quelques réservations effectuées par des femmes seules, mais aucune ne s'était révélée une piste sérieuse.

Il travaillait tous les jours, qu'il soit de service ou non, arpentant le village et les plages et patrouillant du côté des locations.

Elle viendra, tôt ou tard, se répétait-il.

Par une charmante soirée de juin, lors d'un dîner de bienfaisance organisé avec succès à Potomac, dans le Maryland, Marlene Dubowski – avocate de victimes, activiste politique et rescapée de la fusillade du centre commercial DownEast – prononça un bref discours et leva son verre pour porter un toast.

Elle trempa les lèvres dans sa boisson, se mêla à la foule, s'octroya une autre gorgée, travailla son relationnel, but encore… et fut soudain incapable d'inspirer de l'air. Lorsque la malheureuse s'effondra, Patricia, déguisée en richissime donatrice, se laissa tomber à ses côtés et lui coupa en une fraction de seconde une mèche de cheveux.

– Mon Dieu ! hurla-t-elle. Appelez une ambulance !

– Je suis médecin ! cria quelqu'un. Laissez-moi passer !

Patricia profita de la confusion qui s'ensuivit pour s'éclipser.

Au volant de sa voiture, elle passa devant de riches demeures aux larges allées pour se rendre au bureau de poste qu'elle avait repéré au préalable. Fredonnant, elle glissa la mèche de cheveux dans le sachet et celui-ci dans la carte qu'elle avait déjà signée, puis elle inséra le tout dans l'enveloppe déjà libellée et timbrée.

Cette fois, elle avait choisi une carte indiquant :

JUSTE PARCE QUE TU ES TOI !

Après avoir scellé l'enveloppe, elle la glissa dans la boîte aux lettres disposée devant le bâtiment.

Satisfaite, elle s'engagea sur la rocade, dont elle sortit à la hauteur de l'hôtel moyenne gamme dans lequel elle avait réservé une chambre car il était rempli de vacanciers.

Elle n'avait besoin que d'une nuit de sommeil et d'un bon repas.

Dans sa petite suite – elle n'avait pu trouver mieux –, elle ôta sa perruque courte, blond cendré, ses lentilles de contact bleues et le dispositif qui lui faisait une mâchoire supérieure avancée.

Elle lâcha un grognement en retirant sa robe de cocktail de créateur et les rembourrages qu'elle y avait glissés pour épaissir sa silhouette. Enfin, elle ôta les talonnettes de ses chaussures de soirée.

Elle commanda un dîner au service en chambre et prit une longue douche pour éliminer l'autobronzant dont elle s'était tartinée.

Dès le lendemain matin, elle se débarrasserait de sa voiture de location au parking longue durée de l'aéroport Dulles, à Washington, et en louerait une autre. Elle en changerait les plaques sur la route, puis elle disparaîtrait.

Elle posa la photo de Reed, qu'elle avait encadrée, sur la table de chevet.

– On a rencard, tous les deux. « Juste parce que tu es toi. »

Assise dans le bureau de Reed, Jacoby était si frustrée que cela se voyait dans tout son corps.

– Nous avions un agent présent, à ce dîner de bienfaisance, et pourtant elle a réussi à filer. Les gens ont paniqué et se sont pressés les uns contre les autres, ce qui l'a freiné. Il l'a repérée et l'a poursuivie, mais bon... Il pense l'avoir vue s'enfuir au volant d'une berline Mercedes noire, dont il n'a pas pu relever l'immatriculation car les plaques n'étaient pas éclairées.

Elle fouilla dans son sac et en sortit un croquis :

– Voici son portrait-robot. Elle s'est ajouté quelques années et un peu de poids et a modifié sa mâchoire. Et elle est revenue au cyanure.Elle est restée sur place pour voir sa cible perdre connaissance. Elle s'est même agenouillée près d'elle quelques secondes, alors qu'il aurait été plus malin de rester en retrait et de filer au plus vite.

– Elle est de plus en plus arrogante. Elle était loin d'imaginer que vous aviez un homme si près d'elle.

– Pas assez près, cependant. Vous allez recevoir une nouvelle carte.

– Je l'espère. Elle attend de moins en moins longtemps entre deux meurtres.

– Encore un signe indiquant qu'elle perd le contrôle qui lui a pourtant permis de rester si longtemps introuvable. Et c'est à cause de vous, Reed, et de la balle que vous avez logée dans son corps. J'ai d'abord pensé, et nos analyses le confirmaient, qu'elle vous menait en bateau, qu'elle jouait avec vous pour le plaisir de vous torturer, mais j'ai changé d'avis. Aujourd'hui, je pense qu'elle veut se venger de vous.

– C'est aussi mon avis. Si elle compte tuer quelqu'un d'autre avant de se présenter ici, au rythme qui est désormais le sien, et je pense que ce sera le cas, il faudrait que vous assuriez la protection de Mi-Hi Jung et de Chaz Bergman. Brady Foster pourrait également être visé. En revanche, elle ne s'en prendra pas immédiatement à Essie, qui occupe un rang trop élevé sur sa liste. Elle ne viserait pas non plus Simone, pas encore, si je ne vivais pas sur l'île, mais là elle ne résistera pas à la tentation de faire coup double. Cela étant…

Reed se leva, prit une canette de Coca et en tendit une autre à Jacoby.

– Vous n'auriez pas du Light ? demanda-t-elle.

– Un instant.

Il sortit du bureau, traversa le poulailler et entra dans la salle de pause, puis il sortit un Pepsi Light du réfrigérateur.

– Je vous le rends plus tard, dit-il à Matty, avant de regagner son bureau et d'en fermer la porte.

– Merci, dit Jacoby. « Cela étant »… ?

– Elle a accéléré le rythme, elle se déconcentre, mais elle reste intelligente et méfiante. Nous avons bien vu la façon dont elle nous a dupés après le meurtre de McMullen. Elle sait forcément que vous retracez son parcours et reliez les points où elle fait escale.

— Vous pensez qu'elle va brusquement changer de trajectoire, et faire un nouveau détour ?

— Si elle veut tuer quelqu'un avant moi, ce serait stupide de sa part de le faire sur la route menant droit vers le Maine. Or elle est tout sauf stupide.

Jacoby se leva, s'approcha de la carte fixée au mur et s'intéressa aux punaises représentant les meurtres commis par Hobart depuis qu'elle avait pris la route.

— Vous avez une idée de la direction qu'elle pourrait choisir, cette fois ?

— Il faut que j'y réfléchisse. Va-t-elle poursuivre en voiture ou prendre l'avion ? Va-t-elle encore viser quelqu'un à qui la tragédie a apporté célébrité et – ou fortune, ou va-t-elle là aussi modifier ses habitudes ? Il faut que j'étudie tout ça.

— Je vais en faire autant, et toute mon équipe aussi. Dire qu'un de mes hommes s'est trouvé dans la même pièce qu'elle sans pouvoir l'empêcher de tuer et de s'enfuir…

Reed prit le portrait-robot :

— Vous voyez Hobart, là-dessus ?

— Je ne l'aurais sans doute pas reconnue, moi non plus, d'autant que d'après des témoins, elle s'exprimait avec un accent du Sud parfaitement imité. Elle s'est fondue dans la foule, Reed, parlant de tout et de rien avec diverses personnes, et a réussi à verser des larmes en racontant les épreuves traversées par sa prétendue fille après avoir été violée. Elle a donné cinq mille dollars pour participer à ce dîner.

— Elle est tout imprégnée de chaque personnage qu'elle interprète. C'est une excellente comédienne. Complètement folle, mais excellente.

— Bon, il faut que je rentre. Appelez-moi quand vous recevrez la prochaine carte.

Reed dut gérer des problèmes de circulation, de parking, de plage, de bateaux et d'alcool, et même un vol sans grande importance. C'étaient les vacances… Les touristes affluaient dans les rues, dans les commerces, sur les sentiers de randonnée et sur les plages.

Il travaillait quasiment tous les jours jusqu'au coucher du soleil, parfois même un peu plus tard, mais il retrouvait Simone presque chaque soir. Quand se présentaient une heure ou deux de calme et de solitude, il s'installait dans son bureau, étudiait la carte et les visages, et s'efforçait de se mettre dans l'état d'esprit de Patricia.

Un matin, en sortant de chez lui – Simone avait tendance à le quitter au point du jour, ces derniers temps –, il trouva Sissi dans son jardin, avec une toile posée sur un chevalet et sa peinture.

– Bonjour, chef Délicieux.

– Bonjour, amour de ma vie. Tu peins ?

– Je tenais à saisir la lumière du matin. Je suis déjà venue deux ou trois fois cette semaine, plus tard dans la journée, ce qui prouve combien je suis discrète, mais aujourd'hui il me fallait cet éclairage.

Il s'approcha d'elle. Le chien s'était déjà précipité et, après s'être agité près de Sissi, s'allongea à ses pieds.

– C'est la maison, constata Reed.

Avec les lupins. Ces rivières colorées qui ne cessaient de l'émerveiller lui appartenaient.

– Ils ne seront à leur apogée que la semaine prochaine, mais j'avais besoin de cette luminosité. C'est déjà un bon début, avant de les avoir pleinement en fleur. J'ai toujours aimé les contours de cette maison. Et je vois que quelqu'un a eu la bonne idée de peindre les perrons en mauve orchidée.

– Ce quelqu'un a suivi le conseil de quelqu'un doté d'un regard d'artiste.

– Tu as trouvé tout seul que peindre la porte d'entrée en prune donnerait du punch à l'ensemble.

– Oui, j'ai parfois de bonnes idées, même si la chaîne déco m'aide un peu.

– Tu as souvent de bonnes idées. Ces lupins feraient une étude à eux seuls.

– Leon m'a aidé pour ça, et aussi pour les autres fleurs. Il s'y connaît en engrais. Il m'a obligé à acheter un composteur.

Tout en l'écoutant, Sissi observait Reed :

– Tu ne dors pas assez, mon mignon, je le vois sur ton visage.

– C'est l'été, j'ai beaucoup de travail.

– Ce n'est pas la seule raison. Pourquoi n'arrivent-ils pas à attraper cette fille ?

– Elle est insaisissable, expliqua Reed, qui se pencha et déposa un baiser sur la joue de Sissi. Nous finirons par l'avoir. Il sortit son trousseau de clés et en détacha une. Tiens, c'est une clé de la maison. Fais comme chez toi. Verrouille-la avant de partir et garde cette clé. Je te demande seulement de ne pas te rouler un joint chez moi, je suis le chef de la police, tout de même... J'ai une casquette qui le prouve.

Il attacha la laisse de Barney et se rendit à pied au poste. En chemin, il réveilla les locataires d'une maison – des étudiants – et leur demanda de ramasser les bouteilles de bière et de vin qu'ils avaient éparpillées un peu partout. Il les quitta en les avertissant qu'un adjoint passerait une heure plus tard pour dresser une amende si ce n'était pas fait.

Ainsi commence une journée d'été sur l'île, se dit-il.

Il ne fut pas surpris quand Donna lui apporta la troisième carte, qu'il pensait recevoir ce jour-là.

– Ne demandez pas aux autres de venir, lui dit-il. Nous avons trop à faire. Signalez-leur simplement que nous avons reçu une troisième carte postée à Potomac, dans le Maryland.

– Cette cinglée me ruine mon été.

– Je n'ai pas l'impression d'être en pique-nique, moi non plus.

Reed enfila ses gants, sortit son canif, ouvrit l'enveloppe et lut l'inscription sur la carte.

– C'est mignon, ça.

Cette fois, elle avait dessiné des cœurs percés de flèches, desquels coulaient des gouttes de sang.

« Qu'en penses-tu ? Je pourrais me mettre au tir à l'arc, non ? Ou faut-il que je reste sur mon idée d'une balle dans le cœur et une autre dans la tête ? Je t'en collerai peut-être d'abord une dans les couilles, juste pour le fun. L'avocate chicos au grand cœur a piétiné le cadavre de mon frère pour se hisser sur son piédestal. Je l'ai fait retomber. Elle n'a pas su de quoi elle mourait. Ce sera la même chose pour toi, connard.

Gros bisous, Patricia. »

Elle avait même dessiné un majeur dressé après son prénom.

Elle se déconcentre, estima-t-il de nouveau. *Elle est de plus en plus en colère, ou elle contrôle de moins en moins sa rage, d'où les menaces de plus en plus explicites.*

Il lui fallait un autre meurtre, la question ne se posait même pas. Elle avait besoin de cet afflux d'adrénaline.

Mais qui ? Et où ?

Les yeux rivés sur la carte, il appela Jacoby.

Simone inspecta chaque centimètre carré du moulage à la cire perdue. Elle l'avait poli, raclant de minuscules imperfections avec ses outils très fins et comblant quelques trous à peine visibles. Il était prêt.

Il lui avait fallu des heures pour imaginer, fabriquer et poser le système de conduits et d'ouvertures par lequel le bronze en fusion serait versé dans le moule, et encore des heures pour enduire la cire de barbotine ; deux premières couches très fines, pour ne pas effacer les détails les plus infimes, puis d'autres couches – neuf au total – de compositions diverses. Laissant la matière sécher entre deux couches, elle avait obtenu cette épaisse coquille en céramique.

Ce travail fastidieux, très technique, l'avait occupée pendant des jours, tenant éloignée l'angoisse née de l'arrivée de la troisième carte postale.

« Elle n'a pas su de quoi elle mourait. Ce sera la même chose pour toi. »

N'y pense pas pour l'instant, s'ordonna-t-elle. *Ne laisse pas cette folle dicter ta conduite.*

Elle déposa la coquille dans un carton et le descendit au rez-de-chaussée.

– C'est Reed ? lui demanda Sissi.

– Prêt à partir ! confirma Simone, qui posa le carton sur le plan de travail de la cuisine, légèrement essoufflée par l'effort. J'apprécierais beaucoup que tu renonces à une belle journée d'été pour m'accompagner.

– Une virée à la fonderie, je m'en lèche les babines ! Tous ces hommes et ces femmes en sueur... J'en ferai quelques croquis. Elle vérifia sa coiffure dans le miroir : ses longs cheveux lâchés encadraient trois énormes anneaux suspendus à ses oreilles.

– Et j'ai vraiment hâte d'entendre Natalie me parler de son mariage. Ça va être une journée très amusante ! Elle cala en bandoulière un sac aussi imposant que le dirigeable Zeppelin *Hindenburg*. Portons notre beau garçon à la voiture. Tu l'as prévenu que nous allions sur le continent, ce matin ?

– Je lui enverrai un texto depuis le ferry.

Sissi plissa les yeux alors qu'elles sortaient de la maison.

– Simone...

– Autant qu'il s'inquiète le plus tard possible.

– C'est surtout que ça l'empêchera de te convaincre de ne pas quitter l'île.

– Exactement.

Simone cala le carton dans le coffre, avant d'y ajouter sa sacoche, puis elle mit ses lunettes de soleil. Sissi chaussa les siennes, dont les verres étaient teintés aux couleurs de l'arc-en-ciel. Installée sur le siège conducteur, Simone alluma la radio, augmenta le volume et sourit à sa grand-mère :

– C'est parti pour une virée entre filles !

– Yahoo !

En temps normal, Simone aurait sans doute réservé une chambre d'hôtel non loin de la fonderie, plutôt que de faire faire tout le travail en une seule journée. Ce n'était pas par manque de confiance envers les responsables d'atelier et ouvriers des lieux, eux-mêmes artistes à leur façon, qu'elle leur confiait moins longtemps que d'ordinaire sa création, mais parce qu'elle tenait à être présente à chaque étape.

Les circonstances n'étant pas ordinaires, elle préférait ne pas s'éloigner trop longtemps de Reed et de l'île, d'où sa hâte.

Il la protégeait, et en retour elle le protégeait.

Elle laissa tout de même Sissi s'amuser au niveau du coulage et flâner du côté des fourneaux, pendant qu'elle restait auprès de l'ouvrier qui disposait son œuvre dans l'autoclave.

Elle avait choisi la méthode de la cire perdue, sa préférée. La chaleur et la pression feraient couler la cire de sa coquille.

Si elle avait fait du bon travail, *Le Protecteur* serait alors parfaitement formé à l'intérieur de cette enveloppe vide et durcie.

Sissi la rejoignit pendant que les ouvriers portaient la coquille brûlante au coulage.

– C'est parti, commenta sa grand-mère.

Avec leurs casques, leurs masques, leurs tenues protectrices, leurs gants épais et leurs bottes, ces hommes lui avaient toujours fait l'effet de robustes astronautes.

Ils calèrent son œuvre dans du sable, pendant que d'autres faisaient fondre des blocs de bronze. Elle imagina les muscles contractés jouant sous ces combinaisons, lorsqu'ils remuèrent le splendide bronze en fusion.

C'est de l'art, ça aussi, se dit-elle, sous cette chaleur intense, avec des odeurs de produits chimiques, de sueur et de métal liquéfié. Il y eut comme de la magie dans l'air, sous la vive lueur, quand vint le moment de sortir du fourneau le creuset rempli de bronze en fusion.

Simone avait toujours été fascinée par l'instant où l'on versait le métal liquide – le moment de vérité –, par ces gestes vifs d'hommes travaillant à l'unisson, par ce filet doré pareil à un rayon de soleil fondu.

À l'intérieur de la coquille, son œuvre, son art, sa vision, accueillit en elle cet extrait de soleil. Le négatif céda la place au positif : le symbole et l'étude de l'homme qu'elle en était arrivée à aimer vint à la vie.

– Ce n'est pas aussi bon que le sexe, mais c'est tout de même un sacré pied, murmura Sissi, à côté d'elle.

– Mon Dieu… lâcha Simone, avec un long soupir.

La coquille et ce qu'elle renfermait désormais nécessitant plusieurs heures pour refroidir, petite-fille et grand-mère se rendirent à Portland, où elles s'offrirent un long déjeuner – pas au country-club, Dieu merci – en compagnie de Tulip et de Natalie.

Elles parlèrent essentiellement du mariage. Natalie était radieuse, et ça déteignait sur sa mère. *Autant être heureuse avec elles*, se dit Simone.

– Tu as vu les photos que je t'ai envoyées, pour les robes des invitées ? lui demanda sa sœur, dégustant sa deuxième coupe de champagne.

– Oui, elles sont charmantes, très élégantes, et j'aime beaucoup leur couleur, répondit Simone.

– Rouge mûre de Boyzen, précisa Tulip, se resservant à son tour en champagne. J'ai eu des doutes, au début, et j'avoue avoir tenté de convaincre Natalie de choisir un coloris plus conventionnel, mais elle avait raison ; celui-ci est saisissant, surtout par rapport à l'autre.

– Des invitées dans ce rouge et d'autres en argenté, approuva Sissi. Tu as un regard d'artiste, quand tu veux, ma chérie.

– J'aimerais bien que Simone et toi portiez des vêtements argentés. Si vous pouviez chercher une robe dans ces tons-là, ce serait parfait. La boutique où j'ai fait mes achats propose des modèles merveilleux, et il est encore temps pour demander des modifications.

– L'argenté me va très bien, dit Sissi.

Natalie tourna la tête vers Simone :

– Je sais que ce n'est pas trop votre tasse de thé, les mariages, mais j'aimerais que… Je voudrais que vous fassiez partie intégrante de la fête.

– Et si on allait faire un tour dans cette boutique, après le déjeuner ? proposa Simone. Tu m'aideras à choisir une robe.

– Sérieux ? dit Natalie, les yeux écarquillés.

– C'est toi la mariée, Nat, rappela Simone. Allons faire du shopping.

Elle fit tinter son verre contre celui de sa sœur et vit briller une larme dans les yeux de sa mère.

Ce n'était qu'une robe à ses yeux, mais pour sa sœur et sa mère, c'était un symbole important. Et cela lui permettrait de remplir quelques heures en attendant que son bronze refroidisse.

Plus tard, c'est pleine d'énergie que Simone reprit la route de la fonderie en compagnie de Sissi – avec chacune une robe, des chaussures, un sac et un châle pour un mariage d'automne.

– Je dois avouer que j'ai passé un bon moment, s'émerveilla-t-elle.

– Ça ne fait jamais de mal de sortir de sa zone de confort. Et ta présence leur a fait plaisir.

– Notre présence.

– Oui, notre présence, rectifia Sissi, qui donna un coup de coude à sa petite-fille. Maintenant, c'est à elles de faire un effort.

– Et comment !

Comme elle tenait à achever le travail elle-même et ne pas rester des jours sur le continent, Simone fit charger dans sa voiture le bronze encore prisonnier de sa coquille.

– J'envoie un texto à Reed, annonça Sissi, pendant qu'elles roulaient vers l'embarcadère. Comme ça, il saura que nous sommes sur le chemin du retour.

– Il ne doit pas venir à la maison tant que je n'aurai pas retiré la coquille, et monté le bronze dans mon atelier pour le dernier polissage du métal.

– Je l'en empêcherai. Je vais demander à deux gars costauds de porter tout ça sur la terrasse. Tout en pianotant sur son mobile, elle jeta un regard à Simone. Je tiens à être présente quand tu briseras le moule.

– Je n'ai pas une seconde imaginé autre chose.

Deux heures et demie plus tard, Simone essuya la sueur qui lui dégoulinait sur le front. La bâche étalée sur le sol était jonchée de morceaux de coquille, parmi quelques marteaux et autres outils.

Et le bronze brillait sous l'éclat du crépuscule.

– Superbe, Simone. Tout simplement superbe.

– Oui, ce sera superbe.

Il lui restait encore à racler les carottes de moulage et à polir le bronze avec des coussinets d'abord grossiers, puis de plus en plus fins. Enfin, elle rectifierait quelques petites choses ici ou là, et ce serait parfait.

– Encore quelques étapes, ajouta-t-elle, tournant autour de son œuvre. Décapage et polissage, et la patine pour finir. Mais je le vois déjà, Sissi. C'est exactement ce que j'espérais.

– Son modèle est lui aussi exactement ce que tu espérais, que tu en aies conscience ou non.

– Je ne l'espérais pas, justement. Pendant longtemps, je n'ai rien espéré… et c'est ce qui m'empêchait d'avancer. J'ai fini par me réveiller, et j'ai espéré être capable de produire quelque chose comme ça. Ça me suffisait, franchement, car je t'avais, toi, et aussi cette maison où j'étais libre de revenir quand je le souhaitais. Mais un jour, il m'a regardée.

Elle s'accroupit et fit courir son doigt sur le visage de bronze.

– Il m'aime.

– Bien des hommes et quelques femmes m'ont aimée, moi aussi, mais ça ne suffit pas, mon bébé.

– Non, bien sûr. Bien qu'il soit canon, gentil, courageux, intelligent et plein d'autres choses, ça ne suffit pas. Elle ôta le bandana qu'elle avait noué dans ses cheveux. Il a déverrouillé quelque chose en moi, Sissi. Ça me permet de mieux voir, de mieux ressentir et d'en vouloir davantage. C'est grâce à lui que je crois en certaines choses. Je l'aime pour ce qu'il est et pour ce que je suis quand je suis avec lui.

– Quand vas-tu te décider à le lui dire ?

– Quand j'aurai terminé ce bronze, quand je le lui montrerai, répondit Simone, qui soudain se raidit. Tu trouves que c'est idiot ?

– Non, je pense que c'est profond. Je vais t'aider à nettoyer tout ça et à monter cette merveille dans ton atelier.

Pendant que Simone polissait le métal, Reed s'occupait de deux gamins qui avaient trouvé très amusant de glisser des pétards allumés dans les poubelles des toilettes publiques.

Peut-être se serait-il contenté de confisquer le restant de pétards, avec en prime un petit sermon, si leur père, qui avait manifestement englouti une bonne dose d'alcool sur la plage, ne s'en était pas mêlé :

– Où est le problème ? Ils s'amusent, c'est tout. Ils n'ont blessé personne. Je les ai payés, ces foutus pétards !

– Le problème est qu'ils ont enfreint la loi, compromis la sécurité publique ainsi que la leur, et détruit des biens.

– Ils ont répandu quelques ordures, c'est tout.

Reed acquiesça, privilégiant encore la diplomatie :

– Qu'ils vont ramasser.

– Mes gars ne sont pas des bonniches !

– Eh bien si, pour aujourd'hui.

– C'est ça ! Allez, Scotty et Matt, on dégage.

– Ils ne partiront pas d'ici avant d'avoir nettoyé ce qu'ils ont sali.

Le père ivre bomba le torse :

– Et tu comptes faire quoi, pour les obliger à faire ça ?

La diplomatie ne peut pas toujours être efficace, constata Reed.

– Comme ils sont mineurs, je vais vous dresser une contravention pour les avoir incités à la délinquance et pour avoir apporté des explosifs interdits sur l'île.

– Mon cul, oui !

Reed afficha un sourire affable :

– Oh si, croyez-moi…

– Je vais sûrement pas payer un seul centime à un minable qui joue aux flics et qui veut m'emmerder et harceler mes mômes pendant nos vacances. J'ai dit : on dégage !

Reed lui bloqua aussitôt le passage.

Fou de rage, le visage écarlate, le touriste bouscula Reed.

– Eh bien, nous allons ajouter « agression d'agent des forces de l'ordre » à votre petite liste, dit ce dernier, à peine surpris.

Il esquiva un coup de poing et régla le problème en faisant pivoter son agresseur, qu'il menotta dans la foulée.

– Ne prenez pas exemple sur le comportement de votre père, dit Reed aux deux garçons. L'aîné le regarda bêtement, tandis que le plus jeune fondait en larmes. Vous avez beaucoup bu, monsieur.

L'individu se débattait et jurait, sous les yeux de nombreuses personnes prenant des photos et des vidéos avec l'éternel mobile.

– Vous résistez, vous êtes à présent coupable de trouble à l'ordre public, poursuivit Reed. Sans compter que vous donnez un très mauvais exemple à vos enfants. Il se tourna vers ceux-ci. Votre mère est dans le coin ?

– C'est la semaine avec papa, pleurnicha le plus jeune.

– Bon, allons régler tout ça au poste. Monsieur, je peux vous y conduire avec les menottes, ou vous pouvez me suivre de votre plein gré.

– Je vais te coller un procès au cul.

– D'accord, avec les menottes, donc. Venez avec nous, Scotty et Matt. Il baissa les yeux sur le chien, qui patientait, assis. En route, Barney.

Il était plus de 21 heures quand il se présenta enfin chez Sissi, où il était invité à dîner. Il aurait juré ne jamais avoir eu aussi soif de sa vie.

– Dure journée ? lui demanda Sissi.

– Des hauts et des bas, répondit-il. Le fond du fond, c'étaient deux gamins qui fichaient la frousse aux gens avec des pétards. Leur père, ivre et gueulard, a fini par vomir dans mon bureau, autant à cause de sa rage que de l'alcool qu'il avait avalé. Pas super agréable.

– Je vais te chercher une bière, ensuite je te prépare un sandwich à la viande grillée et épicée. Une de mes spécialités, quand je ne suis pas végétarienne.

– Je t'aime, Sissi.

– Va t'asseoir sur la terrasse, savoure ta bière et admire la mer. Un peu de respiration *ujjayi* ne te fera pas de mal.

La bière lui apporta un réconfort certain, ainsi que l'Océan : la vue, les odeurs et le bruit. Et, en effet, respirer un peu en mode yoga ne lui fit pas de mal. Cependant, l'apparition de Simone – elle avait les cheveux cuivrés, ces derniers temps, et en cet instant noués par un bandana bleu – portant une assiette remplie de viande et de salade de pommes de terre, lui fit oublier tout le reste.

Elle lui tendit l'assiette, tira sur ses cheveux, sous sa caquette de chef, et se pencha pour l'embrasser.

– Pétards et dégueulis d'ivrogne, donc ?

– C'est ça, confirma Reed. Il lui montra le chien, qui ronflait déjà à ses pieds. Et ça a épuisé mon équipier. Tout va bien, sur le continent ?

– Je me suis offert une robe pour le mariage de ma sœur, et Sissi aussi. Nous avons marqué de précieux points en laissant Natalie et maman nous aider à les choisir. Et des chaussures. J'ai aussi fait les croquis pour la figurine du gâteau de mariage de Natalie et Harry, j'en ai fait plusieurs avant d'en choisir un.

– J'aimerais bien le voir, ça me fera du bien de voir quelque chose de joyeux, après le dégueulis d'ivrogne.

– Je vais le chercher.

Il profita de ce temps mort pour avaler quelques bouchées de son plat, contemplant la mer et écoutant son chien ronfler.

De retour avec son carnet de croquis, Simone s'assit sur l'accoudoir du fauteuil de Reed.

– C'est surtout celui-ci qui me parle, dit-elle.

Ce dessin représentait une femme adorable vêtue de ce qu'il estima être une robe de princesse très ample autour des jambes et dont le bustier scintillait. La mariée portait un diadème sur ses cheveux blonds relevés en chignon.

Le marié, lui, arborait une queue-de-pie d'un gris profond et une longue cravate argentée formant un contraste idéal avec ses airs de dieu doré. Il entraînait sa nouvelle épouse dans une danse, ce qui faisait s'envoler les pans de la robe. Ils se regardaient l'un l'autre avec un tel bonheur qu'on aurait juré qu'ils avaient à l'instant trouvé les réponses à toutes leurs interrogations.

– Tu devrais encadrer ce dessin et l'offrir à ta sœur.

– C'est encore un peu brouillon.

– Pas du tout. Je suis certain qu'elle serait ravie de l'avoir. Signe-le, date-le et encadre-le.

– Tu as raison, elle sera enchantée. Je demanderai à Sissi de le fixer sur un support rigide et de l'encadrer. Je ferai la figurine en porcelaine, et ensuite je la peindrai.

– À en juger par la robe et la queue-de-pie, ce mariage sera une cérémonie protocolaire et très chic, avec beaucoup de monde.

– Deux cent soixante-dix-huit invités… pour l'instant, et costume-cravate pour les hommes. Voilà pour le monde et le protocolaire. Tout le reste sera aussi chic que possible.

– C'est ce que tu voudrais, toi ? Un mariage aussi-chic-que-possible ?

– Je n'ai jamais dit que je voulais me marier.

– On en reparlera un peu plus tard, comme de nos trois enfants, qu'on ne laissera jamais jouer avec des pétards et des allumettes.

Simone sentit comme des picotements dans l'estomac, sans pouvoir déterminer s'ils étaient dus à l'angoisse ou à la joie.

– Tu vois loin, chef.

– C'est simplement comme ça que je vois les choses. À moins que Sissi ne change d'avis et me prenne comme esclave sexuel, bien sûr. Dans ce cas, on oublie tout ce qu'il y a entre nous.

– Évidemment.

– Avant d'en arriver là, il faut que je te convainque de t'installer avec moi. Rien ne presse, là non plus. Il faut d'abord t'aménager un atelier à l'étage. J'y travaille déjà.

– Tu… Quoi ?

– J'y travaille… dans ma tête. J'y pense. Je suis trop occupé, en été, pour en faire plus. J'ai simplement demandé à Eli de réfléchir à quelques possibilités… Eli, le cousin de Donna, tu le connais, il est architecte.

Il but quelques gorgées de bière fraîche : avec de la viande grillée et épicée, cela lui semblait la meilleure façon d'oublier une journée à problèmes.

– Bien entendu, si Sissi répond favorablement à mes prières, je m'installe ici et on te chasse à coups de pied au derrière. Ce serait gênant pour tout le monde que tu restes avec nous.

Tout en parlant, Reed avait fermé les yeux. Ces instants de détente lui faisaient du bien après cette dure journée, mais il était épuisé.

Simone, elle, gardait les yeux rivés sur l'horizon, contemplant le miroitement du clair de lune sur la mer, entre eux et le bout du monde.

– Dans ton fantasme, là, j'ai le droit de participer à la conception de mon éventuel atelier ?

– Bien sûr, c'est justement pour ça qu'Eli va nous donner quelques idées. Tu auras tout le temps de les comparer.

Simone pensait à la sculpture sur laquelle elle travaillait ces temps-ci, et au délai dont elle avait encore besoin pour l'achever et la perfectionner avant de la lui montrer. Peut-être devait-elle la lui faire voir dès à présent, comme il lui avait fait entrevoir ses rêves.

– Il faudrait…

Simone se tut lorsque le mobile de Reed sonna. S'écartant pour lui permettre de le sortir de sa poche, elle eut le temps d'entrevoir l'écran : « Jacoby ».

Leurs rêves devraient attendre, se dit-elle, laissant Reed parler de meurtre avec sa collègue.

Hobart frappa, et frappa vite en Ohio, dans une banlieue chic de Columbus. Sa cible, un journaliste très populaire dans la région, averti par le FBI, avait pris ces mises en garde très au sérieux.

Jamais il n'avait oublié cette soirée au centre commercial

DownEast. À l'époque âgé de vingt-huit ans, il travaillait alors pour une chaîne de télévision de Portland, généralement chargé de couvrir les chiens écrasés et cherchant un moyen de grimper dans la hiérarchie pour se voir confier des reportages plus sérieux. Il venait de s'offrir une caméra quand l'enfer s'était déchaîné.

S'étant aussitôt abrité, il avait filmé une partie du carnage, décrivant tant bien que mal et d'une voix tremblante ce qu'il voyait, entendait et ressentait.

Si McMullen avait opté pour une certaine voie, après son coup de chance, Jacob Lansin avait fait un tout autre choix. Il avait remis son enregistrement à la police, les mains encore tremblantes puis, en sortant de la galerie, avait retrouvé son équipe, à laquelle il avait livré un compte-rendu de première main et en temps réel.

Il avait par la suite gravi les échelons au sein de la chaîne, et su saisir la place de présentateur du journal régional de Columbus. Aujourd'hui marié à une native de cette ville, fille d'un homme d'affaires fortuné, il était désormais riche et célèbre.

Le destin intervint en faveur de Patricia le jour où une femme au volant occupée à prévenir par texto une amie qu'elle serait en retard pour le déjeuner percuta le cabriolet BMW de Lansin.

Il s'en sortit avec une déchirure à l'épaule, une cheville fracturée et un traumatisme cervical. Heureux de s'en tirer à si bon compte, Lansin prit un congé pour se remettre de l'accident et s'offrit une rééducation à domicile.

Patricia n'eut besoin que de deux jours pour établir que la kiné, une brune à queue-de-cheval en jean et tee-shirt, se rendait quotidiennement chez lui à 14 heures, sa table de massage sous le bras.

Patricia loua une voiture du même modèle et de la même couleur que celle de la kiné. Affublée d'une perruque brune et vêtue d'un tee-shirt et d'un jean, elle se présenta à 13 h 50, la table de massage dressée de façon à masquer son visage.

La cheville dans le plâtre, le bras en écharpe et une minerve autour du cou, Lansin jeta un coup d'œil à la vidéosurveillance, débrancha l'alarme et déverrouilla la porte.

– Bonjour Roni, lança-t-il. Vous êtes en avance.

– Non, pile à l'heure, répondit Patricia.

Elle lui tira une balle dans la poitrine puis lui en décocha deux autres dans la tête après qu'il se fut effondré.

Elle posa la table de massage à l'intérieur, coupa une mèche de cheveux de sa victime, referma la porte et regagna son véhicule en trottinant. Le tout lui avait pris moins d'une minute. Comme elle prévoyait d'abandonner la voiture à l'aéroport, elle se moquait d'être vue prenant la fuite.

Après s'être débarrassée du véhicule, elle regagna en taxi Columbus, où elle s'offrit un SUV de luxe d'occasion, qu'elle régla en liquide.

Le moment est venu de prendre quelques vacances sur une île, décida-t-elle en faisant brièvement halte, le temps de poster sa dernière carte adressée à Reed.

Les touristes affluèrent en masse sur l'île, au cours de la semaine du 4 juillet [16]. Hôtels, gîtes et locations affichaient tous complet, et les plages n'étaient plus que des mers de parasols, de serviettes et de chaises longues.

Dans le petit parc situé sur High Street, des refrains patriotiques s'enchaînaient au kiosque à musique, tandis que les enfants et un certain nombre d'adultes faisaient la queue pour se faire peindre le visage ou acheter des friandises.

Afin de lutter contre la chaleur écrasante, les vacanciers profitaient de la mer, jouant, nageant ou se laissant simplement flotter sur l'eau. Les bateaux ne cessaient d'entrer et sortir de la marina, voiles blanches hissées ou moteur ronronnant.

L'air était imprégné d'odeurs de crème solaire, de friture, de sucre – des odeurs d'été.

Reed, alors de service douze heures par jour, en aurait apprécié chaque minute, sans le léger problème constitué par la menace de l'irruption d'une tueuse en série.

Si en hiver l'île connaissait une tranquillité et une beauté paisible dignes d'une boule à neige, elle s'éveillait au printemps, comme en éclosion, pour donner sa pleine mesure en été, éclatante de sons, de couleur, de foule et de musique.

Reed avait l'impression de vivre une fête foraine quotidienne.

Deux ferrys se relayaient, en cette pleine saison, débarquant voitures et piétons sur le quai de l'île pour ensuite embarquer ceux qui repartaient pour retrouver la réalité.

En ce 4 juillet, comme tous les jours, quand il en avait la possibilité, Reed suivit des yeux le débarquement des voitures, fourgons, campeurs et autres estivants.

Près de lui, Simone détaillait elle aussi les visages.

– Tu penses qu'elle va venir aujourd'hui, dit-elle.

– Aujourd'hui nous atteignons le pic, en terme d'arrivées. Donc le moment idéal pour se fondre dans la foule. Les employés du ferry ont disposé du monde sur les deux quais, avec pour instruction de repérer une femme seule. J'ai aussi deux adjoints là-bas, dit-il en désignant du menton la voiture de patrouille. Ils en ont surveillé quelques-unes, depuis le mois de juin, mais toutes sont reparties. La marina procède de même avec les bateaux privés.

– Ça en fait, du monde.

– C'est sûr. Elle est suffisamment futée pour deviner qu'on va l'attendre et être aux aguets les week-ends d'été et le 4 juillet. À sa place, j'attendrais avant d'agir.

– Comme toi, tu attends sa carte suivante.

– Le courrier n'est pas distribué aujourd'hui, c'est férié, répondit Reed au moment où le dernier véhicule, un minibus rempli de gamins, s'engageait sur la rampe du ferry. Bon, il faut qu'on retourne travailler, Barney et moi.

– Tu pourrais m'embaucher dans tes effectifs, proposa Simone.

– Je n'en ai pas les moyens, dit Reed, avant de l'embrasser. Je me sentirais mieux si tu restais à l'écart de la foule, aujourd'hui. Tu m'as dit que c'était votre habitude, à Sissi et toi, le 4 juillet, et que vous vous contentiez d'admirer le feu d'artifice depuis la terrasse. Ne changez rien.

– Et moi, je me sentirais mieux si tu te joignais à nous.

Il tapota l'inscription « CHEF », sur sa casquette.

– Elle pourrait être n'importe où, Reed, insista Simone. Entre le défilé, le parc et les activités de plage, sans parler de la folie générale dans le village. Mon Dieu, elle pourrait te viser avec un fusil depuis une fenêtre de l'hôtel Bellevue.

– Elle ne voudra pas m'avoir comme ça, elle en fait une affaire personnelle. Elle veut me voir de près, me regarder droit dans les yeux et que moi je la voie. Et s'en tirer sans être inquiétée. Fais-moi confiance.

– Je te fais confiance, dit Simone, lui prenant la main. Je t'attendrai.

– Chez Sissi. Reste chez elle, cette nuit. Je vous rejoins après le feu d'artifice. Elle n'est pas encore là. Le côté « voyante » de Sissi déteint peut-être un peu sur moi, je ne sais pas, mais je suis certain qu'elle n'est pas encore sur l'île.

Sa certitude ne l'empêcha pas de scruter la foule, de s'attarder sur les femmes seules et de sans cesse s'assurer que personne ne l'épiait. Au terme d'une longue journée, Reed, qui avait retrouvé les pompiers volontaires, vit le ciel s'embraser de couleurs, au son de claquements qui lui firent l'effet de coups de feu.

Pas encore, se répéta-t-il, alors que la foule acclamait le feu d'artifice. *Pas encore, mais bientôt.*

Chapitre 28

Trois jours plus tard, Patricia rangea son SUV dans la file de véhicules patientant sur le quai, côté continent. Comme bon nombre de personnes, elle sortit de sa voiture pour faire quelques pas.

Elle s'était laissé pousser les cheveux jusqu'aux épaules et les avait colorés d'un blond style « décolorés par le soleil ». S'étant appliqué avec le plus grand sérieux de l'autobronzant au cours des dernières semaines, elle avait le teint radieux, également aidée en cela par un maquillage soigné. Derrière ses énormes lunettes de soleil très classe, des lentilles de contact bleues avaient métamorphosé ses yeux en deux jacinthes des bois.

Sa robe d'été bleue décontractée, dont les manches courtes couvraient sa cicatrice à l'aisselle, dissimulait un faux ventre de femme enceinte d'une vingtaine de semaines. Elle portait à l'annulaire de la main gauche une impressionnante bague de fiançailles : un zircon cubique suffisamment brillant pour passer pour une authentique pierre précieuse.

Élégante jusqu'au bout des ongles grâce à une manucure-pédicure, elle portait un sac d'été Prada assorti à ses sandales. Elle avait l'allure d'une jeune femme enceinte raffinée, à l'aise financièrement.

Elle repéra un couple de randonneurs qui attendaient le moment d'embarquer, assis sur leurs sacs. Ils avaient à peu près son âge, et la femme semblait assommée par la chaleur et épuisée.

Elle s'en approcha, une main sur son faux ventre, attitude qu'elle avait observée chez les femmes enceintes, et engagea la conversation.

– Bonjour ! Excusez-moi de vous déranger… Connaîtriez-vous des sentiers de randonnée faciles, mais vraiment faciles, sur Tranquility Island ? Mon mari est un grand marcheur. Il va absolument vouloir parcourir l'île de long en large, quand il me rejoindra d'ici quelques jours, mais moi je ne suis pas en état de galoper pendant des heures.

Tout sourire, Patricia n'avait pas un instant cessé de caresser sa rondeur.

– Bien sûr, lui répondit la femme. Vous trouverez des plans de l'île au centre d'information, là-bas.

– Et aussi sur l'île, ajouta son compagnon. Ceux que proposent les centres d'information sont gratuits, mais les commerces locaux en ont souvent de meilleurs. Sans doute pas très chers. Il sortit une carte de son sac à dos. Il y a quelques chemins charmants et tranquilles en bordure de plage. Celui qui mène au phare est un peu plus long et plus ardu, mais il en vaut la peine.

– Formidable. J'ai surtout envie de lire sur la plage et de regarder la mer, mais Brett adore se balader. Vous venez d'où ?

Elle les baratina ainsi quelques instants. Se présentant sous le nom de Susan Breen– appelez-moi Susie –, elle leur raconta être venue jusque-là en voiture depuis Cambridge. Son mari Brett avait été appelé ailleurs à la dernière minute, pour régler un problème professionnel. Toutefois, elle était ravie de disposer de quelques jours pour préparer la maisonnette qu'ils avaient louée pour six merveilleuses semaines, faire quelques courses, donc profiter d'un peu de temps pour lire et contempler l'Océan.

Le couple de randonneurs, Marcus Tidings et Leesa Hopp, ne fit aucune difficulté pour bavarder avec elle.

– Et si je vous prenais avec moi ? proposa Patricia, au bout d'un moment. Je dois de toute façon régler le passage pour ma voiture, et ils ne font pas payer les passagers. Ça vous économiserait le prix de la traversée pour les piétons. Je peux même vous conduire ensuite jusqu'au village, en tout cas jusqu'à l'agence de location où je dois récupérer mes clés.

Enchantés, les deux randonneurs la suivirent jusqu'à la voiture. Patricia se rendit alors compte qu'elle avait oublié de changer les plaques d'immatriculation, sur l'aire de repos de la voie rapide, où elle avait repéré une Subaru enregistrée dans le Massachusetts. Sans perdre son sourire et se maudissant intérieurement pour cette gaffe, elle improvisa une explication, assurant avoir emprunté ce véhicule à son frère.

Le couple sympathique ne fit pas attention à ce détail, noyé sous l'incessant bavardage de Patricia. Celle-ci invita Leesa à s'installer sur le siège passager à côté d'elle, pour éviter de lui donner l'impression d'être un chauffeur de taxi.

Ils embarquèrent ainsi tous les trois sur le ferry.

Lorsque Patricia engagea la voiture sur le quai de Tranquility Island, les adjoints de Reed chargés de la surveillance de l'arrivée des vacanciers ne s'attardèrent pas sur le SUV immatriculé dans l'Ohio, avec à son bord trois personnes et le coffre rempli de bagages.

Au moment où Patricia se garait devant l'agence de location, pour y récupérer ses clés et son cadeau de bienvenue, Simone, armée d'un chalumeau, chauffait le bronze pour lui donner une teinte dorée. Puis elle passa au pinceau du nitrate de fer sur les cheveux de Reed, sur Barney et sur les points qu'elle voulait nuancer d'un rouge doré contrastant avec le reste du bronze.

Elle passerait ensuite du nitrate d'argent sur l'épée et le collier du chien, afin de leur conférer un lustre gris argenté. Ce travail lui prendrait des heures, mais cette méthode était à ses yeux un progrès, comparée à l'ancienne qui consistait à enterrer le bronze pour qu'il s'oxyde. En outre, elle bénéficiait ainsi d'un meilleur contrôle et pouvait intensifier certaines zones précises, ce qui donnait du mouvement et de la vie à son œuvre.

Elle avait travaillé et étudié avec des spécialistes en patine à Florence et à New York, afin d'apprendre ces techniques, cette science, cet art. Pour cette création devenue si personnelle, elle avait fait appel à toutes ses connaissances et s'était imposé de leur en ajouter d'autres.

Elle s'accorda une pause, fit quelques pas dans l'atelier, buvant de l'eau et se vidant l'esprit. Puis elle détailla les visages sur son étagère, de plus en plus nombreux car, tout en s'activant sur le bronze, elle s'offrait de temps à autre un moment de répit pour travailler sur une victime de la fusillade.

Sa dernière sculpture semblait poser sur elle son regard rieur. Il s'agissait de Trent Woolworth, le garçon qu'elle avait aimé comme une adolescente peut aimer, et qui malheureusement n'était pas parvenu à l'âge adulte. Sur le moment, elle avait cru qu'il lui avait brisé le cœur, alors qu'en vérité il l'avait à peine piqué. Elle le savait, aujourd'hui, et n'éprouvait plus que regrets et chagrin à son égard.

Elle moulerait tous ces visages un jour, pour en faire un immense bronze, comme Reed. Elle les patinerait avec du nitrate de cuivre, pour leur donner des teintes vertes et bleues comparables à celles de l'Océan.

Elle en était capable et elle le ferait : non seulement elle avait enfin trouvé au fond d'elle-même ce pour quoi elle était faite, mais en plus l'homme qu'elle aimait l'avait aidée à s'ouvrir au reste.

Elle enfila ses gants et revint à Reed.

Quelques heures plus tard, les épaules raides après les dernières étapes d'imperméabilisation – un passage à la cire et un nouveau polissage –, Simone descendit à l'atelier de Sissi.

Par la vitre, elle constata que sa grand-mère travaillait sur un cadre. Elle la rejoignit.

– Je me demandais si tu réapparaîtrais un jour.

– Moi aussi, mais je… Simone s'interrompit en apercevant le tableau. Oh, Sissi, c'est splendide ! La maison de Reed, les lupins comme une mer de couleurs, le bois, la luminosité ! Des fées dans les arbres, à peine visibles dans les ombres tachetées de lumière… Et Reed sur le belvédère, avec Barney… et avec moi.

– C'est ma vision de l'avenir, expliqua Sissi. Je compte le lui offrir à Noël. Enfin, vous l'offrir, plutôt, car à ce moment-là vous vivrez ensemble… sauf si ma petite-fille est idiote, ce qui n'est pas le cas. Ce tableau serait pas mal dans la grande chambre.

– Il est parfait. Tu es parfaite… s'extasia Simone, qui prit la main de sa grand-mère. Tu peux faire une pause et sortir un moment avec moi ?

– S'il y a une boisson pour adulte dans le lot, c'est d'accord.

– Ça peut s'arranger.

– Vous devriez vous détendre un peu, Reed et toi, suggéra Sissi, tandis qu'elles passaient sur la terrasse. Va donc le rejoindre chez lui, ce soir. Vous travaillez tous les deux comme des fous, et vous êtes tendus comme pas permis en attendant la prochaine horreur, depuis que vous avez reçu une nouvelle affreuse carte. Retrouvez-vous, ouvrez une bouteille de vin et faites l'amour très longtemps.

– C'est justement ce que j'avais en tête, figure-toi. Regarde, je l'ai terminé.

Sissi en eut le souffle coupé. L'artiste et la grand-mère en elle sentirent l'une et l'autre leur cœur faire un bond.

– Oh, Simone… laissa-t-elle échapper, se dirigeant vers le plan de travail, sur lequel sa petite-fille avait posé son chef-d'œuvre qui brillait sous les feux du crépuscule. Il est vivant, le sang coule dans ses veines, on le sent… Il est doté d'une âme, et de bien d'autres choses. Et la patine… Quel éclat, quelle profondeur, quelle illusion de mouvement ! Les détails, la fluidité…

Elle laissa jaillir les larmes qui lui brûlaient la gorge :

– Sers-moi ce vin, mon bébé, et donne-moi un mouchoir en papier, je suis bouleversée.

Elle inspira profondément et tourna autour du bronze, pendant que Simone ouvrait la bouteille.

– Il y a des années, à Florence, à ton premier vernissage, j'ai été émue aux larmes par Tish, par *Émergence*, comme aujourd'hui. Tes créations sont superbes, Simone, parfois stupéfiantes ; mais celle-ci, comme *Émergence*, contient ton cœur et ton âme dans chacune de ses courbes.

Elle prit le verre et un mouchoir en papier.

– Il est magnifique. Il respire. Tu n'auras pas besoin de lui dire que tu l'aimes, après lui avoir montré ça. Sauf s'il est idiot, ce qui n'est pas le cas.

– Je suis prête à le lui dire.

– Alors fais-le, dit Sissi, attirant Simone contre elle. File retrouver ton homme.

Dans sa maison en bord de plage, Patricia fit de la deuxième chambre son quartier général et y entreposa ses armes, ses munitions, sa lunette de visée nocturne, ses seringues et ses poignards. Elle y ajouterait plus tard des plans du village, se renseignerait sur les habitudes de sa cible et sur ses associés les plus proches. Elle découvrirait où il prenait une bière de temps en temps, où il déjeunait et qui il baisait.

La porte de son quartier général resterait verrouillée en permanence ; elle expliquerait à la femme de ménage que son mari ne laissait entrer personne dans son bureau.

Elle disposa des affaires de toilettes masculines dans la salle de bains et des vêtements pour homme dans le placard et la commode de la grande chambre. Plus tard, au cours de son séjour, elle déposerait ici ou là des chaussures et autres effets censés appartenir à son époux, comme négligemment délaissés.

Elle posa également sur un meuble un exemplaire de *Ce qui vous attend si vous attendez un enfant*, qu'elle avait annoté et dont elle avait corné quelques pages au préalable. Sans oublier du matériel de randonnée typiquement masculin, une bouteille de gin haut de gamme, dont elle verserait de temps en temps quelques centilitres dans l'évier, son whisky single malt – qu'elle boirait vraiment –, quelques bouteilles de vin de prix et de bière artisanale ainsi que les provisions achetées en chemin à la supérette.

Satisfaite, elle sortit de chez elle pour s'offrir sa première promenade dans le village.

Se fondant dans la foule et se mêlant à des groupes sans la moindre difficulté, elle acheta quelques babioles, dont un maillot de bain pour homme et un tee-shirt « Phare de Tranquility Island » – que son mari adorerait, assura-t-elle au commerçant.

Il lui fallut moins d'une demi-heure pour apercevoir Reed ; tenant un chien en laisse, il donnait apparemment des indications à un petit groupe.

Tu es tombé bien bas, super flic, pensa-t-elle.

Elle traversa la rue et poursuivit sa balade, s'attardant devant les vitrines. Sans le suivre franchement, elle ne le perdit pas de vue jusqu'à son poste de police minable. C'était un bon début.

Après avoir reçu le texto de Simone, Reed décida de rentrer chez lui avant la tombée de la nuit… pour une fois. La tranquillité de cette journée n'était peut-être que relative, après la folie du jour férié, mais indéniable.

Il se mit donc en route, accompagné de Barney. Des picotements entre ses omoplates l'incitèrent à quelque peu à se détourner du chemin le plus direct et à souvent se retourner pour regarder dans toutes les directions. Cependant, rien n'attira son attention.

– Il ne faut pas que je laisse cette attente me rendre fou, Barney. Je vais prendre chaque jour l'un après l'autre.

Il se sentit revivre en voyant la voiture de Simone garée devant chez lui, puis son bonheur fut complet en la découvrant sur le perron, un verre de vin à la main.

– Tu rentres tôt !

– La journée a été plutôt calme. Le chef de la police s'offre une nuit de repos.

– Moi aussi, ça tombe bien. Les nuits de repos avec toi m'ont manqué. Elle sortit un os à mâchonner de sa poche. Et avec toi aussi, Barney.

– Reste assise, je vais chercher une bière fraîche et on reste tranquilles ensemble un moment.

– En fait, j'ai quelque chose à te montrer, dit Simone, lui prenant la main pour l'entraîner à l'intérieur. Et des choses à te dire.

Elle avait déniché un socle au marché aux puces, sachant qu'il apprécierait également ce détail. Le bronze était disposé dans l'entrée, comme pour protéger toute la maison.

En cet endroit précis, il captait la luminosité de ce début de soirée exactement comme elle l'avait voulu.

Reed en resta bouche bée, et elle vit sur son visage se dessiner l'expression qu'elle avait espéré y déceler. Son émerveillement mêlé de stupeur se changea en autre chose lorsqu'il tourna la tête vers elle.

Il n'est pas idiot, en effet, se dit-elle. *Mais tout de même prudent.*

– Je… Il va me falloir quelques secondes pour m'en remettre. Ou peut-être un heure, voire un mois. J'ai du mal à y croire. Jamais je n'aurais imaginé que… Cela dit, je me demande bien pourquoi puisque je sais ce dont tu es capable.

– Tout est différent, avec toi.

– Oui, c'est vrai, mais… bredouilla Reed, qui croyait toujours rêver. C'est… Tu as même mis Barney.

– J'ai d'abord pensé te représenter avec une femme ou un enfant, mais en te voyant avec lui, et lui avec toi, j'ai compris combien sa confiance en toi avait changé sa vie, son monde. Comme ma confiance en toi a changé ma vie…

– C'est sublime… J'ai l'air de…

– Tu es exactement comme tu es. À chaque heure passée sur ce travail, je comprenais de mieux en mieux qui tu es. Et qui je suis. Qui nous sommes. Mais ce n'est pas en travaillant sur ça que je suis tombée amoureuse de toi, dit-elle en posant la main sur le cœur de Reed. Tu peux remercier Barney, car c'est en te voyant le nettoyer, le premier jour, et rigoler quand il t'arrosait et te léchait le visage, alors qu'il était tout maigre et couvert de cicatrices, que j'ai craqué. Et à cet instant j'ai compris que tu étais le Protecteur.

Il referma la main sur celle de Simone :

– Dis-le, d'accord ? Peu importe si c'est grâce à Barney, je lui offrirai des biscuits grand luxe, mais je voudrais vraiment que tu me regardes, Simone, et que tu me le dises.

– Voilà ce que tu es, pour moi, répondit-elle, en effleurant le bronze, avant de plaquer son autre main sur la poitrine de Reed. C'est l'homme que j'aime. C'est toi que j'aime.

Il la souleva sur la pointe des pieds puis un peu plus et, la maintenant suspendue dans les airs, captura sa bouche et ne la lâcha pas en la reposant sur le sol.

– Ne cesse jamais de m'aimer… murmura-t-il.

– J'ai fondu ton cœur et le mien ensemble dans le bronze, donc pour l'éternité, dit Simone, qui serra Reed contre elle, la tête posée sur son épaule. Tu m'as attendue… Tu as attendu que je sois prête à te le dire…

– L'attente est terminée.

Il l'embrassa de nouveau puis l'entraîna vers l'escalier.

– Viens avec moi, ajouta-t-il. Sois avec moi, j'ai besoin de…

Son mobile sonna à cet instant précis.

– Putain, c'est pas vrai !

Il décrocha brusquement :

– Ouais, ouais, j'espère que c'est… Son regard se fit soudain glacial. Où ? Pas de blessé ? OK. Bon, j'arrive. Désolé. Merde…

– Je viens avec toi.

– Non, non, c'est pour le boulot.

– Que s'est-il passé ?

– Un coup de feu a brisé une fenêtre d'un cabanon de Forest Hill.

– Mon Dieu !

– Il n'y a aucun blessé. Cecil est déjà sur place, mais… il faut que j'y aille.

– Sois prudent.

– C'est sans doute un connard qui a voulu descendre un cerf. Il a dû décamper depuis longtemps. En route, Barney. Je reviens très vite.

Il prit le visage de Simone entre ses mains et l'embrassa.

Quand il parvint au cabanon, une petite construction tapie dans les bois, à l'écart du bord de mer, Reed vit Cecil en sortir :

– Salut, chef. J'ai entendu l'alerte pendant que je rentrais chez moi. Comme j'étais tout près, j'ai prévenu Donna par radio que je m'en occupais.

– Qu'est-ce qu'on a ?

– Une famille d'Augusta a loué cette cabane pour une semaine… un couple et deux enfants. Ils partageaient une glace et envisageaient de faire une promenade quand ils ont entendu un claquement puis un bruit de verre brisé. C'est cette fenêtre.

Il conduisit Reed jusqu'à un carreau percé d'un trou, duquel partaient des fissures.

– La balle a aussi touché une lampe, à l'intérieur, poursuivit

Cecil. La mère a aussitôt fait s'allonger les enfants loin des fenêtres, pendant que le père appelait Police-Secours. Peu après, il a jeté un coup d'œil dans les environs mais n'a rien trouvé.

Reed examina un moment le carreau puis se tourna vers les arbres noyés dans l'ombre du crépuscule.

À l'intérieur du cabanon, il lui fallut un certain temps pour calmer les locataires, après quoi il s'accroupit près de la lampe brisée. Prenant garde de ne pas se blesser avec les fragments de l'ampoule, il éclaira sous une chaise à l'aide de sa lampe-stylo.

Il trouva une bille BB pour arme à air comprimé.

Tandis que Reed apaisait et rassurait la famille choquée, ajoutant quelques excuses, Patricia suivait la scène grâce à une paire de jumelles. Elle nota le temps de réaction de Reed et la marque, la couleur et l'immatriculation de sa voiture, pour plus tard. Lorsqu'il sortit du cabanon, elle épaula son fusil et chuchota « Bang ! » en riant.

– Aucun gosse de l'île n'est assez idiot pour tirer avec un fusil, chef, estima Cecil. C'est forcément un stupide voyou en vacances ici.

– Nous allons faire le tour des maisons et cabanes voisines, et voir si nous débusquons ce stupide voyou. Merci pour votre aide alors que vous n'êtes pas de service, Cecil.

– Ah, pas de souci…

Ils se séparèrent pour gagner du temps. Reed réfléchissait à toute allure : un minuscule cabanon, avec quatre personnes à l'intérieur… Et pourtant, la bille avait touché une zone où personne ne se trouvait à cet instant… et touché une lampe. En plein dans le mille.

Un voyou, peut-être, mais pas forcément stupide.

Reed eut à gérer toute une série d'actes de vandalisme mineur, au cours de la semaine suivante : des obscénités peintes à la bombe sur une vitre du Sunrise, des pots de fleurs volés sur le perron de la maison du maire, trois voitures rayées avec une clé pendant que leurs propriétaires dînaient au Water's Edge, les quatre pneus d'une autre crevés alors qu'elle était garée juste devant une maison de location surplombant la crique Sud.

Il se retrouva dans le bureau du maire, où Hildy vida son sac :

– Il faut arrêter ça, Reed. On a tous les jours un nouveau truc, et ça n'a rien à voir avec les habituels soucis qui vont avec l'été.

Je passe presque tout mon temps au téléphone pour gérer les plaintes. Si ça continue, nous allons perdre de l'argent et notre réputation sera écornée. Dobson parle déjà de lancer une pétition réclamant votre renvoi. Il faut que vous régliez ça.

– Nous patrouillons sur toute l'île, à pied et en voiture. J'ai même ajouté des rondes de nuit. Nous sommes aux aguets vingt-quatre heures sur vingt-quatre.

– Mais vous êtes incapables d'attraper ces sales gosses.

– Si nous avions affaire à des sales gosses, nous les aurions surpris depuis longtemps. Mais là, le coupable est beaucoup plus malin que ça. Il se leva et tapota plusieurs points de la carte fixée au mur. Tous les secteurs de l'île ont été visés, d'une façon ou d'une autre, ça implique que la personne responsable de ces troubles se déplace en voiture ou à vélo. Et elle agit à n'importe quelle heure.

– Vous estimez donc que ce n'est pas un ou plusieurs gamins malveillants qui trompent l'ennui, mais un individu déterminé à s'en prendre à l'île ?

– Quelque chose comme ça, oui, mais je vais l'avoir, Madame le maire. Car cette île est mon foyer, à moi aussi.

Reed regagna le poste de police. Lui-même furieux, il ne pouvait reprocher sa colère à Hildy, pas plus que sa confiance relative en lui, car il était convaincu que c'était là un des objectifs de ces actes de vandalisme.

L'inconnu s'attaquait à divers points de l'île et surveillait sa réaction, le temps qu'il lui fallait pour intervenir, où il se rendait ensuite, et comment. Non, ce n'étaient certainement pas des gosses qui s'ennuyaient. C'était forcément Hobart qui le traquait.

Il procéda à des vérifications auprès des agences de location, des gîtes et de l'hôtel, sans repérer une seule femme célibataire. Elle avait dû trouver une astuce pour se présenter autrement, car elle était d'évidence sur l'île. Et elle le surveillait.

Il parcourut de nouveau le message de la quatrième carte postale, avec cette fois une inscription compatissante. Pourquoi faire preuve de subtilité ?

« Tu passes un bon été, connard ? Profite bien de ces rayons de soleil, parce que tu vas rester très longtemps dans le froid et l'obscurité. Je ne serai pas présente à ton enterrement, même si toutes ces larmes me raviraient, mais je reviendrai cracher sur ta putain de tombe.

Je suis en veine, en ce moment, et toi tu n'en as plus. Il est temps de mourir. Gros bisous, Patricia. »

Assez direct, se dit Reed, qui avait surtout remarqué l'écriture à peine lisible et la pression du stylo sur la carte : elle avait rédigé ce message sous le coup d'une vive émotion. Par ailleurs, elle avait fait preuve de négligence, avec la voiture de location utilisée pour son dernier meurtre. En effet, celle-ci avait été retrouvée moins d'une heure après cet assassinat, grâce à son GPS. Reed avait dû laisser les Fédéraux enquêter pour déterminer si elle avait pris un taxi ou un bus pour rentrer de l'aéroport, puis si elle avait loué ou acheté un autre véhicule. Peut-être en avait-elle déjà un qui l'attendait dans le parking.

Cela étant, quel qu'ait été son mode de locomotion pour quitter l'Ohio, elle avait pris le ferry à Portland et débarqué sur l'île.

Car elle était ici.

En robe de chambre et les cheveux mouillés et plaqués en arrière, Patricia ouvrit la porte à la femme de ménage qui venait deux fois par semaine :

– Oh, mon Dieu ! Nous avons dormi tard !

– Je peux repasser plus tard.

– Non, non, ce n'est pas grave. Nous n'allons pas bousculer votre planning. Mon mari est encore sous la douche… vous pourriez peut-être commencer par l'étage ? Il m'a dit de vous remercier d'avoir proposé d'au moins passer l'aspirateur dans son bureau, mais il assure que c'est inutile. Elle leva les yeux au ciel. Je vous jure, on dirait qu'il croit qu'il garde des secrets d'État, ou je ne sais quoi. Bon, je vais m'habiller. N'hésitez pas à vous faire un café. Ma tasse quotidienne me manque beaucoup !

Elle tapota son ventre rond puis traversa le salon pour se rendre dans la chambre. Elle ouvrit suffisamment longtemps la porte pour laisser le bruit de l'eau dans la douche, qu'elle avait fait couler au préalable, s'entendre depuis le salon, puis la referma.

Tout en s'habillant – un corsaire, un tee-shirt rose et d'élégantes chaussures de randonnée –, elle fit mine de discuter avec quelqu'un, parsemant ses répliques de quelques rires, ouvrant et refermant des tiroirs et la porte de la penderie.

Elle inspecta la chambre : le lit défait des deux côtés, un roman d'espionnage et un verre de vin presque vide sur une table de chevet, un roman historique sentimental et une tasse de thé sur l'autre, une ceinture pour homme sur le dossier d'une chaise. Dans la salle de bains, des serviettes humides, deux brosses à dents aux poils trempés, des affaires de toilette pour homme et d'autres pour femme.

Satisfaite, elle ouvrit la porte de la chambre et lança un regard par-dessus l'épaule :

– Oui, Brett, vas-y, je te rejoins. Elle s'adressa à la femme de ménage, qui s'activait à l'étage. Nous partons en promenade, Kaylee. Vous pouvez faire la chambre quand vous voulez.

– Amusez-vous bien !

– J'en suis certaine ! Nous sommes enchantés d'être ici… Oui, chéri, je prends ma bouteille d'eau et mon sac et j'arrive ! Ah, les hommes ! Toujours impatients !

Sortie par la porte de derrière, Patricia décida de marcher jusqu'à la maison dont elle avait appris, à la suite de quelques bavardages, qu'elle appartenait au chef de la police.

Cela faisait une longue promenade pour une femme enceinte, pensa-t-elle en souriant, mais elle s'en sentait capable.

Les actes de vandalisme se tassèrent, les jours suivants, ce qui fit croire à la plupart des observateurs que les vacances des fauteurs de troubles avaient pris fin et qu'ils avaient quitté l'île.

Reed n'y croyait pas.

– Elle est toujours là, assura-t-il, un Coca à la main, sur la terrasse de Sissi, tandis que le soleil couchant, à l'horizon, constituait un somptueux spectacle. Elle est suffisamment intelligente pour savoir qu'en continuant comme ça, elle pourrait se faire surprendre par une patrouille, mais elle ne perd pas de vue son objectif. Il se tourna vers les deux femmes qu'il aimait. Vous me rendriez un immense service en prenant le ferry, demain matin, pour une balade quelque part sur le continent.

– Simone ne voudra pas te quitter, assura Sissi. Et moi, je ne vous quitterai pas. Demande-nous autre chose.

– Je me sentirais mieux si vous étiez ailleurs, insista Reed. À Florence ou à New York, par exemple…

– Reed ! l'interrompit Simone.

– En restant ici, vous m'obligez à m'inquiéter pour vous, bon sang ! Et pendant ce temps, elle se prépare. Ce n'est pas par hasard si elle est venue, car elle est ici, c'est certain… alors qu'approche le treizième anniversaire de la fusillade. Elle y a fait allusion dans son message : ma chance s'épuise et la sienne grandit. Treize, ça porte malheur. C'est dans moins d'une semaine, je n'ai pas besoin que vous troubliez ma concentration à cause de votre entêtement de gonzesses !Vous me gênez. Il ne criait pas mais parlait d'un ton ferme, chaque mot aussi piquant que du fil de fer barbelé. Alors, fichez le camp d'ici et laissez-moi faire mon putain de job.

– Ça ne marchera pas non plus, dit Sissi, sans s'énerver le moins du monde. Essayer de provoquer une dispute et de nous rendre folles de rage ne changera rien, mais c'était bien essayé.

– Attends, ça n'a rien à…

– Je me suis déjà cachée, tu sais… rappela Simone.

– Arrête avec ces conneries ! Il criait à présent. Barney fila se réfugier à plat ventre sous la table. Ne me sors pas ces conneries !

– Je me suis déjà cachée. Je ne dis pas que ce n'était pas la bonne chose à faire, parce que c'était le cas, mais les choses ont changé. Aujourd'hui, me cacher de nouveau m'arracherait ce qu'il m'a fallu des années pour reconstruire.

– Simone… lâcha Reed, qui, ne sachant plus que faire, retira sa casquette et se passa la main dans les cheveux. J'ai juré de vous protéger, Sissi et toi.

– Tu as dit que tu voulais commencer une vie de couple avec moi. C'est notre vie, à tous les deux. Tu penses qu'elle va tenter de… de faire ça le 22 ?

Reed décida d'essayer de les convaincre de nouveau par le calme, en les raisonnant.

– Je pense que ce serait logique, pour elle, oui. À mon avis, elle sait très bien qu'on est ensemble, toi et moi. Et si elle réussit à m'avoir, elle s'occupera de toi ensuite. Mais seulement ensuite. Tu es toujours placée plus haut que moi sur sa liste, et elle voudra d'abord éliminer la menace la plus sérieuse : je suis flic et armé, pas toi. Si vous acceptiez de quitter l'île au moins jusqu'au 22, je n'aurais plus à me soucier de votre sécurité, en plus de tout le reste.

– Pour moi, et pour Sissi, ne plus être en sécurité voudrait dire qu'elle t'a éliminé. Tu ne le permettras pas. Simone se leva et s'approcha de Reed. Tu ne le permettras pas, car tu sais que si elle te tue, elle me tuera. Peut-être pas immédiatement, mais tôt ou tard. Et ça, tu ne le permettras pas. J'en suis convaincue, et absolument certaine.

Elle prit le visage frustré de Reed entre ses mains et poursuivit :

– Et puis j'ai beaucoup trop à faire pour partir à Florence, New York ou n'importe où. J'ai du travail, et il me semble que le 23 serait une bonne date pour m'installer chez toi. J'ai beaucoup d'affaires à empaqueter.

Reed baissa la tête, son front contre celui de Simone :

– C'est un coup bas, ça.

– Le 23, Reed. Parce que ce jour-là, tu auras réglé tout ça. Le 23, je m'installe chez toi, et… Sissi, tu dînes avec nous.

– J'apporterai le champagne.

– Mon atelier restera ici, le temps que Reed et moi nous finalisions les plans de mon espace de travail dans… notre maison.

– Tant que tu voudras, ma petite-fille si futée.

– Ce jour, le 23, deviendra un symbole pour nous, prophétisa Simone, s'adressant à Reed. Ce sera un rappel que quoi qu'il advienne d'affreux, nous sommes ensemble.

– Un énorme pichet de sangria s'impose, déclara Sissi.

Reed secoua la tête :

– Pas pour moi, il faut que j'y retourne. Reste ici, Simone, je reviens dès que possible. Allez, en route, Barney, on n'arrivera à rien avec ces deux têtes de pioche, elles sont faites du même bois.

– C'est pour ça que tu nous aimes ! lança Sissi alors qu'il s'éloignait déjà. Je suis fière de toi, Simone.

– Je suis terrifiée.

– Moi aussi.

Pendant que Reed patrouillait, Patricia, dans son quartier général, buvait du gin tonic, qu'elle préparait de plus en plus concentré en gin : le verser dans l'évier était du gaspillage, estimait-elle. Et le gin changeait agréablement du whisky.

Deux ou trois verres l'aidaient à trouver le sommeil. Comment aurait-elle pu s'endormir sans un peu d'aide, avec tant de projets en tête ?

Rien à voir avec son ivrogne de père puisqu'elle ne se saoulait pas, ni avec sa mère car ce n'était pas pour avaler des comprimés qu'elle buvait.

Elle avait seulement besoin d'un petit coup de pouce pour se calmer. Il n'y avait rien de mal à cela.

Ainsi, tout en sirotant son gin, Patricia étudiait ses cartes, sa chronologie et les photos prises avec son mobile.

Le fait que deux de ses cibles soient devenus des tourtereaux la mettait en rage et, dans le même temps, la ravissait. Ils ne méritaient même pas une heure de bonheur. Heureusement, elle y mettrait un terme d'un coup de poignard dans la gorge du flic, qu'elle regarderait ensuite se vider de son sang. Avec un peu de temps – or, elle en avait encore un peu à sa disposition, précisément – supplémentaire pour observer la salope, peut-être ferait-elle d'une pierre deux coups.

De plus, elle avait toujours prévu de descendre en dernier la salope qui avait prévenu les flics, se rappela-t-elle, se levant pour faire quelques pas. Il lui restait encore une demi-douzaine de cibles à éliminer, jusqu'à la pute fliquette qui avait tué JJ, et enfin la petite salope qui s'était planquée comme une lâche pour appeler les flics.

Elle avait enchaîné les succès jusqu'ici et mené les flics en bateau en se conformant strictement à son plan ; elle ne devait pas s'en écarter. Si seulement JJ en avait fait autant…

Ce n'était pas sa faute ! gronda-t-elle en pensée, se raclant la cuisse du poing et tournant en rond sans cesser de boire. Simone Knox était responsable de la mort de JJ, elle ne l'oublierait jamais.

Alors, si – et seulement si – une occasion se présentait, elle descendrait la salope plus tôt que prévu. Sinon…

Elle attrapa son pistolet et visa la photo de Reed.

– Toi et moi, connard, et personne d'autre. Je vais te descendre, et ta mort va briser le cœur de ta petite pute et celui de la fliquette. Ces larmes seront un délice. Ce sera parfait.

Chapitre 29

Boire du gin tonic en faisant les cent pas et en réfléchissant à ses projets n'était pas vraiment efficace. Pour se calmer, pour apaiser son esprit de plus en plus agité, Patricia se fit plaisir avec son passe-temps de fin de soirée préféré.

Toujours enfermée dans la maisonnette qu'elle en était venue à abhorrer, et qu'elle prévoyait d'incendier avant de quitter l'île, les portes verrouillées et les rideaux tirés, elle passa au whisky avec des glaçons et regarda sa vidéo : celle-ci la fascinait et l'amusait toujours autant, même après tant de visionnages.

Quelle allure elle avait ! La petite grosse boutonneuse aux cheveux affreux, qui passait son temps dans sa chambre à regarder la télévision et à s'initier au piratage, avait disparu depuis longtemps.

Pour tout dire, elle était franchement splendide, svelte et athlétique dans la robe rouge qu'elle avait choisie et qui passait de façon idéale à l'écran. *Je sais me mettre en valeur*, se dit-elle, reprenant la vidéo depuis le début. Elle portait un maquillage impeccable, certes, mais c'était bel et bien elle : pas de lentilles de contact colorées, pas de fausse mâchoire, pas de perruque.

Patricia à l'état pur.

Elle avait meilleure allure que la journaliste de pacotille, évidemment. Plus jeune, plus forte et plus belle ! Peut-être aurait-elle dû prendre le temps de repasser le tailleur de McMullen : là, on aurait juré qu'elle avait dormi habillée… Ha ha !

Cela n'avait aucune importance, car c'était Patricia Hobart la star de la vidéo – comme prévu.

Disparue, la fillette qui rêvait de devenir quelqu'un et qui, pelotonnée dans le noir, s'imaginait tuant le garçon qui l'avait appelée Patty la Porcelette, les filles qui lui avaient volé sa culotte pour la fixer sur le dessin d'éléphant, sa mère, ses grands-parents, les familles parfaites croisées au centre commercial...

Elle avait rêvé de tous les tuer.

Absolument tous.

Grignotant des chips à l'oignon trempées dans de la crème aigre (une récompense bien méritée, juste pour cette fois), elle s'écoutait parler. Elle racontait son histoire d'une façon limpide, expliquant au monde entier comment elle avait été maltraitée par ses parents, ses grands-parents et ses enseignants, sans oublier les putain de terreurs des cours de récréation. Elle éclata de rire, comme chaque fois, quand elle en arriva au moment où elle racontait l'histoire du petit con faisant un vol plané sur son vélo dont elle avait saboté la chaîne... ce qui l'avait défiguré.

Quel dommage, vraiment, qu'il ne se soit pas brisé la nuque !

La vidéo prouvait clairement que Patricia avait toujours été intelligente ; elle était née plus intelligente que n'importe qui.

Et McMullen était fascinée, cela se lisait sur son visage, tout comme on percevait clairement une admiration mêlée de crainte dans sa voix. Elle se savait surclassée. Elle comprenait quel cerveau et quelle volonté il avait fallu à Patricia Hobart pour accomplir ses exploits.

Dommage que McMullen ait de plus en plus jacassé, se montrant telle qu'elle avait toujours été, à savoir une opportuniste parmi tant d'autres ne cherchant qu'à s'enrichir et à fanfaronner devant les caméras.

— Tu n'aurais pas dû me foutre en rogne, marmonna Patricia, qui se versa un autre doigt de whisky avant d'accélérer la vidéo jusqu'au meurtre.

Là se trouvait son unique regret : elle n'avait pas pensé à revenir dans le champ de la caméra. Elle aurait adoré se voir brandir son arme et faire feu. Cela dit, l'expression affichée par McMullen compensa cette déception, comme toujours, et la fit rire une fois de plus.

— Et voilà, l'air choqué, et bang, bang, bang ! hurla Patricia, qui, s'esclaffant, piocha quelques chips. L'Audimat va exploser, comme tu dis, mais tu n'en profiteras pas !

Non, tu n'en profiteras pas... se répéta-t-elle, revenant en arrière, au moment où elle était la star, où elle expliquait au monde entier qu'avant même ses quatorze ans elle avait eu le cerveau, le talent et la vision pour concevoir une fusillade de masse de l'ampleur de celle survenue au centre commercial DownEast.

Elle regarda de nouveau la vidéo, puis encore une fois, acquiesçant sans cesse, enchantée par la clarté de son propos, approuvant l'admiration et la stupéfaction affichées sur le visage de McMullen.

Enfin, alors qu'elle se trouvait à deux kilomètres à peine de la maison de Reed, elle pirata le compte Facebook d'un crétin de Nashville et publia la vidéo sur son mur.

Ce n'est que le début, se dit-elle. Estimant qu'elle méritait un autre verre, elle se resservit. Après le 22, quand elle aurait descendu le shériff [17] – ha ha ! encore une fois –, elle enverrait une autre vidéo au putain de FBI.

Ravie d'elle-même, elle leva les yeux sur son panneau de cibles et pointa l'index sur un visage.

– Ensuite, ce sera ton tour, Chaz Quat'zyeux Bergman ! lança-t-elle, brandissant son whisky pour porter un toast. J'arrive, New York !

Elle lança la lecture de la vidéo et la regarda de nouveau jusqu'au bout.

– Je suis si heureuse que tu sois venue ! s'exclama Simone, serrant Mi dans ses bras, dans son atelier. Dommage que tu doives si vite repartir. Une journée, c'est trop court !

– On se verra en septembre, au mariage de Nari. Sissi sera là aussi, et tu viendras avec Reed.

– Exact, et ensuite tu viendras à celui de Nat, en octobre.

– Sans faute. Et je serai de retour ici en décembre, pour la grosse fiesta de Sissi. Ça nous fera trois occasions de nous voir ! Mais… allez, viens avec moi, Sim, j'insiste. Sissi et toi, venez passer quelques jours à Boston avec moi.

– Tu sais pourquoi je ne peux pas. Reed n'aurait pas dû te demander d'essayer de me convaincre.

– Il t'aime, et moi aussi je t'aime.

– Je sais. C'est pour ça qu'il t'a demandé ce service, et c'est pour ça que tu as accepté de venir aujourd'hui. Je l'aime, alors je ne peux pas m'en aller. Et je t'aime, alors tu dois repartir ce soir.

– Ça ne m'emballe pas, mais il m'a fait jurer de reprendre le ferry pour le continent, avec ou sans toi.

Frustrée, Mi plongea les mains dans ses poches.

– Je n'aurais pas dû lui donner ma parole, reprit-elle. Demain, c'est le 22. Pourquoi ça ne lui a pas suffi, Sim ? Toutes ces personnes que son frère a tuées… Pourquoi en veut-elle encore ?

– Elle a toujours été le cerveau de l'affaire. À mon avis, son frère n'a été qu'une arme qui a mal fonctionné. D'après Reed, elle est moins concentrée, ces temps-ci… elle commet des erreurs. Mon Dieu, Mi, quand je pense à la vidéo qu'elle a publiée sur Facebook ! Elle avait tant besoin d'attirer l'attention qu'elle a pris le risque de pirater un compte pour la diffuser.

– La police n'a pas encore déterminé d'où elle l'a fait.

– Ça viendra, mais Reed va la coincer, de toute façon.

– Je ne t'ai jamais vue avoir si confiance en quelqu'un, en dehors de Sissi.

– Et de toi.

– Ça fait treize ans… soupira Mi, observant les visages des disparus, sur l'étagère. Ce que tu as fait là est essentiel. Les gens oublient, puis un nouveau cauchemar succède au précédent. Pourtant, malgré la souffrance et l'indignation, les gens passent à autre chose. Mais personne n'oubliera ces malheureux, après avoir vu tes sculptures.

– J'ai essayé d'oublier.

– Mais tu n'as jamais réussi. Et Tiffany ? Mi prit avec précaution le double buste de la jeune femme. Toujours là.

– Pour me rappeler que les rescapés du 22 juillet en ont gardé des cicatrices. Mais nous avons survécu, Mi. Nous pouvons nous souvenir de ceux qui sont morts, tout en chérissant la vie dont nous jouissons. Tiffany m'a offert cette vision malgré elle, mais c'est bien à elle que je la dois. Je la garde dans mon atelier en guise de remerciement.

Mi reposa le buste.

– Tu n'as pas fait Tish.

– Je terminerai par elle. C'est la plus importante à mes yeux, alors elle sera ma dernière création de cette série.

– Elle me manque toujours. Dis, je peux te demander quelque chose ? Simone se raidit. Non, ne t'inquiète pas, je ne vais pas insister pour que tu partes d'ici. Quand tu seras prête à faire le buste de Tish, tu pourrais me laisser venir te regarder ? Je sais que tu n'aimes pas avoir du monde dans ton atelier quand tu travailles, mais j'aimerais beaucoup être là à ce moment-là.

– J'ai une meilleure idée. Quand je serai prête, tu m'aideras. Nous le ferons ensemble.

– Tu m'as toujours dit que j'étais une bonne scientifique, pour une artiste.

– C'est vrai, sourit Simone. Nous sculpterons ce buste toutes les deux. Bon, je te chasse, maintenant. Il ne faudrait pas que tu rates le ferry.

– S'il t'arrive quoi que ce soit…

– Tais-toi, on reste positives, dit Simone, prenant la main de Mi et l'entraînant vers l'escalier.

– Elle n'est peut-être pas sur l'île, hasarda Mi. C'est une négation positive, ça.

Sissi sortit de son atelier comme elles descendaient les marches :

– Le soleil est presque couché. Que diriez-vous d'un verre pour fêter la fin de la journée ?

– Mi doit y aller.

– Je peux rester le temps d'un verre.

– Et rater le ferry.

– Je prendrai le suivant.

– Tu cherches à gagner du temps. Tu as donné ta parole.

– Je n'aurais pas dû.

Mi, qui s'en voulait, attrapa son sac à main. Elle avait sauté dans le premier avion, après l'appel de Reed, sans prendre le temps de remplir une valise.

– Il pensait que je me contenterais de te téléphoner, soupira-t-elle. Quand je lui ai annoncé que je venais, il a tenté de m'en dissuader. Il est malin, intelligent. Je l'aime beaucoup, Simone. Vraiment.

– Moi aussi. Tu auras l'occasion de mieux le découvrir quand tu reviendras nous voir. On aura tout le temps de te faire visiter la maison, et les plans de mon atelier, qui seront décidés à ce moment-là. Elle accompagna Mi jusqu'à la porte. On aura tout le temps, tu verras…

– Je veux que tu m'envoies des textos, demain. Un par heure.

– Si c'est ce qu'il faut pour que tu acceptes de partir…

– Nous nous protégerons l'une l'autre, promit Sissi, qui embrassa Mi. Reviens vite nous voir.

– J'ai l'impression de vous abandonner, se désola Mi, se dirigeant avec Simone vers la voiture qu'elle avait louée à Portland.

– Ce n'est pas le cas, car tu me fais confiance. Cette île m'a toujours offert un abri, quand j'en avais besoin. Il n'y a pas de raison que ça change. Envoie-moi un texto dès que tu arrives à Boston.

– Et toi demain… à chaque heure pile, Sim.

– Promis.

Simone regarda son amie s'éloigner puis se retourna vers la maison. Elle se figea, le regard attiré par un mouvement, et repéra une femme qui marchait sur la route déserte, manifestement hésitante.

– Vous êtes perdue ? lui lança Simone.

– Oh non ! Excusez-moi, j'admirais seulement votre maison. Elle est magnifique, unique !

Une main sur son ventre arrondi, l'inconnue rajusta ses lunettes de soleil.

– Je fais ma curieuse, reprit-elle avec un sourire penaud. J'ai entendu dire au village qu'une célèbre artiste peintre habitait ici, et j'ai voulu voir sa maison d'ici… Je l'avais déjà aperçue depuis la plage. C'est vous ? La galerie m'a parlé d'une certaine Sissi Lennon.

Cette scène se reproduisait quelquefois, chaque été : un touriste venait prendre des photos de la maison, espérant apercevoir Sissi Lennon.

– Non, c'est ma grand-mère, répondit Simone, tout sourire.

Cette femme était blonde et coiffée d'un chapeau à rebord souple, pour la protéger du soleil. Elle portait un sac à dos, des chaussures de randonnée haut de gamme, un tee-shirt rose avec « Une brioche au four » inscrit dessus et un short kaki qui laissait voir des jambes de sportive bronzées.

– Je parie que mon mari connaît ses œuvres : Brett est mordu d'art en général. J'ai hâte de lui raconter ce que j'ai vu. Nous sommes en vacances ici pour deux semaines, nous habitons à Columbus.

Ça m'étonnerait, se dit Simone, pour qui cette voix avait un accent trop typique du Maine pour venir de l'Ohio. Columbus… la ville où avait été commis le dernier meurtre… et postée la dernière carte.

– J'espère que vous passez de bonnes vacances, dit Simone, reculant d'un pas vers la maison.

Elle l'avait reconnue à présent, malgré les lunettes teintées, le chapeau et le faux ventre de femme enceinte. Elle avait reconnu la mâchoire, le profil et la forme des oreilles.

Elle s'y connaissait en visages.

– Oh oui, c'est formidable ! répondit la tueuse. Ce sont nos dernières vacances avant l'arrivée du bébé. Vous habitez ici, vous aussi ?

– Cette île est ma maison.

Un autre pas en arrière, le bras tendu vers la poignée de la porte.

Elle s'y connaissait en visages, se répéta-t-elle, et soudain elle décela le changement dans l'expression de l'autre. Les masques tombèrent aussitôt.

Simone se précipita à l'intérieur au moment où Patricia plongeait la main dans son sac à dos. Elle verrouilla la porte et bondit vers une Sissi stupéfaite.

– On fout le camp ! lui cria-t-elle.

Reed briefa de nouveau ses hommes et remercia les deux agents du FBI envoyés par Jacoby. Puis il traversa le village à pied et se rendit sur la plage, avec l'intention de rentrer chez lui en se montrant à tous. Peut-être, et seulement peut-être, empêcherait-il ainsi Hobart de passer à l'action.

Passant devant l'agence de location, il aperçut Bess Trix par la baie vitrée et décida d'entrer prendre des nouvelles.

– Bonjour chef, et bonjour Barney, dit la gérante, avant de secouer la tête. Toujours rien. Kaylee peut vous le confirmer. Elle fait le ménage dans bon nombre de maisons et de cabanons et supervise avec Hester le reste de l'équipe.

– OK, essayons d'une autre façon. N'avez-vous pas remarqué, parmi vos locataires, sans tenir compte des familles avec enfants, quelqu'un vous ayant paru bizarre ? Ou dont un de vos employés vous a dit qu'il était étonnant, pour n'importe quelle raison ?

Kaylee leva les yeux au ciel puis se pencha pour caresser Barney.

– Chef, si je commence à vous parler des touristes bizarres en été, on y sera encore mardi prochain. Par exemple, il y a ces quatre personnes, au cabanon Windsurf ; ils ont pris une formule « trois ménages par semaine », et je peux vous dire qu'ils changent de partenaire sexuel au moins aussi souvent.

– Kaylee, tu exagères.

– C'est la vérité, Bess. Demande à Hester, on s'en occupe ensemble.

Enroulant le bout de sa tresse autour d'un doigt, Kaylee poursuivit ses ragots :

– Il y a aussi le couple de vieux, pas loin d'être octogénaire, qui réclame quotidiennement sa bouteille de vodka. Ils la vident à deux en vingt-quatre heures. Il y a encore le type qui laisse la deuxième chambre fermée à clé en permanence, les rideaux tirés. Sa femme dit qu'il en a fait son bureau, mais je me demande bien ce qu'il peut faire, pour devoir s'isoler comme ça.

– Il n'ouvre jamais cette pièce ?

– Vous aussi vous avez un bureau dans lequel on n'a pas le droit d'entrer, chef.

– C'est vrai, mais je ne ferme pas la porte à clé.

– Sans doute parce que vous savez que Hester et moi n'allons pas aller y fouiner.

– Ce type n'ouvre jamais cette pièce ? insista Reed.

– Non. Il travaille beaucoup, apparemment. Ça ne l'empêche pas de descendre pas mal de whisky et de gin, des marques pas données. Avec aussi du vin et de la bière.

– Il est seul ?

– Non, avec sa femme. Elle est toute jeune et mignonnette, mais je peux vous dire qu'ils n'ont pas fait de câlins, si vous voyez ce que je veux dire, depuis leur arrivée. Ce genre de chose se remarque, quand on change les draps.

– Kaylee…

– Le chef me demande de lui parler des gens bizarres, Bess, et lui, il est bizarre. On se demande comment sa femme est tombée enceinte. Les fringues qu'ils jettent dans le panier à linge sale sont propres, ça change du groupe qui…

– Attendez, revenons à ce couple. Où logent cette femme enceinte et son mystérieux mari ?

– Oh, ils sont dans la maison Serenity, qui est un peu isolée. Elle offre de jolies vues depuis le balcon, à l'étage, mais il faut marcher un peu pour rejoindre les plages et le village.

– Certains apprécient le calme et un peu d'intimité, expliqua Bess.

– C'est vrai. Le mari adore la randonnée et force sa pauvre femme à le suivre. Et quand il ne l'entraîne pas sur les sentiers, il s'enferme dans son bureau. En tout cas, les jours où je passe faire le ménage.

– À quoi il ressemble ? demanda Reed.

– Je… commença Kaylee qui, tripotant toujours sa tresse du bout des doigts, fronça les sourcils. Aucune idée, à vrai dire, maintenant que vous m'en parlez. Je ne l'ai jamais vu.

Reed sentit tous les muscles de son corps de contracter.

– Vous ne l'avez jamais aperçu ? Pas une seule fois ?

– Eh bien non. C'est bizarre, ça aussi. Quand je passe, il est soit sous la douche, soit dans sa chambre, soit dans son bureau. En général, ils partent se promener pendant que je commence le ménage à l'étage. Et j'ai terminé avant leur retour.

– Faites-moi voir les réservations, demanda Reed. Et vous, Bess, vous l'avez vu ?

– Je ne pense pas. Il a réservé par Internet. Si ma mémoire est bonne, c'est elle qui est venue chercher les clés de la maison parce qu'il était retardé et ne devait la rejoindre que deux jours plus tard. Je l'ai revue quelquefois, mais… Ah, voilà : Brett et Susan Breen, domiciliés à Cambridge, dans le Massachusetts.

– Ah, c'est bizarre, ça aussi, intervint Kaylee. Leur voiture, un joli SUV gris métallisé, est immatriculée dans l'Ohio.

– Quelle marque, quel modèle, quelle année ? la pressa Reed.

– Je n'en sais rien, moi !

– Je ne sais pas de quelle année est cette voiture, mais c'est une Lincoln, dit Bess. Mon frère en a une. Gris métallisé, comme l'a dit Kaylee, et pas loin d'être neuve, je dirais.

– Décrivez-moi la femme, ordonna Reed.

– Alors, elle est jeune et mignonne, maquillée. Je l'ai toujours vue maquillée, même avec les cheveux encore mouillés après sa douche. Vingt-six ans maximum, à mon avis. Blonde, environ ma taille, les yeux bleus, je crois, mais je ne l'ai pas beaucoup vue. Comme je l'ai dit, ils sortent quand je suis là. Et elle est enceinte, bien sûr.

Pas forcément, pensa Reed, qui sortit une carte de visite de sa poche.

– Appelez ce numéro et dites à l'agent spécial Jacoby que j'ai besoin d'une vérification complète de ces deux noms.

– Le FBI ?

– Tout de suite !

Reed sortit en trombe de l'agence et brancha sa radio :

– Matty ! J'ai peut-être quelque chose. Retrouvez-moi avec Cecil à la maison de location Serenity. Ne vous en approchez pas, surveillez-la à distance. Je saute dans ma voiture et j'arrive.

Il parvint à destination avant ses adjoints. Ni voiture dans l'allée, ni éclairage perçant la nuit tombante. Il fit le tour de la maison, sans passer sa laisse à Barney : ainsi, en cas de problème, le chien pourrait s'enfuir.

Par les fenêtres, il observa la grande chambre, le salon, la cuisine et la salle à manger. Il remarqua une paire de chaussures de randonnée pour homme, à en juger par leur taille, rangées près de la porte. *Étrange*, se dit-il. Elles auraient dû être plus usées, si elles appartenaient à un adepte de la marche. Or elles semblaient tout juste sorties de leur boîte.

Une assiette, une seule, et un verre, un seul, étaient posés sur le plan de travail, près de l'évier.

Il essaya d'ouvrir la porte… Verrouillée.

Par les fenêtres de la chambre, il aperçut un verre – un seul, là encore – et constata que les oreillers n'étaient relevés que d'un côté du lit. Une unique serviette était suspendue sur la paroi coulissante de la douche. La porte qui donnait sur une petite terrasse, depuis la chambre, était également fermée à clé.

Se postant à hauteur de la fenêtre de la salle de bains, fermée elle aussi, il aperçut des produits de maquillage en grande quantité, éparpillés autour des deux lavabos, et des affaires de toilette masculines entassées de l'autre côté.

– Jolie mise en scène, Patricia, mais insuffisante.

Il tenta d'ouvrir la porte de derrière puis s'intéressa aux fenêtres de la deuxième chambre, occultées par des rideaux noirs. Il essaya de les ouvrir, sans succès.

Au moment où il plongeait la main dans sa poche pour en sortir son canif, il entendit ses adjoints arriver.

– Lancez un avis de recherche pour un SUV Lincoln gris métallisé immatriculé dans l'Ohio, ordonna-t-il. Et pour une femme blonde d'environ vingt-cinq ans qui fait croire qu'elle est enceinte. Retournez à l'avant de la maison pour faire ça.

– Vous comptez forcer cette fenêtre, chef ? lui demanda Matty, considérant les vitres occultées.

– Filez de l'autre côté, adjointe !

Matty sortit un imposant couteau multifonctions :

– Vous y arriverez plus facilement et plus vite avec ça qu'avec votre lame ridicule. La fausse femme enceinte, c'est Hobart ?

– On va vite le savoir, répondit Reed, en prenant le couteau de Matty.

– Oh, merde ! On entre par effraction ? lança Cecil.

Reed s'activa sur la fenêtre, sans même se retourner vers son adjoint.

– Lancez l'avis de recherche. Si je me suis trompé, on va devoir des excuses à une femme enceinte et à son mari parano. Mais si j'ai vu juste, je vais devoir me creuser la tête pour justifier mon intrusion.

– Pas si vous ouvrez cette fenêtre en délicatesse, fit remarquer Matty, sûre d'elle. Elle était ouverte, quand on est arrivés, et le rideau juste assez écarté pour nous permettre de voir à l'intérieur. Vous voyez, nous n'avons commis aucune infraction.

Reed ouvrit le battant de quelques centimètres et repoussa le rideau.

– Putain de merde ! s'écria Matty, quand elle jeta un coup d'œil à l'intérieur, en même temps que Reed.

– Cecil ! appela ce dernier. La suspecte est bien Patricia Hobart. Elle est armée et dangereuse. Je veux que le trafic du ferry soit interrompu !

– Interrompu !

– Il ne quitte plus l'île tant que je ne donne pas mon accord. Matty, je veux trois hommes autour de cette maison, hors de vue. Nick, Cecil et… et Lorraine, elle est fiable. Tout de suite ! Tous les autres, avec nos potes du FBI, on part en chasse.

Il commençait tout juste à coordonner ses troupes par radio quand son mobile sonna.

– Simone ! Je veux que tu…

– Elle est ici ! Chez Sissi ! cria Simone, essoufflée et paniquée, d'une voix qui glaça le sang de Reed. Je l'ai vue… Elle est blonde, avec un faux ventre de femme enceinte. Elle…

Il entendait du vent dans le téléphone, ainsi que le bruit des vagues.

– Tu es où ?

– On est parties en courant sur la plage, sur les rochers. J'ai entendu une vitre se briser, mais elle n'est pas encore sortie de la maison. Dépêche-toi !

– Restez à l'abri et ne faites pas de bruit, dit Reed qui courut à sa voiture en criant à ses adjoints : elle est chez Sissi ! Tout le monde fonce là-bas, sauf Nick et Lorraine, ils restent ici au cas où elle nous échappe. Et fermez ce putain de ferry !

Comme s'il avait perçu l'urgence et la gravité de la situation, Barney bondit par la vitre ouverte sur le siège passager. Pour une fois, il ne sortit pas la tête par la vitre.

Sissi faillit trébucher lorsqu'elles atteignirent la plage.

– Tu cours plus vite que moi, dit-elle à Simone. Ne m'attends pas, mon bébé, file !

– Économise ton souffle, il faut seulement arriver aux rochers et nous cacher derrière, répondit Simone, risquant un regard en arrière. Elle doit croire qu'on est encore dans la maison, elle va d'abord devoir la fouiller.

Sauf si elle regarde par la baie vitrée, pensa-t-elle, la main crispée sur le couteau de cuisine qu'elle avait attrapé en prenant la fuite. Il fallait s'enfuir et se cacher. Et, quand elle n'aurait plus le choix, se battre.

Parvenues aux rochers, elles se tapirent derrière, de l'eau jusqu'à mi-mollet et frigorifiées par les claques d'écume.

– Reed arrive.

– Je sais, mon bébé, dit Sissi, hors d'haleine et luttant pour retrouver une respiration plus calme. Tu nous as mises à l'abri et il va arriver. Mais la marée monte.

– Nous sommes toutes les deux bonnes nageuses. Il va peut-être falloir nager, si elle remarque nos traces de pas dans le sable.

Apaisée et déterminée à le rester, Sissi secoua la tête :

– La nuit tombe, elles seront de plus en plus difficiles à voir. Si elle les aperçoit et descend par ici, je veux que tu partes à la nage vers le village. Simone secoua la tête, à son tour. Non, écoute-moi. J'ai eu une belle vie, bien plus remplie que la plupart des gens. Fais ce que je te dis.

– Nous nagerons ou nous coulerons ensemble, insista Simone, qui leva une seconde la tête pour regarder par-dessus les rochers. Elle est sur la terrasse. Reste plaquée contre les rochers. Le soleil est couché et la lune pas encore levée. Elle ne peut pas nous voir.

Elles avaient à présent de l'eau jusqu'aux genoux, régulièrement poussées puis tirées par les vagues.

Lorsqu'il aperçut le SUV garé à trois cents mètres de chez Sissi, Reed prit un virage à une vitesse qui fit crisser ses pneus presque aussi fort que sa sirène hurlait.

Tu m'entends, Patricia ? Je viens te chercher.

Elle l'entendit, en effet, mais elle était déjà engagée sur les marches menant à la plage. *La salope a encore appelé les flics*, comprit-elle, brièvement affolée. La putain de boucle se bouclait. Elle envisagea un instant de s'enfuir : peut-être avait-elle encore le temps de récupérer sa voiture. Mais elle y renonça, estimant ses chances d'y parvenir assez faibles.

En son for intérieur, elle s'avoua avoir commis une erreur en s'octroyant ces dernières rasades d'alcool avant de se rendre à pied vers la maison de la vieille chouette hippie qui se prenait pour une artiste peintre. Peut-être n'aurait-elle pas dû rester sur la route, quand elle avait vu la salope et sa copine asiatique s'embrasser et s'étreindre, ce qui l'avait écœurée. Elles étaient lesbiennes, c'était clair.

Elle n'aurait pas dû engager la conversation avec Simone la pute Knox, ni l'approcher de si près, mais elle n'avait pu résister à la tentation.

Si près… Bang, bang, tu es morte !

Je me suis lancée avant d'être prête, regrettait-elle. *Comme JJ avant moi.*

Cela ne servait plus à rien d'y penser. Il lui suffisait maintenant d'agir avec intelligence, comme elle l'avait toujours fait, et elle mettrait un terme à cette affaire un peu plus tôt que prévu.

La luminosité baissant de plus en plus, elle remonta quelque peu et trouva un recoin. Elle y resterait cachée jusqu'à ce que les flics – pourvu que Quartermaine soit dans le lot – aient descendu au moins la moitié des marches. Alors, elle les abattrait jusqu'au dernier, elle buterait tous les flics de cette île minable.

Quand ce serait fait, elle profiterait de l'obscurité pour se glisser dans l'eau, non sans se débarrasser de son faux ventre pour être moins gênée. De là, elle nagerait jusqu'à la marina et volerait un bateau.

Elle débarquerait ensuite quelque part sur la côte continentale et piquerait une voiture. Il lui faudrait ensuite aller chercher du liquide et de nouvelles pièces d'identité dans un de ses coffres-forts bancaires, sans oublier une autre arme… mais elle se débrouillerait.

Elle trouvait toujours une solution.

Et un jour, elle reviendrait s'occuper de la salope responsable de ce foutu merdier.

Considérant les rochers, elle se demanda si elle avait le temps de les atteindre avant l'arrivée des flics. Peut-être la salope et la vieille hippie cinglée se planquaient-elles par là-bas…

Juste comme elle s'apprêtait à s'élancer, la sirène de police se tut.

– Il faut que je regarde, chuchota Simone. Juste un coup d'œil.

– Elle a forcément entendu la sirène. Elle doit savoir que Reed arrive.

– Il faut que je regarde.

Simone se redressa, les yeux plissés pour percer l'obscurité grandissante. La lune n'était pas encore levée et aucune étoile ne brillait encore dans le ciel, en ces brefs instants qui séparent le jour de la nuit.

Alors elle l'aperçut qui avançait sur la terrasse, son pistolet dégainé et visant alternativement à gauche et à droite, bras tendus. Elle poussa un immense soupir de soulagement… qui resta coincé dans sa gorge quand elle vit une silhouette bouger en contrebas de la maison.

– Qu'est-ce qui se passe, bon sang ? lâcha Sissi, se redressant à son tour. Que les dieux et déesses soient loués, c'est notre héros !

– Il ne l'a pas vue. Il va descendre pour nous rejoindre, mais il ne l'a pas vue !

– Qu'est-ce que tu fais ? Simone, pour l'amour du ciel, non !

Simone se hissa sur les rochers, se débarrassant de ses chaussures pour échapper au reflux. À genoux sur son perchoir, elle cria pour alerter Reed.

Tout se déroula très vite, même s'il devait plus tard revivre cette scène au ralenti un nombre de fois incalculable. Il entendit Simone hurler, par-dessus le fracas des vagues, et la vit agenouillée sur les rochers, agitant les bras. L'ayant également repérée, Barney aboya joyeusement et se précipita sur les marches menant à la plage.

Parvenu au bas de l'escalier, il tourna soudain la tête sur sa droite et se pelotonna sur le sable, tremblant de tous ses membres.

Patricia surgit de sa cachette et pivota sur la gauche pour faire feu.

Reed la devança. La balle de Patricia lui effleura l'épaule, juste au-dessus de sa cicatrice, mais il lui en colla trois dans le tronc.

Gardant son arme braquée sur la tueuse à terre, Reed descendit au bas des marches et écarta d'un coup de pied le pistolet qu'elle avait lâché.

Consciente et haletante, elle le fusillait d'un regard bleu chargé de douleur et de fureur.

– Ne me fais pas le coup de mourir, Patricia ! lui lança-t-il.

Ses adjoints investissaient la terrasse et d'autres policiers se matérialisaient sur le côté nord de la plage, comme il l'avait ordonné.

– Faites venir une ambulance ! Suspect touché et à terre. Deux hommes pour aider Simone et Sissi à remonter à la maison, pour qu'elles se sèchent et se réchauffent.

– Vous êtes touché, chef ! s'écria Matty, tandis que Reed, agenouillé, faisait pression sur les blessures de Patricia.

– Non, pas vraiment. Je sais ce que ça fait, une balle dans la peau. Là, elle m'a seulement éraflé, grâce à ma copine et à mon chien débile profond. Respire, Patricia. Je veux que tu passes une éternité dans une cellule de prison. Respire.

– Reed…

Il leva la tête et vit Simone et Sissi, blêmes, les yeux beaucoup trop foncés, frissonnant de froid et de peur.

– Remontez et changez-vous. Dès que possible, répondez aux questions de Matty et Leon. Séparément. Je vous rejoins au plus vite. Il n'y a plus rien à craindre.

Il aurait voulu les serrer dans ses bras, mais pas avec les mains couvertes de sang.

– Elle t'a touché. Elle…

– Je n'ai rien, je vous dis. C'est juste une blessure superficielle. Il faut que Sissi se sèche et se réchauffe. Et prends Barney avec toi, il est un peu choqué, lui aussi.

– L'ambulance est là ! cria Cecil, qui accourait à toutes jambes. Ils arrivent.

– Parfait, Cecil. Maintenant, détachez mon étui de pistolet et gardez mon arme tant qu'on n'aura pas les déclarations des témoins. Matty prend le commandement jusqu'à ce que tout soit réglé.

– Non, chef.

– C'est comme ça qu'il faut procéder, Cecil.

– Je ne le ferai pas. Virez-moi si ça vous chante, mais je ne le ferai pas.

– Il faudra qu'il me vire, moi aussi, intervint Matty. Et tous les autres, parce que personne n'exécutera cet ordre.

– Bon… soupira Reed, qui s'écarta pour céder la place aux secouristes.

Chapitre 30

Intervenue dix pas derrière Reed, Matty avait corroboré le témoignage de Simone, ce qui n'empêcha pas Reed de faire une déposition à Leon.

– Je vais vous demander de prendre mon arme.

– Non.

– Adjoint Wendall, je vous demande de prendre l'arme avec laquelle j'ai fait feu, pour ne pas entacher cette preuve. Je ne vous demande pas de prendre le commandement des opérations, mais seulement d'attraper ce pistolet et de le fourrer dans un sachet que vous scellerez et étiquetterez. J'ai en ai un autre sur moi, dans un étui de cheville, depuis Memorial Day.

Leon se frotta le menton quelques secondes :

– Bon, d'accord. Allez faire soigner ce bras, chef.

Reed fit sa déposition aux Fédéraux dans la cuisine de Sissi, pendant qu'un médecin de l'île lui posait des points de suture à l'épaule.

La fermeture du ferry ayant empêché Mi de quitter l'île, les trois femmes s'étaient retrouvées. Assises ensemble, elles refusaient de s'en aller tandis que les policiers s'affairaient autour d'elles.

Jacoby s'assit en face de Reed :

– Tranquility Island, donc. L'île de la Tranquillité, c'est ça ?

Reed ne put que sourire :

– Oui, en temps normal. Où en est Hobart ?

– Elle a été transportée par hélicoptère à Portland. La clinique de l'île n'est pas équipée pour soigner de si graves blessures. Elle est au bloc opératoire. J'ai demandé à votre ancienne équipière de collaborer avec nous, côté continent. À propos, elle aimerait que vous l'appeliez quand vous en aurez le temps. Elle m'a aussi demandé de vous assurer qu'elle se charge de prévenir votre famille que vous n'avez rien de grave.

– Vous êtes efficace, pour un flic du FBI, plaisanta Reed. Mon adjoint Leon Wendall détient mon arme, dans un sachet scellé et étiqueté. J'ai tiré trois fois avec. Voulez-vous que je vous la transmette ?

– Non, c'est bon, je l'ai déjà. Nous travaillons sur la maison de location et la voiture. Si elle survit jusqu'au procès, nous avons tout ce qu'il nous faut. À moins qu'elle ait une autre planque, il ne lui restait plus beaucoup de fausses pièces d'identité : nous n'en avons trouvé que deux, dans la maison. À l'évidence, elle a perdu les pédales à partir du moment où vous lui avez tiré dessus – la première fois. Nous aurons l'occasion de parler de tout ça, mais je tenais à vous dire une chose… Elle se leva et tendit la main. Ce fut un plaisir de travailler avec vous, chef.

– Plaisir partagé, agent spécial.

Matty refusant obstinément de prendre le commandement, Reed se chargea de coordonner l'action de ses adjoints, s'entretint avec le maire quand celle-ci se présenta en petit haut rose à froufrous et en bas de pyjama décoré d'étoiles de mer. Il discuta aussi avec l'éditeur du *Tranquility Bulletin*, le journal local.

Il lui faudrait prononcer une déclaration officielle et répondre aux questions des journalistes qui afflueraient en masse sur l'île, mais cela attendrait.

Essie ayant rassuré ses proches, il les contacterait un peu plus tard.

S'accordant donc une pause, Reed s'assit sur la table basse, en face de Simone, Sissi et Mi, et posa une main sur le genou de Sissi :

– Tu te remets de tes émotions ?

– Ça ira mieux après deux ou trois joints, mais j'attends que les flics soient partis… pour ne pas gêner le chef de la police.

– Merci, j'apprécie l'effort. Désolé ne pas être intervenu plus vite, de ne pas l'avoir trouvée avant qu'elle…

– Tais-toi, tais-toi, tais-toi ! l'interrompit Simone, qui lui saisit le visage et plaqua ses lèvres sur les siennes, en y mettant tout son cœur. Tu as fait exactement ce que tu avais promis. Et moi aussi. Alors n'en parlons plus.

– Je vais te chercher un whisky, annonça Sissi.

– Un café, plutôt, pour l'instant. Le chef est toujours de service.

– Je m'en occupe, reste assise, dit Mi, avec une caresse sur le bras de Sissi.

Elle se leva et passa les bras autour du cou de Reed.

– Elles font partie de ma famille, ajouta-t-elle. Et toi aussi, maintenant.

Elle fila dans la cuisine.

– Ces gamines me traitent comme une vieille dame, se lamenta Sissi. J'ai horreur de ça, alors ne t'y mets pas, toi aussi. Quand tous ces policiers vont-ils partir de chez moi, au fait ? Je ne parle pas de toi, évidemment.

– Bientôt, promit Reed, qui tourna la tête vers la baie vitrée brisée. On va installer des planches pour fermer provisoirement cette porte-fenêtre.

Sissi hocha la tête :

– Mi voudrait appeler sa famille. Ce qui s'est passé ce soir va vite se savoir, et même si elle ne les a pas prévenus qu'elle venait ici, ils vont se faire du souci pour Simone et moi. Tulip, Ward et Natalie aussi, d'ailleurs.

– Oui, allez-y, vous pouvez contacter vos proches.

– Très bien, dit Sissi en se levant. Je me prépare un whisky et je m'en occupe. Dis donc, Simone, arrête une seconde de monopoliser ton homme. Sa petite-fille obtempéra, et Sissi put étreindre Reed. Tu es la réponse aux nombreuses prières que j'ai adressées à tous les dieux et déesses. Fais partir ces policiers aussi vite que possible, il faut que je purifie ma maison en faisant brûler de la sauge blanche. Et rentre chez toi avec Simone.

– Nous restons ici, cette nuit.

– Parce que je suis une vieille dame ?

Il fit mine de repousser Simone et chuchota à l'oreille de Sissi :

– Tu es l'amour de ma vie, mais je dois me contenter de Simone. Sissi s'esclaffa. Reed déposa un baiser sur sa tempe. Et puis, Simone ne s'installe chez moi que le 23. Tu dînes avec nous ce jour-là, d'ailleurs.

– D'accord. Mi, sers-moi donc un whisky et prends ce que tu veux. Ensuite, montons à l'étage pour passer quelques coups de téléphone. Je vais avoir droit à des cris hystériques à l'autre bout du fil, alors sers-moi une double dose, tant que tu y es. Elle se tourna vers Simone et Reed et ajouta : Nous parlerons de tout ça demain matin… en dégustant des crêpes aux canneberges avec du Bloody Mary.

– Elle peut encore changer d'avis, dit Reed, blagueur, en prenant la tasse de café apportée par Mi.

– On peut sortir une minute ? lui demanda Simone.

– Bien sûr. Je suis encore le chef de la police, tout de même. Il ne faut pas que ce qui s'est passé gâche ton plaisir quand tu es dans cette maison, sur la plage et ailleurs.

– Ne t'en fais pas, c'est juste impossible, le rassura-t-elle, après avoir pris une profonde inspiration.

Ils sortirent sur la terrasse.

Divers éclairages illuminaient la plage où des policiers s'activaient encore, mais Simone ne s'en souciait guère car Reed était auprès d'elle.

– On pourra aller marcher au bord de l'eau, quand ils seront partis ? lui demanda-t-elle, s'appuyant sur son épaule indemne. Ce sera notre version des quelques joints et de la sauge blanche de Sissi.

– Entendu.

– Il faudrait que tu appelles ta famille.

– Essie leur a parlé, ils savent que je m'en suis sorti.

– Ils ont besoin d'entendre ta voix. Fais-le tout de suite, j'attendrai.

– Appelle tes parents pendant ce temps, alors.

– Sissi est déjà en ligne avec eux.

– Appelle ta sœur.

– Tu as raison, reconnut Simone, s'offrant une grande bouffée d'air frais. Tu as raison…

Tout en parlant à Natalie, Simone entendit Reed livrer un compte-rendu de la soirée amputé des détails les plus sanglants. Ce faisant, il calmait Barney, toujours angoissé, par de longues caresses.

Elle n'allait pas lui reprocher de taire certains points, car elle faisait de même. Les vérités les plus difficiles à encaisser pouvaient attendre encore un peu.

Après avoir raccroché, elle contempla la mer en attendant que Reed mette un terme à sa conversation.

– Ils arrivent demain, lui dit-il peu après. Je n'ai pas pu les en empêcher.

– Tant mieux, parce que Natalie sera là, elle aussi, avec Harry. Et je parie que mes parents seront du voyage.

– On dirait qu'il va falloir allumer le barbecue.

Elle embrassa son épaule bandée :

– Et demain, tu me raconteras tout. J'ai compris certaines

choses, mais tu me diras tout. Pas cette nuit, seulement demain. Sauf qu'on doit déjà être demain, je pense... mais disons dans la matinée, après les crêpes.

– Marché conclu. Tu m'as sauvé la vie. Sans ton avertissement, elle m'aurait peut-être encore mis à terre.

– Je ne pense pas. J'ai suivi la scène, et elle ne t'aurait pas eu, à mon avis. Enfin, disons qu'on s'est sauvé la vie mutuellement. Elle baissa les yeux sur Barney et conclut : Et ce petit bonhomme nous a bien aidés.

– Alors lui, il vient de gagner des croquettes au caviar jusqu'à la fin de ses jours.

– Avec des os au champagne à mâchonner pour les faire passer.

– Barney va se vautrer dans le luxe. Le mobile de Reed sonna. Pardon, une seconde... Jacoby ? Oui... Il poussa un soupir. D'accord, merci de m'avoir prévenu.

Il fixa un moment son téléphone avant de le glisser dans sa poche.

– Elle n'a pas survécu. Elle est morte à 0 h 38.

– Le 22 juillet, treize ans après, jour pour jour, fit remarquer Simone, saisissant la main de Reed. Sissi te dirait que c'était son karma, ou que le destin a tranché, et elle n'aurait pas tort. C'est une porte qui se referme, Reed, pour toi comme pour moi. Et pour tous ceux qu'elle voulait tuer parce qu'ils avaient survécu.

– Elle a entendu les sirènes, mais elle n'a même pas tenté de s'enfuir. Oui, tu as raison, c'est une porte qui se referme.

Il retourna les mains de Simone et en embrassa les paumes, qu'elle avait légèrement égratignées sur les rochers.

– Allons marcher sur la plage et commençons le chapitre suivant de notre vie, proposa-t-il. Et puisque je t'ai déjà convaincue, concernant la première étape, c'est-à-dire vivre ensemble, je vais pouvoir m'attaquer à la deuxième. Surtout depuis que cette porte s'est refermée et que je suis blessé.

– Et en quoi consiste cette deuxième étape, précisément ?

– Il faut que nous parlions de quelques petites choses. Tu ne m'as jamais répondu, quand je t'ai parlé d'un mariage chic. Moi, je préférerais quelque chose de simple, mais je peux m'adapter.

– Tu parles ! La première étape n'est pas encore mise en pratique.

– C'est le jour où jamais. Et en plus, aïe... je suis blessé. Bon, ça y est, ils s'en vont. Allons au bord de l'eau.

Ils descendirent les marches, ces mêmes marches que Reed et

la femme la plus importante de sa vie avaient dévalées seulement quelques heures auparavant.

Le clair de lune illuminait l'Océan à présent, et donnait une teinte argentée aux rochers qui avaient abrité Simone et une femme qu'ils aimaient tous les deux.

Elle ne tourna pas la tête vers l'endroit où le sang avait coulé dans le sable. Le temps, le vent et la pluie nettoieraient tout cela. Elle coulerait les disparus dans du bronze, de façon qu'ils restent parmi les vivants. Elle se promènerait avec lui le lendemain, et lui aussi resterait auprès d'elle.

Ils s'occuperaient de leur maison ensemble, et de leur brave toutou, sans jamais oublier que chaque jour est un précieux cadeau.

Elle leva la tête vers Reed :

– Je ne vais pas te dire que je suis prête, ni même que je peux être convaincue pour l'étape numéro deux, même si tu es blessé…

– J'ai beaucoup saigné. On m'a piqué avec des aiguilles. Et tous ces points de suture…

Elle lui caressa de nouveau l'épaule du bout des lèvres :

– J'ai juste envie de te dire que pour l'instant j'aime cette simplicité.

Reed sourit et embrassa les doigts de Simone. Ils poursuivirent leur promenade sur la plage, le chien trottinant sur leurs talons.

Un an plus tard

Des centaines de personnes s'étaient réunies dans le parc où Reed Quartermaine, alors âgé de dix-neuf ans, avait demandé à l'agent Essie McVee comment devenir policier. Les rescapés de la fusillade et les proches des disparus portaient tous une rose blanche et un brin de romarin.

Le maire de Rockpoint prononça un bref discours sous un ciel d'été parfaitement bleu, tandis que les mouettes blanches survolaient la mer. Dans la foule, des enfants s'agitaient et un bébé pleurnichait.

Simone remplaça le maire et considéra les visages et les larmes versées. Puis elle posa les yeux sur Reed, qui se trouvait avec sa famille et la sienne.

– Merci, Madame le maire, merci à mon père, Ward Knox, et merci à ma grand-mère, la merveilleuse Sissi Lennon, pour avoir rendu possible la disposition de ce bronze dans le parc de Rockpoint. Merci à ma mère, Tulip Knox, pour m'avoir aidée à organiser ce… rassemblement pour le dévoiler.

Elle avait tenté de préparer un discours, de le rédiger et de s'entraîner à le prononcer, mais ses essais lui avaient tous paru sans vie et guindés. Trop préparés, justement.

Suivant le conseil de Sissi, elle se contenta de dire ce que son cœur lui inspirait sur le moment.

– J'y étais… C'était le 22 juillet, il y a quatorze ans, jour pour jour. J'ai perdu une amie, une fille splendide, dit-elle en se tournant vers la famille Olsen. Une amie qui me manque toujours, tous les jours, comme tant de personnes ici présentes ont perdu un être cher

473

auquel elles pensent tous les jours. Pendant longtemps, j'ai essayé d'oublier ce qui s'était passé. Certains d'entre vous comprendront peut-être ce que je veux dire… J'ai fait comme si tout était terminé, comme si cela n'avait pas affecté ma vie. Je croyais devoir réagir ainsi pour survivre. J'avais tort. Vous savez tous que, s'il faut bien entendu aller de l'avant, nous ne pourrons jamais et ne devrons jamais oublier… Vous connaissez ces visages. C'est un fils ou une fille, une mère ou un père, un frère ou une sœur, un mari ou une femme. Vous les connaissez. J'en suis venue à les connaître, moi aussi, et j'espère qu'en les faisant connaître et en honorant leur mémoire, personne ne les oubliera. J'espère que vous verrez dans ces créations non pas un monument en hommage à des disparus, mais plutôt un souvenir. J'aimerais dédier ce travail à ceux que nous avons aimés et perdus, bien sûr, mais aussi à nous tous. Ils sont, nous sommes tous liés les uns aux autres par cette tragédie, mais pas seulement. Nous sommes tous liés par l'amour.

Elle prit la main de Reed et attendit que Essie et Mi prennent leur place de l'autre côté du voile.

– Bon… lâcha-t-elle, avant d'inspirer profondément. Allons-y.

Ensemble, ils soulevèrent le voile.

Elle avait donné au bronze une forme courbe pleine de grâce. Plus de cent visages étaient reliés par des roses et des brins de romarin entremêlés. Une légère patine leur avait donné des teintes bleues et vertes apaisantes. Sur le socle, elle avait inscrit tous les noms en bas-relief.

Simone, qui serrait la main de Reed, entendit des pleurs. Mais elle ne put détourner son regard des visages qu'elle avait façonnés pour ceux qui versaient des larmes.

Sissi, la merveilleuse Sissi, entonna *The Long and Winding Road* [18].

D'autres se joignirent à elle, avec hésitation dans un premier temps, puis plus volontiers, pour ceux qui connaissaient les paroles.

Levant enfin la tête, Simone vit des mains les unes dans les autres, comme la sienne dans celle de Reed. Elle vit des personnes s'étreindre, elle vit des larmes, elle vit du réconfort.

Quand elle laissa échapper, elle aussi, quelques sanglots, elle se tourna vers Reed, et il lui offrit le réconfort qu'elle attendait.

La chanson terminée, on s'approcha du bronze. Certains effleurèrent tel ou tel visage, d'autres prirent la main de Simone ou la serrèrent dans leurs bras.

– Simone, je te présente Leah Patterson, lui dit Reed. C'est la maman d'Angie.

Leah prit les deux mains de Simone dans les siennes :

– Je voulais absolument vous remercier, vous faire comprendre ce que cela signifie pour moi. Les gens sauront qu'elle est passée sur cette terre, qu'elle a vécu parmi nous. Je ne vous remercierai jamais assez.

Leah s'éloigna et posa sa rose blanche dans l'herbe, au pied de l'œuvre, comme l'avaient fait les autres.

Tulip attendit que la foule se soit dispersée pour retrouver Simone :

– Je suis très fière de toi.

– Nous sommes très fiers de toi, ajouta Ward, qui, tout sourire, déposa un baiser sur la joue de sa fille. Tu aurais fait une avocate catastrophique.

– Ça, tu peux le dire !

– De toute façon, j'en ai déjà deux excellents dans la famille, et la troisième génération est peut-être déjà en route.

Il tourna la tête vers Harry et Natalie, laquelle caressait d'une main son ventre arrondi.

Tulip tapota le bras de son mari, sans quitter Simone du regard, les yeux plissés :

– Dis-moi, Ward, ils sont de quelle couleur, exactement, ces cheveux ?

– Bordeaux Brillant avec Mèches Merveilleuses, plaisanta-t-il.

– Je ne comprendrai jamais ça, ma fille, dit Tulip en étreignant Simone. Mais je t'aime quand même.

– Pareil, intervint Reed.

Tulip lui tendit sa joue, qu'il embrassa.

– J'imagine que tu ne convaincras pas ma fille et ma mère de venir dîner avec nous au club, ce soir ?

– Merci pour l'invitation, mais nous devons rentrer. Je suis de service ce soir.

– Tant pis, dit Tulip, qui rajusta la cravate de Reed comme elle l'entendait et essuya les revers de sa veste. J'espère vous revoir très vite, tous les deux.

Reed serra la main de Ward et les regarda s'en aller.

– Tu as pris ta journée et ta soirée, lui rappela Simone.

– Je suis de service de barbecue. Allons dire au revoir à Essie et à sa troupe. Ensuite, on récupère Mi et Sissi puis on rentre à la maison. Vivement que je retire cette cravate…

– Pars devant, je te rejoins dans une minute. Je dois d'abord parler à Nat.

Reed se dirigea vers Essie et le bébé dans la poussette.

– Salut, Ariel !

La fillette gazouilla en souriant puis agita un poing potelé avant de recommencer à mordiller son anneau de dentition.

– Où sont les hommes et les chiens ? demanda Reed à Essie.

– Aux balançoires. Enfin, Dylan, en tout cas. Hank s'efforce de surveiller à la fois son fils et les chiens.

– Barney l'adore, ça y est. C'est sympa de sa part de s'être occupé du troupeau pendant la cérémonie.

Reed posa les yeux sur le banc sur lequel ils s'étaient autrefois assis, tous les deux.

– J'ai parfois l'impression que c'était il y a une éternité, et à d'autres moments que c'était hier.

– Je ne voudrais rien changer, pas le moindre détail, de tout ce qui s'est passé depuis ce jour-là.

– Moi non plus. À part les balles que j'ai reçues, peut-être, même si elles m'ont apporté beaucoup. Tu as parlé à Leticia ?

– Oui.

– C'est gentil à elle d'être venue, apprécia Reed, considérant de nouveau la courbe de bronze. C'était une belle cérémonie.

– Oui, mais pas seulement… Importante, aussi, et poignante. Pendant ces discours, j'ai eu envie de serrer très fort dans mes bras mes enfants, Hank et tous ceux que j'aime.

– Venez tous à la maison ce soir, proposa Reed. Va chercher ta bande et venez passer la fin du week-end chez nous. Je fais un barbecue, ce soir. Ne dis pas non… Allez chercher des affaires en vitesse et attrapez un ferry.

– As-tu la moindre idée de la tonne de matériel nécessaire pour faire entreprendre un tel périple à un gamin et un bébé ?

– Non, pas encore, mais ça viendra. Allez, Essie, terminons cette journée dans la joie, couvrons de sable ce qui s'est passé sur l'île, il y a un an.

– Allez, c'est d'accord… soupira Essie.

– Génial. Je vais chercher mon chien et prévenir Hank.

Après avoir dit au revoir à Natalie, Simone prit Sissi par le bras :

– Tu avais prévu ton coup, pour la chanson des Beatles ?

– Non, ça m'est venu naturellement. Il m'a semblé que c'était la chanson idéale et que tout le monde avait besoin de chanter. Mon trésor…

Elle soupira et pencha la tête vers celle de Simone, contemplant à nouveau le bronze, avec les fleurs déposées devant le socle.

– J'ai mis Tish au centre, c'était vital, pour moi. C'est la mienne. Ces visages sont tous devenus une partie de moi-même, mais elle avant tous les autres, et elle restera toujours la première dans mon cœur.

– Et c'est très bien comme ça. Je vois que notre Reed vient par ici, avec Barney. Je vais chercher Mi. Il est temps de rentrer chez nous, de le laisser s'occuper du barbecue et de mettre de la musique. J'ai envie de danser sur le sable.

– Je danserai avec toi, mais j'ai encore besoin d'une minute.

– Au fait, il est temps de te décider, dit Sissi, qui esquissa un pas de boogie et donna un coup de coude à sa petite-fille. Je suis un peu voyante, tu le sais. Allez, fais-le sourire.

Simone lâcha un rire un peu forcé et secoua la tête ; sa grand-mère était peut-être vraiment « un peu voyante ».

Elle retrouva Reed et le fidèle Barney devant le bronze.

– J'ai demandé à Essie, Hank et les petits de nous rejoindre ce soir. Je crois qu'on a besoin d'une bonne fiesta.

– Très bonne idée. Mi dormira avec Sissi.

– Ça marche. On y va ?

– Une seconde…

Elle lui prit le visage entre ses mains. Oh, elle le connaissait par cœur, ce visage…

– Je voudrais que ce soit simple, poursuivit-elle. Peut-être une grosse fiesta après, mais quelque chose de simple.

– Oui, bien sûr, je vais faire des hamburgers et… Alors il comprit. Un sourire se dessina lentement sur ses lèvres. Quand ? Il faut que je vérifie mon planning.

– L'été est une période chargée, pour le chef de la police. Que dirais-tu du samedi suivant Labour Day [19] ? L'île aura retrouvé son calme.

– Ça me va.

– Chez Sissi. Elle n'a pas son pareil pour organiser des fêtes. Mi et elle seront demoiselles d'honneur. Pas de costume-cravate, pas de queue-de-pie.

– Je peux me lancer dans une longue déclaration d'amour ?

– Attends… Sissi voudra sûrement que son amie prêtresse

wiccane se charge de la cérémonie. J'aimerais lui accorder ce plaisir.

— D'accord, tant qu'elle est officiellement autorisée à célébrer un mariage. Bon, je peux me lancer ?

— Pas encore... J'aimerais que la cérémonie se déroule au coucher du soleil. Je ne veux pas des serments traditionnels, mais je veux un échange d'alliances. Et aller à Florence pour notre lune de miel.

Simone réfléchit un instant et hocha la tête :

— Je crois que j'ai fait le tour de ce qui est indispensable. Tu peux ajouter ton grain de sel, maintenant.

— Tout ça me convient. Je n'ai qu'une réserve, et ce jusqu'au « oui ». À partir de là, nous serons officiellement mariés. Si d'ici là, Sissi me fait signe et me dit : « Viens, Reed, on prend un bateau et on fiche le camp ! », je t'oublie.

— Normal.

Un grand sourire aux lèvres, il la souleva et la fit tourner tandis que Barney bondissait en remuant la queue.

Sissi, n'ayant rien perdu de la scène, passa un bras autour des épaules de Mi.

— Tes dons de voyance sont flippants, Sissi. Vraiment.

— Nous allons offrir à notre chérie un méga-mariage, professeur Jung.

La vision brouillée par des larmes de bonheur, Sissi ne quittait plus des yeux l'homme qu'elle adorait et qui faisait virevolter son trésor le plus cher, près de la courbe de bronze et de la colline de roses blanches.

Notes

1. Il s'agit ici de *soccer*, le football que l'on connaît en Europe, et non de football américain.
2. Le Massachusetts Institute of Technology est un célèbre institut de recherche, et l'une des meilleures universités du monde.
3. « Adieu Sissi. »
4. « Taureau. »
5. Le deuxième amendement de la constitution des États-Unis garantit à tout citoyen le droit de porter des armes.
6. Lorsqu'il devient inspecteur, un policier commence en tant que « troisième classe ». Il peut par la suite être promu « deuxième classe », puis « première classe ».
7. Le premier amendement de la constitution des États-Unis garantit, entre autres, la liberté de la presse.
8. Réplique culte de la série *Hawaï Police d'État*.
9. « Presque mort » et « Raide mort » sont deux expressions tirées d'un dialogue du film *Princess Bride*.
10. Dans *Le Magicien d'Oz*, un personnage déclare la sorcière *most sincerely dead*, soit « très sincèrement morte ». Ce passage étant chanté, il est laissé en version originale dans la version française du film.
11. Cette phrase est extraite du film *Casablanca*.
12. Barney Fife est un policier gaffeur dans la série télévisée *The Andy Griffith Show*, très populaire aux États-Unis dans les années 1960.
13. Barney, dinosaure violet, est la star de l'émission de télévision pour enfants *Barney et ses amis*.
14. Le Kentucky Derby est la plus importante course hippique américaine.
15. Aux États-Unis, *Memorial Day*, dernier lundi du mois de mai, est un jour férié au cours duquel on rend hommage aux soldats américains tombés au combat, toutes guerres confondues.
16. Le 4 juillet est le jour de la fête nationale américaine.
17. Allusion à la chanson *I Shot the Sheriff*, de Bob Marley.
18. Chanson des Beatles.
19. Aux États-Unis, le *Labour Day* se tient le premier lundi de septembre.

Mise en pages

PRESS·PROD

MARQUIS

Québec, Canada

Imprimé au Canada
Dépôt légal : mai 2018
ISBN : 978-2-7499-3616-1
LAF 2562